Chantal

S0-AAD-079

LA CLASSE

DU MÊME AUTEUR

Romans :

Love Story, Flammarion, traduit par Renée Rosenthal, 1970.
Oliver's Story, Flammarion, traduit par Jean Rosenthal, 1977.
Un homme, une femme, un enfant, traduit de l'américain par Magali
    Berger, Grasset, 1980.

Livres pour enfants :

Fairy Tale, 1973.

Traductions et essais :

Roman Laughter : The Comedy of Plautus, Harvard University Press,
    1968.
Euripides : A Collection of Critical Essays, Prentice-Hall, 1968. Textes
    réunis par l'auteur.
Plautus : Three Comedies, Harper & Row, 1969. Textes traduits et réunis
    par l'auteur.
The Oxford Readings in Greek Tragedy. Textes réunis par l'auteur.
Caesar Augustus : Seven Aspects. Travail collectif.
Plato's Dialogues. Textes réunis par l'auteur.

ERICH SEGAL

LA CLASSE

roman
traduit de l'américain par
Marie-Odile Fortier-Masek

BERNARD GRASSET
PARIS

L'édition originale de cet ouvrage a été publiée en 1985
par Bantam Books, New York, sous le titre :

The Class

© 1985, Ploys, Inc., pour les Etats-Unis, le Canada et les Philippines.
© 1985, Dewsbury International, Inc., pour le reste du monde.
© 1986, Éditions Grasset & Fasquelle pour la traduction française.

Pour Karen et Francesca,
la classe dans ma vie.

Journal d'Andrew Eliot

12 mai 1983

J'ai peur !

La réunion commémorant le vingt-cinquième anniversaire de ma promo de Harvard aura lieu le mois prochain : j'en ai une peur bleue !

J'ai peur de me retrouver en face de tous mes anciens camarades qui ont réussi et foulent les chemins de la gloire alors que, dans ma vie, je ne vois rien qui mérite d'être mentionné, mis à part quelques cheveux gris.

Aujourd'hui, arrivée d'un livre imposant, relié de rouge, la chronique des hauts faits de la promo de 1958. C'en est assez pour confirmer mon impression d'avoir échoué.

J'ai passé une bonne partie de la nuit à regarder les têtes de ces types qui firent avec moi leurs débuts dans la vie d'étudiant et sont maintenant sénateurs, gouverneurs, savants de réputation mondiale ou pionniers de la médecine contemporaine. Qui sait combien aboutiront sur un podium à Stockholm ou sur la pelouse de la Maison Blanche ? Qui peut le savoir ?

Le plus étonnant est que certains sont toujours mariés à leur première femme.

Parmi ceux qui ont eu une carrière des plus brillantes, il en est qui faisaient partie de mes bons amis. Ce camarade de chambre que je considérais jadis comme complètement dingue est le candidat le mieux placé pour devenir notre prochain ministre des Affaires étrangères. Le futur président de Harvard est quelqu'un à qui je prêtais mes vêtements. Un autre, que nous avions à peine remarqué, est devenu la révélation musicale de notre temps.

Le plus courageux de tous a donné sa vie pour une cause en laquelle il croyait. Je me sens bien petit devant son héroïsme.

Et moi je reviens, nimbé de mon insuccès...

Je suis le dernier de la noble lignée des Eliot à être entré à Harvard. Mes ancêtres se distinguèrent, en temps de guerre comme en temps de paix, soit au service de l'Eglise, soit dans le domaine des sciences ou dans celui de l'éducation. Pas plus tard qu'en 1948, mon cousin Tom a reçu le prix Nobel de littérature.

Avec moi, la tradition familiale a perdu de son éclat. Je n'arrive même pas à la cheville de Jared Eliot (promo 1703) qui introduisit la betterave en Amérique.

J'ai pourtant un trait commun — même s'il est bien mince — avec mes illustres ancêtres : ils tenaient un journal. Le révérend Andrew Eliot (promo 1737), dont je porte le nom, veilla sans faillir sur ses paroissiens, tout en décrivant dans son journal (lequel existe toujours) le siège de Boston, en 1776, et la guerre d'Indépendance.

Sitôt la ville libérée, il se précipita à une réunion du conseil d'administration de Harvard, pour demander que l'on accordât un doctorat *honoris causa* au général George Washington.

Son fils avait hérité de ses talents de prédicateur et de chroniqueur: Il nous a laissé un récit haut en couleur des premiers jours de l'Amérique en tant que république.

Je ne saurais, bien sûr, me comparer à eux, mais au long de mon existence, j'ai, moi aussi, consigné mes réflexions sur un carnet. Peut-être est-ce là le seul vestige de mon héritage ?

J'ai observé l'histoire qui se tissait autour de moi, même si je n'y ai aucunement participé.

En attendant, j'ai sacrément peur...

PREMIÈRES ANNÉES D'UNIVERSITÉ

Nous prîmes le monde tel qu'il nous fut donné.
Les cigarettes à vingt centimes le paquet,
l'essence à tant le litre.
Le sexe arrivait, de caoutchouc encapoté.
Et de scrupules surnaturels voilés.
Appelez-les Chevalerie...

La psychologie était dans l'air ;
l'abstrait dans nos retranchements nous happait ;
la seule vie digne d'être vécue était la vôtre ;
enfin — ultime et pire scandale de cette évocation :
Nous ignorions que nous étions une génération.

John Updike,
promo 1954.

Ils se regardaient, tels des tigres évaluant un nouveau rival menaçant, mais, dans ce genre de jungle, vous ne sauriez être sûr de l'endroit où se cache le danger.

C'était le lundi 20 septembre 1954. Onze cent soixante-deux jeunes gens, parmi la plus brillante élite que le monde pouvait offrir, étaient alignés devant cette monstrueuse structure gothique victorienne, connue sous le nom de Memorial Hall. Ils étaient venus s'inscrire comme membres de la future promo 58 de Harvard.

De Brooks Brothers au « Décrochez-moi-ça » se déployaient toutes les teintes et demi-teintes de la gamme vestimentaire.

Onze cent soixante-deux jeunes, impatients, terrifiés, blasés ou niais, selon le cas...

Certains avaient parcouru des milliers de kilomètres, d'autres quelques pâtés de maisons. Tous comprenaient qu'ils n'étaient qu'au commencement du voyage le plus fantastique de leur vie.

Shadrach Tubman, fils du président du Liberia, arriva de Monrovia à l'aéroport d'Idlewild-New York, après une escale à Paris. Une limousine de son ambassade le conduisit à Boston.

John D. Rockefeller IV prit modestement le train depuis Manhattan et s'offrit le luxe d'un taxi de la gare de Boston au Yard.

L'Aga Khan apparut comme par enchantement. (Des rumeurs voulaient qu'il fût venu sur son tapis magique, ou dans son avion personnel.) Néanmoins, il faisait la queue pour s'inscrire comme le commun des mortels.

Ces jeunes gens arrivaient là déjà auréolés de gloire. Ils étaient nés sous les feux de la rampe.

En ce dernier jour de l'été 1954, plus d'un millier d'autres comètes en puissance attendaient le moment où elles jailliraient de leur sombre anonymat pour éclairer le ciel.

Parmi elles, il y avait Daniel Rossi, Jason Gilbert, Theodore Lambros et Andrew Eliot. Ajoutez-leur un cinquième compagnon, encore aux antipodes, et vous aurez les héros de notre histoire.

DANNY ROSSI

Dès sa plus tendre enfance, Danny Rossi n'avait eu qu'une seule et unique ambition désespérée : plaire à son père...

Une seule et unique hantise : ne jamais y parvenir...

Au début, il croyait qu'une raison légitime justifiait l'indifférence du Dr Rossi à son égard. Après tout, Danny était maigrichon et aussi peu sportif que possible, alors que son frère était l' « arrière » le plus athlétique des équipes de foot d'Orange County, Californie. Pendant que Frank Rossi marquait des buts et recevait des propositions de toutes les universités désireuses de l'avoir dans leurs équipes, papa était trop occupé par son aîné pour prêter attention à Danny.

Peu importait que Danny fût brillant élève — ce qui ne fut jamais le cas de Frank —, son frère le toisait du haut de son mètre quatre-vingt-six, et son arrivée sur le terrain de football suffisait à faire lever un stade entier de supporters délirants d'enthousiasme.

Qu'aurait pu faire le petit Danny, avec sa crinière rousse et ses lunettes, qui lui valût de se faire ainsi applaudir ? Il était — et sa mère ne se privait pas de le répéter — un pianiste de talent. Un prodige. Ou presque. Voilà qui eût rempli de fierté bien des parents. Et pourtant, pas une fois, le Dr Rossi n'était allé écouter son fils jouer en public.

Danny était en proie à une atroce jalousie, fort naturelle, ainsi qu'à un ressentiment qui, lentement, se transformait en haine. « Frank n'est pas un dieu, papa ! J'existe moi aussi ! Tôt ou tard, tu seras forcé de me remarquer. »

En 1950, l'avion de chasse que pilotait Frank fut abattu en Corée. A partir de ce moment, la jalousie refoulée de Danny se mua, par étapes doulou- reuses, en peine puis en un sentiment de culpabilité. Sans trop savoir pourquoi, il se sentait responsable de la mort de son frère... Comme s'il l'avait souhaitée.

Lors de la cérémonie au cours de laquelle on donna au terrain de sport le nom de Frank, le Dr Rossi pleura à chaudes larmes. Danny regardait avec angoisse cet homme qu'il admirait. Il se jura de lui apporter consolation. Mais comment pouvait-il, lui, Danny, procurer à son père la moindre joie ?

Le seul fait d'entendre Danny étudier son piano exaspérait Arthur Rossi. Après tout, ses journées chargées de dentiste étaient déjà orchestrées au rythme grinçant de la fraise. Il fit donc construire à la cave un studio insonorisé pour le fils qui lui restait.

Danny comprit que ce n'était pas là un geste de générosité, mais que son père souhaitait ne plus le voir ni l'entendre.

Décidé à se battre pour conquérir l'affection de son père, il s'avisa que le sport serait la seule façon de s'extirper de sa cave, abîme où l'avait relégué la désapprobation paternelle.

Pour un garçon de sa taille, il n'y avait qu'une possibilité : la course. Il alla trouver l'entraîneur du lycée et lui demanda timidement son avis.

Désormais, Danny se levait à six heures du matin, enfilait ses baskets et partait s'entraîner. Son zèle, excessif au cours des premières semaines, lui donnait des douleurs dans les jambes et l'impression qu'elles étaient de plomb. Il persévéra et entoura ses efforts du plus grand secret. Jusqu'à ce qu'il eût obtenu un résultat digne d'être annoncé à papa.

Le jour du printemps, l'entraîneur força toute l'équipe à courir seize cents mètres pour évaluer la forme physique de chacun. Danny fut surpris de voir qu'il arrivait à soutenir le rythme des vrais coureurs durant les premiers douze cents mètres.

Soudain, il sentit que sa bouche se desséchait, que sa poitrine était en feu. Il ralentit et entendit son entraîneur lui crier depuis le milieu du terrain : « Tiens bon, Rossi ! Cramponne-toi !... »

Craignant de mécontenter ce « père-substitut », Danny força son corps épuisé à faire le dernier tour, puis, à bout de forces, il s'effondra sur la pelouse. Avant qu'il pût reprendre son souffle, l'entraîneur était là, au-dessus de lui, chronomètre en main : « Pas mal, Danny. On peut dire que tu m'as surpris : cinq minutes, quarante-huit secondes. Si tu t'acharnes, tu pourras aller fichtrement plus vite. Va donc à la cambuse, et demande-leur un maillot et des chaussures à pointes. »

Se sentant proche du but, Danny abandonna temporairement ses gammes et arpèges de l'après-midi pour aller s'entraîner avec l'équipe, ce qui signifiait en général dix à douze parcours éreintants de quatre cents mètres chacun. Il vomissait après chaque séance.

Quelques semaines plus tard, l'entraîneur annonça qu'en récompense de sa ténacité, Danny représenterait son équipe lors des cinq mille mètres à Valley High School.

Le soir même, Danny fit part de la nouvelle à son père. Son fils eut beau le prévenir qu'il risquait d'être battu à plate couture, le Dr Rossi voulut assister à l'événement sportif.

Ce samedi après-midi, Danny connut et savoura les trois minutes les plus heureuses de sa jeunesse.

Tandis que les coureurs, qui ne tenaient plus en place, s'alignaient au milieu de la piste cendrée, Danny aperçut ses parents, assis au premier rang.

« Vas-y, fiston, lui dit son père d'une voix chaleureuse, montre-leur ce que c'est qu'un Rossi. »

Ces mots infusèrent à Danny une telle ardeur qu'il en oublia de se ménager et de ne pas s'emballer, comme le lui avait recommandé son entraîneur. Sitôt donné le signal du départ, il se plaça en tête du peloton et y resta pendant le premier tour.

« Seigneur, pensait le Dr Rossi, le gosse est champion ! »

« Merde, pensait l'entraîneur, ce gosse est fou. Il va se claquer ! »

A la fin du premier tour de piste, Danny jeta un regard en direction de son père et vit ce qu'il avait cru pour toujours impossible : un sourire de fierté.

« Soixante et onze secondes, hurlait l'entraîneur, trop vite, Rossi, beaucoup trop vite ! »

« Vas-y, fiston ! » hurlait le Dr Rossi.

Grâce aux encouragements de son père qui lui donnaient des ailes, Danny dévora les sept cents mètres suivants.

A mi-distance il menait encore, mais ses poumons commençaient à le brûler. Au virage, il se retrouva à court d'oxygène et fit l'expérience de ce qu'on appelle, non sans raison, la raideur cadavérique. Il était tout simplement en train d'y passer.

Ses rivaux le doublèrent à fond de train.

Il pouvait entendre son père qui hurlait de l'autre côté du terrain : « Allons, Danny, montre-leur ce que tu as dans le ventre ! »

Ils applaudirent lorsqu'il acheva la course. Des applaudissements compatissants, lot du concurrent désespérément surclassé.

Etourdi par la fatigue, il regarda du côté des tribunes. Sa mère lui souriait, rassurante. Son père était parti. Un mauvais rêve...

Chose inexplicable, l'entraîneur était satisfait. « Rossi, je n'ai jamais vu un gars ayant plus de cran que toi. Cinq minutes quinze secondes à mon chrono. Tu as de l'avenir !

— Pas sur la piste », rétorqua Danny, qui s'éloignait en boitant. « J'abandonne. »

Il savait, à son grand chagrin, que ses efforts n'avaient servi qu'à aggraver la situation : il avait réalisé cet exploit, plutôt embarrassant, sur la piste d'un terrain de sport qui portait le nom de Frank Rossi...

Humilié, Danny reprit son ancienne vie. Le clavier devint un exutoire à ses frustrations. Il étudiait jour et nuit à l'exclusion de toute autre activité.

Depuis l'âge de six ans, il prenait des leçons avec un professeur du quartier. Cette respectable et grisonnante matrone déclara à sa mère avec candeur qu'elle n'avait plus rien à apprendre au jeune garçon. Elle suggéra à Gisela Rossi que son fils aille demander une audition à Gustave Landau, ex-soliste à Vienne, qui passait l'automne de sa carrière de virtuose à diriger l'institut d'études musicales de San Angelo Junior College.

Impressionné par ce qu'il entendit, le vieil homme accepta Danny comme élève.

« M⁰ Landau estime qu'il se débrouille très bien pour son âge », raconta

Gisela à son mari le soir au dîner, « il pense qu'il pourrait envisager d'en faire carrière ».

Le docteur répondit par un « oh », monosyllabe signifiant qu'il ne se prononçait pas.

Me Landau était un mentor clément mais exigeant. Et Danny, l'élève idéal. Il avait du talent et désirait ardemment qu'on le pousse. Si Landau conseillait une heure d'exercices de Czerny par jour, Danny en faisait trois ou quatre.

« Trouvez-vous que je progresse assez rapidement ? lui demandait-il anxieusement.

— *Ach*, Daniel, vous en faites même trop. A votre âge, vous devriez sortir et vous distraire un peu. »

Mais Danny n'avait pas le temps. Il ne connaissait rien qui pût le « distraire ». Il était pressé de grandir. S'il n'était pas en classe, il passait chaque minute au piano.

Le Dr Rossi n'était pas sans se rendre compte des tendances asociales de son fils. Il s'en inquiétait.

« Ecoute, Gisela, je t'assure que c'est mauvais. Ça tourne à l'obsession. Voudrait-il essayer de compenser sa petite taille ou autre chose ? Un garçon de son âge devrait sortir avec des filles. Rappelle-toi Frank ! C'était un vrai don Juan à son âge. »

Art Rossi se lamentait qu'un de ses fils pût se révéler, disons... si peu viril...

Mme Rossi, en revanche, était persuadée que si les deux hommes devenaient plus proches, les inquiétudes de son mari disparaîtraient.

Aussi le lendemain, à la fin du dîner, les laissa-t-elle seuls pour qu'ils puissent bavarder.

Son mari en fut visiblement gêné, sachant par expérience qu'un entretien avec Danny le mettait mal à l'aise.

« Tout va bien en classe ? demanda-t-il.

— Oh, oui et non », répondit Danny, aussi embarrassé que son père.

Tel un fantassin craintif, le Dr Rossi avait peur d'être en train de traverser un champ de mines.

« Qu'est-ce qui se passe ?

— Tu vois, papa, en classe, tout le monde s'imagine plus ou moins que je suis bizarre, mais beaucoup de musiciens sont comme moi. »

Des gouttes de sueur perlèrent sur le front du Dr Rossi : « Que veux-tu dire par là ?

— Oh, qu'ils sont vraiment passionnés. Je suis comme ça moi aussi. Je veux faire de la musique ma vie. »

Il y eut une brève pause ; le Dr Rossi cherchait une réponse appropriée.

« Tu es un type bien », finit-il par dire, offrant ainsi une alternative évasive à une expression de sincère affection.

« Merci, papa. Je crois que je vais redescendre étudier. »

Danny quitta la pièce. Art Rossi se versa à boire en se disant : « Je pense que je devrais être satisfait. » Mieux valait après tout que cette passion se portât sur la musique, plutôt que sur d'autres sujets faciles à imaginer !

Peu après son seizième anniversaire, Danny fit ses débuts de soliste avec le Junior College Symphony. Sous la baguette de son mentor, il joua le *Second Concerto pour piano* de Brahms, œuvre réputée difficile. Dans la salle comble se trouvaient ses parents.

A son entrée en scène, Danny, blême de terreur, fut ébloui, presque aveuglé, par la réverbération du projecteur dans ses verres de lunettes. Au moment où il atteignit le piano, il se sentit paralysé de frayeur.

Mᵉ Landau lui murmura : « Ne vous inquiétez pas, Daniel, vous êtes prêt. »

L'angoisse de Danny se dissipa comme par enchantement.

Les applaudissements semblaient intarissables.

Tandis qu'il saluait et se retournait pour serrer la main de son professeur, Danny fut surpris de voir des larmes dans les yeux du vieil homme.

Landau embrassa son protégé.

« Tu sais, Dan, ce soir j'ai été vraiment fier de toi, dit son père. »

Un fils, privé depuis si longtemps de l'affection paternelle aurait dû être transporté de joie par un tel compliment, mais ce soir-là, Danny avait été intoxiqué par une émotion toute neuve : l'ovation du public.

Dès son entrée au lycée, Danny avait décidé d'aller à Harvard pour y étudier la composition avec Randall Thompson, directeur de la chorale et Walter Piston, symphoniste virtuose. Cela suffisait à lui donner le courage de potasser les matières scientifiques, les mathématiques et l'instruction civique.

Pour des raisons d'ordre sentimental, le Dr Rossi aurait aimé voir son fils à Princeton, l'université rendue célèbre par F. Scott Fitzgerald et qui aurait dû être celle de Frank.

Danny demeura fermé à tout effort de persuasion. Art Rossi finit par renoncer.

« Je n'arriverai à rien avec lui. Laissons-le faire ce qu'il veut. »

Survint un événement qui ébranla la politique de laissez-faire du dentiste. En 1954, McCarthy, sénateur par trop zélé, décida de se livrer à une investigation minutieuse de Harvard, « ce repaire de cocos ». Quelques professeurs refusèrent de coopérer avec son comité et de mettre en jeu les opinions politiques de leurs collègues.

Pis encore, le président de Harvard, cet entêté de M. Pusey, s'opposa à leur renvoi, malgré les instances de Joe McCarthy.

« Mon fils, demandait de plus en plus souvent le Dr Rossi, peux-tu me dire comment un garçon dont le frère est mort en nous protégeant du communisme ose rêver d'aller dans ce genre d'université ? »

Danny s'enfermait dans son silence. A quoi bon répondre que la musique n'avait rien à faire avec la politique...

Le Dr Rossi réitérait ses objections et la mère de Danny essayait désespérément de ne pas prendre parti.

Mᵉ Landau était la seule personne avec laquelle Danny pouvait discuter de son dilemme.

Le vieil homme restait aussi circonspect que possible. Il avoua un jour à Danny : « Ce McCarthy me fait peur. Vous savez, c'est comme ça que ça a commencé en Allemagne. »

Il s'arrêta, gêné, en proie à de douloureux souvenirs, blessures non cicatrisées.

Il reprit doucement : « Daniel, la peur plane sur ce pays. Le sénateur McCarthy s'imagine qu'il peut régenter Harvard, leur dire qui il faut épurer, etc. J'estime que le président de cette université a fait preuve d'un courage remarquable. En fait, je souhaiterais pouvoir lui exprimer mon admiration.

— Comment envisageriez-vous de le faire, monsieur ? »

Le vieil homme s'inclina devant son brillant élève et répondit : « En vous envoyant, vous, dans son université. »

Avec les ides de mai arrivèrent des lettres annonçant à Danny son admission à Princeton, Harvard, Yale, Stanford. Chacune de ces universités le réclamait. Le Dr Rossi en était impressionné, en dépit de ses craintes de voir son fils faire un choix fatal.

La confrontation eut lieu lors d'un week-end où il somma Danny de comparaître dans son bureau tapissé de cuir. Il lui posa la question cruciale.

« Oui, papa, répondit-il d'une voix hésitante, je vais à Harvard. »

Un silence de mort s'ensuivit.

Jusqu'alors, Danny avait consciemment caressé l'espoir que si son père comprenait la force de sa conviction, il capitulerait.

Mais Arthur Rossi resta de pierre. Inflexible.

« Vois-tu Dan, nous vivons dans un pays libre. Libre à toi de choisir ton université. Libre à moi également d'exprimer mon désaccord. Par conséquent, n'attends pas de moi un centime pour contribuer à tes dépenses. Félicitations mon fils, tu te prends en charge. Tu viens de déclarer ta propre indépendance. »

Un instant, Danny se sentit abasourdi, désorienté.

En étudiant le visage de son père, il commença à s'apercevoir que cette histoire McCarthy n'était qu'un prétexte. C'était clair : Art Rossi se moquait éperdument de son fils.

Danny comprit qu'il lui fallait dépasser son besoin infantile d'avoir l'approbation de cet homme.

Maintenant, il savait qu'il ne l'aurait jamais. Jamais.

« Entendu, papa, murmura-t-il d'une voix rauque, si c'est ça que tu veux... »

Danny fit demi-tour et quitta la pièce sans mot dire. De par-derrière la lourde porte, lui parvint le bruit de poings martelant sauvagement le bureau de son père, comme des timbales d'orchestre.

Si étrange que cela pût paraître, Danny se sentait libre.

JASON GILBERT JR

C'était le prototype du garçon né « coiffé ». Un Apollon, grand et blond, doté de ce magnétisme dont raffolent les femmes et que les hommes admirent. Il excellait dans tous les sports qu'il pratiquait. Ses professeurs l'adoraient car, malgré son extrême popularité, il ne disait pas un mot plus haut que l'autre et se montrait respectueux envers tous.

Bref, il était l'image même du jeune homme exceptionnel que tout parent rêve d'avoir pour fils, et que toute femme rêve d'avoir pour amant.

On eût été tenté de dire que Jason Gilbert Jr incarnait le rêve américain. Beaucoup le pensaient. Mais sous cet extérieur éblouissant, il y avait une faille. Une seule. Une faille tragique. Héritée de générations d'ancêtres.

Jason Gilbert était juif. Né juif.

Son père s'était escrimé à camoufler ce fait, sachant par les douloureuses expériences de son enfance à Brooklyn que le fait d'être juif était une infirmité.

Comme la vie serait plus facile si tout le monde pouvait être *américain* ! Tout simplement...

Longtemps, il avait aspiré à déposer ce fardeau que constituait son nom de famille, quand, par un après-midi d'automne 1933, un décret accorda à Jacob Gruenwald une nouvelle vie sous le nom de Jason Gilbert.

Deux ans plus tard, lors d'une soirée printanière de son country club, il rencontra Betsy Newman, blonde, menue, criblée de taches de rousseur. Ils avaient beaucoup en commun. Ils aimaient le théâtre, la danse, les sports de plein air. Autre trait, non négligeable, ils vouaient à la foi de leurs ancêtres une même froide indifférence.

Pour couper court aux pressions de leurs parents plus dévots qu'eux et désireux qu'ils aient un mariage « comme il faut », ils décidèrent d'abandonner le toit paternel.

Ils formaient un ménage heureux et leur joie décupla lorsqu'en 1937 Betsy mit au monde un fils, qu'ils nommèrent Jason Jr.

Dès qu'il apprit cette merveilleuse nouvelle, dans la salle d'attente enfumée, Gilbert fit vœu dans le fond de son cœur de veiller à ce que son fils nouveau-né ne souffrît jamais d'être issu de parents d'origine juive. Ce garçon grandirait et deviendrait un membre à part entière de la société américaine. Un membre dont, un jour, elle serait fière.

Gilbert était alors vice-président exécutif de la National Communications Corporation. Betsy et lui vivaient dans une propriété de Syosset, ville en pleine expansion, qui ne connaissait aucun ghetto.

Trois ans plus tard, arriva une petite sœur, Julie. Comme son frère, elle avait hérité des yeux bleus et des cheveux blonds de sa mère. Seule Julie avait eu droit aux taches de rousseur.

Ils eurent une enfance idyllique. Le régime d'éducation personnalisée mis au point par leur père semblait leur convenir à merveille. Il débuta par la natation, se poursuivit par l'équitation, des leçons de tennis et, bien sûr, du ski pendant les vacances d'hiver.

Le jeune Jason était ainsi préparé avec autant de rigueur que de tendresse à devenir un as des courts de tennis.

Voyant qu'il répondait pleinement aux espoirs qu'il avait mis en lui, chaque samedi, Gilbert père conduisait son champion en herbe à Forest Hill, pour qu'il s'y entraînât sous l'égide de Ricardo Lopez, ancien champion de Wimbledon et des Etats-Unis... Père attentif, il ne perdait pas une minute de ces leçons, hurlant des encouragements, ne se sentant plus d'aise devant les progrès de Jason.

Les Gilbert avaient décidé d'élever leurs enfants à l'écart de toute religion. Toutefois, ils s'aperçurent vite que, même dans un endroit aussi privilégié que Syosset, se tenir en dehors d'une affiliation religieuse, c'était mettre en cause son statut civique.

C'était encore pis que d'être... un citoyen de deuxième catégorie.

La fortune leur donna un nouvel atout : on construisit près de chez eux une église unitaire. Ils y furent cordialement accueillis, mais leur participation fut plutôt sporadique. Ils n'y mettaient pour ainsi dire jamais les pieds. A Noël, ils étaient sur les pistes de ski ; à Pâques, ils étaient sur la plage. Néanmoins, ils en étaient membres...

Les Gilbert étaient assez intelligents pour se rendre compte que le fait d'essayer d'élever leurs enfants comme des WASPS[1] droit sortis du Mayflower finirait par créer des problèmes psychologiques. Aussi expliquè-rent-ils à leur fils et à leur fille que leurs origines juives étaient comme un ruisseau qui venait du Vieux-Pays et allait se perdre dans le puissant fleuve de la société américaine.

Julie fut envoyée en pension ; Jason, lui, préféra rester à la maison pour suivre les cours de la Hawkins Atwell Academy. Il adorait Syosset et redoutait d'avoir à renoncer à la chance de sortir avec des filles, son sport favori après le tennis. Sport dans lequel il excellait également.

Sans faire d'étincelles, ses résultats scolaires étaient assez bons pour lui

---

1. Abréviation pour : *White Anglo-Saxon Protestant (N.d.T.).*

garantir (ou presque) l'admission à Yale, l'université dont son père et lui rêvaient. Les raisons de ce choix étaient d'ordre intellectuel et d'ordre affectif. L'étudiant sorti de Yale faisait figure d'aristocrate sur trois plans : homme du monde, érudit et athlète. En voyant Jason, on avait l'impression qu'il était né pour y aller.

Pourtant, l'enveloppe qui arriva en ce matin du 12 mai était d'une inquiétante légèreté, laissant supposer que le message était bref. Il était aussi douloureux.

Yale l'avait rejeté.

La consternation des Gilbert se transforma en colère lorsqu'ils apprirent que Tony Rawson avait été accepté à Yale, lui dont les notes n'étaient pas meilleures que celles de Jason et dont le revers de tennis était inférieur.

Le père de Jason demanda sur-le-champ un entretien au proviseur du lycée, lui-même un ancien de Yale.

« Monsieur Trumbull, dit-il, pouvez-vous m'expliquer pourquoi ils se permettent de rejeter mon fils, alors qu'ils acceptent le jeune Rawson ? »

L'éducateur aux tempes grisonnantes tira une bouffée de sa pipe et répondit :

« Vous devez comprendre, monsieur Gilbert, que Rawson est un " legs " de Yale. Son père et son grand-père étaient " Old Blues ". Ça compte beaucoup là-bas. Le respect de la tradition y est profondément ancré.

— Je le conçois, répliqua Gilbert père, mais pouvez-vous m'expliquer de façon plausible pourquoi un garçon comme Jason, vrai gentleman, excellent athlète...

— S'il te plaît, papa », interrompit Jason embarrassé.

Mais son père insistait.

« Pourriez-vous me dire au nom de quoi votre université refuserait un garçon comme Jason ? »

Trumbull s'enfonça dans son fauteuil :

« A vrai dire, monsieur Gilbert, je ne suis pas dans le secret des délibérations du comité d'admission de Yale, mais je sais qu'ils aiment avoir, disons, un " mélange " équilibré dans chaque classe.

— Qu'entendez-vous par " mélange " ?

— Oh ! vous comprenez, expliqua prosaïquement le proviseur, entrent en jeu, bien sûr, la répartition géographique, le fait d'être ou non fils d'ancien élève, comme dans le cas de Tony, mais on doit tenir compte de la proportion d'élèves sortant de lycées et d'institutions privées, de ceux qui sont doués pour la musique, pour les sports... »

A ce point, le père de Jason perçut ce qu'il voulait dire.

« Monsieur Trumbull », reprit-il en se contrôlant autant qu'il en était capable, « ce " mélange ", ce pourcentage auquel vous faites allusion, inclut-il les antécédents religieux ?

— En fait, oui, répondit le proviseur, Yale n'a pas un quota à proprement parler, mais elle limite, dans une certaine mesure, le nombre des étudiants juifs qu'elle accepte.

— C'est illégal !

— Je ne le pense pas, répliqua Trumbull, les juifs représentent, quoi ?

24

disons deux et demi pour cent de la population nationale ? Je parierais que Yale accepte au moins quatre fois ce pourcentage. »

Gilbert n'avait nullement l'intention de parier, car il était persuadé que le vieil homme connaissait le pourcentage exact des juifs acceptés chaque année par son université.

Jason redoutait l'explosion de colère qu'il sentait monter. Il voulait à tout prix l'éviter...

« Ecoute, papa, je n'ai rien à faire d'une université qui ne veut pas de moi. En ce qui me concerne, Yale peut aller se faire foutre ! »

Il se tourna vers le proviseur et ajouta : « Veuillez m'excuser, monsieur.

— Je vous en prie, reprit M. Trumbull, c'est une réaction des plus compréhensibles. Regardons les choses en face ; après tout, votre second choix est excellent. Certains estiment que Harvard est la meilleure université de ce pays. »

TED LAMBROS

Il faisait partie de cette petite et invisible minorité dont les finances n'étaient pas suffisantes pour leur permettre le luxe de vivre avec leurs camarades de fac sur le campus universitaire. De jour ils étaient des « gars-de-Harvard » sans en être vraiment, forcés de s'en retourner le soir, en autobus ou en métro, vers le monde réel.

Par une ironie du sort, Ted Lambros était né à l'ombre du Yard. Son père, Socrate arrivé de Grèce au début des années trente, était le propriétaire bien connu du restaurant *The Marathon,* dans Massachusetts Avenue, à deux pas de la Widener Library.

Dans son établissement, et Socrate ne se privait pas de s'en vanter auprès des membres de son personnel (autrement dit, sa famille), de grands esprits se rencontraient régulièrement, le soir, plus nombreux que ceux qui jadis fréquentaient l'Académie de Platon pour « symposer ». Et pas seulement des philosophes, mais des Prix Nobel de physique, chimie, médecine, science économique. Jusqu'à Mme Julia Child, célébrité de la télévision et de la gastronomie, qui avait appelé le mouton au citron de Mme Lambros « un plaisant divertissement ».

Ajoutez à cela que son fils Theodore avait fait des études secondaires à Cambridge High and Latin School, lycée situé si près de l'enceinte sacrée qu'il faisait presque partie de l'université.

Lambros père inspirait aux membres de la faculté une sorte de révérence frisant l'idolâtrie ; il était naturel que son fils grandît avec le désir passionné d'aller à Harvard.

A seize ans, Theodore, beau garçon, brun et élancé, fut promu maître d'hôtel, ce qui le mettait en contact plus étroit avec les lumières du monde académique. Ted frémissait de joie lorsqu'il récoltait un simple bonsoir.

Il se demandait pourquoi. Quel était au juste ce charisme harvardien qu'il percevait même lorsque d'un geste rapide il servait une assiette de Kleftiko ?

26

Par une de ces soirées apocalyptiques et prophétiques, il en eut la soudaine révélation ; qu'ils fussent en train de discuter métaphysique ou d'évaluer les mérites de l'épouse d'un nouvel assistant, il émanait de ces dignitaires une inébranlable confiance en soi.

Fils d'un immigrant peu sûr de lui, Ted admirait qu'ils fussent capables de s'apprécier et de priser leur propre intelligence.

Cela lui donna un but dans la vie : devenir l'un d'eux. Ne pas s'arrêter à une simple maîtrise, mais devenir professeur. Un vrai professeur. Son père partageait son rêve.

Au grand agacement des autres enfants Lambros, Daphné et Alexandre, leur père s'extasiait devant l'avenir glorieux de Ted.

« Je ne sais pas pourquoi on pense qu'il est si remarquable, grognait le jeune Alex.

— Parce qu'il l'est, répondait Socrate avec une ferveur divinatoire, Theo est le vrai Lambros de cette famille. » Il souriait à son jeu de mots sur leur nom de famille, qui signifiait, en grec, « éclat ou brillant ».

De sa petite chambre donnant sur Prescott Street, où il bûchait jusqu'à une heure avancée de la nuit, Ted pouvait apercevoir les lumières de Harvard Yard à moins de deux cents mètres de là. Tellement proches. Tellement, tellement proches... Et si sa concentration se relâchait, il se reprenait en se disant : « Crampomne-toi, Lambros, tu y es presque... » Tel Ulysse dans la mer démontée des rivages phéaciens, il pouvait entrevoir le but de ses longs et rudes combats.

En accord avec ces fantaisies épiques, il rêvait à la jeune fille qui l'attendrait sur cette île enchanteresse. Une jeune princesse aux cheveux de lin, une Nausicaa... Les rêves harvardiens de Ted n'excluaient pas, bien sûr, les filles de Radcliffe.

Ainsi, lorsqu'il lut l'*Odyssée,* en terminale, et arriva au livre VI, qui relate l'engouement de Nausicaa pour ce beau Grec qui a échoué sur son rivage, il y vit comme le présage de l'accueil délirant qu'il recevrait une fois arrivé au port.

Hélas ! le « A » que Ted obtint pour ce cours d'anglais fut l'un des seuls qu'il reçut au cours de l'année ; la plupart du temps, il se retrouva avec de solides, sinon brillants, B + ! Il était davantage un bûcheur qu'une lumière. Pouvait-il oser espérer être admis à cette noble et prestigieuse université ?

Il n'était que le septième de sa classe, avec un score à peine supérieur à la moyenne requise pour l'entrée à Harvard. Bien sûr, Harvard recherchait des garçons posés, mais Ted se considérait plutôt comme « pesant ». Après avoir étudié, servi à table, où trouverait-il le temps pour apprendre à jouer de la harpe, ou pour aller défendre les couleurs d'une équipe ? D'un sombre réalisme, Ted essaya de persuader son père de ne pas attendre de lui l'impossible.

Papa Lambros restait d'un optimisme à toute épreuve. Il était persuadé que les lettres de recommandation, émanant de·« gigantesques personnalités », d'habitués du *Marathon,* produiraient un effet magique.

D'une certaine façon, c'est ce qui se passa. Ted Lambros fut accepté, mais sans bourse. Cela voulait dire qu'il serait condamné à sa cellule de Prescott Street, et exclu des joies de la vie de Harvard, en dehors des salles de cours.

Il devrait passer ses soirées à s'échiner au *Marathon*, pour gagner les six cents dollars de frais de scolarité.

Ted n'en fut aucunement ébranlé. Il n'était peut-être qu'au pied de l'Olympe, mais au moins, il y était, prêt pour l'escalade.

Il croyait au rêve américain. Celui qui veut une chose et s'y consacre corps et âme finira par l'obtenir...

Lui voulait Harvard de ce feu « inextinguible et immortel » qui dévora Achille jusqu'à la conquête de Troie.

Mais Achille, lui, n'avait pas à jouer les maîtres d'hôtel tous les soirs !

ANDREW ELIOT

Le dernier Eliot à entrer à Harvard poursuivait une tradition qui remontait à 1649.

Andrew avait eu une enfance privilégiée.

Après avoir divorcé, avec autant d'élégance que possible, ses parents continuèrent à le combler de tout ce dont pouvait avoir besoin un jeune garçon. Il eut une gouvernante anglaise et une armée d'ours en peluche. Dès sa plus tendre enfance, il fréquenta les écoles privées les plus exclusives et des camps d'été non moins sélects.

Ils ne lui refusèrent rien, sauf un peu d'intérêt ou simplement d'attention vraie.

Ils l'aimaient, bien sûr. Cela va de soi. Peut-être est-ce pour cela qu'ils ne le lui dirent jamais. A lui de deviner combien ils appréciaient d'avoir un fils merveilleux et capable de se débrouiller seul.

Andrew était pourtant le premier de sa famille à se sentir indigne d'être admis à Harvard. Lui-même raillait sa réussite : « Ils m'ont admis parce que mon nom est Eliot et que je sais l'épeler. »

Manifestement ses ancêtres projetaient une ombre gigantesque sur sa confiance en lui. Son manque de créativité ne faisait qu'accentuer son complexe inné d'infériorité.

En fait, c'était un jeune homme plutôt brillant. Il savait écrire, comme en témoigne le journal qu'il tint à partir de la troisième. Il jouait bien au football. Il était ailier et ses corners permirent souvent à l'avant-centre de marquer un but.

Trait appréciable de sa personnalité : il était toujours heureux de pouvoir aider un ami.

En dehors du terrain de football, il se montrait courtois, respectueux d'autrui, prévenant, attentif aux autres.

Enfin, quoiqu'il ne se fût jamais arrogé cet honneur, il avait, auprès de ses nombreux amis, la réputation d'être un type *vachement sympa*.

L'université était fière de le compter parmi ses élèves. Mais Andrew Eliot, Harvard 58, avait une qualité qui le distinguait des membres de cette promo : il n'était pas ambitieux.

Peu après cinq heures du matin, le 20 septembre, un car Greyhound atteignit le pitoyable terminus situé au centre de Boston, expulsant parmi les passagers un Daniel Rossi épuisé et en sueur. Ses vêtements étaient froissés, informes, sa toison rousse ébouriffée ; même ses lunettes étaient embuées de crasse « transcontinentale ».

Il avait quitté la côte ouest, trois jours plus tôt, avec soixante dollars en poche, et il lui en restait encore cinquante-deux, car il avait traversé l'Amérique en jeûnant ou presque !

A bout de forces, il fut à peine capable de traîner son unique valise (bourrée de partitions qu'il avait étudiées au cours du voyage, et d'une ou deux chemises) jusqu'au métro en direction de Harvard Square. Il commença par gagner péniblement Holworthy 6, ses quartiers d'étudiant de première année dans l'enceinte de l'université, puis alla s'occuper activement de son inscription de façon à retourner à Boston demander son transfert de la branche californienne à la branche bostonienne de l'Association syndicale des musiciens.

« Ne vous faites pas trop d'illusions, mon garçon, lui conseilla la secrétaire, nous avons un million de pianistes au chômage. Disons que les seuls emplois disponibles dans ce domaine sont de sages et augustes gagne-pain. Vous voyez, le Seigneur paie le minimum exigé par le syndicat. » Pointant un ongle long, badigeonné de rouge, vers les notes épinglées sur le tableau d'affichage, elle ajouta avec une ironie désabusée : « Choisissez votre religion, mon garçon. »

Après avoir examiné soigneusement les diverses offres, Danny revint vers elle avec deux bouts de papier :

« Ça serait parfait pour moi, dit-il, organiste le vendredi soir et le samedi matin au temple de Malden, et le dimanche matin dans une église de Quincy. Savez-vous si ces postes sont toujours vacants ?

— C'est bien pour ça qu'ils sont affichés, mon garçon. Mais vous le voyez, le pain qu'ils offrent est léger comme crackers.

— Ouais ! répliqua Danny, mais j'ai besoin de tout l'argent que je peux gagner. Vous propose-t-on des soirées dansantes le samedi ?

— Ça alors, on peut dire que vous êtes affamé ! Vous avez une famille nombreuse à faire vivre, ou quoi ?

— Non, je suis en première année à Harvard et il me faut ce pognon pour payer mes études.

— Comment se fait-il que ces richards de Cambridge ne vous aient pas donné une bourse ?

— C'est une longue histoire, dit Danny mal à l'aise, mais je serais reconnaissant si vous pouviez penser à moi de temps en temps. De toute façon, je reprendrai contact avec vous.

— J'en suis bien sûre, mon garçon. »

La veille, Jason Gilbert Jr s'était réveillé juste avant huit heures, à Syosset, Long Island.

Dans sa chambre, le soleil semblait toujours plus radieux que partout ailleurs. Peut-être se reflétait-il sur ses nombreux trophées étincelants.

Il se rasa, passa une chemise Lacoste neuve, puis chargea ses bagages, ses raquettes de tennis et de squash aux housses assorties à ses valises, dans sa Mercury 1950, modèle sport décapotable.

Toute la maisonnée Gilbert était rassemblée pour attendre le départ : maman, papa, Julie, Jenny la femme de ménage et Maxwell, son mari, le jardinier.

Ce furent les grandes embrassades. Et un bref mot d'adieu de son père :
« Mon fils, je ne te souhaiterai pas bonne chance, parce que tu n'en as pas besoin. Tu es né pour être le numéro un, et pas simplement sur un court de tennis. »

Bien que Jason ne le montrât pas, ces paroles d'adieu produisirent l'effet inverse de celui recherché. Il se sentait assez mal dans sa peau à l'idée de quitter le toit familial et d'aller se mesurer aux grosses têtes de sa génération, aussi ce rappel de dernière minute des espoirs et des ambitions de son père le rendit-il encore plus anxieux.

Il eût été rassuré s'il avait su que le discours de son père, qui l'adorait, avait été entonné ce jour-là par des centaines d'autres parents qui envoyaient leur progéniture-exceptionnellement-douée à Cambridge, Massachusetts.

Cinq heures plus tard, Jason se retrouva à l'extérieur du dortoir auquel il avait été assigné en tant qu'élève de première année : le dortoir Straus A 32. Sur la porte un bout de papier jaune avait été scotché :
A celui qui partagera ma turne : je fais la sieste l'après-midi ; aie la gentillesse de ne pas faire de bruit. Merci.
Suivait pour toute signature D.D.

Jason ouvrit doucement la porte et alla déposer ses bagages sur la pointe des pieds dans la chambre qui était libre. Après avoir mis ses valises sur le lit de métal (qui grinça légèrement), il jeta un coup d'œil par la fenêtre.

Elle avait vue, et bruit en prime, sur Harvard Square. Peu importait. Jason était gonflé à bloc. Sans doute avait-il juste assez de temps pour aller à Soldier's Field et avoir la chance de faire un peu de tennis. Etant déjà en tenue blanche, il n'eut plus qu'à attraper sa Wilson et une boîte de Spaldings.

Il eut la veine de reconnaître un joueur de l'équipe de Harvard qui l'avait battu lors d'un tournoi, deux étés plus tôt. Heureux de revoir Jason, le garçon accepta d'échanger quelques balles et s'aperçut vite que le nouvel arrivant avait amélioré son jeu.

De retour à Straus Hall, une autre note attendait Jason sur la porte : D.D. était allé dîner. Il se rendrait ensuite à la bibliothèque (la *bibliothèque* ! mais ils n'étaient même pas encore inscrits !) pour y étudier. Il rentrerait vers dix heures du soir. Si son compagnon prévoyait un retour plus tardif, pourrait-il avoir la gentillesse de faire le moins de bruit possible.

Jason prit une douche, passa une veste de velours côtelé de chez Haspel, avala rapidement un morceau dans une cafétéria du square, puis se lança vers Radcliffe à la découverte des filles de première année. Il revint vers dix heures et demie et se montra dûment respectueux du sommeil de son compagnon, dont il lui restait à faire la connaissance.

Le lendemain, au réveil, il trouva une autre note :

Je suis allé m'inscrire. Si ma mère appelle, dis-lui que j'ai bien dîné hier soir. Merci.

Jason fit une boule de ce dernier communiqué et s'en fut, l'air sérieux, rejoindre la queue qui se tortillait au-delà des bâtiments adjacents à Memorial Hall.

Malgré les nobles intentions sous-entendues dans son message, D.D. ne fut pas le premier membre de la promotion à s'inscrire.

Au premier coup de neuf heures, les portes imposantes de Memorial Hall s'étaient ouvertes pour admettre Theodore Lambros.

Trois minutes plus tôt, Ted était parti du domicile paternel, sis sur Prescott Street, pour se rendre calmement à pied et postuler une place, toute petite, mais indélébile, dans l'histoire de la plus ancienne université d'Amérique.

Dans son esprit, il était entré au paradis.

Le père d'Andrew Eliot partit du Maine avec son fils, dans leur superbe automobile d'avant-guerre bourrée de malles soigneusement rangées, contenant vestes de tweed, gilets de shetland, chaussures de daim blanc, mocassins assortis aux costumes, cravates de reps, et assez de chemises aux cols à pointes boutonnées ou retenus par une patte pour lui durer un trimestre. Ses uniformes...

Père et fils ne se parlèrent pas beaucoup. Trop de générations d'Eliot avaient accompli ce rite pour qu'il fût nécessaire de commenter l'événement.

Ils se garèrent près du portail le plus proche du Massachusetts Hall (occupé jadis par quelques soldats de George Washington). Andrew traversa le Yard en courant. Il se précipita au Wig G 21 pour se faire prêter main-forte par ses anciens camarades de lycée, afin qu'ils l'aident à porter son barda. Laissant ces derniers suer sang et eau, il se retrouva un moment seul avec son père. M. Eliot sauta sur l'occasion pour lui glisser de sages et précieux conseils :

« Mon fils, commença-t-il, j'apprécierais que tu fasses ton possible pour ne pas te faire mettre dehors. Rappelle-toi que si dans notre grand pays il y a des myriades d'écoles secondaires, il n'y a, en revanche, qu'une université de la classe de Harvard. »

Andrew accueillit avec reconnaissance ce conseil paternel. Il serra la main de son père et se rua vers le dortoir. Ses compagnons de chambre avaient déjà entrepris de déballer ses affaires, c'est-à-dire ses bouteilles de whisky et autres breuvages. Ils étaient en train de porter un toast à leurs retrouvailles, après un été de prétendue débauche en Europe.

« Eh, les gars, vous auriez quand même pu me demander la permission... D'ailleurs, nous devons aller nous inscrire.

— Faut pas charrier, Eliot, rétorqua Dickie Newall en prenant une autre lampée, nous sommes passés là-bas y a pas longtemps et la queue fait le tour de ce foutu bâtiment...

— Ouais, reprit Michael Wigglesworth, l'air entendu, les minus veulent être les premiers à s'inscrire. C'est bien connu, aux innocents les mains pleines...

— Je crois qu'à Harvard c'est exact, suggéra poliment Andrew, mais il s'agit d'innocents et non de bourrés. J'y vais.

— Je l'aurais parié, ricana Newall, mon vieil Eliot, tu as tout pour réussir comme emmerdeur de première classe. »

Andrew persista, nullement ébranlé par ce persiflage : « J'y vais les gars, dit-il.

— Vas-y, renchérit Newall en le congédiant d'un geste plein de morgue, si tu te grouilles, il te restera encore un peu de ton *Haig and Haig*. Tiens, j'y pense, tu as d'autres bouteilles ? »

C'est ainsi qu'Andrew Eliot traversa gravement le Harvard Yard pour rejoindre ce long fil tors et retors d'individus — un jour, lui-même serait tissé dans la trame de cette étoffe multicolore appelée promo 58.

Toute la promo était maintenant à Cambridge, mais il faudrait encore plusieurs heures avant que le dernier fût inscrit.

A l'intérieur du hall caverneux, sous un vitrail gigantesque, se tenaient les futurs leaders du monde. Des Prix Nobel, des magnats de l'industrie, des neurochirurgiens et quelques douzaines d'assureurs.

On leur tendit de grandes enveloppes contenant des formulaires à signer (en quatre exemplaires pour l'économat, en cinq exemplaires pour le secrétariat et, si bizarre que cela paraisse, en six exemplaires pour les services de santé). Assis coude à coude, le long de tables étroites qui n'en finissaient pas, ils remplissaient cette paperasserie.

Un de ces questionnaires, destiné à Phillips Brooks House, s'enquérait, entre autres, de l'affiliation religieuse. (La réponse était facultative.)

Bien qu'aucun d'entre eux ne fût particulièrement pieux, Andrew Eliot, Danny Rossi, Ted Lambros, cochèrent respectivement la case en face d'épiscopalien, catholique, grec orthodoxe. Quant à Jason Gilbert, il indiqua qu'il était sans affiliation religieuse.

Après l'inscription officielle, ils durent soutenir le feu roulant de prosélytes enragés, brandissant des tracts, s'égosillant dans le but de convaincre ces nouvelles recrues de Harvard de s'adjoindre aux démocrates, aux républicains, aux libéraux, aux conservateurs, aux alpinistes, aux nageurs, etc.

Des nuées de marchands de tapis estudiantins et charmeurs vrombissaient autour d'eux pour qu'ils s'abonnent au *Crimson* (« le seul quotidien de Cambridge qui paraisse pour le petit déjeuner »), *The Advocate* (« pour que vous puissiez dire que *vous* avez lu ces types avant qu'ils aient eu le Pulitzer ») et le *Lampoon* (« Si vous savez vous débrouiller, il vous reviendra à environ dix centimes la vanne »). Seuls les grippe-sous invétérés et les plus misérables des miséreux s'en tiraient avec des portefeuilles inviolés.

Ted Lambros ne pouvait s'inscrire à aucune activité hors programme : son emploi du temps était déjà rempli, le jour par ses cours, le soir par ses obligations culinaires.

Danny Rossi s'inscrivit pour la Fraternité catholique, présumant que les filles pratiquantes seraient timides et, par conséquent, d'abord plus faciles. Peut-être seraient-elles aussi inexpérimentées que lui.

Andrew Eliot traversa cette cohue, tel un explorateur habitué à se frayer un chemin dans la jungle. Le genre de club auquel il s'inscrirait recrutait de façon plus discrète, quasi occulte.

Quant à Jason Gilbert, mis à part un abonnement vite souscrit au *Crimson* (pour envoyer le compte rendu de ses exploits à papa et maman), il traversa avec un calme olympien les phalanges de ces bonimenteurs, comme ses ancêtres avaient franchi la mer Rouge, et s'en retourna à son dortoir.

Miracle ! le mystérieux D.D. était réveillé ! Du moins, la porte de sa chambre était ouverte et quelqu'un, dont le visage disparaissait sous un cours de physique, était allongé sur le lit.

Jason risqua le discours direct :

« Salut ! C'est toi D.D. ? »

Une paire de hublots cerclés d'écaille leva un regard circonspect au-dessus du livre.

« C'est toi mon compagnon de chambre ? répondit une voix nerveuse.

— Autant que je le sache, on m'a affecté à Straus A 32, répliqua Jason.

— Alors, tu partages ma piaule », conclut, non sans logique, le jeune homme. Après avoir pris le soin de marquer avec un trombone l'endroit où il avait interrompu sa lecture, il posa son livre, se leva, et tendit une main froide et moite.

« David Davidson, dit-il.

— Jason Gilbert. »

D.D. dévisagea son compagnon d'un regard soupçonneux et lui demanda :

« Tu ne fumes pas, n'est-ce pas ?

— Non, c'est mauvais pour les poumons. Pourquoi cette question, Dave ?

— Ecoute, je préfère que l'on m'appelle David, rétorqua-t-il. Je t'ai posé cette question parce que j'avais spécifiquement demandé un non-fumeur pour compagnon de chambre. En fait, je voulais une chambre pour moi seul, mais ce n'est pas possible en première année.

— D'où viens-tu ? demanda Jason.

— De New York. De Bronx High School of Science. Je me suis retrouvé parmi les finalistes du concours organisé par la Westinghouse. Et toi ?

— De Long Island, de Syosset pour être plus précis. Je me suis borné à être finaliste dans deux tournois de tennis. Tu fais du sport, David ?

— Non, répliqua le jeune érudit, le sport est une perte de temps. Etant en première année de médecine, je suis forcé de suivre des cours de chimie assez poussés. Qu'est-ce que tu comptes faire plus tard, Jason ? »

« Zut, se dit Jason, faut-il que je subisse cette interview pour avoir l'honneur de partager la cellule de cet emmerdeur ? »

« Franchement, je n'ai pas encore décidé. Tiens, pendant que j'y pense, on ferait mieux d'aller acheter quelques meubles pour notre salle de séjour.

— A quoi bon ? s'enquit D. D., nous avons chacun un lit, un bureau, une chaise. De quoi d'autre aurions-nous besoin ?

— Oh, ça pourrait être agréable d'avoir un sofa, poursuivit Jason, pour se détendre ou étudier. Nous pourrions aussi acheter un réfrigérateur, pour avoir quelque chose de froid à servir aux gens pendant les week-ends.

— Aux gens ? reprit D. D. inquiet. Tu as l'intention de recevoir ici ? »

Jason était à bout de patience :

« Dis-moi, David, as-tu spécifiquement réclamé un moine, un moine introverti pour compagnon de chambre ?

— Non.

— Tant mieux, parce que c'est pas mon cas. Ecoute, est-ce que tu vas ou non participer à l'achat d'un sofa d'occasion ?

— Je n'ai nul besoin d'un sofa, répondit-il d'un ton cafard.

— Parfait, dit Jason, je le paierai, mais je te préviens que si jamais je te surprends assis sur ce fichu sofa, je te ferai payer un droit ! »

Andrew Eliot, Mike Wigglesworth et Dickie Newall passèrent l'après-midi à parcourir de fond en comble les dépôts de meubles usagés, aux alentours du square. Trois heures plus tard et cent quatre-vingt-quinze dollars de moins en poche, ils s'arrêtèrent au rez-de-chaussée de l'entrée G avec leurs trésors.

« Sapristi, s'exclama Newall, je frémis à l'idée de toutes les beautés qui vont succomber sur cette admirable chaise longue. A peine l'auront-elles vue, qu'elles se délesteront de leurs atours et courront s'y blottir.

— Dans ce cas, Dickie, reprit Andrew, interrompant les rêveries de son copain, mieux vaudrait lui faire monter l'escalier, car si une Cliffie vient à passer et nous trouve plantés là, il ne te restera plus qu'à t'exécuter en public.

— Va pas croire que j'en serais pas capable », fanfaronna Newall, et il s'empressa d'ajouter : « Allons-y, montons ce fourbi. Andy et moi nous nous chargeons du sofa. » Puis, se tournant vers le plus costaud du trio, il poursuivit : « Eh ! Wigglesworth, peux-tu te débrouiller pour monter ce fauteuil à toi seul ?

— Sans problème », répliqua laconiquement le colosse.

Il souleva l'énorme fauteuil, le plaça sur sa tête, comme s'il s'agissait d'un gigantesque casque de football bien rembourré, et se mit à gravir l'escalier.

« C'est notre Hercule, lança Newall, futur immortel de l'équipe de la Belle Harvard et premier de cette noble université à pouvoir jouer Tarzan au cinéma. »

« Plus que trois marches. Soyez chics, je vous en supplie, implorait Danny Rossi.

— Ecoute, mon petit : ce qui était entendu c'était que nous le *livrerions*. Tu ne nous as pas parlé d'escalier. Nous montons toujours les pianos par l'ascenseur.

— Faut pas exagérer les gars, protesta Danny, vous saviez parfaitement qu'il n'y a pas d'ascenseur dans les dortoirs de Harvard. Qu'est-ce qu'il vous faudrait pour que vous me livriez ce piano, trois marches plus haut, dans ma chambre ?

— Vingt dollars, rétorqua un des deux forts des Halles.

— Charriez pas, ce fichu piano ne m'a coûté que trente-cinq dollars !

— C'est à prendre ou à laisser, mon ami. Sans ça tu n'auras qu'à chanter sous la pluie.

— Je ne peux pas vous les payer ces vingt dollars, gémissait Danny.

— Manque de pot, l'artiste », grommela le plus loquace des deux déménageurs. Et ils s'éloignèrent...

Danny se retrouva assis sur les marches de Holworthy, en train de réfléchir à son problème. Une idée lui vint...

Il épousseta le tabouret boiteux, souleva le couvercle du vieux piano droit et se mit à animer les touches d'ivoire défraîchies, d'abord pour voir ce que cela donnait puis, ayant pris de l'assurance, il se lança dans *The Varsity Drag*.

La plupart des fenêtres donnant sur le Yard étaient ouvertes pour profiter de cette belle journée d'automne, aussi, avant qu'il eût le temps de dire ouf, une foule s'était-elle rassemblée autour de lui.

Quelques nouveaux, pleins d'entrain, commencèrent à danser, ravis de se remettre en forme en vue de leurs futures conquêtes à Radcliffe ou pour triompher sur d'autres champs de bataille mondains.

Il était sensationnel. Ses camarades de classe furent enthousiasmés de découvrir son talent. « Un autre Peter Nero, ce type-là », lança quelqu'un. Danny se leva. Il pensait être quitte, mais tous applaudirent et le supplièrent de continuer. Il obéit aux demandes de son auditoire, et joua des morceaux aussi divers que *la Danse du sabre* ou *Three Coins in the Fountain*.

Un préposé au maintien de l'ordre sur le campus fit alors son apparition. C'était ce que Danny espérait...

« Ecoutez, ronchonna l'officier, pouvez pas jouer du piano dans le Yard. Faut qu'vous emmeniez c't instrument-là dans un dortoir. »

Les étudiants le huèrent.

« J'ai une idée, déclara Danny Rossi à son public exubérant, pourquoi ne transporterions-nous pas ce piano dans ma chambre et je jouerais toute la nuit ? »

Ce fut un hourra unanime et, le cœur en fête, une demi-douzaine de sportifs transportèrent le piano de Danny.

« Une minute, ajouta le flic, rappelez-vous qu'on ne doit pas jouer après dix heures. C'est le règlement. »

Sifflements, tollés et grognements reprirent de plus belle, tandis que Danny Rossi répondait : « Entendu. Je promets de ne jouer que jusqu'au dîner. »

36

Quoiqu'il n'eût pas le privilège de déménager de l'espèce de recoin qu'il avait occupé durant sa vie de lycéen, Ted Lambros n'en passa pas moins le plus clair de son après-midi à faire les emplettes nécessaires à la Coop, la coopérative des étudiants de Harvard.

En tête de sa liste venait une sacoche verte, indispensable à tout étudiant de Harvard tant soit peu sérieux — talisman utilitaire pour transporter vos instruments de travail et vous ranger d'emblée parmi les « sérieux ». Il acheta également une de ces bannières vermillon, longue et rectangulaire, qui annonçait fièrement en lettres de feutrine blanche : HARVARD-PROMOTION 1958. Tandis que, dans le Yard, d'autres nouveaux, chauvins dans l'âme, suspendaient au mur de leur piaule ces mêmes bouts de feutrine, Ted accrocha le sien au-dessus de son bureau dans le réduit qui lui servait de chambre.

Chez Leavitt et Pierce, il fit l'acquisition d'une pipe imposante qu'il apprendrait un jour à fumer.

L'après-midi tirait à sa fin : il passa en revue sa garde-robe d'occasion et, en son for intérieur, se déclara apte à affronter Harvard le lendemain.

Le carosse étant redevenu citrouille, Ted remonta Massachusetts Avenue jusqu'au *Marathon* pour y enfiler son éternel costume fait maison et servir de l'agneau à ces lions de Cambridge.

Ce fut un de ces jours où vous passez votre temps à faire la queue. Cela commença le matin, au Memorial Hall, puis, à dix-huit heures, pour le dîner, lorsque la queue se forma au foyer des étudiants de première année. Elle zigzaguait sur les marches de granit et atteignait Quincy Street. Chaque nouveau arborait cravate et blazer, qui variaient en couleur et en qualité selon les moyens et le milieu de celui qui les portait ; unique accoutrement — explicitement stipulé — dans lequel un étudiant de Harvard pût se présenter à un repas.

Ces gentlemen sur leur trente et un allaient avoir une mauvaise surprise : il n'y avait pas d'assiettes.

Leur repas était servi dans une espèce de plateau de plastique beige, rappelant ceux que l'on utilise pour la pâtée des chiens, une sorte d'auge, divisée en sections inégales et indéfinies. Le seul compartiment rationnel était la cavité du centre, qui pouvait contenir un verre de lait.

L'ingéniosité de cette invention ne parvenait pas à faire oublier que les repas des première année étaient infects.

Que pouvait être ce truc gris, en tranches, qu'on leur collait à la première station ? Les serveuses prétendaient que c'était de la viande ! Tant par le goût que par l'apparence, elle faisait penser à de la semelle. Piètre consolation que de se dire qu'ils pouvaient se servir à volonté ; qui eût voulu reprendre de ce caoutchouc impossible à mastiquer ?

Le seul salut gastronomique venait de la crème glacée. Il y en avait en abondance. De quoi vous caler l'estomac. Pour un garçon de dix-huit ans, une glace peut compenser n'importe quelle déficience culinaire. Ils en avalaient de prodigieuses quantités...

Aucun ne se plaignait sérieusement. En effet, sans vouloir l'admettre, ils étaient excités par le simple fait d'*être* là. Tous ou presque avaient l'habitude d'être le numéro un dans l'un ou l'autre domaine. La promo ne contenait pas moins de deux cent quatre-vingt-sept majors de leur classe de terminale ; chacun était douloureusement conscient qu'à Harvard un seul d'entre eux serait apte à renouveler ce genre d'exploit.

Par quelque étrange instinct, les sportifs avaient commencé à se regrouper. A une table ronde, dans le cercle extérieur, Clancy Roberts faisait subtilement campagne pour devenir capitaine de l'équipe de hockey de première année. A une autre table, les avants de l'équipe de football, qui s'étaient retrouvés une heure plus tôt à Dillon Field House, savouraient ce qui serait un de leurs derniers repas pris avec le *commun des mortels*... Sitôt les insignes cousus, ils feraient table à part, au V-Club, et bénéficieraient d'un menu susceptible d'améliorer leurs performances sportives. Si leur viande n'était pas moins grise, elle aurait du moins double épaisseur...

L'immense hall, lambrissé de chêne, résonnait du bavardage bruyant des nouveaux étudiants encore nerveux. Vous pouviez repérer à coup sûr si celui-ci sortait de l'enseignement public et celui-là du secteur privé. Ces derniers arboraient un plumage assorti : vestes de shetland, cravates de reps. Pour dîner, ils se retrouvaient en groupes plus nombreux, plus homogènes et leurs conversations à plaisanteries résonnaient en chœur.

Le physicien en puissance, issu d'Omaha, le poète originaire du Missouri, le futur avocat aux inclinations politiques, droit sorti d'Atlanta, prenaient leur repas seuls, ou, si au bout de vingt-quatre heures ils pouvaient toujours le supporter, avec leur compagnon de chambre.

Harvard ne choisissait pas vos compagnons de vie estudiantine sans mûres délibérations. Certain génie, sadique sur les bords, devait avoir passé des heures à combiner cette bizarre répartition. Et quel travail ! Un buffet offrant onze cents plats, tous différents les uns des autres. Que servir avec celui-ci ? Qu'est-ce qui irait bien avec celui-là et éviterait un syndrome de dyspepsie mutuelle ! Quelqu'un dans l'administration le savait. Ou, tout au moins, pensait le savoir.

On vous interrogeait sur vos préférences. Non-fumeur, athlète, artiste, etc. Certains, qui sortaient du privé, demandaient — et obtenaient — de partager leur chambre avec d'anciens camarades. Ils formaient les rares conformistes, isolés dans cette monstrueuse colonie de farfelus où les exceptions faisaient la règle...

Que faire, par exemple, d'un Danny Rossi, dont la seule requête avait été de loger dans un dortoir aussi proche que possible de Paine Hall, centre d'études musicales ? Le mettre avec un autre musicien ? Certes non, il aurait pu en résulter une pénible confrontation entre deux ego, et ce que Harvard désirait avant tout, c'était une harmonieuse tranquillité parmi ces nouvelles recrues qui allaient recevoir la leçon la plus cuisante de leur existence, à savoir *qu'ils n'étaient pas le nombril du monde.*

Pour des raisons incompréhensibles à qui que ce fût, sauf aux autorités de l'université, Danny Rossi se vit prier de partager ses quartiers sis à Holworthy avec Kingman Wu, architecte chinois en herbe, originaire de San Diego (sans doute le point commun était-il la Californie ?) et Bernie Ackerman, crac en maths et champion d'escrime de New Trier High School, banlieue de Chicago.

Tandis qu'ils dînaient au foyer, ce soir-là, Bernie essaya de percevoir pourquoi tous trois avaient été regroupés par les mandarins du camérisme harvardien.

« C'est la baguette, proposa-t-il comme solution à cette énigme. Seul symbole qui nous soit commun.

— C'est censé être profond ou simplement obscène ? demanda Kingman Wu.

— Merde alors, tu ne vois vraiment pas ? persista Ackerman. Danny veut devenir chef d'orchestre. Qu'est-ce qu'ils agitent donc ces types devant leur orchestre ? Une baguette ! Moi, j'ai la plus longue baguette parce que je fais de l'escrime. Pigé ?

— Et moi ? s'enquit Wu.

— Bon sang, avec quoi les architectes dessinent-ils ? Des crayons, des plumes ! Les voilà les trois baguettes et la solution à ce mystérieux assortiment. »

Le Chinois ne semblait pas le moins du monde impressionné par cette réponse.

« Tu m'as décerné la plus petite, dit-il en fronçant les sourcils.

— Au moins tu sauras où te la foutre », suggéra Ackerman avec un gloussement de contentement.

Ainsi naquit la première inimitié au sein de la promo 58.

Malgré son air assuré, Jason Gilbert tremblait d'avoir à se rendre au foyer pour le premier repas de l'année. Il était, en fait, tellement inquiet qu'il alla chercher D.D. pour lui proposer d'y aller avec lui. Hélas, son compagnon était déjà de retour avant que Jason fût seulement habillé.

« J'étais le troisième en ligne, annonça fièrement D.D., j'ai pris onze glaces. Ça fera plaisir à maman. »

Jason s'aventura donc seul. Par bonheur, au bas des marches de la Widener Library, il se trouva nez à nez avec un type qu'il avait battu aux quarts de finale du tournoi de la Greater Metropolitan Private School. Le garçon en question présenta son ancien rival à ses compagnons, comme le « salaud qui me battra à plate couture au championnat, à moins que le type de Californie ne nous pile tous les deux ».

Jason fut heureux de se joindre à eux ; ils parlèrent de courts de tennis et de la nourriture immonde... sans oublier... ces espèces d'auges en plastique.

Journal d'Andrew Eliot

21 septembre 1954

Mes compagnons de chambre et moi-même avons célébré notre première soirée à Harvard en dînant en ville. Nous avons préféré aller à Boston prendre quelque chose de rapide à l'*Union Oyster House* et pousser une pointe jusqu'à Scollay Square, seule oasis louche en ce désert de décence puritaine.

Nous assistâmes ainsi au spectacle édifiant de l'Old Howard. Ce véritable théâtre burlesque a abrité les strip-teaseuses en vogue à l'époque. Ce soir c'était le tour d'Irma-la-bien-roulée.

Le spectacle fini, nous avons essayé de trouver quelqu'un qui ait le culot de se glisser dans les coulisses, afin d'inviter la vedette à se joindre à nous pour une coupe de champagne. Après avoir songé à composer une élégante épître du genre « Chère mademoiselle Irma... », l'envoi d'un émissaire en chair et en os parut la solution la plus efficace.

Ce fut alors une surenchère de fanfaronnades. Chacun se prétendant prêt à s'y rendre. Aucun ne s'aventura pourtant à plus de deux pas de la porte ouvrant sur les coulisses.

Une brillante idée me traversa l'esprit :

« Pourquoi n'irions-nous pas *tous* ensemble ? »

Nous nous regardâmes du coin de l'œil pour voir qui s'y risquerait le premier. Personne ne bougea. Mus par un soudain et inexplicable sursaut de lucidité, nous décidâmes à l'unanimité que la raison nous invitait à quelques heures de sommeil afin d'être d'attaque pour les rigueurs d'une éducation harvardienne.

La chair devait le céder à l'esprit...

Pauvre Irma, vous ne savez pas ce que vous avez raté...

Une douzaine d'étudiants de première année se tenait en file indienne et en costume d'Adam. Ils appartenaient à divers types physiologiques, allant du plus corpulent au plus frêle (Danny Rossi étant de ce dernier type). Leurs physiques étaient aussi disparates que ceux de Mickey Mouse et d'Adonis. (Jason Gilbert faisait lui aussi partie de la douzaine.) Devant eux s'étirait un banc de bois haut d'environ quatre-vingt-dix centimètres derrière lequel trônait un prof de gym, impérieux, menaçant, qui s'était présenté sous le nom de « Colonel » Jackson.

« Parfait, aboya-t-il, vous les nouveaux, vous allez vous essayer au test du Banc, célèbre épreuve sportive de Harvard. Pas besoin de faire Harvard pour deviner de quoi y retourne : y s'agit d'y monter et d'en redescendre. C'est clair, non ? Ecoutez, ce test a été inventé pendant la guerre pour vérifier le degré d'aptitude physique de nos G.I.'s. Il a dû être concluant parce que nous l'avons battu, Hitler, pas vrai ? »

Il s'arrêta, espérant une réaction d'enthousiasme patriotique de la part de ses pupilles. Las d'attendre, il continua à exposer les règles du jeu.

« Bon, dès que je siffle vous commencez à monter et à redescendre du banc. Nous passerons un disque et je battrai la mesure avec ce bâton. Ça durera cinq minutes, pas une seconde de plus, pas une seconde de moins. Et j' vous perdrai pas de l'œil, par conséquent faites pas les idiots et suivez la cadence sinon vous pourriez passer votre fichue année en exercices d'assouplissement. »

Danny se mit à trembler en son for intérieur, tandis que cet ogre trop zélé pérorait. « Merde, se dit-il, ces autres types sont sacrément plus grands que moi. Pour eux, ça revient à monter un trottoir. Pour moi, ce foutu banc, c'est le mont Everest ! Pas juste. »

« Pigé ? reprit d'un ton brusque le Colonel Jackson, quand je dirai " partez ", vous commencerez. Et gardez le rythme !... Partez ! »

Et les voilà partis.

Tandis qu'un disque leur cassait les oreilles, le monstre scandait de son bâton leurs efforts avec une implacable et débilitante régularité : En *haut*, deux, trois, quatre, en *haut,* deux, trois, quatre, en *haut,* deux, trois, quatre.

Au bout d'une douzaine de sauts, Danny commença à se fatiguer. Il espérait que le Colonel relâcherait son rythme, mais l'homme était, hélas, un infernal métronome. « Pourvu que ce soit vite terminé », priait Danny.

« Une demi-minute », brailla Jackson.

« Dieu soit loué, pensa Danny, un petit effort et je stoppe. »

Après trente secondes d'agonie, le prof hurla :

« Une minute. Plus que quatre ! »

« Non, se dit Danny, non, pas quatre minutes ! J'arrive à peine à respirer. » Il se rappela alors que s'il abandonnait, il aurait à s'inscrire à une classe de gym avec ce sadique, en plus de ses autres cours ! Il mobilisa donc toute sa volonté, et ce courage qui lui avait jadis fait défaut sur la piste, et il s'accrocha au-delà des limites possibles de son endurance.

« Allons, espèce de gringalet de poil de carotte, beuglait le tortionnaire, tu sais, j' vois que tu triches. J' te conseille de continuer, sinon j' te ferai faire une minute de plus. »

Les nouveaux dégoulinaient de sueur, ils en éclaboussaient leurs voisins.

« Deux minutes. Plus que trois ! »

Danny se disait avec désespoir qu'il ne pourrait jamais y arriver. Il avait du mal à soulever les jambes. Il était persuadé qu'il allait tomber et se casser le bras. Adieu concerts... Tout ça à cause de cet exercice ridicule, idiot, sauvage.

Une voix calme, proche de lui, le rassura : « Ne te claque pas, mon vieux. Si tu trébuches, je ferai de mon mieux pour te rattraper. »

Danny, épuisé, leva la tête. Un de ses camarades de classe, blond et muscié, avait chuchoté cet encouragement. Un athlète en si bonne forme qu'il avait assez de souffle pour prodiguer un conseil, tout en montant et descendant régulièrement du banc ! Danny ne put que secouer la tête en signe de gratitude. Il s'arma de courage et persévéra.

« Quatre minutes », cria le Torquemada engoncé dans son sweat-shirt. « Plus qu'une. Vous ne vous débrouillez pas si mal pour des types de Harvard. »

Soudain, les jambes de Danny se nouèrent : il était incapable de faire un pas de plus.

« Tu ne vas pas abandonner maintenant, lui souffla son voisin, allons, mon vieux, plus que soixante foutues secondes. »

Danny sentit qu'une main cherchait son coude et le soulevait. Ses membres se dénouèrent ; rigide, il reprit son harassante ascension, sans but.

Ce fut la délivrance. Le cauchemar était fini.

« C'est bon. Tout le monde s'assied sur le banc et pose la main sur le cou de son voisin de droite, nous allons nous prendre le pouls. »

Les nouveaux, initiés grâce à ce rite sudorifique d'admission, ne furent que trop heureux de s'effondrer sur le banc et d'essayer de reprendre leur souffle.

Le Colonel Jackson passa vérifier leur forme physique. Epuisés, les douze garçons furent priés d'aller prendre une douche et de descendre, en costume d'Adam, les marches qui les mèneraient à la piscine. En effet, à en croire l'énergique prof de gym : « Qui ne peut nager cinquante mètres, ne peut sortir diplômé de cette université. »

Alors qu'ils lavaient sous la douche la sueur de la persécution, Danny dit au camarade secourable à qui il devrait d'innombrables heures supplémentaires au clavier :

« Ecoute, je ne pourrai jamais assez te remercier de m'avoir tiré d'affaire.

— Sans problème. C'est un test idiot. Il serait triste que quelqu'un ait à écouter cet abruti donner des ordres pendant tout un semestre. Comment t'appelles-tu ?

— Danny Rossi, répondit-il en tendant une main ensavonnée.

— Jason Gilbert, dit l'athlète, ajoutant avec un large sourire : Tu te débrouilles en natation, Dan ?

— Oui, merci, sourit Danny, je viens de Californie.

— De Californie et tu n'es pas sportif ?

— Mon sport, c'est le piano. Tu aimes la musique ?

— Oh, rien de plus profond que Johnny Mathis. Mais j'aimerais bien t'entendre jouer. Peut-être après dîner, un soir, au foyer ?...

— D'accord, répondit Danny, mais de toute façon je te promets deux billets pour mes débuts en public.

— Ça alors ! Tu joues si bien que ça ?

— Oui », affirma Danny Rossi, sans fausse modestie.

Ils descendirent vers la piscine et nagèrent leurs cinquante mètres dans des lignes adjacentes, ultime épreuve sportive qui les habiliterait à un diplôme à Harvard...

Journal d'Andrew Eliot

22 septembre 1954

Hier, nous avons dû nous soumettre à ce test ridicule appelé Harvard Step Test, monter et descendre d'un banc ! Etant en relativement bonne forme à cause du football, je l'ai passé sans trop en suer (ou, pour être plus exact, avec pas mal de sueur, mais peu d'efforts). Le seul ennui a été lorsque le Colonel Jackson nous a demandé de poser la main sur l'artère jugulaire de notre voisin : mon voisin avait la peau tellement moite, à force de transpirer, que ma main glissait — impossible de trouver son pouls. Lorsque cette espèce de facho de prof est passé pour en prendre note, je lui ai donné le premier chiffre qui m'est passé par la tête.

De retour au dortoir, nous sommes tombés tous trois d'accord pour trouver que le plus embarrassant et le plus inutile de cette histoire était la fichue photo juste avant le test dit du « Banc ». Penser que Harvard a un dossier personnel où l'on voit chaque étudiant — ou pour être plus précis —, chaque membre de la promo, à poil, devant l'objectif, théoriquement « pour vérifier votre posture » ! Enfin, le jour où l'un de nous deviendra président des Etats-Unis, le département d'éducation physique de l'université pourra ressortir ses photos et découvrir à quoi ressemble le leader de la plus grande nation du monde en costume d'Adam.

Ce qui agace Wigglesworth, c'est qu'un malotru puisse s'introduire dans les dossiers secrets y repêcher nos photos et en soutirer une fortune.

« Qui pourrait bien payer pour voir les photos d'un millier de nouveaux étudiants de Harvard à poil ? » ai-je demandé.

Voilà qui lui a donné matière à réflexion.

Une idée m'a traversé l'esprit : les Cliffies doivent-elles aussi poser pour ce genre de photos ?

Oui, à en croire Newall. Cela m'a donné une idée géniale : nous glisser dans le gymnase de Radcliffe pour y subtiliser *leurs* photos. Quel spectacle ! Nous aurions là de quoi nous rincer l'œil ! Et nous saurions du même coup sur quelles filles concentrer nos efforts...

Au début, ils ont été emballés par mes plans, mais leur courage a eu tôt fait de s'évanouir. Newall prétendait qu'un « vrai mâle » devrait être capable de discerner « cela » de façon empirique.

Mieux vaut ne pas compter sur eux. Dommage, ce raid nocturne ne m'aurait pas déplu.

Du moins, je le pense...

Les cartes indiquant les cours choisis par les étudiants devaient être remises à dix-sept heures, le jeudi suivant. Les membres de la promo 58 bénéficièrent ainsi d'un peu de temps pour se documenter et opter pour un programme équilibré. Ils devaient s'inscrire à des cours dans la branche où ils désiraient se spécialiser et à d'autres, destinés à enrichir leur culture personnelle. Avant tout, ils étaient en quête d'un cours pour lequel ils n'auraient pas à se casser la tête.

En ce qui concerne Ted Lambros, décidé à se spécialiser dans les lettres classiques, le choix fut relativement aisé : latin 2A, Horace et Catulle, sciences nat 4 avec L. K. Nash, surnommé « le pyrotechnique » parce qu'il explosait plusieurs fois par an.

Ted Lambros choisit également grec A, un cours qui conciliait « bonne planque » et exigences universitaires. C'était une introduction à la version classique de sa langue maternelle. Au bout de deux semestres, il serait à même de lire Homère dans le texte. En attendant, il lirait la traduction des célèbres poèmes épiques avec John Finley, légendaire professeur de grec, titulaire de la chaire Eliot de littérature grecque. Hum 2, pour reprendre le surnom amical de ce cours, serait source de stimulation, d'information et, tout le monde le savait à Harvard, lui assurerait une note convenable sans trop se fatiguer.

Danny Rossi avait prévu son emploi du temps au long de son voyage transcontinental. Musique 51, analyse de la forme, cours inexorablement requis pour chaque étudiant se destinant à la musique. Le reste serait pur enchantement : un panorama de la musique d'orchestre de Haydn à Hindesmith. Il commencerait l'allemand pour se préparer à diriger un jour des opéras de Wagner. (Il se mettrait plus tard à l'italien et au français.) Ajoutez, bien sûr, à cela cette « planque », populaire et culturelle par excellence : hum 2.

Il avait voulu s'inscrire au séminaire de composition de Walter Piston et s'était imaginé que le grand homme l'admettrait, lui, élève de première année, à cette classe suivie par des élèves diplômés. Piston repoussa sa requête « pour son propre bien ».

« Ecoutez, expliqua le compositeur, le morceau que vous m'avez remis était charmant. Je n'avais d'ailleurs pas à le voir, la lettre de Gustav Landau me suffisait. A supposer que je vous accepte, vous risqueriez, comment dirais-je, de vous retrouver dans la situation paradoxale de celui qui peut courir, mais ne sait pas marcher. Si cela peut vous consoler, lorsque Leonard Bernstein était ici, nous l'avons forcé, lui aussi, à faire ses " exercices " musicaux fondamentaux ; tout comme vous...

— Je comprends », répondit Danny, sur un ton de résignation polie. En s'éloignant, il pensait : « C'était sa manière de me dire que mon morceau est encore bien juvénile. »

Les preppies, ces première année droit sortis de l'enseignement privé ont un gros avantage. A travers leur réseau d'anciens élèves diplômés, rompus à la vie de Cambridge, ils apprennent quels sont les cours à choisir et ceux à ne pas choisir.

La clandestinité du Harris Tweed les initie à ce mot secret, clef de la réussite à Harvard : *foutaise*. Plus il y a de chances de pouvoir touiller et retouiller une espèce de salade de mots qui ne veulent rien dire (sans que vos efforts soient entravés par la nécessité d'y ajouter de ces vétilles appelées faits), plus le cours sera du « tout cuit ».

Ils arrivaient à l'université familiarisés avec la technique de la « question-test » et étaient maîtres dans l'art de vous capitonner leurs paragraphes de phrases et locutions passe-partout comme « du point de vue théorique » ou « à première vue, il nous semblerait discerner certaine attitude qui peut fort bien faire l'objet d'un examen minutieux », etc. Les caprices de ce zéphyr peuvent vous aider à naviguer toutes voiles dehors pendant une bonne moitié de votre heure d'examen, avant même que vous ayez ancré un seul fait sur votre feuille.

Impossible, hélas, de faire ça en maths... Voilà pourquoi, mon vieux, par pitié, évite les sciences. Et ce cours de sciences qui est exigé, arrange-toi pour le suivre en seconde année. Arrivé là, tu auras assez parfait ta prose pour pouvoir soutenir que, d'un certain point de vue, deux et deux font cinq.

Le programme qu'Andrew Eliot s'était arrangé était le rêve de tout étudiant sortant d'un collège privé. Il commençait par rel soc 1. Le nom seul de ce cours — relations sociales — n'était-il pas une invitation à dire des foutaises ? Venait ensuite anglais 10, un panorama de la littérature anglaise de Chaucer à son cousin Tom Eliot. Le cours semblait austère, mais Andrew avait lu la plupart de ces machins-là en terminale.

Son choix de beaux-arts 13 montrait une certaine astuce de sa part. Peu de bouquins à lire, peu de notes à prendre, des diapositives à regarder. En outre, l'heure de ce cours, midi, et le clair-obscur de son atmosphère étaient des plus propices si vous aviez besoin de faire un petit somme avant le déjeuner. Ultime argument, que Newall sut mettre en évidence :

« Dès que nous nous serons trouvé des petites amies parmi les Cliffies, cet auditorium sera l'endroit idéal pour se les envoyer. »

Pour son dernier cours, il n'y avait pas à hésiter : ce serait hum 2. Outre ses nombreux attraits, le professeur n'était-il pas titulaire de la chaire qui avait été jadis l'apanage des ancêtres d'Andrew ? Ce dernier considérait le professeur Finley comme un vieux domestique au service de la famille.

Le soir où ils remirent leurs cartes d'options, Andrew, Wig et Newall sablèrent à coups de « gin and tonic » leur engagement officiel en faveur de leur acculturation.

« Dis-moi, Andy, demanda Dickie après son quatrième verre, qu'est-ce que tu feras quand tu seras grand ? »

Et Andrew de répondre sur un ton mi-figue mi-raisin :

« Franchement, je ne crois pas que j'aie envie de grandir. »

Journal d'Andrew Eliot

5 octobre 1954

Rares sont les occasions où les mille et quelques individus que nous sommes se réunissent en tant que promotion.

Cela arrive trois fois au cours des quatre premières années. D'abord pour la convocation des étudiants de première année, sobre, sérieuse et suante. Puis au *Freshman Smoker,* soirée notoirement libertine. Enfin, après avoir franchi les obstacles du parcours, un beau matin de juin, pour la remise de notre diplôme.

Autrement, nous nous retrouvons seuls à Harvard. On nous raconte que la plus importante de ces réunions a lieu un quart de siècle après notre sortie de Harvard. Ça sera donc pour 1983 — impossible de penser aussi loin.

On prétend aussi que, lors de cette réunion commémorant le vingt-cinquième anniversaire de notre sortie de ce premier cycle universitaire, nous éprouverons un vague sentiment de fraternité et de solidarité. Avouons que, pour le moment, nous ressemblons aux animaux de l'arche de Noé. Je veux dire par là que je ne pense pas que les lions se soient beaucoup intéressés aux moutons. Pas plus d'ailleurs qu'aux souris. C'est un peu ce que mes compagnons et moi ressentons vis-à-vis de certaines des créatures qui se sont embarquées avec nous pour ce voyage de quatre années. Nous occupons des cabines différentes et nous nous asseyons sur des ponts différents.

Qu'importe, ce soir toute la future promotion 58 s'est retrouvée au Sanders Theater. Et c'était fichtrement solennel.

Je peux comprendre que tout le monde ne porte pas M. Pusey dans son cœur mais, lorsqu'il a évoqué la tradition de l'université qui est de défendre la liberté académique, c'était émouvant.

Il a pris pour exemple A. Lawrence Lowell qui, au début du siècle, succéda à mon arrière-grand-père comme président de Harvard. Apparemment, au lendemain de la Première Guerre mondiale, nombreux étaient ceux de Cambridge qui flirtaient avec les socialistes et les communistes, prêchant des idées neuves propres à enflammer les esprits. Lowell fut soumis à une terrible pression. On voulait qu'il renvoie les gauchisants de la faculté.

Même des gars aussi insignifiants que moi saisirent le tacite parallèle de

Pusey avec la guerre d'usure que lui avait faite le sénateur McCarthy, lorsqu'il mentionna la façon remarquable dont Lowell défendit les professeurs, les estimant absolument libres d'enseigner en salle de cours « la vérité telle qu'ils la voient ».

On peut lui tirer son chapeau. Il a fait preuve de ce courage que Hemingway a défini comme « la grâce sous la pression ». Pourtant la promotion 58 ne se leva pas pour lui rendre hommage.

Quelque chose me dit que, plus tard, nous aurons honte de ne pas avoir salué le courage de Pusey ce soir-là.

« Où vas-tu, Gilbert ?

— Et où crois-tu donc que je vais, D.D. ? Prendre mon petit déjeuner, pardi !

— Aujourd'hui ?

— Bien sûr, pourquoi pas ?

— Allons, Gilbert, qu'est-ce qui t'arrive ? Tu as oublié que c'était *Yom Kippour* ?

— Et alors ?

— Tu sais ce que c'est, non ?

— Bien sûr, la fête du Grand Pardon pour les juifs.

— Gilbert, tu devrais jeûner aujourd'hui, lui rappela son camarade. A t'entendre, on dirait que tu n'es pas juif.

— Eh bien ! D.D., pour ne rien te cacher, je ne le suis pas.

— Allons, arrête tes salades. Tu es aussi juif que moi.

— Sur quoi fondes-tu une déclaration aussi catégorique ? reprit Jason d'un ton enjoué.

— Primo, n'as-tu pas remarqué que Harvard met toujours les juifs dans les mêmes chambres ? Pour quelle autre raison t'auraient-ils mis avec moi ?

— J'aimerais le savoir ! rétorqua Jason en plaisantant.

— Gilbert, s'entêta D.D., tu veux dire que tu es là en face de moi et que tu as l'audace de nier que tu appartiens à la religion juive ?

— Mon grand-père était juif, d'accord. Mais en ce qui concerne ma religion, ma famille et moi appartenons à l'Eglise protestante du coin.

— Ça ne veut strictement rien dire, répliqua D.D. Si Hitler était encore vivant, il te considérerait ni plus ni moins comme juif.

— Ecoute David, répondit Jason imperturbable, au cas où tu ne le saurais pas, ce salaud est mort depuis plusieurs années. De plus, nous sommes en Amérique. Tu te rappelles cet amendement à notre Constitution qui se rapporte à la liberté de culte ? Figure-toi que le petit-fils d'un juif peut prendre son petit déjeuner, même le jour de Yom Kippour. »

D.D. était loin de s'avouer vaincu.

« Gilbert, tu devrais lire *Réflexions sur la question juive* de Jean-Paul Sartre. Cela te ferait prendre conscience de ton problème.

— A franchement parler, j'ignorais que j'en avais un. »

Le vieil homme contemplait cette mer vineuse, attendant avec révérence ses commentaires sur la décision d'Ulysse de faire voile vers Ithaque après dix années de rencontres redoutables avec des femmes, des monstres et des femmes-monstres.

Il déambulait sur le podium du Sanders Theater, seule salle de Harvard assez vaste pour accueillir ses cours. Le professeur John H. Finley Jr avait été élu par l'Olympe pour faire entrevoir au menu fretin de Cambridge la gloire qui fut celle de la Grèce. Il jouissait d'une éloquence tellement charismatique que, parmi les centaines d'étudiants qui, en septembre, s'inscrivaient en bons philistins à son cours humanités 2, hum 2, nombreux étaient ceux qui à Noël en émergeaient transformés en philhellènes enragés.

Les mardi et jeudi, à dix heures du matin, un bon quart de la population des jeunes étudiants de Harvard se réunissait pour écouter ce grand homme disserter sur l'épopée d'Homère à Milton. Chacun avait une place bien définie pour ne rien perdre de ce cours. Andrew Eliot et Jason Gilbert préféraient le balcon. Voulant faire d'une pierre deux coups, Danny Rossi changeait fréquemment de place, car il souhaitait comprendre l'acoustique de la salle où auraient lieu les grands concerts de Harvard et la visite éventuelle de l'orchestre symphonique de Boston.

Ted Lambros s'asseyait au premier rang, de peur de rater un seul de ses mots ailés. Il était arrivé à Harvard décidé à se spécialiser en latin et en grec ; le panorama littéraire qu'offrait Finley rehaussait cette perspective d'une dimension mystique qui l'emplissait d'euphorie et le gonflait de fierté ethnique.

Aujourd'hui, Finley évoquait le départ d'Ulysse de l'île enchantée de la nymphe Calypso, malgré les supplications désespérées de cette dernière et ses promesses de lui accorder la vie éternelle.

« Imaginez... », souffla Finley à son auditoire suspendu à ses lèvres, en extase. Il s'arrêta pour laisser à tous le temps de deviner ce qu'il pourrait bien leur demander de conjurer.

« ... Imaginez que notre héros se voit offrir une idylle sans fin avec une nymphe qui garde à jamais sa jeunesse. Et pourtant il renonce à tout cela pour retourner à une pauvre petite île et à une femme qui, Calypso se charge d'ailleurs de le lui rappeler, approche rapidement de l'âge critique, contre les assauts duquel aucun cosmétique ne peut grand-chose. Proposition aussi rare que tentante, on ne saurait le nier. Quelle est la réaction d'Ulysse ? »

Il arpentait l'estrade, récitant de mémoire, et traduisant directement du grec :

« Déesse vénérée, écoute et me pardonne... Toute sage qu'elle est, je sais qu'auprès de toi Pénélope serait sans grandeur ni beauté ; ce n'est qu'une mortelle, et tu ne connaîtras ni l'âge ni la mort... *Et pourtant* le seul vœu que chaque jour je fasse est de rentrer là-bas, de voir en mon logis la journée du retour. »

Il se dirigea ensuite lentement vers le bord de l'estrade.

« Voilà », dit-il dans un murmure néanmoins audible de l'endroit le plus éloigné de la salle, « le message ô combien subtil de l'*Odyssée*... »

Un millier de stylos étaient suspendus au-dessus des blocs-notes, prêts à transcrire les paroles cruciales qui suivaient.

« En abandonnant ainsi une île enchanteresse — que l'on présumera délicieusement tropicale — pour s'en retourner aux bourrasques hivernales de... Brookline, Massachusetts, Ulysse renonce à l'immortalité en faveur de son identité humaine. Autrement dit, les imperfections de sa condition d'homme sont compensées par la gloire de l'amour humain. »

Une courte pause s'ensuivit. Les étudiants attendirent que Finley reprît sa respiration avant d'oser la reprendre eux-mêmes.

Ce furent des applaudissements. Insensiblement, le charme s'était dissipé. Une foule estudiantine se déversait du Sanders Theater. Ted Lambros était au bord des larmes. Il sentait qu'il avait quelque chose à dire au maître. Il lui fallut quelques secondes pour rassembler son courage. Le professeur, ayant sans tarder revêtu imperméable et toque de fourrure, se trouvait déjà sous l'imposant porche d'entrée.

Ted s'approcha, intimidé, surpris, émerveillé qu'une fois sur la terre ferme, un homme de pareille stature fût, en fait, de taille normale.

« Monsieur, permettez-moi de vous dire, commença-t-il, que cela a été le cours le plus enthousiasmant auquel j'aie jamais assisté. Je ne suis qu'en première année, mais j'ai décidé d'entreprendre des études classiques, et je parie que vous en avez converti une douzaine d'entre nous à faire de même... »

Il se rendait compte qu'il balbutiait gauchement, mais Finley, habitué à ce genre de déférente maladresse, était heureux.

« En première année et déjà décidé pour les classiques ?

— Oui, monsieur.

— Et quel est votre nom ?

— Lambros, monsieur. Theodore Lambros, promotion 58.

— Ah ! reprit Finley, *Theo-doros,* don de Dieu et *lampros*... un vrai nom pindarique. Voilà qui évoque les célèbres vers des Pythiens : *Lampron phengos epestin andron,* " lumière radieuse qui resplendit sur les hommes ". Venez vous joindre à nous pour un de nos thés du mercredi, à Eliot House, monsieur Lambros. »

Avant que Ted eût le temps de répondre, Finley avait fait demi-tour et s'en était allé dans le vent d'octobre, en récitant Pindare.

Jason fut réveillé par un bruit qui semblait provenir de quelqu'un en grande détresse.

Il jeta un coup d'œil à son réveil : il était deux heures du matin. Des sanglots, des « Non, non » étouffés lui parvenaient de l'autre pièce.

Il sauta de son lit et se précipita vers la porte de D.D. d'où s'élevaient ces clameurs angoissées.

Jason frappa doucement et demanda :

« David, es-tu souffrant ? »

Les sanglots s'arrêtèrent net, laissant place à un silence de mort. Jason frappa une nouvelle fois et posa la question autrement :

« Dis-moi, ça va vraiment bien ? »

De derrière la porte fermée s'éleva une réponse, pour le moins sèche :

« Fiche le camp, Gilbert, laisse-moi tranquille. »

On percevait dans la voix une étrange anxiété.

« Ecoute D.D., si tu n'ouvres pas, je défonce la porte. »

Une seconde après, il entendit le grincement d'une chaise sur le plancher. La porte s'entrouvrit. Son camarade risqua un coup d'œil inquiet. Jason put se rendre compte que D.D. avait passé sa soirée à étudier, assis à sa table de travail.

« Que veux-tu ? demanda D.D. agacé.

— J'ai entendu du bruit, répondit Jason, j'ai cru que tu n'étais pas bien.

— Je me suis endormi une minute et j'ai fait une espèce de cauchemar. C'est rien. J'apprécierais que tu me laisses finir d'étudier. »

Là-dessus, il referma la porte.

Jason ne voulait pas battre en retraite.

« Ecoute, D.D., pas besoin d'être étudiant en médecine pour savoir qu'on peut devenir fou à force de ne pas dormir. Tu ne trouves pas que tu as assez bossé ce soir ? »

La porte se rouvrit.

« Gilbert, je ne peux décemment pas aller me coucher en me disant que d'autres qui préparent ce concours sont encore en train de bosser. Chimie 20, la loi du plus fort...

— Un peu de repos te permettrait d'être en meilleure forme pour affronter ce concours, ajouta calmement Jason. Au fait, quel était ton cauchemar ?

— Tu ne me croirais pas, même si je te le racontais.

— Essaye, on verra bien.

— C'est idiot, reprit D.D. en riant nerveusement, j'ai rêvé que j'étais là en train de sécher devant ma copie d'examen. Stupide, hein ? Bon, tu peux aller te coucher, Jason, je me sens parfaitement bien. »

Le lendemain matin, D.D. ne mentionna aucunement l'épisode traumatisant de la nuit. En fait, il se montra plus assommant que de coutume, comme si, inconsciemment, il voulait faire savoir à Jason que l'incident dont il avait été témoin quelques heures auparavant était un simple moment d'aberration.

Jason se sentit obligé, en son âme et conscience, d'en glisser deux mots au surveillant des dortoirs, théoriquement responsable de leur santé physique et morale. Dennis Linden était étudiant en médecine, il serait peut-être à même de comprendre ce que Jason avait pu observer.

« Dennis, insista Jason, donne-moi ta parole que ce que je vais te dire restera strictement confidentiel.

— Tu peux compter sur moi, répondit le futur médecin.

— Franchement, je crois que D.D. risque de perdre la boule s'il obtient autre chose que des A. Il est obsédé par le fait qu'il se doit d'être major de la promo. »

Linden tira une bouffée de sa Chesterfield, et répondit le plus normalement du monde :

« Mon vieux Gilbert, tu sais aussi bien que moi que c'est impossible.

— Pourquoi en es-tu si sûr ? demanda Jason intrigué.

— Ecoute, mon vieux. Confidence pour confidence : ton camarade n'était même pas à la tête de sa classe dans son lycée. Ils l'ont envoyé ici avec une demi-douzaine de gars ayant des moyennes et un nombre de points à l'examen d'entrée bien supérieurs aux siens. En fait, le Bureau des admissions lui a donné juste un petit 10,5.

— Quoi ? reprit Jason.

— Tu vois, Harvard calcule les chances de réussite dans la vie de chaque étudiant qui y est accepté.

— D'avance ? » interrompit Jason.

Le surveillant fit un signe de tête affirmatif et poursuivit :

« Qui plus est, ils ne se trompent pratiquement jamais.

— Tu veux dire que tu connais les notes que j'obtiendrai en janvier ? s'enquit Jason stupéfait.

— Non seulement ça, répondit le futur médecin, mais nous savons en gros dans quel rang tu sortiras.

— Pourquoi ne pas me le dire maintenant, pour que je n'aille pas me faire suer à trop bosser, reprit Jason qui ne plaisantait qu'à moitié.

— Allons, Gilbert, je t'ai dit cela uniquement pour que tu puisses être prêt à venir en aide à ton camarade le jour où il découvrira qu'il n'est pas Einstein ! »

Jason sentit monter en lui une vague de colère et de ressentiment.

« Ecoute, Dennis, je ne suis pas fait pour jouer les psychiatres, moi. Rien qu'on puisse faire pour aider ce garçon dès maintenant ? »

Le surveillant tira une autre bouffée de sa cigarette et reprit :

« Jason, le jeune Davidson, qu'entre nous je trouve légèrement obtus, est précisément ici, à Harvard, pour découvrir ses limites. Dans ce domaine, nous sommes, si j'ose dire, champions. Laissons les choses courir jusqu'au milieu du trimestre. Si le gars n'est pas capable de faire face au fait qu'il n'est pas au sommet de la montagne, nous nous arrangerons pour alerter le service médical. En tout cas, merci d'avoir attiré mon attention sur ce point. N'hésite pas à venir me trouver si son comportement te paraissait bizarre.

— Il a *toujours* été bizarre..., répondit Jason avec un demi-sourire.

— Gilbert, dit le surveillant, tu n'as pas idée des cinglés que Harvard peut accepter. D.D. est un foutu rocher de Gibraltar comparé à certains toqués que j'ai rencontrés. »

Journal d'Andrew Eliot

17 octobre 1954

Je ne me suis jamais considéré comme un étudiant brillant ; peu m'importait de récolter des C à mes colles. En revanche, je me considérais comme un bon joueur de football. Et voilà que cette illusion s'est envolée...

Cette fichue équipe de première année est bourrée de buteurs de premier ordre et j'aurais peine à y glisser ne serait-ce qu'un doigt de pied.

Enfin, il y a matière à consolation dans cette leçon d'humilité, typique de Harvard. Tandis que je suis là en train de moisir sur mon banc en attendant d'être gratifié de trois ou quatre minutes de jeu en finale (si nous menons au score), je me réconforte en me disant que le gars qui joue avant moi n'est pas un sportif comme on en rencontre tous les jours.

Si ses corners sont élevés, sans doute est-ce parce qu'il descend du Tout-Puissant.

Disons que si je dois être second violon, autant que ce soit pour des types du genre Karim Aga Khan qui est, selon le professeur Finley, l' « arrière-arrière-arrière-arrière *ad infinitum* petit-fils de Dieu ».

Ce n'est pas le seul haut dignitaire qui m'ait pratiquement relégué au rang de spectateur. Notre avant-centre est une autre « divinité », un authentique prince persan. Nous avons des « surprises » en provenance d'endroits aussi exotiques que l'Amérique du Sud, les Philippines, sans compter ceux qui arrivent tout droit de leur lycée... Tous ont contribué à mon statut sédentaire.

Mais, au moins, nous n'avons pas connu la défaite, voilà de quoi se réjouir.

La fleur de la confiance que j'avais en moi se serait-elle flétrie au soleil du talent de ces types sur le terrain de foot ? Voici que je peste en écrivant que Bruce Macdonald, le meilleur joueur, est sans doute aussi le génie de cette foutue promo...

Il est sorti premier d'Exeter, a été capitaine et meilleur buteur de l'équipe de football, *idem* pour l'équipe de « la crosse » au printemps. Ajoutons que pour occuper ses soirées, il joue du violon. Vu son talent, et bien que nouveau, il a été nommé maître de concerts de l'orchestre de Harvard-Radcliffe !

Grâce à Dieu, je suis arrivé ici avec un sentiment d'infériorité bien développé ! Si je m'étais pris pour un champion, comme la plupart de ces types, le premier jour où nous avons donné des coups de pied dans le ballon, je n'aurais eu qu'à me jeter dans la Charles.

Le rabbin annonça :

« Après l'hymne final, la congrégation est cordialement invitée à la salle communautaire où l'attendent du vin, des fruits et du gâteau au miel.

Prenons nos livres à la page 108 et unissons nos voix pour chanter l'*Adon Olam*, Seigneur de l'univers. »

A la tribune, Danny Rossi comprit le message. Il plaqua les premiers accords avec un brio qui enchanta les fidèles.

Le Seigneur de l'univers, qui
fit ici-bas le ciel et la terre
Lorsqu'il a daigné un monde créer
Fut alors proclamé Roi.

Après la bénédiction du rabbin, ils sortirent, rang par rang, tandis que Danny jouait l'hymne de sortie. A peine Danny eut-il terminé qu'il attrapa sa veste et dégringola les escaliers.

Il se glissa dans la salle et se dirigea vers les tables qui croulaient sous pareille abondance. Il remplissait son assiette en papier de tranches de gâteaux, lorsqu'il entendit la voix du rabbin :

« C'est gentil à vous de rester, Danny ! Bien au-delà de votre devoir, dirais-je. Je sais à quel point vous êtes pris.

— Oh ! j'étais heureux de participer à cette célébration, répliqua Danny, cela m'a énormément intéressé. »

Danny était sincère, même s'il ne mentionna pas que ce qu'il appréciait le plus dans ces fêtes juives était la nourriture copieuse qui lui permettait de se passer de déjeuner.

Ce samedi serait lourd pour lui, puisque le groupe de jeunes appartenant à l'Eglise protestante de Quincy où il remplissait également la fonction d'organiste donnait sa soirée dansante d'automne. Il avait persuadé le pasteur d'embaucher « son » trio en appelant rapidement l'Union pour qu'on lui envoyât un jeune percussionniste et un contrebassiste. Ce serait certes fatigant, mais le cachet de cinquante dollars offrirait une saine consolation.

Il ne servait à rien de retourner jusqu'à Cambridge pour tuer le temps entre les gigues sacrées et les trémoussements séculaires, d'autant plus que Harvard serait dans l'effervescence du football du samedi et trop bruyant pour travailler. Danny prit le MTA, descendit à Copley Square et passa l'après-midi à la bibliothèque municipale de Boston.

Une brunette bien en chair était assise au bout de la table. Devant elle étaient étalés plusieurs cahiers arborant le blason de BOSTON UNIVERSITY. Notre timide Casanova vit là une occasion pour engager une conversation :

— « Vous allez à BU ?

— Ouais.

— Moi, je vais à Harvard.

— Ça explique tout », dit-elle, arrêtant net tout espoir de conversation.

Un soupir ponctuant sa défaite anticipée, Danny s'en retourna à son ouvrage de théorie musicale.

Lorsqu'il émergea de la bibliothèque, la ville était enveloppée d'un voile de ténèbres glaciales. En traversant la réplique de la piazza San Marco de Venise, Danny réfléchissait à un problème théologique d'importance vitale.

« Les protestants serviront-ils ou non quelque chose à manger ? »

Sans doute valait-il mieux ne pas trop mettre sa foi à l'épreuve. Il attrapa donc un sandwich au thon avant de s'embarquer en direction de Quincy.

Côté agréable de cette soirée dansante : le percussionniste et le contrebassiste étaient eux aussi de jeunes étudiants. Côté plus austère : il dut passer sa soirée au piano, en s'efforçant de ne pas lorgner ces lycéennes aguichantes virevoltant dans leurs sweaters moulants au rythme de ses doigts affamés sur le clavier.

Les derniers couples s'éparpillèrent. Un Danny épuisé regarda sa montre. « Bon Dieu, se dit-il, onze heures et demie, il me faudra au moins une demi-heure pour retourner à Harvard. Dire que je dois être ici demain matin avant neuf heures ! »

Il eut un instant la tentation d'aller dormir en haut sur un banc mais il se raisonna : « Non, ne va pas risquer ton job. Mieux vaut encore te traîner jusque chez toi. »

Quand il se retrouva à Harvard Yard, toutes les fenêtres ou presque étaient éteintes. Il eut pourtant la surprise de trouver Kingman Wu sur le perron.

— « Bonsoir, Danny.

— King ! Bon sang, qu'est-ce que tu fiches ici ? Il gèle !

— Bernie m'a foutu dehors, répondit son ami, l'air triste. Il s'exerce et prétend qu'en escrime il faut être seul pour mieux se concentrer.

— A cette heure ? Il est timbré !

— Je le sais, reprit Kingman d'un ton misérable, mais il a une épée, par conséquent que puis-je faire ? »

Danny se sentit empli d'un étrange courage pour faire face à la situation.

« Allons-y, King ! A nous deux nous arriverons peut-être à lui faire entendre raison. »

Ils se dirigèrent vers l'intérieur.

Wu murmura :

« Tu es un vrai copain, Danny. Si seulement tu mesurais un mètre quatre-vingt-dix !

— C'est pas moi qui m'en plaindrais », renchérit Danny, mélancolique.

Heureusement, le mousquetaire détraqué s'était endormi ; un Danny Rossi épuisé eut tôt fait de suivre son exemple.

« Bon Dieu, si vous voyiez ce garçon juif qui se présente pour l'équipe de squash : il est fantastique. »

Dickie Newall commentait pour ses camarades les essais dont il avait été témoin dans le sport où il excellait depuis qu'il était en âge de tenir une raquette.

« Il va te faire perdre ta place de champion ? s'enquit Wig.

— Tu plaisantes, gémit Newall, il pourrait vous piler la moitié de l'équipe de Harvard. Ses amortis sont absolument irréels. Sans compter que le gars est vachement sympa, pas simplement pour un juif, mais en tant que personne. »

Cette remarque incita Andrew à demander :

« Qu'est-ce qui te fait croire que les juifs ne sont pas des gens comme tout le monde ?

— Oh, écoute, Eliot, tu sais parfaitement ce que je veux dire ! Ce sont en général des types à la peau basanée, qui ont quelque chose dans le crâne, et qui sont agressifs. Mais celui-là ne porte même pas de lunettes.

— Tu sais, commenta Andrew, mon père a toujours eu de l'admiration pour les juifs. En fait, ce sont les seuls médecins qu'il accepte de voir.

— D'accord, mais combien d'entre eux admet-il dans ses relations mondaines ? renvoya Newall.

— Ça, c'est une autre paire de manches. Disons que je ne pense pas que, en règle générale, il les évite ; il s'agit plutôt du milieu dans lequel nous évoluons.

— Tu veux dire que c'est par pure coïncidence qu'aucun de ces médecins soi-disant remarquables n'est admis dans un seul des clubs que ton père fréquente ?

— Si tu veux, concéda Andrew, en tout cas, je ne l'ai jamais entendu se permettre la moindre insinuation déplacée quant à la race de quelqu'un. Même au sujet des catholiques.

— Mais il ne fréquente pas ce milieu non plus, n'est-ce pas ? Pas même notre nouveau sénateur du Massachusetts qui aime taquiner le maquereau.

— Cela ne l'a pas empêché de traiter certaines affaires avec le vieux Joe Kennedy.

— Pas au cours d'un repas au Founders Club, je parie, glissa Wig.

— Oh, répliqua Andrew, je n'ai jamais prétendu que mon père était un saint. Reconnaissons au moins qu'il m'a appris à ne pas user de ce langage que Newall apprécie tant.

— Ecoute, Andrew, tu as supporté mes épithètes colorées pendant des années.

— Ouais, renchérit Wig, pourquoi prends-tu tout à coup ces airs de sainte nitouche ?

— Ecoutez les gars, poursuivit Andrew, au collège nous n'avions pas un seul juif, ni un seul Noir. Qu'est-ce que ça pouvait foutre qu'on se lance dans des discussions sur les classes inférieures de notre société ? En revanche, à Harvard il y a de tout. Par conséquent, autant apprendre à vivre avec eux. »

Ses camarades se regardèrent interloqués.

Newall grommela :

« Arrête tes sermons, compris ? Regarde, si je t'avais dit que ce type était petit ou boulot, tu ne serais pas monté sur tes grands chevaux. Lorsque je parle d'un youpin ou d'un bougnoul, c'est juste une façon amicale de classer cette personne. Je tiens à vous faire savoir, prenez-en note, que j'ai invité ce Jason Gilbert à notre boum samedi soir, après le match de foot. »

Et avec un regard malicieux il ajouta :

« Si ça ne te gêne pas, bien sûr, de frayer avec un juif. »

Novembre ne faisait que commencer mais, en cette fin d'après-midi, on se serait cru un soir d'hiver, tant il faisait froid et sombre.

En s'habillant, après s'être entraîné au squash, Jason découvrit qu'il avait oublié sa cravate. Il lui faudrait donc retourner en chercher une dans sa chambre, sinon le cerbère irlandais qui se tenait à l'entrée du foyer des étudiants serait trop heureux de l'envoyer promener. Merde, merde et merde.

Il traversa péniblement le Yard glacial, dépouillé de ses feuilles, et grimpa jusqu'à sa chambre.

En entrouvrant la porte, Jason fut surpris, la pièce était dans l'obscurité. Il jeta un coup d'œil du côté de la chambre de D.D. Pas de lumière non plus. Peut-être son camarade était-il malade ? Jason frappa et demanda :

« Davidson, ça va ? »

Pas de réponse.

Brisant alors le carcan du règlement, Jason ouvrit la porte. Les fils électriques avaient été arrachés du plafond et, sur le plancher, gisait son compagnon, recroquevillé en boule, immobile, une ceinture autour du cou.

Jason resta cloué de terreur.

« Nom de Dieu, pensa-t-il, le salaud s'est suicidé. » Il s'assit et retourna le corps de D.D. Ce mouvement lui arracha un vague grognement. « Vite, se dit Jason, en s'efforçant de garder son sang-froid, pas une minute à perdre, appelons les flics ! Non ! Ils pourraient ne pas arriver à temps. »

Il enleva prestement la ceinture de cuir autour de la gorge lacérée de son camarade, qu'il chargea sur ses épaules comme le font les pompiers, et se rendit à Harvard Square aussi vite qu'il le put. Là, il sauta dans un taxi en donnant l'ordre au chauffeur de foncer à l'infirmerie.

« Il s'en sortira, affirma à Jason le médecin de garde. Je ne pense pas que les prises de Harvard soient assez bien installées pour permettre de se suicider, bien qu'il y en ait toujours qui y arrivent. Savez-vous pourquoi il l'a fait ?

— Pas la moindre idée, dit Jason, encore sous le choc.

— Ce jeune homme s'est un peu trop investi dans ses résultats », déclara Dennis Linden qui débarquait juste à point pour offrir une analyse professionnelle du geste désespéré du jeune étudiant.

« Auriez-vous remarqué des signes prémonitoires dans son comportement ? » demanda le médecin des Services de santé.

Jason lança un coup d'œil du côté de Linden qui continuait à pontifier.

« Pas vraiment. Impossible de deviner quel œuf va craquer. Vous savez, cette première année est soumise à une pression telle... »

Dix minutes plus tard, Jason et le surveillant sortirent de l'infirmerie. Jason s'aperçut alors qu'il n'avait ni manteau ni gants. Rien. Dans sa panique il avait oublié le froid et maintenant, il grelottait.

« Veux-tu que je te dépose quelque part ? demanda Linden.

— Non merci, répliqua Jason, maussade.

— Allons, Gilbert, tu vas crever de froid si tu rentres chez toi comme ça.

— Bon, d'accord », répondit-il, se laissant convaincre.

Pendant le court trajet de retour, le surveillant essaya de se justifier :

« Tu vois, expliquait-il, c'est ça l'éternelle histoire de Harvard : ou tu nages, ou tu te noies.

— Ouais, grommela Jason presque tout haut, mais toi tu es censé être le sauveteur. »

Le feu était au rouge, Jason en profita pour descendre de la voiture de Linden en claquant la portière.

Il marcha jusqu'au square. Il s'arrêta chez *Elsie* où il engouffra deux sandwiches au roast-beef pour remplacer le dîner qu'il avait raté, puis il se rendit chez *Cronin* en quête d'un visage amical pour s'asseoir, bavarder et prendre une cuite.

Le lendemain matin, Jason fut réveillé en sursaut par des coups frappés à la porte. Il réalisa alors qu'il avait encore sur lui les vêtements de la veille, aussi fripés que sa cervelle était embrumée.

Il ouvrit.

Une matrone, courte sur pattes, disparaissant sous un chapeau vert à bord flottant, était campée sur le seuil de la porte.

« Que lui avez-vous fait ? demanda-t-elle.

— Ah, répondit tranquillement Jason, vous devez être la mère de David.

— Vous êtes un génie ! grommela-t-elle. Je suis venue chercher ses vêtements.

— Entrez, je vous prie, lui dit Jason.

— Bonté ! C'est une vraie porcherie. Qui fait le ménage ici ?

— Un étudiant passe l'aspirateur deux fois par semaine et nettoie les toilettes, dit Jason.

— Dans ce cas, pas étonnant que mon pauvre fils soit malade. A qui est tout ce linge répugnant qui traîne par terre ? Ça grouille de microbes.

— C'est le linge de David, répondit doucement Jason.

— Comment se fait-il que vous ayez flanqué le linge de mon fils comme ça, par terre ? C'est votre façon à vous, gosse de riches, de vous amuser ?

— Madame Davidson, poursuivit patiemment Jason, c'est lui qui l'a laissé là. »

Il s'empressa d'enchaîner :

« Voulez-vous vous asseoir ? Vous devez être bien fatiguée.

— Fatiguée ? Epuisée ! Je ne sais pas si vous imaginez ce qu'est un voyage de nuit en train pour une femme de mon âge. Peu importe, je resterai debout pendant que vous m'expliquerez pourquoi ce n'est pas de votre faute. »

Jason soupira.

« Ecoutez, madame Davidson, je n'ai aucune idée de ce qu'on a pu vous raconter à l'infirmerie.

— Ils m'ont dit qu'il était très malade et devait être transporté dans un de ces horribles... hôpitaux... (elle s'arrêta, cherchant sa respiration)... dans un hôpital psychiatrique.

— J'en suis navré, reprit Jason avec douceur, mais, vous savez, la pression est féroce au niveau des résultats.

— Mon David a toujours réussi. Il travaillait jour et nuit. Et puis voilà qu'un jour il part de chez moi, vient vivre ici, avec vous, et s'effondre comme s'il n'avait plus rien dans le ventre. Que lui avez-vous donc fait ?

— Croyez-moi, madame Davidson, insista Jason, rien qui puisse le contrarier ! C'est lui (Jason s'efforça de trouver le courage nécessaire pour compléter sa phrase) qui est cause de ses propres malheurs. »

Mme Davidson eut du mal à avaler cette allégation.

« Et comment ça ? demanda-t-elle.

— Pour des raisons qui restent pour moi strictement incompréhensibles. Il estimait qu'il devait en tout être le meilleur.

— Qu'est-ce qu'il y a de mal à cela ? C'est comme ça que je l'ai élevé. »

Jason sentit monter en lui un sentiment de pitié pour son camarade.

Soudain, Mme Davidson s'affala sur le sofa et éclata en sanglots.

« Mais qu'est-ce que j'ai pu faire ? N'ai-je pas sacrifié ma vie pour lui ? C'est pas juste. »

Jason voulut poser la main sur son épaule :

« Ecoutez, madame Davidson, si David doit être hospitalisé, il aura besoin de vêtements. Si je vous aidais à préparer sa valise ? »

Elle le fixa d'un regard désemparé :

« Merci, jeune homme. Je suis confuse de m'être ainsi donnée en spectacle, mais je suis bouleversée et j'ai passé la nuit dans le train. »

Elle ouvrit son sac et en sortit un mouchoir déjà humide.

« Voyons, reprit Jason. Pourquoi ne vous reposeriez-vous pas un peu ? Le temps de vous préparer une tasse de café, de faire sa valise, et je vous conduis... là où est David.

— Oui, à Walmtham. A cet endroit qu'on appelle l'hôpital psychiatrique du Massachusetts », répondit-elle, ponctuant chaque syllabe d'un sanglot.

Jason attrapa une valise. Il y jeta les vêtements qu'il jugea appropriés. L'hôpital n'exigerait ni cravate ni blazer...

« Et ses livres ? demanda sa mère.

— Je ne crois pas qu'il en ait besoin pour le moment. Je les lui garde et lui apporterai ce qu'il voudra.

— Vous êtes très aimable », dit-elle. Et elle se moucha.

La valise finie, Jason jeta un regard rapide dans la pièce pour voir s'il n'avait rien oublié d'essentiel. Une feuille traînait sur le bureau de son camarade. En avançant la main, il eut l'horrible pressentiment de ce que c'était...

Eh oui ! Il ne s'était pas trompé. C'était le partiel de chimie que D.D. avait passé au milieu du trimestre. Le cauchemar de son camarade s'était révélé prophétique. Il n'avait obtenu qu'un malheureux B... D'un air aussi dégagé que possible, Jason plia la feuille d'examen et la fourra dans sa poche.

« Si vous voulez bien m'attendre, madame Davidson, ma voiture est près d'ici, je me dépêche d'aller la chercher.

— Je vous empêche de vous rendre à vos cours, dit timidement Mme Davidson.

— Ne vous inquiétez pas, répondit Jason. Je suis heureux de pouvoir faire quelque chose pour David. C'est un type sympa, vous savez. »

Mme Davidson regarda Jason Gilbert droit dans les yeux et murmura : « Vos parents peuvent être fiers de vous.

— Merci », chuchota Jason. Et il fila, le cœur gros.

Journal d'Andrew Eliot

3 novembre 1954

Une des grandes joies de la vie loin du toit familial et des murs du collège est de pouvoir rester debout toute la nuit, si le cœur vous en dit, ou si une cause sérieuse l'exige comme le dossier que vous devez remettre le lendemain.

Mike Wigglesworth est expert en la matière. Il s'assied à sa machine à écrire à sept heures du soir, en compagnie de quelques notes et d'une demi-douzaine des cassettes de Budweisers. Il vous pond un premier jet avant minuit, puis passe les premières heures du matin à malaxer le tout avec la quantité nécessaire de foutaises. Il polit l'ensemble avec une tasse de café, puis s'en va prendre son petit déjeuner. Il avale une douzaine d'œufs, du bacon et remet son dossier. Il pique un somme, se lève et descend au hangar où sont rangées les yoles (n'oublions pas que Mike est un des piliers de l'équipe d'aviron).

Nous avons veillé toute la nuit pour une raison des plus respectables : le résultat des élections nationales. Non qu'aucun d'entre nous s'intéresse le moins du monde à la politique, mais c'est une bonne excuse pour se bourrer en douceur.

Le *Crimson* de ce matin a su mettre en évidence le nombre respectable des gars de Harvard qui ont été élus. Typique de ce canard qui sent sa province ! Pas moins de trente-cinq nouveaux membres du Congrès sont des anciens de notre humble université, sans mentionner quatre nouveaux sénateurs, si les problèmes de notre nation se font trop lourds pour leurs épaules, ils pourront aller retrouver John Kennedy dans le gymnase du Sénat et entonner tous en chœur des chansons de football de Harvard.

Tandis que je prenais mon petit déjeuner en lisant le *Crimson*, il me vint à l'esprit que ce type peu avenant assis à la table d'à côté, en train d'avaler un bol de céréales, serait peut-être un jour sénateur ? Ou même Président ? Après tout, on ne sait jamais qui réussira dans la vie. Papa m'a dit un jour que F. D. R. était du genre plutôt dingue au début de ses études universitaires. Ne s'était-il pas fait virer du Final Club qui, en revanche, avait admis son cousin Teddy ?

Les étudiants de première année de Harvard sont encore au stade « larves de chenilles ». Il faudra quelque temps pour découvrir lequel d'entre eux deviendra le papillon le plus rare.

La seule chose dont je sois sûr, c'est que, moi, je resterai chenille. Toute ma vie.

Extrait du *Harvard Crimson* du 12 janvier 1955

GILBERT À LA TÊTE DE L'ÉQUIPE YARDLING DE SQUASH.

Jason Gilbert, promotion 1958, résident du Straus Hall et originaire de Syosset, Long Island, vient d'être élu capitaine de l'équipe de squash de première année. Ancien élève de Hawkins-Atwell, où il était capitaine des équipes de squash et de tennis, Gilbert reste invaincu cette saison. Il est classé septième dans la catégorie Junior, pour l'Est des Etats-Unis.

« Gilbert, tu mérites une médaille, observa Dennis Linden. Si tu n'avais pas réagi aussi rapidement, ce petit crétin de D.D. aurait bien pu se suicider. »

Le surveillant avait fait venir Jason pour le féliciter de ses exploits paramédicaux, et aussi pour partager avec lui un problème encore récent. Autrement dit, pour lui faire part de nouvelles plus ou moins bonnes.

« Nous avons un nouveau compagnon de chambre pour toi, annonça Dennis. Je l'ai personnellement choisi lors d'une réunion des surveillants. J'estime en effet que tu peux avoir une influence équilibrante sur lui.

— Ça, ce n'est pas juste, protesta Jason. Va-t-il falloir que je joue une fois de plus à la nounou ? Ne puis-je avoir droit à quelqu'un de normal ?

— A Harvard, personne n'est normal, répliqua Linden avec philosophie.

— Bon, compris, Dennis, répondit Jason, non sans un soupir de résignation. Cette fois, quel est le problème de *ce* garçon ?

— Oh, commença nonchalamment le surveillant, disons qu'il est légèrement agressif.

— Passe encore. J'ai pris des leçons de boxe. »

Linden toussota.

« L'ennui est... qu'il se bat en maniant l'épée...

— A qui ai-je affaire ? A un étudiant étranger droit sorti du Moyen Age ?

— Bien envoyé ! dit Linden en souriant. Non, à un des espoirs de l'équipe d'escrime. Son nom était mentionné dans le *Crimson* une fois ou l'autre. Il s'agit de Bernie Ackerman. Il manie l'épée à la perfection.

— De mieux en mieux ! Qui a-t-il essayé de tuer jusqu'à présent ?

— On ne peut pas dire qu'il ait vraiment essayé de tuer quelqu'un. Il vit à Holworthy et partage sa piaule avec un Chinois archisensible. Chaque fois qu'ils ont la moindre discussion, Ackerman tire son épée et en menace le petit gars. Ce dernier en a une telle trouille que le service médical a dû lui prescrire des somnifères. Il est clair qu'il faut les séparer.

— Bon Dieu, pourquoi ne me donnez-vous pas plutôt le Chinois ? se plaignit Jason. Il a l'air sympa, à ce que vous en dites.

— Le problème est qu'il s'entend bien avec le troisième copain qui partage leurs quartiers — un type qui fait musique. Les surveillants ont estimé qu'il valait mieux les laisser tranquilles. De plus j'ai l'impression qu'un type comme toi pourrait donner à ce gars une ou deux bonnes leçons.

— Dennis, je suis ici pour suivre des cours et non pour enseigner les bonnes manières aux voyous de l'Ivy League.

— Allons, Jason, reprit le surveillant sur un ton cajoleur, tu feras de lui un type doux comme un agneau. Et tu peux être sûr que ça te vaudra un bon point dans ton dossier.

— Dennis, dit Jason en guise d'adieu, tu es la générosité même ! »

Journal d'Andrew Eliot

16 janvier 1955

Jason Gilbert était en pleine forme hier soir à notre boum, prélude aux examens semestriels. Nous avions recruté, et soigneusement sélectionné dans les universités du coin, de beaux brins de filles, auréolées de la meilleure réputation qui fût dans le domaine de la promiscuité (Newall prétend avoir fait une touche en en ramenant une à Pine Manor, mais c'est lui qui le dit et nous n'en avons aucune preuve).

Ce cher Gilbert est l'âme des surboums. Il est si bien foutu que nous avons du mal à retenir l'attention de nos petites amies et, quand il vous raconte des histoires, c'est à se rouler par terre. Il vient d'hériter d'un nouveau camarade de piaule (il ne veut pas nous dire ce qui est arrivé à l'autre) et le gars est à moitié givré.

Dès que Jason essaye de s'endormir, ce cinglé dégaine une épée et se met à sauter à travers la salle de séjour comme Errol Flynn.

Au bout d'une semaine, le type a fichu le sofa en l'air. Passe encore, mais le bruit... Chaque fois qu'il marquait un point, ce qui ne posait pas de problème, le sofa ne pouvant lui donner la riposte, il bramait : « Tuez ! », ce qui rendait Jason enragé.

Un soir, Gilbert et lui ont fini par avoir une confrontation. Gilbert a fait face à cet individu avec une raquette de tennis et lui a demandé aussi calmement que possible quelle mouche l'avait piqué. Le type a rétorqué qu'il s'entraînait en vue d'une rencontre qui aurait lieu à Yale.

Jason lui a répondu que, s'il avait vraiment besoin de s'entraîner, il serait heureux de lui servir d'adversaire, à condition qu'ils se battent jusqu'à ce que l'un d'eux passe l'arme à gauche. Le gars a d'abord cru que Jason n'était pas sérieux, ce qui se comprend. Pour rendre le défi plus plausible, Jason a écrasé et réduit en miettes avec sa raquette ce qui restait du sofa. Il s'est alors tourné vers son adversaire et lui a expliqué qu'il lui réservait le même sort s'il était vaincu.

Si incroyable que cela puisse paraître, notre escrimeur a laissé tomber son fer et a battu en retraite dans sa chambre en quatrième vitesse.

Cela a mis fin à ce grabuge. Le lendemain, le fier-à-bras est allé de lui-même remplacer le sofa.

Depuis cet épisode, la vie se déroule sans histoire dans l'appartement de Gilbert. Le type semble avoir eu une telle trouille qu'il n'ose plus parler à Jason.

Comme son célèbre ancêtre de l'Antiquité, Socrate Lambros n'admettait pas le moindre changement à sa routine quotidienne. Aucune excuse ne pouvait donc dispenser son fils Ted de ses devoirs vespéraux au *Marathon*. Voilà pourquoi Ted n'avait pas été autorisé à rejoindre ceux de sa promo en cette soirée de septembre où le président Pusey avait prêché avec éloquence en faveur de la liberté académique.

Emprisonné dès la fin de ses cours, Ted n'avait jamais la chance d'assister à un match de football ni celle de s'asseoir à Soldier's Field parmi ses pairs qui s'égosillaient en hurlant ou se rendaient malades à force de boire.

C'était une des mille raisons qui expliquaient pourquoi il ne se sentait pas (affectivement parlant) membre à part entière de la promo 58. Pourtant, il en mourait d'envie...

Dès que la boum des étudiants de première année, le *Freshman Smoker*, fut annoncée, Ted supplia son père de le laisser participer à cette unique occasion de sa vie d'étudiant de Harvard, officiellement consacrée à la frivolité. Socrate se montra inflexible, mais Thalassa plaida la cause de son fils :

« Il n'arrête pas, ce garçon ! Donne-lui une soirée, Socrate. Pour une fois...

— D'accord », obtempéra le patriarche.

Devant pareille générosité, la gratitude du jeune Ted à l'égard de son père se traduisit en envolées dignes de celles de Démosthène faisant l'éloge d'un chef de gouvernement !

C'est ainsi que le soir du 17 février, Ted Lambros se rasa, enfila une chemise neuve, mit sa plus belle veste de tweed (achetée d'occasion mais presque neuve) et se rendit au Sanders Theater. Son dollar lui octroya l'entrée au spectacle, le droit d'ingurgiter toute la bière qu'il pourrait descendre et celui de gagner des lots qui allaient de pipes en épis de maïs à des paquets de cigarettes Pall Mall.

Deo Gratias, il était enfin l'un d'entre eux !

A vingt heures trente, un maître des cérémonies, archimaquillé, entra nerveusement en scène pour présenter le spectacle. Il fut accueilli par un raz de marée de grognements et de murmures accompagnés d'obscénités ahurissantes de la part d'émules de Harvard aux goûts soi-disant raffinés !

La première attraction fut Les Veuves de Wellesley, une douzaine de jeunes et jolies chanteuses échappées d'une université voisine.

A peine eurent-elles émis une note, qu'elles disparurent sous une grêle de pennies scandée de « A poil ! A poil ! » Le maître des cérémonies conseilla aux jeunes filles de décamper. Les artistes qui leur succédèrent reçurent le même accueil.

Le spectacle sur scène n'était qu'un *benedicite*... une entrée... Le « plat de résistance » attendait de l'autre côté du corridor de Memorial Hall : trois cents tonnelets prévus pour étancher la soif de ces recrues déchaînées.

Les garçons étaient « chaperonnés » en bonne et due forme. On notait la présence de quatre doyens, les surveillants au grand complet, et dix membres de la police universitaire. Les flics avaient été assez astucieux pour endosser leurs imperméables, ce ne fut pas du luxe...

En un temps record, Mem Hall, théâtre de moult événements universitaires solennels, fut noyé sous la bière : vous en aviez jusqu'aux chevilles ! Des bagarres éclatèrent. Les surveillants s'efforcèrent de rétablir l'ordre, mais les étudiants leur cognèrent dessus et les envoyèrent rouler dans cette mare.

Ted Lambros resta là planté au milieu de cette mêlée, n'en croyant pas ses yeux. Etait-ce réellement une réunion des futurs leaders de ce monde ?

Quelqu'un l'accosta :

« Hé ! Lambros ! lui cria-t-on, t'es même pas saoul ? »

C'était Ken O'Brien, ancien camarade de Cambridge Latin High School, à la fois trempé et beurré.

Avant même qu'il pût lui répondre, Ted sentit quelque chose ruisseler sur sa plus belle veste. Ted, furieux, flanqua un coup de poing à Ken lui effleurant le menton. Hélas, il perdit l'équilibre et s'étala dans la bière.

Ted ne put rester là une minute de plus. Il s'en alla en pataugeant, dégoûté, sans se retourner.

L'orchestre de Harvard Radcliffe organise chaque année le concours du meilleur soliste de la communauté étudiante. Ce concours a lieu l'hiver afin que le lauréat, en général un étudiant en dernière année ou en maîtrise, puisse rehausser de son talent le concert que l'orchestre donne au printemps.

Il y a bien sûr des zélés qui essayent de s'inscrire le plus tôt possible. Don Lowenstein, président de l'association, doit donc faire montre d'une diplomatie pleine de tact pour les décourager de prendre le risque de cafouiller en public.

Mais cet après-midi-là, son jeune visiteur à la crinière de feu, frêle et portant lunettes, ne se laissait pas dissuader.

« Ecoutez, expliqua Lowenstein avec une pointe de condescendance, la plupart du temps nos solistes deviennent des professionnels. Je suis sûr que vous étiez un génie au lycée, mais...

— Je suis un pro, interrompit Danny 58.

— Bon, bon, ne vous emballez pas. Je veux dire que ce concours réclame une préparation intense.

— Je le sais, répondit Danny, si je ne suis pas à la hauteur, ce sera mon problème.

— Voyons tout de suite où vous en êtes. Descendez, je vous écoute. »

Lorsqu'il revint une heure plus tard, Donald Lowenstein était en léger état de choc. Sukie Wadsworth, vice-présidente de l'association, le vit entrer et s'affaler à sa table de travail.

« Sukie, je viens d'entendre le gagnant du concours du concerto de cette année. Croyez-moi, ce jeune Rossi est un prodige. »

A ce moment, l'objet de ses louanges fit son apparition.

« Merci d'avoir pris le temps, dit Danny, j'espère que vous me trouvez à la hauteur pour ce concours.

— Bonjour, lança la jeune fille de Radcliffe, je suis Sukie Wadsworth, vice-présidente de l'orchestre.

— Oh... ravi de vous rencontrer. » Il espérait qu'elle ne se rendrait pas compte de la façon dont il la dévisageait par-derrière ses hublots.

« Je trouve sensationnel qu'un première année se présente à ce concours, ajouta-t-elle gaiement.

— Ah ! vous savez ! reprit timidement Danny, peut-être vais-je tout simplement me ridiculiser.

— J'en doute », répondit Sukie avec un sourire, éblouissant encore davantage son interlocuteur, « Don vient de me vanter votre talent.

— Oh, ça !... enfin... Espérons que ce n'est pas pure politesse de sa part. »

Un ange passa... Et dans ce mini laps de temps, Danny décida de tenter un effort héroïque pour impressionner cette ravissante créature.

C'était sûr qu'il allait rater son coup, se dit-il, mais après tout pourquoi la loi des probabilités ne jouerait-elle pas cette fois en sa faveur ?

« Dites, Sukie, aimeriez-vous m'entendre ?

— J'en serais enchantée », répliqua-t-elle. Elle prit Danny par la main et l'emmena à la recherche d'une salle d'étude qui fût libre.

Il joua une partita de Bach et un morceau de Rachmaninov, rapide comme l'éclair. Inspiré par une présence féminine, sa technique n'en était que plus remarquable. Toutefois il ne la regarda pas, afin de mieux se concentrer. Oh ! comme il sentait cette présence !

Il finit par lever la tête. Elle était penchée sur le piano ; son chemisier généreusement échancré offrait une vue du plus grand intérêt esthétique.

« Ça peut passer ? » demanda-t-il légèrement essoufflé.

Un sourire illumina le visage de la jeune fille.

« Rossi, permettez-moi de vous dire, commença-t-elle en posant les mains sur ses épaules, que vous êtes le type le plus fabuleux avec lequel j'ai jamais eu le plaisir de me retrouver seule dans une pièce.

— Oh ! » émit Danny Rossi, en la regardant, tandis que des gouttes perlaient sur ses sourcils. « Dites, prendriez-vous une tasse de café avec moi un de ces jours ? »

Elle se mit à rire.

« Danny, aimeriez-vous faire l'amour tout de suite ?

— Ici ? »

Et elle se mit à déboutonner son chemisier.

Danny avait toujours espéré que les femmes finiraient par découvrir que sa brillante exécution d'une phrase musicale au clavier pourrait être aussi stimulante que l'exécution d'une passe de football. Cela avait fini par arriver.

Quant aux joueurs de football, ils ignorent ce que c'est qu'un rappel...

Journal d'Andrew Eliot

6 mars 1955

Ce qui rend Harvard — et, Yale aussi — différente des autres universités américaines est un certain système éducatif propre aux quatre premières années de fac.

Aux environs de 1909, Cambridge, jusqu'alors village, se transforma en ville et, si quelques étudiants vivaient en dortoirs, ceux de Harvard étaient disséminés à travers la ville. Les moins bien lotis financièrement louaient des espèces de taudis le long de Mass Avenue, tandis que ceux qui étaient nés « coiffés » (comme mon père) habitaient des appartements luxueux dans le quartier alors appelé The Gold Coast (près de Mt Auburn Street). Cette dispersion était le symptôme d'un cloisonnement social étanche qui perpétuait de nombreux préjugés.

Lowell, président de Harvard, estima que cette vie en vase clos ne convenait pas à de jeunes étudiants. Il était partisan de copier Oxford et de diviser l'université en petites entités qui seraient chacune une mixture de ces échantillons estudiantins.

Ce système existe toujours. On commence par nous admettre, nous, les nouveaux, dans des dortoirs regroupés autour du Yard, dans le but de permettre — en principe — un vaste brassage des différentes sortes de gars qui forment notre promo.

Au bout d'un an de cette expérience enrichissante, nous sommes censés avoir des amis aussi fascinants que divers ; nous voilà prêts à passer les trois années suivantes au bord de la Charles, dans ces microcosmes universitaires que Harvard appelle, non sans snobisme, « maisons ». Tout simplement.

En fait, pour certains d'entre nous, cette solution revêt une valeur éducative. Des athlètes venus de leur Alabama posent leur candidature pour une de ces maisons au même titre que des étudiants en médecine, des philosophes ou des romanciers en herbe. Si tout marche bien, cela peut enrichir votre vie autant et davantage qu'un cours académique.

Pour des étudiants issus du secteur privé, le problème est différent. La variété n'est pas le sel de notre vie. Nous sommes des bactéries (en un peu plus doués peut-être). Nous prospérons dans le milieu qui nous est propre.

C'est pourquoi l'université n'a sûrement pas été surprise le jour où Newall, Wigglesworth et moi avons décidé de continuer à partager la même piaule pendant encore trois années.

Nos premiers plans avaient été de demander à Jason Gilbert de se joindre à nous pour faire le quatrième. C'est un chic type et il aurait mis de l'animation. Newall pensait également que nous pourrions bénéficier du surplus de ses admiratrices, mais disons que c'était secondaire.

Dick le lui proposa dans le car qui les ramenait du tournoi de squash contre Yale. Jason se montra hésitant. Il avait eu une telle malchance avec ses camarades de chambre, qu'il était résolu à être seul l'année suivante, rare privilège pour un étudiant de seconde année. Le surveillant de Gilbert avait promis d'écrire une lettre pour appuyer sa requête. Jason suggéra que nous choisissions la même maison afin de prendre nos repas ensemble et d'être ainsi à pied d'œuvre pour nos festivités de dernière minute.

Restait à faire notre choix. Sur sept maisons, trois sont acceptables, socialement parlant. Malgré ces histoires de démocratie, la plupart des maîtres de céans sont désireux d'impartir à leur maison un genre qui attire certain type d'étudiants. Nombreux furent ceux qui choisirent Adams House (ainsi nommée en souvenir de ce bon vieux Johnny, promo 1755, second Président des Etats-Unis), peut-être parce qu'elle avait abrité jadis les Gold Coast Apartments et qu'elle a un chef qui a travaillé autrefois dans un restaurant élégant de New York (facteur à ne pas négliger si vous considérez que vous avez devant vous trois années de petits déjeuners, déjeuners et dîners). N'oublions pas Lowell House, chef-d'œuvre du style géorgien, pratique pour les membres du Final Club, dont le maître de céans est plus anglais que la reine d'Angleterre. Un endroit qui sent le tweed...

Mais, à Harvard, le paradis des anciens du privé est, sans conteste, Eliot House. Il va de soi que Wig et Newall en ont fait leur choix premier. Pour ma part, je me sens mal à l'aise à l'idée d'habiter ce monument de brique rouge, plutôt imposant, élevé à la mémoire de mon arrière-grand-père (il a même sa statue dans la cour).

Toutefois, Wig et Newall étaient enthousiastes à l'idée de loger en cet endroit où la plupart de nos amis sont allés se terrer. Nous avions là matière à un véritable débat, lorsqu'un visiteur vint nous surprendre, à une heure tardive.

Heureusement aucun de nous n'était trop bourré pour ne pas entendre que l'on frappait à la porte.

Newall se leva un peu flageolant pour aller accueillir notre visiteur du soir. Je l'entendis s'exclamer : « Jésus-Christ ! » Je me précipitai vers la porte juste à temps pour entendre notre visiteur répondre :

« Pas exactement, jeune homme, je ne suis que son humble serviteur ! »

C'était le professeur Finley. En personne ! Oui, lui-même ! Et dans notre dortoir !

Il faisait sa promenade du soir et l'idée lui était venue de s'arrêter pour s'enquérir de notre choix d'une maison pour l'an prochain. Il voulait savoir si Eliot aurait le « privilège » de figurer parmi nos choix.

Nous eûmes tôt fait de le rassurer, mais il perçut, de mon côté, quelque hésitation, car j'éprouvais certaine répugnance à me retrouver, moi, Andrew

Eliot, à Eliot House, dont le maître de céans était le professeur de grec, titulaire de la chaire de mon aïeul.

En fait, il était venu me rassurer.

Il ne s'attendait pas que je traduise la Bible à l'usage des Indiens, ni que je devienne président de Harvard, mais il était persuadé que je laisserais une marque de mon passage.

Je ne sais si ce fut la surprise ou l'émotion qui l'emporta chez moi : ce professeur distingué estimait que je pourrais, moi, devenir je ne sais pas trop quoi, mais en tout cas *quelque chose* !...

En me réveillant le lendemain matin, je n'étais pas encore sûr que John H. Finley était venu nous trouver, en chair et en os.

Tant pis, rêve ou pas rêve, nous irons tous les trois à Eliot House. Même le spectre de Finley — s'il ne s'agit que d'un spectre — a assez de charme pour vous ensorceler.

Chaque matin, lorsque Jason Gilbert ramassait le *Crimson* sur le seuil de sa porte, il s'empressait de l'ouvrir à la page des sports pour voir si l'on mentionnait l'un ou l'autre de ses exploits. Il parcourait ensuite la première page pour se tenir au courant de ce qui se passait à Harvard. Pour finir, s'il en avait le temps, il jetait un coup d'œil sur les derniers événements affectant le monde qui faisaient l'objet d'une chronique succincte dans un coin du journal.

Aussi ne remarqua-t-il pas un entrefilet annonçant que, pour la première fois, un étudiant de première année avait remporté le concours annuel de concerto sous le patronage de l'orchestre de Harvard-Radcliffe.

Le 12 avril 1953, Danny Rossi, promo 58, jouerait le *Concerto en mi bémol* de Liszt.

Jason ne l'apprit que trois jours plus tard, lorsqu'il trouva une enveloppe glissée sous sa porte.

Cher Jason,

Sans ton aide, lors du test d'endurance, je n'aurais pu arriver à étudier assez pour être lauréat.

Voici deux billets, comme promis.

Amène un(e) ami(e).

Amitiés

DANNY.

Jason sourit, la première semaine demeurait un bien lointain souvenir. Jamais il n'avait repensé à ce que Danny lui avait dit alors. Maintenant, il avait un prétexte pour inviter Annie Russell, la fille la plus populaire de Radcliffe. Jason avait attendu une occasion et c'était une grande occasion.

Le soir du 12 avril, ceux de Harvard qui se passionnaient pour les jeunes talents affluèrent à Sanders Theater afin d'entendre celui qui avait été annoncé comme une nouvelle comète entrant dans leur galaxie.

Nul ne se rendait mieux compte de l'examen minutieux auquel il allait être soumis que le soliste lui-même. Danny se tenait dans les coulisses. Il regardait avec une anxiété croissante le hall qui s'emplissait d'individus intimidants. Outre ses professeurs, il reconnut des personnalités appartenant aux célèbres conservatoires de la ville. Bonté divine ! Même John Finley était là !

Dans l'excitation des semaines de répétition, Danny avait anticipé cette soirée avec une joie quasi démentielle, le moment où il pourrait faire montre de ses talents de pianiste devant un millier de personnages importants. Soudain il se sentait grandir, telle une étoile au zénith.

Jusqu'à hier soir... Car la veille de cet événement qui devrait être son triomphe à Harvard, il ne put s'endormir. Il se tournait et se retournait dans son lit, s'imaginant que ce serait une catastrophe. Il gémissait comme si elle eût été inévitable.

« Je serai la risée de tous, se disait-il. Je m'évanouirai en entrant en scène. Ou je trébucherai. Ou je jouerai le premier morceau trop tôt. Ou trop tard. Ou j'oublierai complètement la musique... Tous se foutront de moi. Et cette fois, pas simplement les braves dames d'Orange County, Californie, mais un millier de gens qui s'y connaissent. Quelle tuile ! Pourquoi diable me suis-je présenté à ce fichu concours ! »

Il porta la main à son front. Il était chaud et moite. « Peut-être suis-je malade », se dit-il. Il l'espérait presque. « Peut-être devront-ils annuler mon concert. Mon Dieu, faites que j'aie la grippe ! Ou quelque chose d'un peu sérieux. »

A son grand désarroi, il se sentit en relativement bonne forme le lendemain matin, et dut se résigner à affronter la guillotine du soir au Sanders Theater.

Il se tenait dans les coulisses. Seul.

Don Lowenstein, qui dirigeait l'orchestre, vint lui demander s'il était prêt. Danny voulut répondre que non, mais fit oui de la tête.

Il respira profondément, se dit « Après tout ! merde ! » et entra en scène, les yeux fixés sur le plancher. Avant de s'asseoir au piano, il s'inclina devant son auditoire, pour le remercier de ses applaudissements polis. Dieu merci, les projecteurs l'aveuglaient : il ne pouvait discerner aucun visage.

Un phénomène étrange se produisit alors.

A peine fut-il assis devant son clavier que son angoisse laissa place à une sensation toute neuve : l'exaltation. Il se sentit embrasé du feu de la musique.

Il fit signe à Don qu'il était prêt.

Au premier coup de bâton, Danny entra dans une transe étrange, hypnotique. Il rêvait qu'il jouait à la perfection. Mieux que jamais.

Des bravos fusèrent de toute la salle, suivis d'applaudissements qui semblaient ignorer le *diminuendo*.

L'atmosphère qui régnait autour de Danny rappela à Jason celle des finales d'un championnat de tennis. C'est tout juste si les admirateurs ne lui firent pas faire le tour de la salle sur leurs épaules. De vénérables sommités du monde de la musique faisaient la queue pour lui serrer la main.

Dès qu'il aperçut Jason, Danny se dégagea de ses admirateurs et se précipita vers lui.

« Fantastique, mon vieux ! » lui dit Jason sur un ton chaleureux, en guise de salutation. « Merci de tout cœur pour les billets. J'aimerais te présenter Annie Russel, promo 57, qui m'a accompagné ce soir.

— Bonsoir, répondit-elle, rayonnante. Me permettrez-vous d'être la millième personne à vous redire que vous avez été absolument fabuleux ce soir ?

— Merci », dit Danny. Puis il ajouta :

« Excusez-moi, mais j'ai encore d'autres professeurs à saluer. Si nous déjeunions ou dînions ensemble un de ces jours, Jason ? Ravi d'avoir fait votre connaissance, Annie. »

Un geste d'adieu, et il s'esquiva.

Le lendemain après-midi, émoustillé par l'attitude enjouée dont Annie avait fait preuve la veille, Jason lui téléphona pour l'inviter au match de foot du samedi suivant.

« Je suis navrée, répondit-elle, mais je pars dans le Connecticut.

— Tiens, un rendez-vous à Yale ?

— Non, Danny accompagne l'orchestre de Hartford. »

« Merde », se dit Jason en raccrochant, crevant de dépit. « Une bonne leçon pour toi, mon vieux : ne viens jamais au secours d'un de tes copains de Harvard, ne serait-ce que pour l'aider à monter une marche... »

En ce mardi 24 avril 1955, Cambridge sentait encore l'hiver. Toutefois, à en croire les statistiques administratives officielles, un rayon de soleil pour le moins métaphorique brillait dans les cœurs de 71,6 pour cent des mille trois cent vingt-deux étudiants de première année de Harvard. Cette heureuse majorité avait été acceptée par la maison de son choix.

Ce ne fut pas une surprise pour le trio qui avait ses quartiers au Wig G 21 : la bonne nouvelle de cette admission leur avait été annoncée un mois plus tôt par la visite d'un archange distingué. Les garçons furent néanmoins enchantés d'apprendre qu'on leur avait attribué un appartement donnant sur la Charles. Rares étaient les étudiants de seconde année qui jouissaient de ce genre de privilège.

Quant au privilège d'avoir une chambre à soi, c'était tout simplement impensable. Jason Gilbert eut pourtant cet honneur (pour services rendus).

Il fit part de cette heureuse nouvelle à son père au cours de leur conversation téléphonique hebdomadaire.

« Fantastique, mon vieux. Même ceux qui ont à peine entendu parler de Harvard savent qu'Eliot House abrite la fine crème de la société estudiantine.

« — Tu sais, nous sommes tous censés être la fine crème, papa ! répondit Jason sur un ton badin.

— Bien sûr, mais Eliot est le fin du fin, Jason. Ta mère et moi sommes fiers de toi. Tiens, j'y pense, dis-moi, as-tu fait ces nouveaux exercices pour améliorer ton revers au tennis ?

— Oui, papa, tu peux compter sur moi.

— Ecoute, j'ai lu dans *Tennis World* que ces as du tennis se remettent à faire travailler leurs mollets comme les boxeurs.

— C'est vrai, dit Jason, mais je n'ai franchement pas le temps. J'ai un boulot fou.

— Naturellement, mon ami. Ne va rien faire qui risque de compromettre tes études. A la semaine prochaine !

— Au revoir, papa. Embrasse maman pour moi. »

Danny Rossi était outré. Il avait jeté son dévolu sur Adams House, lieu de prédilection des étudiants en musique et en littérature, où il vous suffisait de frapper à la porte de votre voisin pour former sur-le-champ un petit orchestre de musique de chambre.

Persuadé qu'il serait admis à Adams, Danny avait gribouillé distraitement ses deuxième et troisième choix.

C'était à Eliot, son *troisième choix,* qu'il se voyait assigner...

Comment pouvait-on lui faire ça, à lui qui s'était déjà distingué au sein de la communauté universitaire ? Adams House ne serait-elle pas fière, un jour, d'avoir abrité Danny Rossi ?

Il décida d'exprimer ses doléances au professeur Finley. Ne dirigeait-il pas Eliot House, maison à laquelle lui, Danny, ne voulait pas être affecté ?

Plus surprenante encore fut sa réaction lorsque Finley lui avoua avec candeur :

« J'ai tout fait pour vous avoir ici, Daniel. J'ai été jusqu'à échanger deux piliers de l'équipe de football et un poète qui a été publié afin d'obtenir du directeur de Adams House qu'il vous laisse partir.

— Je suppose que je devrais en être flatté, monsieur », reprit Danny, qui ne savait plus sur quel pied danser. « Mais voyez-vous...

— Je comprends », reprit le professeur, allant au-devant des idées préconçues et erronées que se faisait Danny, « mais, malgré notre réputation, je souhaite qu'Eliot House soit hors pair en toute discipline. Avez-vous visité notre maison ?

— Non, monsieur », admit Danny.

Quelques instants plus tard, Finley emmenait Danny dans un escalier en colimaçon logé dans la tourelle donnant sur la cour. Le jeune homme était essoufflé. Finley avait grimpé les marches quatre à quatre. Une fois là-haut, le professeur ouvrit une porte.

Danny fut frappé par la vue extraordinaire que l'on avait sur la Charles, depuis un énorme œil-de-bœuf, et ce ne fut que quelques secondes plus tard qu'il aperçut le piano à queue placé devant cette fenêtre.

« Qu'en pensez-vous ? s'enquit Finley. Les grands esprits d'autrefois trouvaient leur inspiration en des endroits élevés. Rappelez-vous Pétrarque, votre génie italien, rappelez-vous son ascension du mont Ventoux. Un geste tout ce qu'il y a de platonique.

— Incroyable ! s'exclama Danny.

— On pourrait y écrire une symphonie, n'est-ce pas ?

— J'en suis sûr.

— C'est pourquoi nous souhaitions tant que vous soyez à Eliot House. Harvard accueille le génie, ici nous le cultivons. »

Et cet homme de légende tendit la main au jeune musicien, non sans ajouter :

« J'attends avec impatience que vous soyez des nôtres l'automne prochain.

— Merci, dit Danny enthousiasmé. Oh ! merci de m'avoir fait venir à Eliot House ! »

Pour quelques membres de la promo 58, le 24 avril serait une journée comme les autres.

Ted Lambros était l'un de ces malchanceux qui vivaient en dehors du campus. Il n'avait pas demandé à être affecté à telle ou telle maison, par conséquent, il ne se sentait nullement concerné par ce qui venait d'être annoncé à ceux qui habitaient sur le campus.

Il comprenait pourtant la joie de ses camarades plus favorisés que lui, à la perspective de passer les trois années suivantes au bord de la Charles, grâce à ce système de logement pour étudiants, unique en son genre.

Ayant récolté un A et trois B à ses examens, il espérait obtenir une bourse qui lui permettrait de vivre sur le campus universitaire.

A sa grande déception, il reçut une lettre du secrétariat des bourses qui avait le grand honneur de lui faire savoir qu'une bourse de huit cents dollars lui était allouée pour les trois années suivantes... Un pourboire...

Harvard venait d'annoncer une augmentation des frais de scolarité équivalant à cette somme.

Ted se sentit frustré.

Il n'appartenait toujours pas à ce monde...

Lorsque Danny Rossi avait donné son concert au Sanders Theater, il ignorait que le professeur Piston y avait invité Charles Munch, chef d'orchestre distingué du Boston Symphony. Le maestro écrivit à Danny une lettre élogieuse, dans laquelle il le félicitait pour la façon dont il avait interprété ce concerto et l'invitait à passer l'été à travailler dans le cadre du festival musical de Tanglewood.

La tâche est modeste, sans doute, mais je sens qu'il vous serait bénéfique d'avoir des contacts avec les grands artistes qui nous rendront visite. Je serais très heureux, pour ma part, de vous voir assister, si vous l'acceptez, aux répétitions de notre orchestre, car j'ai entendu dire que vous envisagiez une carrière musicale.

Croyez à mon amical souvenir,

CHARLES MUNCH.

L'invitation permit de résoudre un délicat problème d'ordre familial. A travers ses lettres hebdomadaires, Gisela avait assuré son fils que, s'il revenait passer l'été à la maison, son père le réhabiliterait dans son estime et qu'ils pourraient créer de nouveaux liens entre eux.

Dieu sait combien Danny avait envie de revoir sa mère et de partager son succès avec Mc Landau, mais il n'osa pourtant pas se risquer à une nouvelle confrontation avec Arthur Rossi.

Sans crier gare, ou presque, la première année arriva à son terme.

Le mois de mai commença avec la période de révision.

La saison sportive était au zénith avec de nombreux matches et rencontres Harvard-Yale qui ne se terminèrent pas toujours en faveur de Harvard. Jason Gilbert mena l'équipe de tennis à la victoire. Il prit un malin plaisir à regarder du coin de l'œil la tête de l'entraîneur de l'équipe de Yale tandis que lui, Jason, anéantissait sans merci leur joueur numéro un.

Jason dut reprendre un rythme de vie plus calme et se mettre à bosser. Il réduisit de façon draconienne ses sorties, les limitant au week-end.

A Harvard Square, la vente de cigarettes et de stimulants augmentait de manière ahurissante. La Lamont Library était bondée vingt-quatre heures sur vingt-quatre. Son système de ventilation dernier cri exhalait des relents de chemises raides de crasse, de sueurs froides et de peur pure et simple.

Les examens arrivèrent comme un soulagement. La promo 58 apprit, à sa grande joie, que le vieux dicton était exact : le plus dur, à Harvard, c'était d'y entrer. Il fallait être un génie pour *ne pas* en sortir diplômé.

On fit évacuer leurs dortoirs aux étudiants de première année, afin d'héberger, durant la semaine de la remise des diplômes, les lauréats d'il y a vingt-cinq ans. Quelques membres de la promotion partirent pour ne jamais revenir...

Une poignée d'étudiants avaient réussi l'impossible : ils s'étaient fait étaler. D'autres reconnurent qu'en toute honnêteté ils ne pouvaient supporter plus longtemps la pression exercée par des pairs aussi ambitieux. Ils capitulèrent sous prétexte de rester sains d'esprit et demandèrent le transfert de leur dossier dans une université près de chez eux.

D'autres continuèrent à se battre. Et à perdre la boule à force de s'acharner. David Davidson (toujours à l'hôpital) ne fut pas le dernier. A Pâques, le *Crimson* eut la charité de déguiser un suicide en accident de voiture (bien que Bob Rutherford se trouvât dans son garage lorsque la mort survint).

Toutefois, comme certains durs de la promo le soutenaient, ne fallait-il pas y voir une leçon, tant pour les victimes que pour les survivants ? La vie dans les hautes sphères serait-elle plus facile que dans cette chambre de tortures volontaires qu'était Harvard ?

Les plus fragiles reconnaissaient qu'ils avaient encore trois années à tenter de survivre.

Journal d'Andrew Eliot

1er octobre 1955

En août dernier, alors que nous étions réunis dans notre propriété du Maine, où j'ai passé le plus clair de mon temps à faire connaissance avec ma nouvelle belle-mère et ses enfants, nous eûmes, mon père et moi, notre conversation annuelle au bord du lac. Il commença par me féliciter de m'être débrouillé pour réussir mes examens. La perspective de me savoir quatre années de suite dans le même cadre universitaire était loin de lui déplaire.

Dans cet esprit soucieux d'éducation, mon père me redit à quel point il était déterminé à ce que je n'aie pas à souffrir du handicap d'être né dans un milieu riche. En clair, cela signifiait que, s'il était heureux d'assumer mes frais de scolarité et de pension, il cesserait, en revanche, de me donner de l'argent de poche et cela dans mon propre intérêt.

En conséquence, si je souhaitais — et il l'espérait — appartenir à un club, aller encourager l'équipe de Harvard lors des matches de football ou encore emmener de jeunes, jolis et beaux partis au *Locke-Ober's,* il me faudrait me mettre en quête d'un job.

De retour à Cambridge, je me rendis tout droit au bureau d'aide aux étudiants où j'appris que les emplois lucratifs avaient déjà été confiés à des boursiers qui avaient davantage besoin de fric que moi.

Je ne pus donc bénéficier de l'expérience enrichissante de faire la plonge, ni de servir de la purée de patates.

Au moment où l'avenir semblait plutôt sombre, je rencontrai le professeur Finley. Je lui expliquai les raisons de mon retour prématuré. Il trouva fort louable le désir qu'avait mon père de m'inculquer ces bonnes valeurs américaines. A ma grande surprise, il m'accompagna à la bibliothèque d'Eliot House où il persuada Neil Devlin, bibliothécaire-chef, de me prendre parmi ses assistants.

Je me suis ainsi retrouvé avec cette merveilleuse planque : trois soirs par semaine, je suis payé pour être assis à un bureau à regarder lire des étudiants.

M. Finley devait savoir ce qu'il faisait, car mon boulot est si peu astreignant que, faute d'avoir autre chose à faire, j'étudie.

Pourtant, hier soir, quelque chose *s'est passé* en cette respectable bibliothèque.

Vers neuf heures, je levai la tête et aperçus un machin étrange sur le dos d'un gars de bonne carrure. Il me sembla, en effet, reconnaître ma veste, ou, plus exactement, mon ancienne veste. Normalement je ne l'aurais pas repérée, mais celle-ci était en tweed, avait des boutons de cuir et mes parents me l'avaient achetée chez Harrods, lors d'un voyage à Londres. Ce genre de veste ne courait pas les rues.

En soi, cela n'avait rien de surprenant. Après tout, je l'avais vendue au printemps à Joe Keezer, fripier en renom. Old Joe est une institution harvardienne et nombreux sont mes copains qui, lorsqu'ils sont à court de cash pour des choses aussi essentielles qu'une bagnole ou les droits d'admission à un club, lui ont vendu leurs nippes élégantes.

En revanche, je n'ai jamais rencontré un type qui ait acheté quoi que ce soit *chez lui.* Ça ne marche pas dans ce sens-là. Aussi, du strict point de vue de mes responsabilités professionnelles de bibliothécaire, je me trouvais confronté à un problème : un gars déguisé en étudiant s'était probablement faufilé dans la bibliothèque.

Il était beau garçon, la peau mate, mais il était *trop bien mis,* pas à son aise. J'entends par là que, bien que la salle manquât d'air, non seulement il gardait sa veste, mais il n'ouvrit même pas son col. Il était plongé dans son bouquin, ne le quittant que pour aller vérifier un mot dans un dictionnaire.

Il n'y a rien à objecter à cela, disons simplement que ce n'est pas dans les normes des habitués d'Eliot House. J'en déduisis que je ferais mieux de surveiller du coin de l'œil cet éventuel intrus.

A onze heures quarante-cinq, je commence à éteindre l'une ou l'autre lampe de façon à signaler discrètement que je vais fermer boutique. Les étudiants avaient évacué les lieux : seul restait cet étranger. Dans ma vieille veste... Cela me donnait une chance de résoudre le mystère.

Je m'approchai de sa table, pointai du doigt la grosse lampe au milieu de la table et le priai de bien vouloir l'éteindre. Il me regarda ahuri et dit, comme pour s'excuser, qu'il n'avait pas réalisé que c'était l'heure.

Je lui répondis que, selon le règlement de la maison, il lui restait encore quatorze minutes ; il pigea. Il se leva et me demanda comment j'avais deviné qu'il n'était pas un des « pensionnaires » d'Eliot House, le portait-il sur le visage ?

Je lui répondis candidement que je l'avais repéré à sa veste. C'est tout.

Ma réponse l'embarrassa. Il se mit à l'examiner de près. Je lui expliquai que c'était une de mes anciennes possessions. Je sentis que j'étais un beau salopard de lui avoir mentionné cela, aussi m'empressai-je d'ajouter qu'il pouvait utiliser la bibliothèque chaque fois que j'y étais.

Après tout, il était à Harvard, n'est-ce pas ?

Ouais. Pour en finir, c'est un étudiant de seconde année, un non-résidant. Un dénommé Ted Lambros.

Le 17 octobre eut lieu à Eliot House une petite émeute. Une manifestation contre la musique classique, pour être précis. Pour être plus précis encore, disons une manifestation contre Danny Rossi. Et pour être extrêmement précis, ajoutons que l'attaque ne visait pas le garçon mais son piano.

Tout commença lorsque deux habitués chevronnés des clubs décidèrent de s'adonner à de joyeuses libations en fin d'après-midi. Danny étudiait généralement à Paine Hall, sauf en période d'examen où il se servait d'un vieux piano qui était dans sa chambre.

Il était totalement oublieux de ce qui se passait autour de lui, ce jour-là, lorsque nos gais lurons estimèrent que Chopin n'était pas la musique de fond convenant à leur beuverie. Question de goût, ni plus ni moins, mais, à Eliot House, le goût avait force de loi. Il fut décidé qu'il fallait faire taire Rossi.

Ils essayèrent en premier lieu la diplomatie. Ils envoyèrent Dickie Newall trouver Rossi pour le prier, respectueusement, bien sûr, d' « arrêter de jouer cette merde-là ».

Le pianiste rétorqua que le règlement l'autorisait à jouer d'un instrument de musique l'après-midi, et qu'il s'en tiendrait à ses droits.

Dickie revint faire part de l'échec de sa mission. Ses partenaires éméchés décidèrent alors d'avoir recours à la force.

Quatre légionnaires, joyeux compères et bien bourrés dans la meilleure tradition d'Eliot House, traversèrent la cour au pas de charge et montèrent jusqu'à la chambre de Rossi. Ils frappèrent à la porte. Danny l'entrouvrit. Sans mot dire, le commando entra et se déploya autour de l'objet incriminé. Ils le traînèrent jusqu'à la fenêtre ouverte et... le balancèrent, sans autre forme de procès.

Il alla se désintégrer trois étages plus bas. Dans la cour. Il n'y avait personne à ce moment-là. Heureusement.

Rossi tremblait à l'idée d'être défenestré à son tour, mais Dickie Newall se contenta de remarquer :

« Merci pour ta coopération, mon vieux. »

Et la bande de joyeux drilles s'éclipsa...

Quelques secondes plus tard, une foule se pressait autour du malheureux instrument. Danny arriva le premier. Il réagit comme si un membre de sa famille avait été assassiné.

« Dieu, clamait Newall, je n'ai jamais vu un type se foutre dans un tel état pour des morceaux de bois ! »

Les auteurs du crime furent convoqués sur-le-champ dans le bureau du surveillant général, où ils se virent menacer d'expulsion et intimer l'ordre de racheter un piano et de remplacer le carreau. De plus, on exigea d'eux qu'ils retraversent la cour et aillent présenter leurs excuses.

Rossi était fou furieux. Il leur dit qu'ils n'étaient qu'une horde de bêtes sauvages indignes d'être à Harvard. Vu la présence du surveillant, ils durent obtempérer de mauvaise grâce, mais en repartant, ils jurèrent de se venger de « ce gringalet d'Italien » qui leur avait causé tant d'ennuis.

Au dîner, Andrew Eliot aperçut Danny assis, dans son coin, pignochant dans son assiette, l'air misérable. Il vint s'asseoir à côté de lui.

« Tu sais, Rossi, j'ai été désolé d'apprendre ce qui est arrivé à ton piano. »

Danny leva la tête.

« Merde alors, mais pour qui se prennent-ils ! explosa-t-il.

— Tu veux vraiment le savoir ? demanda Andrew. Ils se croient le summum du raffinement mais ce ne sont que des écervelés qui ne seraient pas ici si leurs parents ne les avaient pas envoyés dans des collèges pour gosses de riches. Un type comme toi leur fait perdre leur belle assurance.

— Comme moi ?

« — Oui, comme toi, mon vieux Rossi. Que veux-tu, tu as quelque chose qu'ils ne peuvent acheter et c'est ça ce qui les fiche en rogne. Ils crèvent de jalousie parce que tu as du talent. »

Danny demeura silencieux un moment. Il regarda alors Andrew et lui dit : « Tu sais, Eliot, tu es un chic type ! »

Ted n'arrivait pas à se concentrer sur Hélène de Troie. Quelque chose d'encore plus divin que le visage-qui-avait-fait-prendre-la-mer-à-un-millier-de-navires le distrayait.

Cela faisait plus d'un an qu'il suivait cette fille du regard.

Ensemble ils avaient commencé le grec ancien à la rentrée précédente ; Ted se souvenait encore de la première fois où il l'avait vue, alors que le soleil du matin brillait doucement à travers les vitres de Sever Hall, se jouant sur ses cheveux d'ambre et ses traits délicats. Son visage ressemblait à un camée. La façon élégante et simple dont elle était vêtue évoquait pour lui la nymphe de l'ode d'Horace, *simplex munditiis*, embellie par sa simplicité.

Il se rappelait le jour, treize mois plus tôt, où il avait prêté attention à Sara Harrison. Le professeur Whitman avait demandé à l'un des étudiants de conjuguer *paideuo* à l'imparfait et au premier aoriste ; Sara s'était portée volontaire. Elle était assise, timide, au dernier rang, près de la fenêtre, aux antipodes de Ted qui prenait toujours place au milieu du premier rang. Sa réponse était juste, mais sa voix était si faible que Whitman dut la prier de parler plus fort. C'est à ce moment précis que Ted Lambros tourna la tête et aperçut la jeune fille.

Dès lors, il changea de place, afin de pouvoir regarder Sara tout en restant assez visible pour assurer ses arrières sur le terrain académique. Il gardait chez lui, dans le tiroir de son bureau, une copie du *Radcliffe Register* et, tel celui qui boit en cachette, il se laissait aller de temps à autre à contempler sa photo. Il avait lu et relu les maigres renseignements qui l'accompagnaient. Elle était originaire de Greenwich, Connecticut, et était ancienne élève de Mme Porter. Elle résidait à Cabot Hall, au cas plus qu'improbable où Ted aurait le courage de l'appeler.

Il n'osa même pas lui adresser la parole après le cours. Ainsi passa-t-il deux trimestres à se concentrer autant sur les complexités du verbe grec que sur la finesse des traits de Sara. S'il pouvait être d'une audace agressive ou presque pour répondre à des questions grammaticales, Ted se montrait d'une timidité maladroite pour s'adresser à l'angélique Sara Harrison.

Un phénomène sans précédent se produisit alors : Sara se trouva incapable de répondre à une question :

« Je suis désolée, monsieur, je n'arrive pas à scander l'hexamètre d'Homère.

— Avec un peu d'entraînement vous y arriverez, répondit calmement le professeur. Monsieur Lambros, voudriez-vous scander ce vers, je vous prie. »

Et c'est ainsi que tout commença… Après le cours, Sara alla trouver Ted :
« Vous scandez avec une facilité inouïe. Y a-t-il un secret ? »
Ted osait à peine lui répondre.
« Je serai heureux de vous aider, si vous le voulez.
— Oh ! merci ! J'en serai ravie.
— Une tasse de café au *Bick* ?
— Parfait, dit Sara. »
Et ils quittèrent Sever Hall ensemble.
Ted eut tôt fait de voir quel était son problème : en essayant de scander le vers, elle avait omis le digamma, lettre grecque qui existait dans l'alphabet d'Homère mais avait disparu par la suite et qui n'avait donc pas été imprimée dans le texte.
« Imaginez simplement qu'un mot commence par un *v* invisible. Prenez *oinos*, il deviendra *voinos* et vous rappellera le mot " vin " ou " vigne ", ce qu'il signifie d'ailleurs.
— Ted, vous êtes un professeur fantastique.
— Ça peut aider d'être grec », ajouta-t-il avec une pointe de timidité qui ne lui était nullement naturelle.
Deux jours plus tard, le professeur Whitman redemanda à Sara de scander un hexamètre d'Homère. Elle s'en tira à la perfection et, après coup, elle adressa un sourire reconnaissant à son répétiteur qui n'en fut pas peu fier.
« Mille mercis, Ted ! murmura-t-elle en sortant de la salle de cours. Honnêtement, je ne sais pas comment vous exprimer ma reconnaissance.
— C'est facile, vous pourriez venir prendre avec moi une autre tasse de café.
— Avec joie », répondit-elle.
Se retrouver après les cours devint un rite que Ted attendait autant que le bon moine attend matines. La conversation restait d'ordre général : leurs cours, en particulier celui de grec. Ted n'osait changer quoi que ce fût à leur relation, de peur de déflorer cette extase platonique.
Tous deux reçurent un A et furent brillamment admis à suivre le cours de poésie lyrique grecque du professeur Havelock, dont le sujet ne faisait qu'intensifier l'état d'âme de Ted.
Ils s'embarquèrent dans les vers passionnés de Sappho qu'ils lurent et traduisirent ensemble, sagement assis des deux côtés d'une table de contre-plaqué qui en avait vu de rudes.

> Il y a ceux qui disent que la plus belle chose
> en cette terre obscure est multitude de cavaliers.
> D'autres disent que c'est flotte de navires.
> Moi, je dis celle que vous aimez.

Tout le passage 16 de Sappho était dans la même veine.
« Admirable, Ted, tu ne trouves pas ? s'exclama Sara. Regarde la manière dont une femme exprime son émotion qui, dit-elle, surpasse tout ce qui est important en ce monde des hommes. Ça a dû être drôlement révolutionnaire à l'époque.
— Ce qui me surprend, c'est qu'elle puisse faire état de ses sentiments

sans ressentir la moindre gêne. Ce n'est pas facile pour qui que ce soit, homme ou femme. »

Il se demanda si elle percevait qu'il parlait ainsi de lui.

« Une autre tasse de café ? » demanda-t-il.

Elle acquiesça de la tête et se leva.

« Cette fois, c'est mon tour. »

Tandis qu'elle se dirigeait vers le comptoir, l'idée de l'inviter un soir à dîner traversa l'esprit de Ted. Hélas, il y renonça aussi vite qu'elle lui était venue. Il se savait lié au *Marathon* chaque soir de la sainte semaine. De cinq heures à minuit. Et puis, à quoi bon ? Il était persuadé qu'elle avait un chevalier servant. Une fille comme elle n'avait sûrement que l'embarras du choix...

Pour fêter l'arrivée du printemps, le professeur Levine décida de lire à l'intention de ceux qui suivaient son cours de latin — et Ted faisait partie de cette élite — cet hymne admirable qu'est le *Pervigilium Veneris*, qui célèbre le printemps tout neuf pour ceux qui s'aiment, et s'achève sur une envolée élégiaque. Le poète se lamente :

Illa cantat, nos tacemus : quando ver venit meum ?
Quando fiam uti chelidon ut tacere desinam ?

Elle chante, nous nous taisons : quand viendra mon printemps ?
Quand deviendrai-je comme l'hirondelle et, par mon chant,
briserai-je mon silence ?

Journal d'Andrew Eliot

4 novembre 1955

Bien avant de songer à Harvard, j'ai rêvé d'être un jour une gogo-girl !

Non seulement c'est marrant, mais c'est aussi une façon très chouette de rencontrer des filles.

Depuis un siècle maintenant, le Hasty Pudding Club monte chaque année une comédie musicale dont les rôles sont tenus par des hommes. Les auteurs sont en général des étudiants, sélectionnés parmi ceux qui ont le plus d'esprit (c'est ainsi qu'Alan J. Lerner, promo 40, se prépara à écrire *My Fair Lady*).

Ce qui donne au spectacle ses lettres de noblesse est moins la qualité du script que la quantité des girls. Ce corps de ballet, unique en son genre, se compose de solides athlètes en travesti, agitant en tous sens leurs jambes velues et musclées.

Après Cambridge, cette folle fantaisie plutôt osée fait un rapide tour dans des villes choisies en fonction de l'hospitalité des anciens élèves et, qui plus est, de la nubilité des filles de ces derniers.

Le spectacle de cette année (le cent huitième) s'appelle *Un bal pour Lady Godiva,* ce qui suffit à vous donner une idée du degré de raffinement de son humour.

Le premier après-midi, réservé à l'audition des acteurs éventuels, rappelait un congrès d'éléphants. Chacun de ces mastodontes mourait d'envie d'être l'une des femmes de chambre de Lady Godiva...

Devinant qu'il y aurait sérieuse concurrence, je me lançai dans l'haltérophilie pour raffermir les muscles de mes jambes, espérant qu'ils paraîtraient assez grotesques pour répondre aux besoins de la cause.

Chacun bénéficiait d'une minute pour chanter quelque chose, mais je crois que le choix fut décidé au moment où nous remontions nos pantalons.

Ils nous appelèrent dans l'ordre alphabétique. Genoux cagneux, j'entrai en scène et bramai des mesures d'*Alexander's Ragtime Band* dans ma plus belle voix de baryton.

Je passai les quarante-huit heures suivantes sur des charbons ardents, guettant qu'ils affichent la liste de ceux qui feraient partie de la troupe.

Une double surprise m'attendait.

Ni mon copain Wig ni moi n'eûmes le privilège d'être femmes de chambre. Mike, pour sa plus grande et éternelle gloire, s'en tira avec le rôle convoité de Fifi, fille de Lady Godiva, débutante à ses heures.

Quant à moi, horreur des horreurs ! je me vis attribuer celui du *Prince* Macaroni, un de ses soupirants.

« Sensas ! exulta Mike. Nous partageons chambre... et affiche. »

Je ne souris pas, pensant que j'avais échoué une fois de plus.

Je n'étais même pas assez homme pour être fille.

Comme tous les vendredis soir, il n'y avait plus une seule table libre au *Marathon.* La salle était pleine à craquer de gars de Harvard accompagnés de leurs petites amies. Socrate suppliait son équipe de se dépêcher : les clients affluaient. Ayant perçu qu'il y avait un petit problème prêtant à discussion du côté de la caisse, Socrate appela son fils et en grec lui intima l'ordre d'aller à la rescousse de sa sœur.

Ted s'y précipita. Daphné protestait, s'excusait :

« Ecoutez, je suis désolée, mais vous devez avoir mal compris. Nous ne prenons pas de réservations pour le week-end. »

Le grand dadais arrogant qui sentait encore sa boîte à bac s'obstinait ; il refusait d'entendre raison. Il affirmait avoir retenu une table pour huit heures et n'avait pas la moindre intention d'attendre, sur Mass Avenue, avec (passons) le menu fretin. Daphné se sentit soulagée en voyant son frère.

« Qu'est-ce qui se passe, ma vieille ?

— Monsieur prétend qu'il a réservé une table. Pourtant tu connais les règles de la maison concernant le week-end.

— Oui, reprit Ted, en se tournant vers le protestataire, nous ne... »

Il s'arrêta net au milieu de sa phrase lorsqu'il vit qui se tenait à côté de cet homme aussi distingué que furieux.

« Bonsoir Ted », dit Sara Harrison, visiblement embarrassée de l'incorrection du garçon qui l'escortait.

« Alan a dû faire erreur. J'en suis navrée. »

Le dénommé Alan lui lança un regard furibond :

« Je ne commets pas ce genre d'erreur, déclara-t-il avant d'ajouter à l'adresse de Ted : j'ai téléphoné hier soir et une femme m'a répondu. Son anglais n'était pas très bon, j'ai été d'autant plus explicite.

— Ce devait être maman, suggéra Daphné.

— Eh bien, " maman " aurait dû en prendre note par écrit, reprit ce pointilleux d'Alan.

— Elle l'a fait », répliqua Ted qui tenait un épais registre où étaient consignées les réservations.

« Seriez-vous M. Davenport ?

— C'est exact, dit Alan. Avez-vous retrouvé ma réservation pour vingt heures ?

— Oui. Elle était pour hier soir, jeudi, jour où nous acceptons les réservations. Regardez vous-même. »

Il tendit le registre.

« Comment voulez-vous que je lise ce machin-là, mon garçon, c'est écrit en grec, protesta-t-il.

— Vous n'avez qu'à demander à Mlle Harrison de vous le lire.

— Ne mêlez pas mademoiselle à vos histoires, garçon.

— Alan, excusez-moi, mais c'est un de mes amis. Nous appartenons tous deux à la section lettres classiques. D'ailleurs il a raison. »

Sara montra du doigt un nom qui se rapprochait de Davenport, gribouillé par Mme Lambros à côté de vingt heures, la veille :

« Vous avez dû oublier de lui dire que c'était pour le lendemain.

— Sara, pouvez-vous m'expliquer, oui ou non, ce qui ne tourne pas rond chez vous ? Croiriez-vous la parole d'une illettrée plutôt que la mienne ?

— Excusez-moi, monsieur », dit Ted qui retenait sa colère autant qu'il le pouvait, « je suis sûr que ma mère n'est pas moins lettrée que la vôtre. Elle préfère simplement écrire dans sa langue maternelle. »

La querelle s'envenimait. Sara tenta d'y mettre fin.

« Venez, Alan, dit-elle doucement. Allons manger une pizza. C'est tout ce que je voulais.

— Non, Sara, il s'agit d'une question de principe.

— Monsieur Davenport, dit calmement Ted, si vous cessez vos histoires, je vous donnerai la prochaine table libre, mais si vous continuez à vous conduire de la sorte, je vous foutrai à la porte.

— Je vous demande pardon, jeune homme, rétorqua Alan, figurez-vous que je suis en troisième et dernière année de droit et, n'étant aucunement en état d'ébriété, vous ne pouvez pas me mettre dehors. Si vous essayez, je vous poursuivrai jusqu'au dernier sou.

— Vous m'excuserez, répliqua Ted, peut-être avez-vous appris de beaux concepts à Harvard, mais je doute que vous ayez étudié les ordonnances municipales de Cambridge qui autorisent un propriétaire d'établissement à mettre dehors toute personne, en état d'ébriété ou non, qui dérange l'ordre public. »

Alan avait fini par se rendre compte que cela virait à un duel de fauves dont Sara était l'enjeu.

« Je vous défie de me mettre dehors », riposta-t-il.

Personne ne bougea. Il était évident que les deux antagonistes s'apprêtaient à livrer bataille.

Daphné sentit que son frère mettait en jeu leurs moyens d'existence. Elle murmura :

« Teddy, je t'en supplie, ne bouge pas.

— Voudriez-vous être assez aimable pour sortir d'ici ? » dit une voix.

Alan resta pantois : Sara venait de prononcer ces mots. Il lui jeta un œil noir.

« Non, rétorqua-t-il, exaspéré. Je dînerai ici.

— Dans ce cas, vous dînerez seul », reprit-elle, et elle s'en alla.

Tandis que Daphné Lambros remerciait tout bas le Seigneur, Ted tempêtait dans la cuisine, donnant des coups de poing contre le mur.

Son père ne tarda pas à arriver :

« *Ti diabolo echeis*, Theo ? Qu'est-ce que c'est cette façon ridicule de se conduire ? La salle est pleine, les clients se plaignent. Tu veux me ruiner ?

— Je veux mourir, hurla Ted, continuant à s'en prendre au mur.

— Theo, mon fils, mon aîné, nous devons gagner notre vie. Je t'en supplie, retourne servir les tables douze à vingt. »

Daphné passa la tête par la porte de la cuisine.

« Les habitués commencent à s'impatienter, dit-elle. Qu'est-ce qui se passe avec Teddy ?

— Rien, riposta Socrate. File à ta caisse, Daphné !

— Mais papa, répondit-elle, il y a une fille qui veut parler à Theo. Tu sais, celle qui a plus ou moins servi d'arbitre lors de l'altercation de tout à l'heure.

— Bonté divine ! » s'exclama Ted et il se dirigea vers les toilettes.

« Où diable vas-tu, maintenant ? aboya Socrate.

— Me donner un coup de peigne », lança Ted en disparaissant.

Sara Harrison se tenait gênée, dans un coin. Ted alla vers elle.

« Bonsoir », lui dit-il, avec cet air désinvolte qu'il s'était donné tant de mal à mettre au point en face du miroir.

« Tu ne peux pas savoir à quel point je suis désolée, commença-t-elle.

— Ne t'inquiète pas.

— Non, laisse-moi t'expliquer, insista-t-elle. Alan est un insupportable emmerdeur. Il s'est conduit comme ça toute la soirée.

— Alors, pourquoi sors-tu avec ce type ?

— Oh ! Une de ces sorties arrangées par nos familles, du genre ma-mère-connaît-sa-mère...

— Je vois, dit Ted.

— Le devoir filial a ses limites. Si ma mère recommence, je lui annonce que je rentre au couvent. Le comble de ce qu'on peut imaginer dans ce domaine, pas vrai ?

— Oui, répondit Ted en souriant.

— Je suis franchement navrée, répéta Sara. Je t'empêche de travailler.

— S'il n'en tenait qu'à moi, ils pourraient tous crever de faim. Je préférerais bavarder avec toi. »

« Mon Dieu, pensa-t-il, comment ai-je pu laisser échapper de telles paroles ! »

« Moi aussi », dit-elle timidement.

Dans ce tourbillon qu'était le restaurant à cette heure, la voix paternelle hurla en grec :

« Theo, reviens à ton boulot, ou je te maudis à jamais !

— Je crois que tu ferais bien d'y aller, Ted, murmura Sara.

— Auparavant, puis-je te poser une question ?

— Certainement.

— Où est Alan ?

— Au diable, je pense, répliqua Sara. Tout au moins c'est là que je l'ai envoyé.

— Cela veut dire que tu es libre ce soir, reprit Ted avec un large sourire.

— Theo ! bramait son père. Maudit sois-tu, toi et ta descendance ! »

Ted continua, sans prêter attention aux foudres paternelles :

« Sara, si tu pouvais m'attendre une heure, je serais heureux de t'emmener dîner.

— Parfait ! » répondit-elle.

Ceux qui s'y connaissaient tant soit peu savaient que le *Newton Grill*, situé derrière Porter Square, servait les meilleures pizzas de Cambridge. C'est là qu'à onze heures du soir Ted emmena Sara dans la vieille guimbarde familiale, pour leur premier dîner en tête à tête.

Ils s'assirent à une table près de la fenêtre. Une enseigne au néon empourprait périodiquement leur visage, créant ainsi une impression de rêve. En attendant leur pizza, ils prirent une bière.

« Je n'arrive pas à comprendre comment une fille aussi bien puisse seulement songer à accepter de sortir avec un garçon qu'elle ne connaît pas, dit Ted.

— Disons que c'est plus agréable que de rester chez soi à travailler un samedi soir. Tu ne trouves pas ?

— Mais tu dois être assaillie d'invitations. J'ai toujours pensé que tes moindres instants de liberté étaient retenus jusqu'en 1958.

— Encore une de ces célèbres idées fausses de Harvard, Ted ! Le samedi soir, la moitié de Radcliffe se retrouve gémissante et solitaire pour la bonne raison que les types de Harvard sont persuadés qu'elles sont déjà invitées. Et pendant ce temps, les filles de Wellesley ont une vie mondaine éblouissante. »

Ted était éberlué.

« Diable ! Si j'avais su ça ! Quand je pense que tu ne m'en as jamais dit un mot...

— Disons que ce n'est pas le genre de sujet dont on parle entre verbes grecs et tasses de café, répondit-elle, même si parfois j'ai regretté de ne l'avoir pas fait. »

Ted en resta abasourdi.

« Sais-tu, Sara, avoua-t-il, qu'à la minute où je t'ai vue, j'ai désiré ardemment sortir avec toi. »

Le visage de Sara s'éclaira.

« Mon Dieu ! Dire qu'il a fallu tout ce temps ! Je t'intimide donc à ce point ?

— Plus maintenant. »

Il gara sa voiture en face de Cabot Hall et la ramena jusqu'à la porte. Posant ses mains sur les épaules de Sara, il la regarda droit dans les yeux.

« Sara, reprit-il d'une voix assurée, dire qu'il m'a fallu un an de cafés et croissants pour en arriver là. »

Et il l'embrassa avec toute la passion accumulée au cours d'innombrables fantasmes.

Elle répondit avec non moins d'ardeur.

Ted repartit chez lui tellement grisé que c'est à peine s'il sentait ses pieds toucher le sol. Soudain, il s'arrêta :

« Oh ! merde ! s'exclama-t-il. J'ai laissé ma voiture devant Cabot Hall. »

Il courut la rechercher, espérant que Sara de sa fenêtre ne remarquerait pas sa stupide étourderie.

Mais, à ce moment précis, Sara était assise sur son lit, les yeux dans le vague...

Le poème lyrique de la fin du cours de grec 28 était l'œuvre d'un auteur peu connu pour ses strophes amoureuses, Platon.

« Si ironique que cela puisse paraître, fit remarquer le professeur Havelock, nous devons au philosophe qui a banni la poésie de sa République idéale la poésie lyrique la plus parfaite qui ait sans doute été écrite. »

Là-dessus, il lut en grec l'une des célèbres épigrammes d'*Aster*.

> Astre de ma vie, ton visage est tourné vers les astres.
> Ah ! que ne suis-je les cieux !
> Et ne puis-je ainsi te contempler avec dix mille yeux !

Les cloches de Memorial Hall eurent la bonne idée d'annoncer la fin du cours. En repartant, Ted murmura à Sara :

« Je voudrais bien, moi aussi, être les cieux !

— Ne bouge pas, répliqua-t-elle, pour ma part, je te préfère ici, près de moi. »

Ils se dirigèrent vers le *Bick*, la main dans la main.

Novembre est un mois cruel — en tout cas pour dix pour cent des deuxième année. C'est en effet l'époque où les Final Clubs (ainsi appelés parce que vous ne pouvez appartenir qu'à un seul d'entre eux) font leur sélection définitive. Ces onze sociétés existent en marge de la vie de Harvard. Elles en constituent la frange dorée.

Un Final Club est une institution élitiste où les gosses de riches peuvent aller prendre un verre avec d'autres gosses de riches. Ces « confréries » de jeunes gens « bien » n'ont rien à voir avec la vie purement universitaire. D'ailleurs, la majorité des étudiants de Harvard savent à peine qu'elles existent.

Est-il besoin de souligner que novembre fut un mois fort occupé pour MM. Eliot, Newall et Wigglesworth ? Leur appartement était devenu une sorte de Mecque pour ces pèlerins drapés de tweed qui se pressaient à leur porte afin de les supplier de s'inscrire à *leur* confrérie.

Mousquetaires des temps modernes, tous trois décidèrent de ne pas se séparer. Ils choisiraient entre le Porcellian, le AD ou le Fly.

Si on leur avait posé la question, tous trois eussent répondu que leur choix irait au Porcellian, le « Porc » pour les intimes, car si vous commenciez à vous intéresser à ce genre de chose, autant choisir celui qui était sans conteste le numéro un, « *the oldest men's club in America* ».

Ayant été conviés au dîner précédent l'ultime sélection, ils présumèrent qu'ils avaient été admis.

De retour à Eliot House, et toujours en smoking, ils sirotaient un pousse-café, lorsqu'on frappa à la porte. Newall émit que ce devait être quelque émissaire désespéré en provenance d'un autre club, peut-être le AD, celui qui avait accepté Franklin D. Roosevelt après que le Porcellian l'eut envoyé promener.

C'était Jason Gilbert.

« Est-ce que je vous dérange, les gars ? demanda-t-il, l'air sombre.

— Pas du tout, répondit Andrew, viens donc prendre un brandy avec nous.

— Merci, je ne prends pas d'alcool... Alors, c'était le dernier dîner avant... ? s'enquit-il.

— Ouais, répondit Wig, le plus naturellement du monde.

— Le Porcellian ? demanda-t-il.

— En plein dans le mille », chantonna Newall.

Mike pas plus que Dick ne perçut la note d'amertume dans la voix de Jason.

« La décision a été difficile à prendre ? demanda-t-il.

— Pas vraiment, répondit Wig, nous avions deux autres options, mais le Porcellian Club nous a paru le plus attrayant des trois.

— Oh ! reprit Jason, cela doit sembler bon de se savoir désiré quelque part !

— Tu parles en connaissance de cause, lança Newall. Chaque nymphe de Radcliffe fait brûler de l'encens devant ta photo. »

Jason ne sourit pas.

« C'est probablement parce qu'elles ne se sont pas encore rendu compte que j'étais lépreux.

— Qu'est-ce que tu nous chantes là, Gilbert ? demanda Andrew.

— Ecoutez, c'est simple, chaque type, ou presque, a reçu une invitation au premier pot annuel d'un de ces fameux clubs ; je n'ai même pas eu droit au moins reluisant de tous, le " Bat ". Je ne savais pas que j'étais aussi connard.

— Allons, Jason, dit Newall sur un ton rassurant, les Final Clubs sont de la merde.

— J'en suis convaincu, répliqua-t-il. C'est bien pourquoi, les gars, vous êtes des veinards de devenir membres de l'un d'entre eux. Je me disais, vu que vous pigez la mentalité de ces clubs, que peut-être vous auriez quelque lumière sur ce qu'ils ont pu trouver de si repoussant dans ma personne. »

Newall, Wig et Andrew se regardèrent l'air gêné, se demandant lequel d'entre eux aurait le courage d'expliquer à Jason ce qui leur apparaissait comme évident. Andrew, voyant ses camarades se dérober, essaya de l'initier aux réalités un peu sordides de la vie des clubs.

« Tu vois, Jason, commença-t-il, les types qui ont le plus de chances d'appartenir à un club sont les petits snobs droit sortis de boîtes du genre St. Paul, Mark, Groton. Bref, une espèce qui se recrute dans les mêmes boîtes, les oiseaux de même plumage ont tendance à s'assembler, vois-tu...

— Compris, répliqua Gilbert avec ironie. Je ne suis pas sorti d'une boîte jugée acceptable, c'est ça ?

— Oui, s'empressa d'opiner Wig. T'as visé juste.

— Merde de merde ! rétorqua Jason.

— Nom de Dieu, Gilbert ! Pourquoi un Final Club serait-il forcé d'accepter des juifs ? Après tout, est-ce que la Hillel m'accepterait, *moi* ?

— C'est un organisme religieux, couillon ! Ils ne voudraient pas de moi non plus. En y repensant, je ne suis même pas... »

Il s'arrêta au milieu de sa phrase. Pendant un instant Andrew pensa que Jason allait dire qu'il n'était pas juif, ce qui eût été absurde. Un Noir assis là, au milieu d'eux aurait-il pu soutenir qu'il n'était pas noir ?

« Ta gueule, Newall, émit Wigglesworth, c'est un copain. Ne le fous pas plus en boule qu'il ne l'est déjà !

— Je ne suis pas en boule, dit Jason qui bouillait intérieurement. Disons que j'accuse le choc de votre révélation. Bonsoir, les oiseaux. Navré d'avoir interrompu vos retrouvailles ! »

Là-dessus, il s'en alla.

Voilà qui méritait un autre verre de brandy... et une remarque philosophique de Michael Wigglesworth :

« Pourquoi un gars aussi sympa que Jason est-il à ce point sur la défensive, dès qu'il s'agit de ses antécédents ?

« Il n'y a rien de déshonorant à être juif. Sauf si vous prétendez à des honneurs aussi ridicules que les Final Clubs.

— Ou encore si vous voulez être président des Etats-Unis », ajouta Andrew Eliot.

16 novembre 1955

Cher papa,

Je n'ai été accepté dans aucun Final Club. Je sais que, dans le fond, ce n'est pas cela qui compte. Peu m'importe d'avoir un autre endroit pour aller prendre un verre.

A vrai dire, la seule chose qui m'atteigne, c'est qu'on n'a même pas examiné ma candidature, et aussi la raison avancée pour ce refus.

J'ai fini par prendre mon courage à deux mains afin de demander une explication à certains de mes amis (du moins les avais-je jusque-là considérés comme tels !). Ils n'y sont pas allés par quatre chemins et m'ont répondu que ces clubs n'admettaient pas de juifs. Ils ont su si bien enrober la chose qu'elle ne ressemblait plus guère à un préjugé.

Papa, c'est la deuxième fois que je suis évincé et que je me vois empêché de faire quelque chose qui me tient à cœur, simplement parce que les gens voient en moi un juif.

Comment peux-tu concilier cela avec le fait que tu m'as toujours dit et redit que nous étions « américains » comme tous les autres ? Je t'ai cru et je veux encore te croire, mais, d'une façon ou d'une autre, le monde ne semble pas disposé à partager ta manière de voir.

Sans doute le fait d'être juif n'est-il pas un simple vêtement dont tu t'affubles ou que tu défais à ta guise.

Peut-être est-ce pour cela que nous attirons les préjugés et que nous n'avons pas la fierté de notre race ?

A Harvard, il y a des tas de gens archidoués pour lesquels être juif est un honneur. Cela me rend aussi perplexe, et maintenant, moins que jamais, je ne suis sûr de ce que c'est qu'être juif. Je vois seulement que beaucoup de gens pensent que j'en suis un.

Papa, je ne sais plus où j'en suis. C'est pourquoi je me tourne vers toi, la personne que je respecte le plus au monde. Aide-moi, je t'en supplie, à résoudre ce mystère, c'est important pour moi.

Parce que, tant que je n'aurai pas trouvé ce que je suis, je ne saurai pas *qui* je suis. Je t'embrasse.

JASON.

Son père ne répondit pas à cette lettre troublante. En revanche, il annula une journée de rendez-vous d'affaires et prit le train pour Boston.

En sortant de sa partie de squash, Jason n'en croyait pas ses yeux.

« Papa ! que fais-tu ici ?

— Dépêche-toi, mon fils, nous allons chez *Durgin Park* faire un sort à l'un de leurs supersteaks. »

En un sens, le choix du restaurant voulait tout dire. Cette gargote, célèbre dans le monde entier, à deux pas des abattoirs de Boston, n'était pas l'endroit où l'on pouvait s'isoler pour bavarder et dîner tranquillement. Poussés par une sorte de snobisme à l'envers, banquiers et chauffeurs d'autobus se retrouvaient là, côte à côte, festoyant sur des nappes à carreaux rouges et blancs.

Gilbert père ignorait-il vraiment que toute conversation tant soit peu intime était impossible dans ce genre de cadre ? Qui sait s'il ne l'avait pas choisi par besoin primitif de se protéger ? La nourriture qu'il donnerait à son fils serait, en quelque sorte, une compensation pour la blessure qui le faisait souffrir !

Toujours est-il que, au milieu du bruit des grosses assiettes de faïence, des couverts entrechoqués, du brouhaha de la cuisine, qu'aucune cloison ne séparait de la salle, la seule chose que Jason arrivât à saisir fut que son père était là pour le soutenir et qu'il ne lui ferait jamais défaut.

« Crois-moi, Jason, le jour où tu seras sénateur, les types qui t'ont claqué la porte au nez le regretteront, sois-en sûr, cet incident douloureux, auquel je compatis pleinement, ne voudra plus rien dire. »

« Non !

— Oui !

— Non ! »

Sara Harrison était assise, raide comme la justice, le visage écarlate.

« Allons, Ted. Combien de fois dans ta vie as-tu refusé de faire l'amour à une fille ?

— J'opte pour le cinquième amendement. Je refuse de te répondre, protesta-t-il.

— Ted, il fait sombre ici et pourtant tu as l'air vachement gêné. Je me fiche pas mal du nombre de filles avec lesquelles tu as couché avant, je voudrais simplement que tu m'admettes dans ce club.

— Non, Sara. Je ne trouve pas que le siège arrière d'une Chevrolet soit un endroit approprié.

— Ça m'est égal.

— Eh bien ! A moi ça ne m'est pas égal, nom d'un chien ! Tu vois, pour la première fois, je veux un endroit romantique. Les bords de la Charles, par exemple.

— Tu es siphonné, Ted ! Il gèle. Que dirais-tu du Kirkland Motel ? Il paraît qu'ils sont assez libéraux quant à leur façon d'observer le règlement.

— Pas moyen, soupira Ted, découragé. Le type à qui il appartient est un ami de ma famille.

— Nous en revenons donc à cette charmante Chevrolet.

— Sara, s'il te plaît, je souhaiterais autre chose. Tiens, si nous allions samedi prochain, dans le New Hampshire ?

— Le New Hampshire ? Tu divagues ! Tu veux dire que désormais, chaque fois que nous voudrons faire l'amour, nous devrons nous taper cent cinquante kilomètres ?

— Mais non ! s'écria-t-il. Laisse-moi trouver un endroit décent. Bon Dieu ! Si j'ai jamais souhaité vivre sur le campus, c'est bien maintenant ! Au moins ces gars-là ont le droit d'avoir des filles dans leur chambre l'après-midi.

— Ecoute, tu n'y vis pas. Quant à moi je suis clouée à un dortoir de Radcliffe où les garçons ont droit de visite tous les trente-six du mois...

— Et à quand le prochain trente-six ?

— Pas avant le dernier dimanche du mois prochain.

— D'accord. Nous attendrons.

— Et que sommes-nous censés faire en attendant ? Prendre des douches froides ?

— Je ne vois pas pourquoi tu es tellement pressée, Sara.

— Et moi, je ne vois pas pourquoi tu l'es si peu ! »

En vérité, Ted ne pouvait expliquer ses scrupules à l'idée d' « aller jusqu'au bout » avec elle. Il avait grandi avec l'impression que l'amour et le sexe concernaient deux sortes de femmes complètement différentes. Ses copains et lui avaient beau s'enorgueillir de leurs exploits avec des filles qui se « laissaient faire », aucun d'entre eux n'eût jamais seulement envisagé d'épouser une fille qui ne fût pas vierge.

Et, bien qu'il n'osât se l'avouer, dans son subconscient il se demandait pourquoi une fille bien, du type Sara Harrison, avait tellement envie de faire l'amour.

Une question le travaillait... Il cherchait une manière de l'aborder avec délicatesse...

Sara sentit son anxiété.

« Hé! Dis-moi, qu'est-ce qui te ronge les sangs?

— J'en sais rien. C'est juste que... j'aurais voulu être le premier!

— Mais tu l'es, Ted. Tu es le premier homme que j'aie vraiment aimé. »

« Andrew, tu fais quelque chose, ce soir? demanda nerveusement Ted. Pourrais-tu m'accorder cinq minutes après la fermeture de la bibliothèque?

— Bien sûr, Lambros. Veux-tu que nous descendions au grill prendre des cheeseburgers?

— A vrai dire, je préférerais un endroit où nous puissions parler seul à seul.

— Nous pouvons remonter nos cheeseburgers dans ma chambre.

— Super! J'ai la boisson *ad hoc*.

— Voilà qui devient intéressant! »

A minuit et quart, Andrew Eliot posa deux cheeseburgers sur la table à café de son appartement et Ted extirpa une bouteille de sa sacoche.

« As-tu déjà goûté du retsina? s'enquit-il. C'est la boisson nationale grecque, tiens, un cadeau pour toi.

— Pour quelle raison? »

Ted baissa la tête et marmotta entre ses dents :

« En fait, c'est de " pot-de-vin " qu'il s'agit, non de bouteille... J'ai besoin que tu me rendes un service, Andrew. Un très grand service. »

A voir l'air embarrassé de son ami, Andrew était sûr qu'il allait lui demander de lui prêter de l'argent.

« Hm! difficile à dire... », commença Ted, tandis qu'Andrew versait le retsina, « mais que ça soit oui ou non, jure-moi le plus grand secret.

— Bien sûr, bien sûr, tu peux compter sur moi. Maintenant, vas-y, raconte! Assez de suspens, pitié! Tu vas me donner une crise cardiaque.

— Andy, commença timidement Ted, je suis amoureux... »

Il s'arrêta.

« Félicitations! répondit Andy, pris de court.

— Merci! Mais, tu vois, c'est ça le problème.

— Je ne pige plus, Lambros. *Quel* est le problème?

— Tu me promets de ne porter aucun jugement moral?

— Rassure-toi, la morale et moi, ça fait deux! »

Ted regarda Andrew avec soulagement; les mots jaillirent, incontrôlables :

« Ecoute, mon vieux, pourrais-je emprunter ta chambre deux après-midi par semaine ?

— C'est tout ? Et c'était ça qui allait te donner une hémorragie cérébrale ? Quand en as-tu besoin ?

— Eh bien ! répondit-il, le règlement permet d'avoir des filles dans votre chambre de quatre à sept. Est-ce que toi ou tes copains vous utilisez votre appartement l'après-midi ?

— T'inquiète pas : Wigglesworth a son équipe d'aviron et après il va dîner au Varsity Club. Idem pour Newall, mais pour lui, c'est le tennis. Quant à moi, je m'entraîne à l'IAB. Tu as donc le champ libre pour faire tout ce que tu voudras. »

Ted rayonnait.

« Tu es chic, Eliot. Comment te dire assez merci ?

— Oh ! après tout, une bouteille de retsina par-ci par-là n'est pas une mauvaise idée. Une chose : il me faudra le nom de cette fille pour que je puisse l'inscrire sur le registre comme mon invitée. Ce sera un peu délicat au début, mais le pion est un brave type. »

Ils mirent sur pied un système qui devait permettre à Ted et à sa dulcinée (« une vraie déesse » du nom de Sara Harrison) de bénéficier de l'hospitalité d'Eliot House. Tout ce qu'il avait à faire était de prévenir Andrew quelques heures à l'avance.

Ted se perdit en remerciements. La joie lui donnait des ailes.

Andrew se retrouva seul en train de se demander, comme cet astucieux Yalie qu'était Cole Porter : « Quelle est cette chose qu'on appelle l'amour ? »

Il n'en savait fichtrement rien.

La passion grandissante de Ted Lambros pour Sara illustrait, une fois de plus, la notion platonique selon laquelle l'amour entraîne l'esprit vers des plans plus élevés. Il s'en tira avec des A dans chacun de ses cours de lettres classiques. De plus, il se sentait moins étranger à la vie du campus, sans doute en raison des nombreux après-midi qu'il passait à Eliot House.

Andrew, lui, ne pouvait que s'asseoir dans les coulisses et admirer la façon dont ses camarades s'épanouissaient. Les pétales s'ouvraient, les bourgeons apparaissaient. La deuxième année voyait le glorieux éveil de la promotion.

Elle avait été un temps d'espoir, de confiance, d'optimisme sans bornes. Presque chaque membre de la promo avait quitté Cambridge en pensant : « Nous avons à moitié commencé. »

Alors qu'en fait nous avions à moitié fini...

Le printemps vit l'apothéose de Jason Gilbert.

Il finit sa première saison de squash interuniversitaire sans avoir connu la défaite. Il ne perdit pas un seul match de tennis non plus.

Ces derniers exploits firent de lui le premier membre de la promotion à avoir sa photo à la page réservée aux sports de la version « large circulation » du *Crimson,* c'est-à-dire le *New York Times.*

Le héros des étudiants du premier cycle, ou, pour reprendre Shakespeare « l'observé de tous les observateurs », était sans conteste Jason Gilbert Jr.

L'estime que la petite communauté musicale avait à l'égard de Danny Rossi ne pouvait compenser le chagrin qu'il avait ressenti après la destruction humiliante de son piano. Danny détestait Eliot House. Il éprouvait un certain ressentiment vis-à-vis du professeur Finley qui l'avait attiré dans cet antre d'odieux et infects individus soi-disant raffinés.

La plupart des autres membres de la maison lui rendaient bien son mépris, aussi prenait-il ses repas seul, sauf lorsque Andrew Eliot l'apercevait, venait s'asseoir près de lui et essayait de lui remonter le moral.

Le deuxième été de Danny Rossi à Tanglewood fut encore plus mémorable que le premier. Alors qu'en 1955 son plus noble travail avait été, comme il le disait avec une ironique amertume, d' « astiquer la baguette du maestro Charles Munch », en 1956 il eut à la brandir devant l'orchestre.

Le Français aux cheveux blancs avait développé une affection d'aïeul pour ce jeune Californien avide d'apprendre. A la consternation des autres étudiants de l'école du festival, il offrait à Danny toutes les occasions de faire de la « vraie » musique.

Ainsi, le jour où Arthur Rubinstein vint jouer le concerto l'*Empereur,* Munch pria Danny de tourner les pages du célèbre pianiste pendant la répétition.

A la première pause, Rubinstein, qui avait une mémoire prodigieuse, demanda amusé pourquoi le chef d'orchestre avait fichu sous son nez une partition qui lui était aussi familière. Et Munch de répondre que c'était pour le bénéfice du tourneur de pages. Pour permettre à Danny Rossi d'observer de près le compositeur...

« Ce garçon a le feu sacré, ajouta-t-il.

— Ne l'avions-nous pas à son âge ? » répondit en souriant Rubinstein.

Quelques intants plus tard, il invita Danny à venir lui faire entendre dans sa loge *son* interprétation du concerto.

Danny commença avec une certaine hésitation, mais dès l'allégro du troisième mouvement, ses doigts se mirent à voler sur le clavier, le laissant lui-même surpris par la facilité incroyable avec laquelle il jouait à ce rythme effréné.

A la fin, il leva la tête, à bout de souffle. En nage.

« Trop vite, n'est-ce pas ? »

Le virtuose approuva de la tête. Son regard était empli d'admiration.

« Oui, reconnut-il, mais remarquable néanmoins.

— Sans doute étais-je nerveux, mais je reconnais que ce clavier me donnait des ailes.

— Savez-vous pourquoi, mon garçon ? demanda Rubinstein. La nature m'ayant doté d'une taille modeste, la maison Steinway a eu l'obligeance de faire pour moi ce piano avec des touches légèrement plus petites que celles des autres. Regardez. »

Le maître ajouta :

« Ecoutez, il est évident que je n'ai nul besoin que l'on me tourne les pages. Aimeriez-vous rester ici à jouer à votre guise ? »

Lors d'une répétition en plein air de l'ouverture du *Mariage de Figaro*, Munch déclara avec un geste de lassitude théâtral :

« Ce climat du Massachusetts est trop chaud et trop humide pour le bon Français que je suis. J'ai besoin de cinq minutes à l'ombre. »

Il fit alors signe à Danny.

« Viens ici, mon jeune ami, dit-il, en lui tendant sa baguette. Je pense que tu connais assez bien ce morceau pour agiter ce bout de bois devant ces musiciens. Remplace-moi pendant une minute et veille à ce qu'ils se conduisent convenablement ! »

Là-dessus, il laissa un Danny démuni et seul sur le podium, face à l'orchestre symphonique de Boston au grand complet.

L'orchestre avait plusieurs chefs d'orchestre adjoints ainsi que des répétiteurs, précisément pour ce genre d'imprévus. Ils durent se tenir et se contenir dans les coulisses, dévorés par un feu tout autre que celui de la chaleur de l'été...

Danny était au septième ciel. Dès son retour à l'endroit où il logeait, il téléphona au professeur Landau.

« C'est merveilleux, commenta le maître avec fierté, quelle joie pour vos parents.

— Oh, oui ! répondit Danny évasif. Je... Oh ! Auriez-vous l'amabilité d'appeler maman pour lui en faire part ?

— Daniel, répondit le professeur Landau d'une voix grave, ce mélodrame avec votre père a assez duré. Vous avez là une chance idéale de faire un geste de réconciliation.

— Maître, essayez de comprendre, je vous en supplie. Je n'arrive pas à... »

Et sa voix s'estompa.

Journal d'Andrew Eliot

29 septembre 1956

Sexe.

J'y ai souvent réfléchi cet été, alors que je suais sang et eau à ce boulot dans le bâtiment que mon père avait eu l'extrême délicatesse d'arranger pour moi, afin que je fasse connaissance avec le travail manuel. Ainsi, tandis que mes camarades Newall et Wig se les tapaient toutes sur les plages les plus chouettes d'Europe, la seule chose que je trouvais à retaper, c'était des murs de brique !

Je retournai à Harvard pour ma troisième année, déterminé à réussir là où j'avais échoué jusqu'ici faute d'avoir eu le courage d'essayer.

J'allais perdre ma virginité.

Mike et Dick revinrent avec ces histoires rocambolesques de rendez-vous nocturnes avec des nymphes de toutes nationalités, dotées de toutes les tailles imaginables de soutiens-gorge.

La peur du ridicule m'empêchait de demander conseil ou plus précisément un numéro de téléphone. Ne serais-je pas alors en passe de devenir la risée du Porcellian Club, sans mentionner Eliot House, l'équipe et aussi les vieilles biques qui nous servaient au réfectoire ?

Désespéré, j'envisageai d'essayer les bars de Scollay Square dont la réputation n'était plus à faire, mais je n'osais pas m'y risquer seul. Et puis l'idée avait un côté sordide.

Qui pourrait me venir en aide ?

La réponse resplendit soudain d'une clarté apocalyptique le soir où je repris mon job à la bibliothèque : Ted Lambros était là, en train de bosser, à sa place habituelle.

Cette fois ce fut au tour d'Andrew de supplier Ted de passer dans sa chambre pour un entretien des plus urgents.

Ted fut surpris. Il n'avait jamais vu son ami en proie à une telle agitation.

« Qu'est-ce qui t'inquiète, Eliot ?

— Euh... Comment se sont passées tes vacances, Ted ?

— Pas trop mal, si ce n'est que je n'ai vu Sara que pendant deux week-ends. A part cela, j'ai trimé au *Marathon*. Peu importe. Un problème, mon vieux ? »

Andrew se demandait comment diable aborder le sujet.

« Dis-moi, Lambros, tu peux garder un secret ? s'enquit-il.

— A qui parles-tu, Eliot ? Nous avons une relation locataire-propriétaire que j'estime sacrée. »

Andrew ouvrit une autre bière.

« Enfin... tu sais... j'ai été en pension depuis l'âge de huit ans... Les seules filles que nous pouvions apercevoir étaient celles qu'on nous amenait pour des thés dansants. Du genre glaçons snobinards, tu vois...

— Ouais, répliqua Ted, je vois.

— Ton lycée était mixte ?

— Bien sûr. C'est un des avantages de ne pas avoir de fric.

— Tu étais donc plutôt jeune quand tu as commencé à sortir avec des filles ?

— Ouais, je crois », reprit-il, traitant le sujet avec une légèreté insouciante, qui laissait à penser qu'il n'avait pas idée de l'anxiété croissante d'Andrew.

« Quel âge avais-tu quand tu as eu... tu sais... ta première expérience ?

— Oh, j'étais dans la moyenne, répondit Ted. En fait, peut-être un peu plus âgé, j'avais presque seize ans.

— Pro ou amateur ?

— Voyons Eliot, on ne paye pas pour ça. C'était une fille de troisième, une dénommée Gloria qui avait le feu aux fesses. Et toi ?

— Et moi, quoi ?

— A quel âge l'as-tu perdue ?

— Ted », marmonna Eliot entre ses dents, visiblement mal à l'aise, « ça te surprendra peut-être...

— Eliot, tu ne vas tout de même pas me dire que c'était à onze ans, avec ta gouvernante ?

— Je le voudrais bien. C'est à peu près ce qui s'est passé pour Newall. Non, ce que je voulais te dire est... merde, c'est fichtrement embarrassant... que je l'ai encore. »

Andrew avait peur que cet aveu suscitât l'ironie de son ami. Au contraire. Après un moment de réflexion, Ted le regarda avec compassion.

« Dis-moi, tu as des problèmes, quelque chose ne va pas ?

— Non, à moins que tu appelles la peur panique un problème. Tu vois, je suis sorti avec des tas de filles, et je crois que certaines auraient, disons, coopéré, mais j'avais trop peur pour faire le premier pas ! Tu vois Lambros, je ne suis pas sûr de posséder la technique. »

Ted posa une main paternelle sur l'épaule d'Andrew :

« Mon garçon, je pense que tu as besoin de ce que l'équipe de foot appelle un " match d'entraînement ". T'en fais pas, Andy, beaucoup de filles de mon lycée sont encore à Cambridge. Elles seraient ravies de sortir avec un type de Harvard, surtout avec un résident distingué d'Eliot House.

— Mais Ted, répondit-il la voix tremblante, elles ne peuvent quand même pas être de vraies truies. Il faut qu'on puisse me voir avec elles, au réfectoire ou dehors, tu comprends ?

— Non, non, pas besoin de les restaurer. Tu les invites juste dans ta piaule et tu laisses mère nature faire le reste. T'en fais pas, celle à laquelle je pense est vachement bien balancée.

— Attends, je la préférerais pas *trop* bien balancée. Je veux faire mes débuts en commençant, disons, au bas de l'échelle pour finir un jour au sommet. Si tu vois ce que je veux dire. »

Ted Lambros se mit à rire.

« Andy, cesse par pitié d'être un de ces foutus puritains. Dans la vie tout n'a pas besoin d'être fait à la dure. Retrouve-moi donc en face de chez *Brigham,* demain, à midi et quart. La petite blonde qui sert les glaces pète le feu. »

Il se leva et bâilla.

« Pardon, mais il est tard et j'ai cours à neuf heures. A demain ! »

Andrew Eliot resta assis, en état de choc. Il ne s'était pas attendu que les choses puissent aller aussi vite. Il avait encore des milliers de questions à poser.

Le lendemain, il accueillit Ted en face de Brigham. Il semblait contrarié.

« Bonté ! Mais qu'est-ce qui t'a fichu en retard ? Ça fait des heures que je t'attends.

— Ne charrie pas, je suis à l'heure. J'avais cours jusqu'à midi. Qu'est-ce qui t'arrive ? Allons-y !

— Attends, attends, une minute, Lambros ! Il faut que je sache ce que je dois faire. »

Ted répondit doucement :

« Ecoute, Eliot, suis-moi à l'intérieur, demande un cornet, et, quand tout le monde aura le dos tourné, je te présenterai à Lorraine.

— Qui est Lorraine ?

— Ton passeport pour le paradis, mon ami. C'est une brave fille qui *adore* les types de Harvard.

— Mais, Ted, qu'est-ce que je dois dire ?

— Contente-toi de lui adresser un de tes sourires charmeurs et demande-lui si elle irait prendre un pot avec toi cet après-midi. Lorraine étant Lorraine, elle dira oui. »

Elle arriva au moment où ils atteignaient le comptoir. Ted n'avait pas menti : c'était un beau brin de fille. Tandis qu'ils bavardaient, elle se pencha et Andrew ne put détacher son regard de son uniforme mal boutonné.

« Ciel ! se dit-il, est-ce à moi que ça arrive ? »

« Où habitez-vous ? s'enquit Lorraine.

— Euh, à Eliot House », répondit-il sans élaborer davantage.

Il sentit un coup de coude de Ted dans ses côtes et s'empressa d'ajouter :

« Euh... voudriez-vous venir cet après-midi ?

— Certainement, répondit-elle. Les visites commencent à quatre heures, n'est-ce pas ? Je vous retrouverai sous le porche. Excusez-moi, j'ai des clients qui s'impatientent. »

« Alors ? » demanda Ted lorsqu'ils se retrouvèrent dehors, « tu es fin prêt maintenant ? »

Fin prêt ! Il était sur le point de s'évanouir.

« Lambros, dit-il suppliant, ne peux-tu pas me donner juste quelques idées, tu sais, pour l'entrée en matière. »

Ted s'arrêta. Ils se trouvaient au beau milieu de Harvard Square, pris dans le raz de marée des étudiants à l'heure du lunch.

« Andy, dit-il avec indulgence, tu n'as qu'à dire quelque chose de tout simple, du genre : " Lorraine, pourquoi n'allons-nous pas dans ma chambre pour nous distraire un peu ? "

— N'est-ce pas trop cru ?

— Merde ! Ce n'est tout de même pas Doris Day ! Je te dis qu'elle adore faire l'amour avec des types de Harvard.

— Honnêtement ?

— Honnêtement », répéta-t-il.

Il fouilla dans sa poche et glissa quelque chose dans la main d'Andrew.
« Qu'est-ce que c'est que ce machin-là ?

— Simple initiation culturelle... », rétorqua-t-il avec un sourire en coin.
« Un hoplite te remet la capote anglaise... »

Journal d'Andrew Eliot

30 septembre 1956

Journée fantastique.

Je n'oublierai jamais le service que m'a rendu Ted Lambros. Pas plus que
je n'oublierai Lorraine.

Danny Rossi retourna à Cambridge en septembre avec une nouvelle vision
du monde et de lui-même. Arthur Rubinstein avait fait l'éloge de son talent
de pianiste. Il avait dirigé un véritable orchestre, même si cela n'avait duré
que l'espace d'une minute.

S'il n'était pas devenu un don Juan, ses deux brèves rencontres lui avaient
fait découvrir une nouvelle zone érogène : le clavier. Il ne serait plus intimidé
maintenant, fût-ce par Brigitte Bardot, tant qu'il y aurait un Steinway dans la
pièce.

Ce qui lui restait à faire pour devenir un musicien chevronné, c'était de se
mettre à la composition. Walter Piston le prit dans son séminaire et Danny se
mit au travail.

On le sentait impatient de s'affranchir des vicissitudes de l'état d'étudiant.
Il en avait marre de n'être connu que comme l'élève d'un professeur célèbre,
son protégé. Son poulain. Il se rebiffait. Il se savait prêt à devenir, par lui-
même, une des étoiles de la musique.

Le séminaire de composition le déçut. Il semblait se borner à des exercices
désuets à la manière des maîtres d'antan. Lorsque Danny avoua sa
frustration, face à des exercices de composition qui, à l'en croire, lui
coupaient les ailes, le professeur Piston essaya de justifier sa méthode.

Tous les grands auteurs, qu'ils soient écrivains ou musiciens, commencent
par imiter. C'est ainsi qu'ils forgent leur propre style.

« Soyez patient, Danny. Après tout, le jeune Mozart commença par du
pseudo-Haydn et Beethoven commença par imiter Mozart. Ne prenez pas si
vite la mouche, vous êtes en illustre compagnie. »

Danny n'entendit que d'une oreille cette mise en garde. Tanglewood lui
avait tourné la tête. Il se mit à rechercher les moyens d'exprimer sa
personnalité musicale.

C'est alors que l'occasion se présenta.

Un jour, en fin d'après-midi, il terminait un essai, quand le téléphone sonna.

« Danny Rossi ? demanda une voix féminine légèrement intimidée.

— Lui-même.

— Ici Maria Pastore. Je suis responsable du groupe de danse classique de Radcliffe. J'espère que vous ne trouverez pas cela trop présomptueux de notre part, mais nous aimerions monter un ballet cet été. Votre nom a été mentionné en premier, bien sûr. Ayez la simplicité de me dire si ma démarche est indiscrète et je ne poursuivrai pas...

— Indiscrète ? Certes pas, reprit Danny, au contraire, je dirais même qu'elle m'intéresse.

— Vraiment ? poursuivit Maria enchantée.

— Absolument. Et qui serait le chorégraphe ?

— Hum... Disons... moi. Je vous avouerai que je ne suis pas tout à fait néophyte en la matière, ayant étudié avec Martha Graham et...

— Je vous en prie, l'interrompit Danny avec une magnanimité un peu affectée, nous sommes des étudiants. Pourquoi ne dînerions-nous pas ensemble à Eliot House pour en discuter ?

— Ça serait génial.

— Venez vers cinq heures, et nous en reparlerons dans ma chambre, avant dîner. »

Il se disait que si Maria était trop moche il n'aurait pas à s'encombrer d'elle au réfectoire.

« Votre chambre, disiez-vous ?

— Oui, répondit-il d'une voix suave. Vous comprenez, j'y ai un piano et mes affaires. Nous pourrions nous retrouver à Paine Hall, mais il est indispensable pour moi d'avoir un clavier à portée de la main.

— Parfait, restons-en là, s'empressa de répondre Maria Pastore. A mercredi, dix-sept heures. Je m'en réjouis. Merci ! »

Elle raccrocha.

A dix-sept heures précises, ce mercredi 14 novembre, on frappa à la porte de Danny Rossi.

« Entrez ! » cria-t-il en rajustant sa cravate et en reniflant.

Il avait eu la main trop généreuse avec le flacon d'Old Spice... La pièce empestait.

Il se précipita vers la fenêtre qu'il entrouvrit, puis se dirigea vers la porte.

« Bonjour ! » dit Maria Pastore.

Elle était si grande que, d'abord, Danny ne vit pas son visage. Toutefois ce qu'il entrevit lui parut néanmoins assez intéressant pour permettre à son regard de s'attarder avant d'errer vers des sphères plus élevées.

Elle était très jolie. De longs cheveux noirs encadraient ses yeux profonds, méditerranéens. La question ne se posait pas : ils dîneraient à Eliot House ce soir.

« Merci de m'avoir donné l'occasion de vous parler ! lança Maria, pétillante de joie.

— C'est moi qui vous remercie, répondit galamment Danny Rossi. Votre idée m'intéresse.

— Je ne vous l'ai pas encore vraiment expliquée, dit-elle, gênée.

— Oh, reprit Danny, la seule idée de composer un ballet est grisante. Voulez-vous retirer votre manteau ?

— Non, merci, reprit Maria légèrement embarrassée, il fait un peu frais. »

D'un geste, il l'invita à s'asseoir et, d'un bout à l'autre de leur conversation, elle resta frileusement recroquevillée sur sa chaise.

Danny comprit que ce n'était pas uniquement à cause de la température hivernale.

« Elle est timide, se disait-il, mais je saurai bien découvrir ce qu'elle me cache jalousement lorsque nous serons au réfectoire. »

« Prendriez-vous un verre ? demanda-t-il.

— Non, merci : ce n'est pas recommandé pour les danseurs.

— Oh, je voulais dire une goutte de sherry.

— Je n'aime pas beaucoup l'alcool, dit Maria, cherchant à s'excuser.

— Du coke ? demanda Danny.

— Parfait. »

Tout en l'écoutant exposer ses idées, Danny se demandait si Maria se rendait compte qu'il la déshabillait d'un regard béat. En fait, elle était tellement mal à l'aise qu'elle ne prêtait aucune attention à ce qui se passait autour d'elle.

Il lui fallut une demi-heure pour lui faire part de ses idées.

Elle avait parcouru les *Idylles* de Théocrite, les *Eglogues* de Virgile, pris quelques notes en lisant la *Mythologie* de Robert Graves, rassemblant assez de matériel pour un ballet qu'elle appellerait *Arcadia*. Les danseurs principaux seraient des bergers et des bergères. Pour détendre l'atmosphère, on mettrait en scène des séquences de grotesques petits satyres poursuivant des nymphes.

Danny trouva l'idée sensationnelle.

Le lendemain, alors qu'il déjeunait, des types qu'il ne connaissait pas s'arrêtèrent à sa table pour faire des commentaires sur l'extraordinaire beauté de son invitée de la veille. Danny se contenta d'un pâle sourire.

En la raccompagnant à Radcliffe, ce soir-là, il s'était dit qu'il n'aurait sans doute jamais la chance de l'embrasser. Elle était trop grande. Et s'il tirait déjà des plans pour l'inviter souvent dans sa chambre l'après-midi, il sentait que c'était sans espoir.

Une Blanche-Neige d'un mètre soixante-quinze, liée bien sûr par une amitié platonique avec les nains...

Journal d'Andrew Eliot

12 novembre 1958

Erreur courante de croire que les anciens des collèges ultra-chics gardent toujours leur flegme et ignorent les sueurs froides ou les cheveux qui se dressent sur la tête. Chacun d'eux a des mains, des organes, des passions. Piquez-le, il saignera. Faites-lui mal, il se peut qu'il crie.

Ainsi en était-il avec Mike Wigglesworth, mon ami de longue date, camarade de chambre de surcroît et descendant du premier professeur de théologie de Harvard. Un grand et beau gosse à la tête de l'équipe d'aviron. Un chic type par-dessus le marché.

Ni l'amitié de ses coéquipiers et de ses copains du Porcellian Club ni l'admiration de ses amis n'y purent quoi que ce fût.

Lorsqu'il était rentré chez lui, ce week-end, sa fiancée l'avait froidement informé qu'après mûre réflexion elle avait décidé d'épouser un garçon qui frisait la trentaine.

Wig semblait prendre la chose avec une sérénité quasi stoïque. Du moins jusqu'au jour où il reprit ses cours. Voilà qu'un soir, tandis qu'il faisait la queue au réfectoire, il lança sur un ton badin à l'une des serveuses :

« Je vais tordre le cou de la dinde de Noël. »

En le voyant rire, les braves femmes se mirent à rire. De sa veste trop large et usée, il extirpa une hache ; la brandissant sauvagement, il se lança à travers le réfectoire à la poursuite d'une dinde qu'il était le seul à voir.

Des tables furent renversées, des assiettes volèrent. Surveillants, étudiants, jeunes invitées de Radcliffe s'enfuirent affolés. Les policiers arrivèrent : ils n'en menaient pas large. Le seul type qui eut assez de sang-froid pour faire face à la situation fut le surveillant général, Whitney Porter. Il s'approcha de Wig et, avec le plus grand calme, lui demanda s'il en aurait bientôt fini avec sa hache.

Cette question, apparemment innocente, mais adroitement posée, obligea Wig à cesser ses moulinets et à prendre conscience de la situation. Que faisait-il là avec une arme au bout du bras ? Il en resta pantois.

Du même ton tranquille, Whitney lui demanda sa hache. Sur-le-champ, Michael remit l'outil au surveillant, en le présentant poliment par le manche, sans oublier un :

« Oui, monsieur. »

Deux médecins du Service de santé apparurent. Ils emmenèrent Michael et le surveillant qui insista pour les accompagner à l'hôpital.

Je lui rendis visite dès qu'on m'y autorisa. La vue de notre Hercule de Harvard, déchu, passant du rire aux larmes, me brisa le cœur.

Le médecin m'expliqua qu'il aurait besoin de beaucoup de repos. Personne ne savait ni quand ni comment son état s'améliorerait...

Une dizaine de jours après le départ en catastrophe de Michael Wigglesworth, le professeur Finley fit venir Andrew dans son bureau.

« Eliot, mon ami, répétait-il, je suis bouleversé par ce qui est arrivé à Wigglesworth. Je me suis creusé la tête pour me rappeler s'il avait manifesté des signes précurseurs que j'aurais dû remarquer. A vrai dire, je l'avais toujours considéré comme un véritable Ajax. »

Andrew se sentit un peu perdu. Le seul Ajax qu'il connaissait était la poudre à récurer.

« Voyons Eliot, continua l'érudit, Ajax, le " rempart des Achéens ", second après Achille, seulement.

— Oui, reconnut Andrew, Wig était un vrai " rempart ".

— Je l'apercevais le matin, quand son équipe passait sous mes fenêtres. Il avait l'air d'un solide gaillard.

— L'équipe va le regretter.

— Nous le regretterons tous », reprit Finley tristement, en secouant sa crinière grisonnante, « oui tous... »

Les paroles qui suivirent étaient prévisibles.

« Eliot, poursuivit le professeur.

— Oui, monsieur ?

— Eliot, le départ prématuré de Michael laisse une place vide dans notre maison et dans nos cœurs. Et, s'il est impossible de le remplacer, peut-être le destin l'a-t-il voulu ainsi. »

Il se leva, comme pour déployer ses ailes de rhéteur.

« Eliot, poursuivit-il, qui peut nier le tragique des événements des jours derniers ? De même qu'après la prise de Troie d'innombrables innocents furent " *jactati aequore toto reliquiae Danaum atque immitis Achilli...* ". »

Andrew avait fait assez de latin pour comprendre que le professeur citait l'*Enéide ;* allait-il dire que la place de Wig serait prise par un Troyen ?

Finley arpentait frénétiquement la pièce.

Soudain il se retourna et posant sur Andrew un regard de braise, il annonça :

« Eliot, George Keller arrivera demain. »

GEORGE KELLER

Budapest, octobre 1956

L'enfance de George avait été dominée par deux monstres : Joseph Staline et son propre père. A cette seule différence que le premier terrorisait des millions de gens tandis que le second n'effrayait que son fils.

Il est vrai qu' « Istvan le Terrible », comme l'avait baptisé George, n'avait jamais tué, ni fait emprisonner qui que ce fût. Il n'était qu'un petit fonctionnaire du parti travailliste hongrois, habile à manier le jargon marxiste-léniniste pour en fustiger son rejeton.

« Pourquoi me traite-t-il ainsi ? se plaignait George à sa sœur Marika. Je suis meilleur socialiste que lui. Moi, au moins, je crois à la théorie. Bien que ce parti me répugne, j'y ai adhéré pour lui faire plaisir et pourquoi en a-t-il tellement marre de moi ? »

Marika essaya de réconforter son frère atteint, même s'il s'en défendait, par les critiques du vieil homme.

« Tu vois, dit-elle gentiment, il aimerait que tes cheveux soient plus courts...

— Quoi ? Veut-il que je me rase le crâne ? J'ai des tas d'amis qui portent une espèce de queue de canard à la Elvis Presley.

— Il n'aime pas tes amis, Gyuri. Et puis, avoue que tu sors presque tous les soirs.

— Sois juste, Marika. Reconnais que j'ai fini major de ma promotion au lycée, que j'étudie le droit soviétique... »

A ce moment précis, Istvan Kolozsdi entra dans la pièce et prenant le contrôle de la situation, il acheva la phrase de son fils :

« Tu es à l'université à cause du poste que j'occupe dans le parti, *Yompetz* ! Ne va pas l'oublier. Si tu n'étais qu'un catholique ou un juif doué pour les études, peu importeraient tes résultats : tu serais en train de balayer une petite rue de province. Apprécie le fait que tu es le fils d'un ministre du Parti.

— Ministre suppléant au bureau de la collectivisation des fermes, corrigea George.

— A t'entendre, on croirait qu'il s'agit d'une disgrâce, Gyuri.

— Disons qu'il est fort peu démocratique pour un gouvernement de forcer les gens à être agriculteurs malgré eux.

— Nous ne forçons personne.

— Père, je t'en prie, répondit Gyuri avec un soupir exaspéré. Tu n'es pas en train de parler à un pauvre idiot, naïf par-dessus le marché.

— Non, je m'adresse à un *yompetz,* un bon à rien. Quant à ta petite amie...

— Comment oses-tu critiquer Aniko, père ? Le parti estime qu'elle est assez douée pour faire pharmacie.

— Qu'importe. Cela me vexe qu'on te voie avec elle. Aniko a mauvais genre. C'est une tire-au-flanc. Elle va s'asseoir dans les cafés de Vaci Ucca pour y écouter de la musique occidentale. »

« Ce qui t'exaspère plus que tout, songeait George, c'est que je me sois assis à ses côtés, dimanche dernier, et que nous ayons écouté Cole Porter durant trois heures d'affilée. »

« Père », reprit George, espérant transformer cette querelle ridicule en une discussion intelligente, « si la musique socialiste est tellement remarquable, pourquoi la *Cantate de Staline* n'a-t-elle pas un seul passage convenable ? »

Le fonctionnaire se tourna, livide, vers sa fille.

« Je ne veux plus adresser la parole à ce *yompetz.* C'est la honte de la famille.

— Je peux changer de nom, rétorqua George avec ironie.

— Je t'en prie, ne te gêne pas et fais vite », dit le vieil homme.

Là-dessus il sortit en claquant la porte.

George se tourna vers sa sœur.

« Merde alors ! Qu'est-ce que j'ai bien pu faire ? »

Marika haussa les épaules. Aussi loin que remontaient ses souvenirs, elle avait servi d'arbitre dans ces joutes père-fils. Le conflit restait latent entre eux, depuis la mort de leur mère, alors que George avait cinq ans et Marika deux ans et demi.

« Essaye de comprendre, George, il a eu la vie dure.

— Ce n'est pas une excuse pour me la rendre dure. Dans un sens, je comprends ce qui se passe. Il se sent coincé dans son boulot. Tu vois, Marika, même les fonctionnaires socialistes ont des ambitions. Le programme agraire est un désastre. Son patron le lui reproche, sur qui veux-tu qu'il ventile ses frustrations ? »

Marika comprit que, malgré ses protestations enfiévrées, George partageait un peu la déception de son père. Le vieil homme s'était bien débrouillé pour quelqu'un qui avait débuté dans la vie comme apprenti cordonnier à Kaposvar. Le grand malheur d'Istvan Kolozsdi était d'avoir engendré un fils dont l'intelligence tranchait à côté de sa propre médiocrité.

Au fond de leur cœur, les deux hommes le savaient. Et c'est pour cela qu'ils avaient peur de s'avouer leur affection mutuelle.

« J'ai une nouvelle sensationnelle ! » cria Aniko en traversant en courant le Muzeum Boulevard pour rattraper George entre deux cours à la fac de droit.

« Pas besoin de me le dire, je devine, dit-il en souriant. Le test de grossesse était négatif.

— Ça je ne le saurai que vendredi, répliqua-t-elle. Ecoute ! Les étudiants polonais font la grève pour soutenir Gomulka et nous organisons une manif par esprit de solidarité pour eux.

— Aniko, la police secrète ne te laissera pas t'en tirer si facilement. Leurs hommes de main te feront sauter la cervelle et si ce n'est pas eux, ce seront nos chers " visiteurs " de Russie.

— Ecoute, Gyuri Kolozsdi, non seulement tu défileras avec moi, mais tu porteras une des pancartes que j'ai passé ma matinée à peindre. Tiens, choisis celle que tu veux : " Vive la jeunesse polonaise ! " " Les Russes, hors d'ici ! " »

George sourit. La vue de son fils portant une affiche de ce genre ne réjouirait-elle pas Istvan ?

« Je choisis celle-ci : " Un nouveau gouvernement pour la Hongrie ! " »

Ils s'embrassèrent.

Le défilé s'ébranla. Les manifestants scandaient leurs protestations. Ceux qui étaient en tête portaient une gerbe d'œillets rouges. Ils s'infiltrèrent dans les artères principales de la ville, bloquant la circulation, mais on ne sentait aucune animosité. Nombre d'automobilistes abandonnèrent leur voiture et allèrent se joindre aux manifestants qui, en chemin, avaient racolé commerçants et travailleurs. A chaque fenêtre, à chaque balcon, des familles entières agitaient mains et mouchoirs en signe d'encouragement.

Comme par magie, Budapest s'était transformé en un océan aux vagues rouges, blanches et vertes. Les habitants avaient fabriqué des drapeaux tricolores, avec du ruban, du tissu ou du papier. En arrivant au square Josef Bem, les étudiants virent que la statue qui trônait au centre avait été recouverte d'un énorme drapeau hongrois, et que l'emblème soviétique avait été arraché.

Le soir venu, une foule d'étudiants décida d'aller manifester devant le Parlement. George et Aniko, la main dans la main, suivirent le mouvement.

« A ton avis, que va faire le gouvernement ?

— Démissionner. Ils n'ont pas le choix. »

Des centaines de manifestants faisaient le siège du vénérable édifice gouvernemental aux pinacles gothiques dentelés. Ils réclamaient à cor et à cri le retour d'Imre Nagy, seul dirigeant qui eût leur confiance, que les Russes avaient écarté du gouvernement l'an passé.

Le froid se fit mordant. Beaucoup avaient transformé en torches journaux et pamphlets tout en continuant à réclamer Nagy.

Soudain, alors que personne ne s'y attendait, une silhouette frêle apparut au balcon. Un murmure allant crescendo parcourut la foule :

« C'est Nagy ! C'est Nagy ! » Avec effort, paralysé par l'émotion, l'exleader leva la main pour implorer que l'on fît silence.

« Est-il devenu fou ? demanda George à haute voix. Il agite les mains comme un dément. »

Subitement tout devint clair : il faisait chanter à cette foule l'hymne national : un coup de génie !

Dès la fin de l'hymne, Nagy disparut aussi rapidement qu'il était apparu. La foule délirante commença à se disperser. Tous le sentaient ; rien d'autre ne se passerait ce soir-là. Du moins sur la place du Parlement.

A mi-chemin du campus universitaire, George et Aniko entendirent des coups de feu. George prit la main d'Aniko : ils se mirent à courir. Les rues pavées fourmillaient de gens excités, curieux ou effrayés.

Ils atteignirent le Jardin du musée, où l'air sentait encore le gaz lacrymogène. Aniko sortit son mouchoir et s'en protégea le visage. Les yeux de George le brûlaient. Une fillette en état d'hystérie hurlait que la police secrète avait massacré des gens sans défense.

« Nous tuerons chacun de ces salauds ! sanglotait-elle.

— Bonne chance ! souffla George à Aniko. Je le croirai lorsque j'aurai vu mon premier mort parmi les officiers de la police secrète. »

Il lui reprit la main et ils se remirent à courir.

A quelques mètres de là, ils s'arrêtèrent net, horrifiés. Au-dessus d'eux, pendue par les pieds à un réverbère, se balançait la dépouille sanglante d'un officier de la police secrète, l'AVO.

George eut un haut-le-cœur.

« Tu sais, dit Aniko en haussant les épaules, pensons à ce qu'ils ont fait *eux* à *leurs* prisonniers... »

Plus loin, ils aperçurent le cadavre de deux autres membres de l'AVO.

« Merde ! protesta Aniko. C'en est trop pour moi !

— Viens, je te ramène à la maison. »

« Tiens, *yompetz,* à ce que je vois, ils ne t'ont pas encore arrêté. »

Il était presque cinq heures. Istvan Kolozsdi était assis l'oreille contre sa radio, épuisé, à bout de nerfs, fumant cigarette sur cigarette. Marika courut embrasser son frère.

« Oh Gyuri ! Nous avons entendu des rumeurs atroces. Je tremblais pour toi !

— Fiche-nous la paix avec tes rumeurs, interrompit le patriarche. La radio vient de nous dire la vérité.

— Tu y crois ? demanda doucement George. Alors... peut-on savoir la version officielle que nous donne Radio Budapest des événements de ce soir ?

— Oh ! une insurrection fasciste que la police a matée, poursuivit Istvan Kolozsdi. Et toi ? où as-tu passé ta soirée ? »

George s'assit en face de son père et lui dit en souriant :

« Je suis allé entendre Imre Nagy.

— Tu es fou. Imre Nagy est un fantôme.

— Va dire ça aux milliers de personnes qui l'ont acclamé sur la place du Parlement ! Nous lui redonnerons son poste de dirigeant du Parti.

— Et moi, je sens que mes cheveux se dressent sur ma tête ! Vous n'êtes qu'une bande d'abrutis et de déments.

« — Voilà qui est parler en vrai socialiste, déclara George en sortant de la pièce. Quant à moi, au lit : même les timbrés ont besoin de repos. »

Trois heures plus tard, sa sœur l'arrachait à son sommeil :
« Ecoute, Gyuri, tu m'entends ? Nagy vient d'être nommé premier ministre ! On vient de l'annoncer aux nouvelles. »
George extirpa de son lit son corps éreinté. Non, il *fallait* qu'il voie la tête de son père ! Le vieillard était rivé à sa radio.
« Alors ? » demanda George à son père.
Levant les yeux, le patriarche répondit sans une ombre d'ironie :
« Tu ne m'as jamais entendu dire un mot contre Imre Nagy. En tout cas, il doit avoir la bénédiction de Moscou car il a demandé de l'aide aux troupes soviétiques.
— Là, je pense que tu rêves, père. »
Se tournant vers sa sœur, George poursuivit :
« Si Aniko appelle, dis-lui que je suis parti à la fac. »
Il jeta une veste par-dessus ses épaules et sortit en courant.

Au cours des années qui suivirent, George repensa souvent à ce moment : pourquoi s'était-il enfui sans dire adieu à personne ? Passe encore pour son père, dont l'hypocrisie l'écœurait, mais pourquoi ne s'était-il pas montré plus affectueux envers Marika ?
Il ne put jamais se consoler de n'avoir pas pressenti que ce départ, en cette froide matinée d'octobre 1956, l'entraînerait si loin. Si loin !

L'université bourdonnait de rumeurs. Chaque fois que la radio diffusait des nouvelles, c'était la débandade. Les étudiants exultaient d'apprendre que le président Eisenhower avait déclaré : « L'Amérique est de cœur avec le peuple de Hongrie. » Ils reprenaient : « Le monde entier nous regarde. »
L'euphorie atteignit son apogée le mardi après-midi, lorsque le premier ministre Nagy annonça que l'évacuation des troupes soviétiques avait commencé.

Le 1er novembre au matin, George fut réveillé en sursaut par Geza, un camarade de fac.
« Que diable !... »
C'est alors que George remarqua quelque chose de bizarre. Geza, maigre comme un clou, ressemblait aujourd'hui à un gros clown. George se frotta les yeux pour s'assurer qu'il ne rêvait pas.
« Bon sang ! que t'est-il arrivé ? demanda-t-il.
— Fichons le camp, dit Geza. J'ai tous mes vêtements sur moi, je file à Vienne.
— As-tu perdu l'esprit ? Les Soviets sont repartis. N'as-tu pas entendu Radio Europe libre ?

— Bien sûr que si ; mais figure-toi que j'ai aussi entendu mon cousin qui habite à Gyor. Il m'a appelé il y a deux heures et m'a dit que des centaines de tanks russes s'amassaient à la frontière occidentale. Ils sont tout bonnement en train de se regrouper pour revenir à la charge.

— En est-il sûr ?

— Préfères-tu attendre pour t'en rendre compte toi-même ? »

George hésita un quart de seconde.

« Laisse-moi prévenir Aniko, dit-il.

— D'accord, mais fais vinaigre ! »

Aniko avait du mal à se décider.

« Qu'est-ce qui te rend *tellement* sûr que les Soviets sont en train de revenir ?

— Quelles preuves te faut-il pour te satisfaire ? répliqua George impatient. Ecoute, si la Hongrie devient indépendante, cela donnera des idées aux Polonais et aux Tchèques. Alors, patatras, l'empire russe s'effondrera tel un château de cartes. »

Elle pâlit, effrayée par l'ampleur de la décision à prendre.

« Et ma mère ? Elle ne peut pas se débrouiller sans moi...

— Il le faudra bien », répliqua George, impassible.

Il la prit dans ses bras, elle pleurait en silence.

« Laisse-moi au moins l'appeler ! supplia-t-elle.

— Oui, mais dépêche-toi ! »

Ils se mirent en route. Lorsqu'ils atteignirent les environs de Buda, George aperçut une cabine téléphonique ; il pensa à sa sœur.

« L'un de vous aurait-il des pièces ? »

Aniko lui glissa une pièce dans la main.

« Gyuri, répondit sa sœur d'une voix anxieuse, où es-tu ? Père est inquiet.

— Ecoute, répondit-il, je suis pressé... »

Geza passa la tête dans la cabine et murmura :

« Dis-lui que la Voix de l'Amérique diffuse des messages codés émanant de réfugiés qui ont réussi à passer la frontière.

— Marika, s'il te plaît, ne me pose pas de questions. Ecoute la Voix de l'Amérique, et s'ils disent... (il hésita) que " Karl Marx est mort ", ça voudra dire que tout va bien pour moi.

— Gyuri, je ne comprends pas, tu as l'air d'avoir peur ?

— Oui, j'ai peur, confessa-t-il. Pour l'amour de Dieu, Marika, prie pour qu'il meure ! »

Et il raccrocha.

« Et ton père ? demanda Aniko. Notre fuite ne lui attirera-t-elle pas d'ennuis ?

— Rassure-toi, c'est un politicien chevronné, doté d'un instinct de conservation qui tient du génie. Il s'en tirera à merveille. »

Et George de penser dans le fin fond de son cœur : « Il m'a tourné le dos pendant toute ma jeunesse ; pourquoi m'inquiéterais-je de ce qui peut lui arriver ? »

Ils avançaient péniblement. En silence. De temps à autre, le trio était invité à faire quelques kilomètres dans un de ces vieux tacots qui cahotaient vers la frontière occidentale. Pas une fois les chauffeurs ne les interrogèrent sur le but ou la raison de leur expédition.

A la tombée de la nuit ils atteignirent Gyor.

« Et maintenant que faisons-nous ? demanda George à Geza. Il fait bien trop froid pour passer la nuit à la belle étoile et j'ai à peine assez de forints en poche pour acheter de la nourriture.

— Et moi, je n'ai même pas de quoi acheter un bol de soupe », renchérit Aniko.

Geza se contenta de sourire :

« Laissez-moi faire. Avez-vous la force de marcher encore une heure ?

— Oui, si je peux avoir la certitude de trouver asile ! » répondit George.

Aniko opina de la tête.

« Les parents de Tibor Kovacs habitent à Enese, à une dizaine de kilomètres d'ici. Il devait partir avec nous. Ses parents l'attendent », dit Geza.

Aniko sursauta :

« Ils ignorent donc que leur fils a été tué avant-hier soir ?

— Oui, reprit Geza. Mais ce n'est pas à nous de le leur dire.

— Demain sera une journée idéale pour traverser la frontière, dit Geza. C'est la Toussaint et les routes seront encombrées, vu que tout le monde se rend au cimetière. »

Les Kovacs furent heureux d'accueillir des amis de leur fils. Ils ne parurent pas inquiets outre mesure de ne pas le voir avec eux. Tibor avait fait fonction d'instructeur auprès de différents groupes de la milice récemment formée. Il devait apprendre aux nouvelles recrues à se servir des armes. Ils acceptèrent sans arrière-pensée l'histoire fabriquée par George pour expliquer l'absence de Tibor, retenu soi-disant à Budapest.

Le dîner leur parut un rêve. Contrairement aux habitants de la capitale, les villages n'avaient aucun problème de ravitaillement, aussi Mme Kovacs leur servit-elle un festin de poulet et de légumes, accompagné d'une bouteille de Tokay.

« Je vous admire, déclara M. Kovacs avec un large sourire. Si j'avais quelques années de moins, j'irais, moi aussi. Les Russes reviendront, je vous le dis. Aussi sûr qu'il neigera demain. Tout le monde dit avoir vu les tanks. Ils évitent la grand-route ; ils sont tapis dans les forêts, aux aguets. De vrais loups affamés. »

Aniko se vit offrir le lit de Tibor. L'idée de s'y coucher lui fit horreur, mais elle se sentit forcée d'accepter. Les deux jeunes gens se pelotonnèrent près de la cheminée de la grande salle.

Le lendemain matin, il neigeait abondamment.

Geza regarda George et Aniko.

« Par un temps pareil, dit-il, le mieux est d'essayer de sauter dans un train en direction de Sopron. Avec un peu de chance, nous traverserons la frontière ce soir. »

Après avoir remercié les Kovacs pour leur hospitalité, ils se remirent en route, non sans laisser des messages encourageants pour Tibor.

Arrivés aux confins du village, ils constatèrent, à leur grande surprise, que les tanks russes ne se terraient plus dans les forêts, mais que deux d'entre eux s'étaient installés au beau milieu de la route.

« Qu'en penses-tu ? s'enquit George.

— Pas de panique. Avec cette foutue neige, ils ne semblent pas prêter attention à ce qui se passe. Nous n'avons pas de bagages, alors pourquoi leur paraîtrions-nous suspects ?

— Toi, Geza, tu ressembles à un ballon de foot sur pattes, accoutré de la sorte, dit George. Si tu as l'intention de passer près de ces tanks sans te faire pincer, tu ferais mieux de te déshabiller.

— Allons voir de l'autre côté de la bourgade, si nous pouvons rejoindre la gare », insista-t-il.

Ils repartirent. Deux autres tanks montaient la garde de ce côté du village. Ils avaient marché dans la neige pendant plus d'une heure pour rien. George et Aniko regardèrent Geza droit dans les yeux. Sans mot dire, il déboutonna sa veste. Ses doigts tremblaient, et pas uniquement à cause du froid...

« Qui... Qui... va leur parler ?

— Allons, Geza, répondit George. Chacun de nous a fait au moins six ans de russe. Le tout c'est de bien s'entendre pour leur raconter le même boniment.

— Tu as le meilleur accent, George, insista Geza. Mieux vaudrait que tu parles en notre nom à tous trois. D'ailleurs, quand il s'agit d'inventer des histoires, tu es génial.

— D'accord, camarade, dit George. Je me ferai votre ambassadeur. »

Geza s'étant débarrassé de ses dernières pelures et les ayant fait disparaître dans une congère, ils se dirigèrent vers les tanks.

« Stoi Kto idyot ? »

Un soldat leur demandait de s'identifier. George s'avança et entama avec lui une conversation dans un russe impeccable.

« Nous sommes étudiants à l'université d'Eotvos Lorand. Nous venons de rendre visite à un de nos amis qui a une mononucléose. Nous aimerions reprendre le train de Budapest. Voulez-vous voir nos papiers ? »

Le soldat chuchota quelque chose à l'un de ses collègues et se tourna vers George :

« Ça ne sera pas nécessaire, *Proiditye* ! »

Il leur fit signe de passer. Ils se précipitèrent vers la gare, le cœur battant.

« Merde ! s'exclama Geza. Ils ont des tanks ici aussi.

— Ignore-les, répliqua George. Je ne pense pas que ces soldats sachent ce qu'ils sont censés faire. »

Il avait raison. Personne ne les empêcha de gagner le quai où un train bondé allait partir. Ils demandèrent désespérément à plusieurs personnes si c'était celui de Sopron.

Les passagers braillaient, gesticulaient. Le train s'ébranla. Geza fut le premier à sauter dedans. George aida Aniko, puis grimpa à son tour.

Il n'y avait pas une place assise. Ils restèrent dans le corridor à regarder par la fenêtre. Dans une heure et demie, au plus tard, ils atteindraient Sopron. Puis ce serait la frontière...

Le paysage hongrois qui leur était familier était maintenant défiguré par de sinistres ornements : des tanks russes, canons pointés vers le train. Ils n'échangèrent pas un mot au cours de la demi-heure qui suivit.

« George », s'étrangla Geza, comme si un nœud coulant venait d'être passé autour de son cou, « tu vois où nous sommes ? »

George regarda au-delà des blindés soviétiques. Son cœur cessa presque de battre.

« Nous allons dans la direction opposée ! Ce foutu train ne va pas à Sopron. Il regagne Budapest ! »

Aniko lui saisit le bras, affolée.

Le train s'arrêta brutalement. Aniko tomba sur George. Les passagers étaient là ahuris, épouvantés. George ne quittait pas des yeux les tanks russes.

« Tu ne crois tout de même pas qu'ils vont nous tirer dessus ?

— Je n'en mettrais pas ma main au feu », répliqua-t-il.

Soudain à l'autre bout de la voiture apparut un mécanicien portant un uniforme gris délavé. Il essayait de se frayer un chemin à travers la foule. Il mit ses mains en porte-voix et annonça :

« Impossible de pénétrer dans Budapest. Je répète : impossible de pénétrer dans Budapest. Les Soviets ont encerclé la ville et la bombardent impitoyablement. »

Suivit alors l'information la plus ahurissante :

« Nous faisons demi-tour avec l'ordre de nous rendre à Sopron. »

Geza, George et Aniko jubilaient. Le train redémarra lentement... loin de Budapest et de l'étau soviétique.

Leur voyage jusqu'à la frontière s'effectua entre deux haies de tanks. Une fois débarqués sur le quai de Sopron, ils sentirent renaître en eux l'espoir. Jusqu'à présent, tout s'était bien passé.

L'après-midi tirait à sa fin.

« De quel côté se trouve la frontière ? demanda George à Geza.

— Je ne sais pas, avoua-t-il.

— Merde ! Qu'est-ce que tu crois qu'on va faire ? dit-il d'un ton sec, demander à un soldat russe ? »

Aniko eut une idée :

« N'y a-t-il pas une Ecole des eaux et forêts par ici ? Nous pourrions nous renseigner auprès d'un étudiant. »

Elle n'avait pas achevé sa phrase que George avait déjà obtenu d'une vieille femme les renseignements voulus et qu'ils étaient en route.

Dès qu'ils pénétrèrent dans le grand hall, un jeune homme coiffé d'un béret leur demanda :

« Des munitions, camarades ? »

A l'intérieur de l'école, l'atmosphère était à la fête. Des douzaines de patriotes s'armaient pour repousser l'envahisseur russe.

Chacun recevait un morceau de pain, une tasse de cacao et une poignée de balles.

« Où sont les armes ? demanda George, un morceau de pain dans la bouche.

— Elles arriveront, camarade, t'en fais pas, elles arriveront ! »

Tous trois allèrent s'asseoir dans un coin pour voir venir les événements. Une chose était sûre : ils n'étaient pas ici pour participer à une rébellion vouée à l'échec.

« Ces gens sont cinglés, dit Geza. Toutes les balles sont de calibre différent. Pas deux pareilles. Que vont-ils faire ? Les cracher à la gueule des Russes ? »

Là-dessus, il se leva et alla se mettre en quête de données leur permettant de s'orienter.

George et Aniko se regardèrent. C'était la première fois depuis des jours qu'ils se retrouvaient seuls.

« Comment te sens-tu ? lui demanda-t-il.

— J'ai peur. J'espère que nous y arriverons. »

Elle lui prit la main.

« Ne t'inquiète pas, répondit-il. Pendant que j'y pense, dis-moi, qu'as-tu raconté à ta mère ?

— Ecoute, tu vas rire, mais c'était la seule chose qu'elle pouvait croire. »

Elle esquissa un sourire :

« Je lui ai dit que nous partions nous marier. »

Il eut à son tour un sourire empreint de lassitude et lui serra la main.

« Ça ne sera peut-être pas un mensonge, Aniko.

— Tu es sérieux, George ? »

Il hésita un quart de seconde puis reprit :

« Pour quelle autre raison t'aurais-je emmenée ? »

Tous deux s'adossèrent au mur, silencieux, épuisés.

Quelques minutes plus tard, elle reprit tristement :

« Je me demande où en sont les choses à Budapest.

— Tu dois t'interdire de penser à ça », répondit-il.

Elle acquiesça de la tête. Il lui était impossible de gommer ses souvenirs.

Geza reparut.

« L'Autriche est à quelques kilomètres d'ici à travers bois. En partant maintenant, nous pourrions arriver ce soir. »

George regarda Aniko. Elle se leva en silence.

Ils étaient trempés jusqu'aux os, gelés. Leurs chaussures de ville leur rendaient la marche plus pénible que s'ils avaient été nu-pieds.

Ils n'étaient pas seuls. De temps à autre, un groupe ou une famille avec de jeunes enfants passait près d'eux. Parfois ils se contentaient d'un simple signe de tête, d'autres fois ils échangeaient le peu de renseignements qu'ils avaient. Oui, la frontière doit être dans cette direction. Oui, nous avons entendu dire que presque tous les gardes-frontière ont déserté. Non, nous n'avons pas vu de soldats russes...

En s'enfonçant dans la forêt, ils aperçurent des bunkers d'où sortaient des mitraillettes menaçantes. Ils devaient servir à abriter les gardes-frontière. Ils paraissaient inoccupés, du moins l'espéraient-ils !

Ils continuaient à avancer, en s'attendant à recevoir une rafale de mitraillette dans le dos.

La neige réfléchissait une lumière étrange. Au loin, un chien grogna. Ils s'arrêtèrent net, paralysés de peur.

« Les gardes ? murmura Geza pris de panique.

— Comment diable le saurais-je ? » rétorqua George.

Quelques secondes plus tard, un homme suivi d'un berger allemand traversa le chemin ; ce n'était qu'un paysan qui se promenait avec son chien. Ils forcèrent le pas.

Cinq minutes après être sortis des bois ils se retrouvèrent sur une colline dominant ce qui devait être la frontière autrichienne. Ils aperçurent une barrière où des soldats en capote arrêtaient les véhicules, parlaient, réclamaient des documents en gesticulant, etc. Ils faisaient signe à quelques voitures de passer, en refoulaient d'autres.

« Enfin, nous y voilà ! annonça Geza avec un accent de triomphe.

— Oui, commenta George avec un sourire forcé. Nous n'avons plus qu'à passer sous le nez des sentinelles. Aucun de nous qui sache voler ?

— Halte ! Haut les mains ! »

Ils firent volte-face : deux hommes en uniforme se trouvaient derrière eux. L'un d'eux tenait une mitraillette.

« Merde ! La patrouille de la frontière !

— Vous ne pensiez pas vous rendre en Autriche pour y pique-niquer, par hasard ? »

Ni George, ni Aniko, ni Geza ne répondirent. Ils restèrent cois, au bord du désespoir.

Le second officier avait une radio, il contacta le quartier général.

Sachant qu'ils n'avaient rien à perdre, George tenta de parlementer.

« Ecoutez, nous sommes hongrois. Dans quelques heures nous serons prisonniers des Russes. Et vous aussi, les gars. Pourquoi ne pas tous...

— Silence, aboya l'homme, nous vous avons surpris en train d'essayer de franchir la frontière illégalement. »

Le soldat armé semblait vouloir attirer l'attention de George. Etait-ce une hallucination ou faisait-il un léger signe de tête comme pour leur dire : « Courez donc si vous voulez y arriver ! »

En fait, cela n'avait pas d'importance. C'était leur dernière chance d'être libres et ils le savaient.

George toucha la main d'Aniko. Elle comprit. Tous deux se mirent à courir éperdument. Geza, aussi désireux qu'eux de survivre, fila vers la gauche, George et Aniko vers la droite.

Aussitôt des balles sifflèrent à leurs oreilles. Le tireur ne les visait peut-être pas, mais George préféra ne pas élucider la chose. La tête dans les épaules, il courut, courut, courut...

George n'avait pas la moindre idée de la distance qu'il avait ainsi parcourue. Il se démenait comme un diable pour avancer dans cette neige où il s'enfonçait jusqu'aux genoux, jusqu'au moment où il se rendit compte que le bruit de mitraillette avait cessé. Il n'y avait plus aucun bruit. Il se retrouva dans un immense champ de neige.

Il se sentit assez en sécurité pour ralentir et c'est seulement alors qu'il sentit qu'il était épuisé, prêt à s'effondrer. Tout ce qu'il pouvait entendre était le bruit de sa respiration haletante. Il se retourna pour chercher Aniko.

Personne. Lentement, douloureusement, il comprit qu'elle n'était plus avec lui. Il avait été trop préoccupé par sa propre fuite pour penser à elle.

Aurait-elle trébuché et serait-elle tombée ? Se serait-elle perdue dans cette neige aveuglante ? L'une des balles l'aurait-elle atteinte ?

George revint sur ses pas, hésitant à l'appeler. Il ouvrit la bouche : aucun son n'en sortit. Il avait peur. Peur d'attirer l'attention. S'il rebroussait chemin, la police pourrait l'attraper. Comme elle avait sans doute attrapé Aniko. A quoi bon se suicider ?

Non. Aniko voudrait qu'il continue et parvienne à s'échapper. Il repartit, en essayant de ne pas penser à la fille qui l'avait aimé au point d'avoir tout abandonné pour le suivre.

Peu après, il aperçut ou crut apercevoir une tour qui se découpait sur le ciel du soir. Un clocher.

« Ils n'ont pas d'églises de ce genre en Hongrie, se dit-il. Ce doit être l'Autriche. » Et il reprit son chemin vers l'horizon.

Une demi-heure plus tard, George Kolozsdi arrivait chancelant dans la ville autrichienne de Neunkirchen. Les villageois célébraient une fête locale. Ils eurent tôt fait de pressentir qui il était. Un homme replet, au visage rubicond, s'approcha de lui et s'enquit :

« *Bist du ungarisch ?* »

Même dans l'état de choc où il se trouvait, il comprit qu'on lui demandait s'il était hongrois. On lui parlait *allemand*. Il était en sécurité.

Deux hommes l'aidèrent à s'asseoir sur un banc. L'un d'eux avait une fiole d'eau-de-vie. George en but. Il éclata en sanglots.

Il avait honte d'être en vie.

Un minibus de la police autrichienne s'arrêta en grinçant à une vingtaine de mètres de l'endroit où il était assis. Un officier dégingandé, au visage inexpressif, s'approcha de lui.

« *Guten Abend* », dit-il calmement.

Alors, en montrant son véhicule, il ajouta :

« *Mit mir bitte.* »

Brisé, George obéit en soupirant. Il suivit lentement celui qui le faisait prisonnier et prit place dans la camionnette où se trouvaient dix ou douze autres passagers, tous hongrois.

« Bienvenue à l'Ouest ! » dit un petit homme filiforme, aux favoris en broussaille, enfoncé dans un siège arrière.

George se dépêcha d'aller s'asseoir à côté de lui.

« Que diable se passe-t-il ? demanda-t-il, anxieux.

— Les Autrichiens ramassent les paumés comme nous. Je suis Sandor Miklos ; appelle-moi Miki. Et toi ?

— Kolozsdi George », répondit George qui s'empressa d'ajouter : « Ils nous ramènent ? ·

— Tu plaisantes ! Je suis en route pour Chicago.

— Comment le sais-tu ?

— Parce que, de ce côté-ci de la frontière, les gens sont libres d'aller où bon leur semble. N'est-ce pas pour ça que tu es parti ? »

George réfléchit un instant et reprit :

« Oui, sans doute. Mais où nous emmène ce minibus ?

— Oh ! on va ramasser d'autres poissons échappés des mailles du filet russe, il nous emmène je ne sais trop où pour que nous récupérions un peu en dormant quelques heures. Je parle vaguement allemand et j'ai bavardé avec le capitaine de brigade. »

George commençait à se sentir soulagé. Mais il avait été victime de tant de renversements de situation qu'il restait sur ses gardes.

Ils voyagèrent toute la nuit. Beaucoup de réfugiés dormaient, mais George resta éveillé, regardant intensément par la fenêtre pour saisir, au passage, le nom des villes et des villages. Il voulait s'assurer qu'on ne dévierait pas de ce chemin vers la liberté.

Juste avant l'aube, ils atteignirent Eisenstadt. Le bus pénétra sur le parking de la gare qui grouillait de réfugiés hongrois.

« Que se passe-t-il ? demanda George à Miki qui revenait d'une mission de reconnaissance.

— Ils organisent des trains pour nous convoyer vers un camp militaire russe, jadis utilisé pendant la guerre.

— Cela ne me dit rien qui vaille, reprit George.

— Oui, renchérit Miki avec un clin d'œil. Je me méfie de tout ce qui est russe, avec ou sans Russes ! Je préfère voler de mes propres ailes.

— Que veux-tu dire par là !

— Ecoute, ils emmèneront ces gens à Vienne un jour ou l'autre. Moi je veux y aller tout de suite. Veux-tu te joindre à moi ?

— Certainement. As-tu une carte ?

— Là-dedans, répondit le petit homme en portant la main à sa tête. J'ai appris ça par cœur. Nous n'avons qu'une chose à faire : mettre le cap au nord et suivre les panneaux indicateurs. Pour l'instant, séparons-nous et dirigeons-nous nonchalamment vers la sortie la plus éloignée. Dès que tu seras sûr que personne ne nous regarde, éclipse-toi et prends la grand-route. Rendez-vous à la première taverne. »

Après être passé en sifflotant devant les sentinelles armées, George pressa le pas.

La première taverne était à sept cents mètres de là. Son compagnon l'y attendait, appuyé contre un panonceau de bois à moitié effacé portant le nom de l'établissement *Der Wiener Keller*.

« Ça veut dire *le Cellier viennois,* expliqua Miki. Je propose de poursuivre notre route.

— Tu te débrouilles en anglais ? » demanda Miki à George, tandis qu'ils marchaient d'un bon pas.

« Pas un traître mot, répliqua George.

— Oh, je vois. Tu es un de ces gosses du Parti qui ont eu droit à des années et des années de russe. Léger manque de prévoyance de ta part... Pas vrai ?

— Oh ! je me mettrai à l'anglais dès que je pourrai acheter un livre.

— Tu en as un à tes côtés, reprit son camarade réfugié. En faisant un peu attention, tu verras que tu parleras un anglais convenable avant que nous ayons atteint Vienne.

— Vas-y, répondit George. Commence !

— Première leçon, répète après moi : " Je suis un chic type, tu es un chic type, il est un chic type... "

— Qu'est-ce que ça veut dire ? s'enquit George.

— " Chic type " est un compliment signifiant une " bonne personne ". Crois-moi, George, je suis dans le coup, à force d'étudier les journaux. Maintenant, plus de questions. Vas-y, répète ! »

Au bout de deux heures, George pouvait dire quelques mots. Il en savait assez pour flatter ses futurs compatriotes, leur dire qu'en Hongrie la vie était « la barbe ». Et que les Etats-Unis étaient l'espoir de l'humanité. D'un point de vue plus pratique, il était capable de demander où étaient les toilettes.

Ils ralentirent en traversant le Danube, qui, à quelques centaines de kilomètres à l'est, traversait leur ville natale.

« As-tu de la famille à Budapest ? » demanda George.

Miki hésita. Son visage changea légèrement d'expression.

« Je n'en ai plus, répondit-il, énigmatique. Et toi ? »

Tout en regrettant d'avoir abordé ce sujet, George se contenta de répondre à son tour :

« Je n'en ai plus... »

Une nouvelle fois, il dut faire effort pour chasser de son esprit la pensée d'Aniko.

Miki lui expliqua qu'il allait se mettre en quête d'organismes américains d'aide aux émigrés et qu'il irait leur dire que sa sœur et son beau-frère habitaient l'Illinois. Il avait une profession et, son beau-frère, Charles Lancaster, acceptait de le cautionner.

« Lancaster ?

— Ecoute, George, si tu t'appelais Karoly Lucacs, ne changerais-tu pas ton nom pour quelque chose de plus américain ? »

George tomba d'accord. Il appliqua sur-le-champ cette leçon à sa propre situation.

« Miki, que peut-on faire avec Gyuri Kolozsdi ?

— On peut te le massacrer, mon ami. Un Américain a besoin d'un nom américain.

— Eh bien, que suggères-tu ?

— Gyuri n'est pas un problème », répondit Miki, enchanté d'avoir à rebaptiser un adulte. « Ça fait " George ", tout simplement. Pour Kolozsdi, il faut quelque chose de clair et net. »

George se creusa la cervelle. Ses pensées retournèrent vers cette première taverne sur la route de la liberté, *Der Wiener Keller*.

« Que penserais-tu de George Keller ?

— Parfait. Absolument parfait. »

Ils auraient pu prendre un tramway, mais George n'avait nulle envie de voir trop vite s'éloigner son nouvel ami.

« Tu crois qu'ils accepteront un simple étudiant ? Après tout, je n'ai ni diplôme ni rien...

— Alors, efforce-toi de trouver quelque chose qui fera qu'ils voudront de *toi* pour ce que tu es.

— J'étudiais le droit soviétique. A quoi cela peut-il servir en Amérique ?

— Formidable ! Tu as trouvé ! Tu as reçu du Parti une bonne éducation. Tu parles russe comme si c'était ta langue maternelle. Dis-leur que tu veux mettre à profit tes connaissances pour lutter *contre* le communisme. Dis-leur que c'est dans cet esprit que tu veux aller à l'université.

— Quelle université ?

— En Amérique, les deux meilleures sont Harvard et Yale. Alors, vas-y pour Harvard.

— Pourquoi ? »

Miki sourit.

« Parce que tu es hongrois et que Yale est trop difficile à prononcer. »

Ils se séparèrent sur le Ringstrasse.

« Bonne chance, Georgie ! »

— Miki, je n'oublierai jamais ce que tu as fait pour moi. »

Un peu plus tard, George découvrit une enveloppe dans sa poche. Elle contenait l'adresse de Miki aux Etats-Unis, à Highland Park, Illinois. Et vingt-cinq dollars...

Le comité de la Croix-Rouge parut favorablement impressionné par le bagage académique de George. Hélas ! au lieu de se voir donner un billet d'avion, il fut envoyé dans des baraques à l'extérieur de la ville. Cela ne faisait pas son affaire.

George s'approcha d'un fonctionnaire portant un badge de la Croix Rouge :

ALBERT REDDING
Anglais-Allemand-Français

« Excusez-moi, monsieur Redding, dit George poliment. J'aimerais aller à Harvard.

— Et qui n'aimerait pas ça ? répondit en riant le jeune homme. Moi, ils m'ont fermé la porte au nez. Pourtant j'avais terminé troisième de ma classe de lycée. Mais rassurez-vous, il y a beaucoup d'universités en Amérique et vous achèverez vos études ; ça je vous le promets. »

George avait un dernier atout en poche, une de ces phrases clefs que Miki lui avait enseignées sur la route d'Einsenstadt à Vienne :

« Monsieur Redding », reprit-il, d'une voix qui tremblait imperceptiblement, « je... je veux passer Noël en Amérique ! »

Cela marcha ! George put lire sur le visage de Redding qu'il était ému par ce souhait de réfugié seul dans la vie.

« Tu as l'air d'un chic type, tu sais ! dit-il. Alors, donne-moi ton nom, je vais voir ce que je peux faire pour toi. »

Pour la première fois, George Kolozsdi déclina son nom de fraîche mouture :

« Keller, George Keller.

— Ecoute George, je ne peux rien te promettre, mais reviens demain matin. D'accord ?

— D'accord.

— Et si tu as besoin de quoi que ce soit...

— J'ai effectivement besoin d'une chose, reprit George. On m'a dit qu'on pouvait faire passer des messages par le biais de l'émission la Voix de l'Amérique, n'est-ce pas ?

— Exact. Cela ne dépend pas de mon service, mais je peux transmettre. »
Redding tira un bout de papier et un crayon de sa poche. George dicta :
« J'aimerais simplement dire : " M. Karl Marx est mort. "
— C'est tout ?
— Oui. Merci. »
Le jeune homme regarda George et lui demanda timidement :
« Dis, ils ne le savent pas, derrière le Rideau de fer ?
— Cela peut choquer certaines personnes, répondit George. En tout cas, merci ! Je reviendrai demain matin. »
Le lendemain matin, à sept heures trente, Albert Redding l'attendait, abasourdi.
« Franchement, marmonna-t-il à George, j'aurais dû naître hongrois !
— Que se passe-t-il ?
— Tu as une veine de pendu ! répétait le jeune homme. Ecoute ça : " Au directeur de la Croix-Rouge à Vienne : l'université de Harvard a créé un comité d'aide et d'accueil pour un ou deux étudiants réfugiés diplômés d'une université hongroise. Nous aimerions recevoir de plus amples précisions sur d'éventuels candidats. Veuillez me répondre avec tous les détails. Signé : Zbigniew K. Brzezinski, professeur assistant de sciences politiques. " »
Redding regarda George avec des yeux ronds comme des soucoupes.
« Peux-tu y croire ?
— Qui sait ! Dépêchons-nous d'adresser mon dossier. »
La réponse arriva en moins de vingt-quatre heures. Ce jeune réfugié correspondait exactement au candidat recherché. Le reste n'était qu'une question de bureaucratie.
Huit jours après, George se rendit à Munich en car. De là, il prit l'avion et vingt-six heures plus tard, il débarqua à Newark Airport, Etats-Unis. Il n'était aucunement fatigué par ce long voyage qui lui avait permis de continuer à potasser sa nouvelle acquisition : *Thirty Days to a More Powerful Vocabulary*.
Les formalités de douane furent réduites : George possédait en tout et pour tout deux livres, trois journaux et des sous-vêtements neufs, don de la Croix-Rouge. Il s'apprêtait à quitter les services de l'immigration lorsqu'un homme pâle, au visage anguleux, coiffé en brosse, le saisit par la main.
« George Keller ? »
Il acquiesça de la tête, encore peu familiarisé avec son nouveau nom.
« Je suis le professeur Brzezinski. Bienvenue en Amérique ! Nous avons prévu que vous passerez la nuit au Harvard Club de New York. »

Andrew fit la connaissance de George Keller dans le bureau du professeur Finley. Le professeur Brzezinski venait de ramener le jeune réfugié de la gare de Boston. Il fit les présentations, puis il donna à Andrew deux cents dollars pour parer à l'indispensable et aider George à s'équiper de pied en cap. Afin de prévenir toute erreur, Brzezinski prit soin d'ajouter :

« Notre budget étant limité, monsieur Eliot, je pense qu'il serait sage de vous en tenir à la coopérative de Harvard pour vos emplettes. »

Dès qu'ils atteignirent le square, George se mit à lire à haute voix les panneaux d'affichage. Il demanda anxieusement à Andrew :

« Ma prononciation est-elle correcte ? »

Tout y passa, depuis des slogans tels que « Lucky Strike veut dire tabac de qualité » jusqu'à « Park Street en huit minutes » comme l'annonçait l'enseigne lumineuse du métro. Fort de ce vocabulaire élémentaire, il s'essayait à faire des phrases dans le genre :

« Qu'en penses-tu, Andrew, si nous achetions des Lucky Strike ? On m'a dit que c'était du tabac de qualité, très agréable à fumer. »

Ou encore :

« J'apprends que Park Street n'est qu'à huit minutes de Harvard Square. Est-ce exact ? »

Il écoutait avec une attention extrême, hallucinante, les réponses farfelues d'Andrew, réclamant la définition des mots qu'il n'avait pas compris.

« George, pitié ! finit par supplier Andrew. J'ai l'impression d'être un dictionnaire ambulant. »

Pour lui témoigner sa reconnaissance, George n'avait cessé de lui assener avec effusion des : « Andrew, tu es vachement cool » ou autres bribes de phrases dans ce style.

Le jeune patricien se demandait où ce réfugié avait ramassé cet argot et se disait que cela devait être décalqué du hongrois.

Arrivé à la coopérative de Harvard, *The Coop,* George réagit comme un gosse dans le grenier du Père Noël. De sa vie, il n'avait vu pareil étalage de marchandises. Ces couleurs vives, éclatantes, le subjuguèrent.

« Dans mon pays, je veux dire dans mon ancien pays, tout était gris, expliqua-t-il, c'était vraiment *la barbe* ! »

La lueur de son regard faisait croire à Andrew qu'il voulait tout acheter. Même pour l'article le plus banal, George se montrait fort difficile. Au rayon des sous-vêtements, ils engagèrent une longue discussion pour savoir si la majorité des étudiants de Harvard portait caleçon, ou si les plus « cools » ne préféraient pas le slip.

Pour les classeurs et autres fournitures, ce fut plus aisé. George limita son choix à ce qui arborait l'écusson de l'université (... jusqu'aux stylos à bille, article exclusivement réservé aux touristes).

Il prit son air méfiant lorsque Andrew lui expliqua que les étudiants de Harvard se baladaient avec leurs affaires dans un sac de toile verte.

« Pourquoi vert ? La couleur officielle de l'université n'est-elle pas le pourpre ?

— Oui, bredouilla Andrew, mais...

— Alors, pourquoi me le ferais-tu prendre vert ?

— Ecoute, mon vieux, honnêtement j'en sais rien. C'est une de ces vieilles traditions. Vois-tu, les types cool...

— Oh, réellement ?

— Même M. Pusey », répondit Andrew, osant espérer que le président de Harvard ne se formaliserait pas qu'il invoquât son nom pour une broutille.

Ils passèrent des heures au rayon des ouvrages universitaires. Dans le train, Brzezinski avait aidé George à établir un emploi du temps adapté à quelqu'un possédant parfaitement le russe. En plus de manuels, George acheta une montagne de grammaires anglaises et de dictionnaires, bref tout ce qui pourrait lui faire gagner du terrain dans sa conquête de la langue anglaise.

Comme ils ramenaient leurs achats à Eliot House, George murmura :

« Nous sommes seuls, dis-moi Andrew, sommes-nous *vraiment* seuls ? »

Duster Street étant déserte, la réponse fut positive.

« Alors on peut se dire la vérité ? »

Andrew ne comprenait pas où George voulait en venir.

« Je ne te suis pas.

— Tu peux avoir confiance en moi : je sais garder un secret, Andrew. »

Et il ajouta tout bas :

« Es-tu l'espion ?

— Le quoi ?

— Je t'en prie, je ne suis pas tombé de la dernière pluie. Dans chaque université le gouvernement a des espions.

— Pas en Amérique », reprit Andrew, essayant de se faire convaincant car, tel un héros de Kafka, il se sentait légèrement coupable.

« George, tu trouves que j'ai l'air d'un espion ?

— Bien sûr que non, dit-il d'un air entendu. C'est bien pour cette raison que je te soupçonne. Je t'en supplie, promets-moi que tu ne mettras pas ça dans ton rapport ?

— Ecoute, mon vieux, protesta Andrew, je n'ai de comptes à rendre à personne. Je ne suis qu'un modeste étudiant de Harvard.

— Tu t'appelles *vraiment* Andrew Eliot ?

— Naturellement. Qu'y a-t-il de si étrange à cela ?

— Tu sais, reprit-il, la maison à laquelle ils m'ont assigné s'appelle Eliot House. Et toi, tu me dis que tu t'appelles Eliot. Ne trouves-tu pas que c'est une bizarre coïncidence ? »

Le plus patiemment possible, Andrew lui expliqua que les bâtiments de Harvard portaient le nom d'anciens élèves illustres, morts depuis longtemps, et que sa famille avait été particulièrement célèbre. Cela parut satisfaire George et même le rasséréner.

« Alors tu es un aristocrate ?

— Si tu veux », répliqua Andrew avec candeur.

Et il fut agréablement surpris de voir que, pour une raison qui lui échappait, George semblait en être heureux.

C'est alors que survint l'horreur des horreurs...

Partis d'Eliot House à treize heures trente, il était près de dix-sept heures lorsqu'ils y retournèrent.

Par chance, Andrew fut le premier à entrer dans l'appartement. Il jeta un coup d'œil vers la chambre et se rendit compte, horrifié, de ce qu'ils avaient interrompu...

En un quart de seconde, il reprit ses esprits, et pria George d'attendre à l'entrée. Il se rua alors vers la porte de la chambre et la ferma.

Il se retourna : le réfugié le regardait ahuri, avec une méfiance proche de la paranoïa.

« Eliot, qu'est-ce qui se passe ?

— Rien, rien, rien du tout. Juste des amis qui ont... emprunté mon appartement. »

Andrew était planté comme une sentinelle devant la porte de la chambre. Tous deux pouvaient entendre des bruissements frénétiques venant de l'autre côté.

« Je ne te crois pas, déclara George tremblant de colère. Et je désire parler sur-le-champ à tes supérieurs.

— Une minute, Keller. Laisse-moi t'expliquer. »

George regarda sa Timex toute neuve et répliqua :

« D'accord, je t'accorde cinq minutes avant d'appeler Brzezinski pour lui demander de me faire sortir de là. »

Il s'assit, bras croisés.

Andrew ne savait par où commencer.

« Tu vois, George, il y a ces deux amis qui... »

Ne trouvant pas ses mots, il se mit à gesticuler.

« Jusque-là tu ne m'as pas convaincu », dit Keller sur un ton désapprobateur, et il regarda de nouveau sa montre.

« Quatre minutes vingt et j'appelle Brzezinski. »

Soudain l'expression de son visage changea. D'un bond, il se leva et, avec un large sourire, s'exclama :

« Bonjour, ma jolie, je suis George ; et toi, comment t'appelles-tu ? »

Andrew fit volte-face et aperçut Sara, le visage empourpré.

« Je suis Sara Harrison », dit-elle ; avec tout le calme et la gentillesse souhaitables en pareille circonstance. Bienvenue à Harvard ! »

George tendit la main qu'elle serra. Ted émergea et se présenta. George était transformé, comme par miracle.

« Nous vivons donc tous ici ? demanda-t-il avec un nouvel optimisme.

— Euh, pas vraiment, bégaya Andrew. C'est que Ted et Sara n'ont pas d'endroit où..., enfin tu vois.

— Je t'en prie, reprit galamment George, pas besoin d'expliquer. Nous connaissons aussi ce problème du logement en Hongrie.

— Mon vieux, souffla Ted à l'oreille d'Andrew pour s'excuser, je suis désolé de ce contretemps, mais tu ne nous avais pas prévenus.

— Je sais, mes amis, c'est de ma faute. J'aurais dû vous appeler en apprenant l'heure d'arrivée de son train.

— T'en fais pas, reprit Ted rassurant, mais il est tard et je dois ramener Sara chez elle avant d'aller à mon boulot. Merci, Eliot, tant que ça a pu durer, ça a été super. »

Sara l'embrassa. Ils s'apprêtaient à partir lorsque Andrew leur lança :

« Vous savez, pas la peine de changer vos habitudes. N'hésitez pas à continuer... vos " visites ", je vous le demande de bon cœur.

— Nous verrons », dit Sara, qui ajouta en souriant : « Mais tu as de quoi t'occuper pour l'instant !... »

Le réfectoire d'Eliot House restait ouvert pendant les vacances de Noël pour sustenter les malheureux forcés de rester à Cambridge pendant les vacances.

Danny Rossi faisait partie du lot. Libéré de son travail universitaire, il se plongea avec joie dans la composition d'*Arcadia*. Pour impressionner Maria, il avait eu la témérité de lui promettre la partition pour le 31 décembre. Aussi travaillait-il comme un forcené.

Un thème lui vint, par magie ou presque : le chant d'amour nostalgique des bergers, une mélodie née de ses sentiments envers Maria. Le reste ne lui fut que fichue corvée ; néanmoins les portées finirent par se remplir de notes.

C'était, à son avis, ce qu'il avait fait de mieux jusqu'à présent.

Danny passa les fêtes de fin d'année recroquevillé sur sa partition autant que sur lui-même. Ce ballet l'obsédait à tel point qu'il arriva à éliminer tout autre sentiment : que ce fût le désir bien légitime de passer Noël en famille, particulièrement auprès de sa mère, ou ses sentiments pour cette Maria, jolie, désirable... Totalement hors de portée...

« Merde, se disait-il, en s'efforçant de se montrer raisonnable, j'exprimerai ma douleur sur ce bout de papier à musique. La passion peut engendrer l'art. »

Mais tout effort pour sublimer sa passion ne faisait que l'exacerber...

George, lui aussi, avait décidé de rester à Cambridge. Invité à passer Noël dans la famille d'Andrew Eliot, il avait préféré une vie monacale afin d'améliorer son anglais qui progressait rapidement.

La veille de Noël, l'intendance se mit en frais pour servir quelque chose qui ressemblait vaguement à une dinde rôtie. George Keller, occupé à dévorer... un bouquin de vocabulaire n'y prêta pas attention. A l'autre bout de la table, Danny Rossi relisait ce qu'il avait composé dans la journée.

Ils étaient bien trop absorbés l'un et l'autre pour remarquer leur présence ou leur solitude mutuelles.

Peu avant minuit, l'enfant qui sommeillait en Danny Rossi fit surface. Danny posa sa partition et se mit à improviser des chants de Noël au piano.

Par sa fenêtre entrouverte, la musique s'envolait à travers la cour obscure jusqu'à George Keller, qui bossait comme un dingue.

Le réfugié se renversa dans son fauteuil et ferma les yeux. Même en Hongrie la mélodie de *Douce Nuit* l'avait toujours ému ; ce soir, à des milliers de kilomètres, il en captait les faibles accents dans l'air glacé de Cambridge.

Et des souvenirs qu'il avait espérés à jamais évanouis lui revinrent en mémoire.

Journal d'Andrew Eliot

Ce George Keller me rend enragé. Peut-être est-ce sa mentalité d'immigrant ? J'ai découvert, grâce à lui, une loi : l'ambition de l'Américain est inversement proportionnelle au temps écoulé depuis qu'il a fichu le pied sur ces rivages.

Je m'explique : j'ai cru à tort, autrefois, que Lambros s'était fait foutre à la porte de son pays d'origine, en fait, c'est ici qu'il est né. C'est la génération de son père qui est venue par bateau. Rien, absolument rien ne saurait être comparé à la volonté démentielle d'arriver de ce Hongrois, débarqué depuis à peine deux mois. Si c'était une locomotive, il exploserait, vu la température à laquelle il turbine !

Lorsque je me réveille à l'heure indue de huit heures du matin, il est plongé dans son travail, ayant depuis longtemps avalé son petit déjeuner. Chaque jour ou presque, il m'annonce, avec une malicieuse fierté, qu'il a été le premier au réfectoire.

Il m'a demandé de lui prêter cinquante dollars pour s'acheter un magnétophone qu'il trimbale à ses cours.

L'après-midi, il réécoute les cours jusqu'à ce qu'il les sache par cœur. Beaucoup sont en russe. C'est parfait pour lui, mais cela me donne l'impression de vivre au Kremlin. Pas besoin d'ajouter que, pendant la journée, George est seul maître à bord de notre appartement.

Nous avons eu un petit problème concernant Ted et Sara. George s'est montré compréhensif quant à leur besoin d'avoir un endroit où se retrouver seuls ; il a spécifié que cela lui était égal qu'ils se servent de ma chambre, du moment qu'il pouvait, lui, continuer à étudier dans le living-room.

Il a donc fallu que je lui explique avec ménagement que cela ne leur serait pas égal, à *eux*. Il a fini par accepter d'aller travailler dans la bibliothèque d'Eliot House de seize heures à dix-huit heures trente les jours où Ted et Sara seraient chez nous.

Autre détail étonnant : je n'ai aucune idée de l'heure à laquelle il va se coucher. Je le soupçonne de ne pas se coucher ! J'ai fait l'autre soir une expérience des plus bizarres.

Après de généreuses libations au Porcellian Club, l'appel de la nature me tira de mon lit vers deux heures du matin. Des chiottes j'entendis une voix de revenant en provenance de la douche, qui déclinait des « commence, commençons, commencez, mords, mordons, mordez, chante, chantons, chantez ».

J'écartai le rideau de la douche et vis George, en caleçon dernier cri, armé... d'une grammaire anglaise. C'est à peine s'il me remarqua, puis il reprit sa psalmodie...

Je l'avertis qu'à ce rythme il ne tiendrait pas le coup. Il me répondit : « Conduis, conduisons, conduisez. »

Je pris un verre d'eau froide et le lui versai sur le crâne. Il frissonna, me jeta un regard ébahi, m'arracha le rideau, referma la douche et poursuivit sa gymnastique verbale.

« Montre, montrons, montrez ; parle, parlons, parlez. »

« La barbe, me dis-je, qu'il se tue à ce régime si ça lui chante, moi je m'en fous. »

Je refermai la porte de la salle de bains pour que Newall pût dormir en paix et allai me recoucher.

« Dors, dormons, dormez », psalmodiait George.

« Allô, papa ? Ici Jason. Je t'annonce une bonne nouvelle !

— Je n'entends rien. Il y a un vacarme de tous les diables derrière toi. D'où m'appelles-tu ?

— Figure-toi que toute l'équipe de squash est dans ma piaule. Ils viennent d'élire un capitaine pour l'an prochain et, si stupide que cela puisse paraître, c'est moi qu'ils ont élu.

— Fantastique, mon vieux, reprit le père enthousiasmé. Je ne puis attendre d'annoncer ça à ta mère. Tu sais, je parie que tu vas te retrouver également capitaine de l'équipe de tennis ! »

En raccrochant, Jason éprouva une inexplicable tristesse. La remarque paternelle l'avait désorienté. Lui, Jason, son fils, appelait pour lui faire part d'un beau succès ; mais en dépit de son évidente satisfaction, il avait maladroitement émis l'espoir secret de le voir remporter d'autres lauriers.

« Hé, capitaine ! lança Newall. Es-tu sobre ?

— Je crois ! répondit en riant Jason. Je ne pouvais quand même pas laisser mon père s'imaginer que nous étions une bande de vauriens beurrés... Ce que nous sommes !... »

Ses coéquipiers beuglèrent leur approbation. Ils étaient une douzaine entassés dans sa petite chambre, plus quelques parasites, Ted et Sara y compris. Andrew Eliot les avait amenés pour leur donner un aperçu des créatures athlétiques du zoo harvardien.

« Comment va ton andouille ? demanda Jason. En train d'apprendre par cœur l'*Encyclopaedia Britannica* ?

— Tiens-toi bien, reprit Andrew. Non seulement il continue à bosser comme un dingue, mais il lit le *New York Times* de A à Z y compris petites annonces immobilières et recettes de cuisine. Sans omettre l'édition dominicale, quand ce foutu canard rivalise d'épaisseur avec *Guerre et Paix*.

— Enfin, déclara Jason, on ne peut qu'admirer un type de cet acabit.

— J'en serais grand admirateur, riposta Newall si quelqu'un d'autre que moi partageait sa piaule. »

Peu après dix-neuf heures, les derniers fêtards se dispersèrent, l'équipe de squash se dirigea vers le Hasty Pudding Club.

En se rendant au pas militaire vers Holyoke Street, les chevaliers de l'équipe de squash de Harvard entonnèrent une variation euphorique du chant de guerre le plus populaire de l'université.

Ils retrouvèrent plus ou moins leurs esprits lorsqu'ils montèrent l'escalier, toisés par deux siècles d'affiches de spectacles, et pénétrèrent dans la salle à manger où Newall avait réservé une table.

La place d'honneur revint à Jason, à sa plus grande joie.

Cette position prééminente lui valut en effet l'attention des petites amies des membres du Pudding Club. A la vive déception de ces pauvres mortels, leurs invitées souriaient à l'homme de la soirée, qui leur adressait en retour force sourires désarmants.

Vers dix heures du soir, Andrew et Dickie Newall regagnaient leurs pénates, lorsque Jason s'exclama :

« Tiens, c'est curieux, Anderson n'était pas des nôtres ce soir. A-t-il voulu échapper à nos réjouissances, ou quoi ?

— Voyons, Jason, répondit Newall avec candeur, tu sais bien que Tod n'est pas membre du Pudding.

— Comment ça se fait ? » questionna Jason, stupéfait qu'un athlète de la classe de Tod n'appartînt pas à cette confrérie de bons vivants qui rassemblait un tiers ou presque des étudiants à partir de la deuxième année.

« Tu n'as pas remarqué qu'Anderson était noir ? reprit Newall.

— Et alors ? poursuivit Jason.

— Réfléchis, Jason, expliqua Dickie. Le Pudding n'est pas libéral à ce point. Je veux dire qu'il nous faut bien exclure *l'un ou l'autre.* »

Et c'est ainsi que le soir de ce triomphe personnel, Gilbert se vit rappeler une fois de plus que, si les étudiants de Harvard sont tous égaux, certains sont « plus » égaux que d'autres...

Le professeur Samuel Eliot Morison était un des membres les plus éminents et prolifiques de la faculté de Harvard. Connu pour ses volumes d'histoire de la marine et ses chroniques de Harvard, cet homme distingué était allié de loin à l'Eliot de la promotion 1958.

Trois années s'étaient presque écoulées. Abeille butineuse, Andrew voletait d'une matière à l'autre, ne sachant où se poser, hésitant à se spécialiser : lettres, civilisation américaine, économie... Son conseiller lui adressa un ultimatum : il devait faire un choix et s'y tenir. Paniqué, Andrew décida de demander les lumières d'une personne qualifiée.

Prenant son courage à deux mains, il écrivit au professeur Morison et eut la surprise de recevoir par retour du courrier une invitation à venir le trouver.

« Que je suis heureux d'avoir devant moi la preuve vivante que la descendance de ce vieux John Eliot est en pleine vigueur, dit-il en lui serrant la main. J'ai connu votre père au temps où il était étudiant ; j'avais même essayé d'obtenir son aide pour l'histoire coloniale, mais la section d'économie financière l'avait déjà séduit.

— Oui, confirma poliment Andrew, disons que papa ne déteste pas l'argent.

— Il n'y a rien de mal à cela, reprit Morison, surtout lorsque l'on voit combien la philanthropie de la famille Eliot a contribué à la construction de cette université. Celui dont j'ai l'honneur de porter le nom, Samuel Eliot, a créé la première chaire de grec en 1814. Dites-moi, Andrew, en quelle matière vous spécialisez-vous ?

— Vous touchez du doigt mon problème, monsieur. Je n'arrive pas à me décider.

— Que pensez-vous faire dans la vie ?

— D'abord, mon service militaire.

— Des générations d'Eliot ont servi avec honneur dans la Marine, commenta Morison. Et après ?

— Papa souhaiterait que je sois dans la banque. »

« Après tout, se disait Andrew, j'aurai tellement de fric d'ici quatre ans qu'il faudra au moins que j'aille rendre de temps en temps visite à l'endroit où sont gardés mes bons et mes actions. » N'était-ce pas une façon comme une autre de rentrer dans la banque ?

« Vous avez là une vocation toute trouvée, mais ne devriez-vous pas, pour l'instant, choisir une matière apte à faire éclore en vous un intérêt enrichissant ? Avez-vous pensé à l'histoire de votre famille ?

— Mon père s'en charge abondamment, répliqua lestement Andrew. Vous voyez, j'étais encore bébé, dans mes langes, que mon père me tenait déjà des discours sur notre noble héritage. Pour être franc, monsieur, c'était un peu pousser... En enfournant ma bouillie, j'entendais les histoires de John Eliot, l'apôtre des Indiens, arrière-grand-père de Charles, le célèbre président de Harvard. Je disparaissais sous la frondaison de notre arbre généalogique.

— Mais vous avez sauté à pieds joints par-dessus plusieurs siècles, fit remarquer l'amiral Morison. Et la révolution ? Savez-vous où étaient les Eliot en ces temps qui forgèrent l'âme de ces hommes ?

— Non, monsieur. Je pense qu'ils jouaient du mousquet autour de Bunker Hill. »

Le professeur sourit et reprit :

« Je crois avoir une idée. Les Eliot du XVIIIe siècle tinrent d'admirables journaux intimes, nous léguant un témoignage de ce qu'ils virent et vécurent durant la révolution. Ne serait-ce pas fascinant, surtout pour un Eliot, d'étudier la façon dont vécurent des anciens de Harvard de cette époque ? Voilà matière à une thèse passionnante. »

Andrew dut avouer que, vu sa moyenne, il avait peu de chances d'être autorisé à écrire un mémoire.

« Vous pouvez donc savourer à loisir la substantifique moelle de l'éducation, Andrew. Je vais m'arranger pour être votre directeur d'études et nous reprendrons ensemble ces journaux. Il ne sera pas question de notes, leur lecture sera votre seule récompense. »

Andrew sortit enthousiasmé du bureau du professeur Morison. Il avait maintenant une chance de recevoir un diplôme, et *surtout* une éducation.

Danny Rossi ne savait plus où il en était. Certains jours, il souhaitait que les répétitions d'*Arcadia* en finissent, que ce satané ballet soit représenté et qu'on n'en parle plus. Du même coup, c'en serait fini de Maria.

D'autres jours, il aurait souhaité que les répétitions puissent durer éternellement. Six après-midi par semaine, il s'asseyait au piano, tandis que Maria aidait le ballet à prendre forme. Elle faisait travailler les danseurs, montrait les mouvements et se penchait souvent au-dessus du piano pour demander l'avis du compositeur.

Il détestait son foutu collant bleu.

Après tout, comment blâmer l'« enveloppe » alors que ce qui le rendait fou c'était le corps qu'il moulait de façon si désirable.

Le pis, c'était lorsqu'ils allaient prendre un pot après la répétition pour discuter des progrès du ballet. Maria était alors si chaleureuse, si sympa... Leur conversation durait des heures... Danny souffrait de voir que ces soirées ressemblaient de plus en plus à des rendez-vous, sans en être...

Un jour où elle avait attrapé la grippe asiatique, il alla lui rendre visite à l'infirmerie et lui apporta une fleur. Il essaya de lui remonter le moral avec des histoires drôles. Elle rit de bon cœur. Au moment où il s'apprêtait à partir, elle lui dit :

« Merci d'être venu, Danny, tu es un bon copain. »

Un bon copain...

C'est tout ce qu'il était. Merde de merde ! Juste un foutu copain. D'ailleurs, comment eût-il pu en être autrement ? Elle était belle, sûre d'elle-même, elle était grande, élancée. Lui, il n'était rien de tout ça...

Pis encore, quel prétexte pourrait-il inventer pour la revoir, une fois terminée cette histoire de spectacle ?

La nuit de la première arriva. Tous les prétendus connaisseurs prirent place à l'Agassiz Theater de Radcliffe pour se prononcer sur la chorégraphie de Maria Pastore et le livret musical signé Danny Rossi.

Danny était trop occupé à diriger l'orchestre pour remarquer ce qui se passait dans la salle qui applaudit à plusieurs reprises.

Les premières de Harvard ressemblent, sous un certain angle, à celles de Broadway. Les artistes attendent dans leur loge la réaction des critiques, à la seule différence qu'à Cambridge ils n'attendent qu'un seul verdict, celui du *Crimson.*

Vers onze heures du soir, quelqu'un fit irruption, brandissant les commentaires de Sonya Levin, à paraître dans le *Crimson* du lendemain. Pour un journal qui se voulait pointilleux, la critique commençait par faire un éloge enthousiaste de la chorégraphie de Maria, « dynamique et imaginative, avec des trouvailles inédites, enjouées ».

Mlle Levin dirigeait ensuite son attention, ou plutôt son tir, sur Danny Rossi ! Selon elle :

La musique, quoique ambitieuse et puissante est, c'est le moins qu'on puisse dire, dépourvue d'originalité.

L'imitation peut être la forme la plus sincère du compliment, mais Stravinski et Aaron Copland pourraient à juste titre réclamer à Rossi des droits d'auteur.

Le régisseur, gêné, lut cela à haute voix. Danny était consterné, piqué au vif. Pourquoi cette abrutie du *Crimson,* qui voulait faire sa maligne, essayait-elle par ses sarcasmes de se donner bonne figure à ses dépens ? Se rendait-elle compte de ce que ça pouvait faire mal ?

Il allait filer, à bout, quand une main se posa sur son épaule. C'était Maria.

« Hé, Danny !...

— Laisse-moi tranquille », grommela-t-il.

Il ne se sentait pas capable de se retourner et de la regarder en face. Oubliant son anorak dans les coulisses, il s'en alla.

Arrivé au rez-de-chaussée, il aperçut une pancarte indiquant un téléphone public et se souvint qu'il avait promis à Me Landau de l'appeler dès la fin du spectacle.

Oh merde, non ! Comment répéter les conneries humiliantes de cette garce ? Comment oserait-il appeler son professeur après cela ? Il n'était qu'un raté. Un raté au vu et au su de tous. Comme au lycée sur la piste cendrée, lors du marathon...

Danny savait qu'il serait le dernier élève de Me Landau. Aussi aurait-il voulu être le meilleur.

Ses jambes se dérobèrent sous lui. Il s'assit sur les marches de pierre, la tête entre les mains.

« Rossi, qu'est-ce que tu fais là ? Tu vas attraper la crève ! »

Maria se tenait au-dessus de lui, devant la porte.

« Va-t'en, Pastore. Tu ne peux pas fréquenter des ratés. »

Sans relever ce qu'il venait de dire, elle vint s'asseoir une marche en dessous de lui.

« Ecoute, Danny, je me moque éperdument de ce que peut écrire Sonva Crois-moi, la partie musicale est remarquable.

— Tout le monde lira ça demain matin. Voilà qui fera les gorges chaudes de ces couillons d'Eliot House.

— Ne sois pas ridicule, reprit-elle. La plupart de ces snobinards ne savent même pas lire. »

Puis elle ajouta :

« Je voudrais simplement que tu saches que j'ai aussi mal que toi.

— Pourquoi ? Pour *toi,* au moins, la critique a été favorable.

— Parce que je t'aime.

— Mais c'est impossible, répondit-il, ne plaisantant qu'à demi. Tu es beaucoup plus grande que moi. »

Elle ne put s'empêcher de rire de cette réaction absurde.

Il finit par en rire, lui aussi. Il posa la main sur son épaule, l'attira contre lui. Ils s'embrassèrent.

Au bout d'un moment, Maria le regarda droit dans les yeux et lui dit en souriant :

« Maintenant, c'est à ton tour.

— A mon tour de faire quoi ?

— Je veux dire que ça va dans les deux sens, n'est-ce pas ?

— Bien sûr, répondit-il doucement, je t'aime aussi, Maria. »

Et ils continuèrent à s'embrasser, insensibles à la brise glaciale.

Après une victoire péniblement remportée sur l'université de Caroline du Nord, Jason Gilbert et ses coéquipiers se préparaient à aller séduire la gent féminine de Chapel Hill. Au vestiaire, Dain Oliver, leur entraîneur, se lançait dans une critique constructive de chaque membre de l'équipe, y compris Jason qui, malgré sa victoire, avait semblé peu nerveux sur le court de tennis.

« Je suis fatigué, protestait-il. Ces déplacements, cet entraînement, ces matches, ça n'est pas de tout repos.

— Allons, Gilbert, observa gentiment Dain, tu te dépenses trop dans les festivités après les matches ! Puis-je te rappeler que ce n'est pas *censé* être des vacances ?

— Dites, chef, n'oubliez pas que j'ai gagné notre match d'aujourd'hui !

— Peut-être... Mais tu dormais debout. Par conséquent, ressaisis-toi, sinon ce sera le couvre-feu. Compris, Gilbert ?

— Oui, m'sieur. Navré, les enfants. »

Des éclats de rire retentissaient du côté des douches, lorsqu'un homme grisonnant, sans doute un universitaire, fit son apparition, portant costume de ville et cravate. Il voulait parler à l'entraîneur.

« Qui est ce mec ? » murmura Jason à Newall qui se séchait dans la cabine adjacente.

« Il a tout l'air d'un agent du FBI à tes trousses, Gilbert ! rétorqua-t-il. Je crois que tu as violé la loi trois ou quatre fois cette semaine ! »

Avant que Jason eût le temps de répondre, l'entraîneur réclama l'attention de l'équipe.

Une douzaine de joueurs plus ou moins vêtus obéirent à son appel.

« Les gars, dit Oliver, je vous présente le rabbin Yavetz. Il vient nous rappeler que, tout à l'heure, commencera le premier soir de la Pâque. Les joueurs de l'équipe qui sont juifs sont invités à assister au service.

— Ce sera court et l'atmosphère sera à la fête, ajouta le rabbin avec son accent du Sud. Un repas de la Pâque, simple mais sympa, rythmé des chants que vos grands-pères vous ont appris, du moins je l'espère.

— Personne n'est intéressé ?

— Je serai ravi d'y aller, annonça Larry Wexler. Ça arrangera les choses avec mes parents qui étaient déçus que je ne passe pas les fêtes avec eux.

— Personne d'autre ? » demanda Oliver en jetant un coup d'œil du côté de Jason Gilbert.

Il lui répondit sur un ton narquois :

« Merci mille fois, mais je ne suis pas vraiment... intéressé.

— Sentez-vous libre de vous joindre à nous si vous changez d'avis », dit le rabbin.

Le rabbin parti, Newall demanda avec une curiosité désinvolte :

« Dis, Wexler, qu'est-ce que c'est que cette fête ?

— Quelque chose de chouette, répliqua-t-il, qui rappelle l'exode des juifs hors d'Egypte, tu sais quand Moïse a dit : " Laisse partir mon peuple. "

— A t'entendre, on dirait plutôt un rassemblement de gens de couleur.

— Ecoute, rétorqua Wexler, rappelle-toi ce que Disraeli a sorti un jour à un bigot anglais : " Quand mes ancêtres lisaient la Bible, les vôtres se balançaient encore aux branches des arbres. " »

Une heure plus tard, Larry Wexler nouait sa cravate, lorsqu'il aperçut l'image de Jason dans son miroir.

Un Jason, en blazer bleu.

« Salut, Wexler, dit-il, gêné. Si je vais à ce machin, tu crois que je risque de passer pour un pauvre con ? Tu vois, je ne sais même pas ce qu'il faut faire.

— T'en fais pas, mon vieux. Tu n'auras qu'à t'asseoir, écouter et manger. Je tournerai tes pages. »

Ils étaient une cinquantaine, assis à de longues tables dans un réfectoire de l'Union des étudiants. Le rabbin Yavetz prononça quelques mots, en guise d'introduction.

« La Pâque est une fête fondamentale du calendrier juif. Elle répond au précepte essentiel de notre foi, tel qu'il est stipulé dans le Livre de l'Exode au chapitre XIII : rappeler à nos enfants, à chaque génération, que le Seigneur nous a délivrés du joug de l'oppression égyptienne. »

Jason écouta en silence le récit biblique et les psaumes de louange. A un moment, il murmura à Larry :

« Comment se fait-il que vous connaissiez tous les mêmes hymnes ?

— Que veux-tu, ce sont les tubes des années 5000 avant Jésus-Christ ! Mon vieux, tes aïeux devaient avoir pour monture un chameau qui traînait la patte !... »

Jason se sentit soulagé lorsqu'on servit à dîner, car la conversation redevint celle d'étudiants du XXᵉ siècle et il n'eut plus l'impression d'être à part.

La célébration reprit. Le rabbin exhorta l'assemblée à se lever afin de prier pour la venue du Messie. Il se référa alors à une période plus récente de l'histoire :

« Nous savons que les Egyptiens des temps jadis furent loin d'être les derniers à essayer d'anéantir notre peuple. Pas plus tard qu'en 1943, lors de la Pâque, les juifs du ghetto de Varsovie, mourant de faim, sans armes, entreprirent un ultime et héroïque effort pour résister aux nazis qui les assiégeaient. Ce n'est pas à de lointains ancêtres que cela est arrivé, mais à nos propres parents et alliés, à nos oncles, à nos tantes, à nos grands-parents et, pour certains d'entre nous, à nos frères et sœurs. Nous pensons maintenant à eux et aux six millions de juifs assassinés par Hitler. »

Jason vit un jeune garçon baisser la tête et pleurer en silence.

« As-tu perdu des parents là-bas ? » murmura Jason.

Larry Wexler regarda son coéquipier et lui répondit :

« N'en avons-nous pas tous perdu ? »

Vers onze heures du soir, tandis qu'ils regagnaient leur dortoir, Larry fit cette remarque :

« J'ignore ce que tu en penses, Gilbert, mais je suis heureux d'y être allé.

Ne trouves-tu pas que cela nous fait du bien d'apprendre quelque chose sur nos origines ?

— Je le crois », répondit Jason, tout en se disant : « Mes origines à moi ne semblent pas remonter au-delà d'un palais de justice il y a vingt ans, lorsqu'un juge complaisant donna à mon père un nouveau nom qui n'avait plus rien de juif. Pour assurer notre avenir, il avait hypothéqué notre passé... »

En marchant, Jason poursuivait ses rêveries : « Qu'est-ce qui a poussé mon père à faire cela ? Après tout, ce Wexler ne se porte pas plus mal que moi. Je dirai qu'il se porte même mieux que moi. Il a une identité... »

« Non !

— Sil te plaît !

— Non ! »

Maria Pastore se redressa, le visage empourpré.

« Je t'en prie, Danny, pour l'amour de Dieu, devrons-nous en passer par là à chaque fois ?

— Maria, tu exagères !

— Non, Daniel. C'est toi qui te conduis comme un sans-cœur et un égoïste. Ne peux-tu admettre que j'aie mes principes ? »

Danny Rossi ne parvenait à rien avec Maria.

S'ils avaient vécu pendant les deux premières semaines dans un paradis à deux, seuls au monde parmi la foule de Cambridge, ils eurent tôt fait de se heurter à de sérieuses différences d'ordre moral.

Maria était la jeune femme la plus charmante, la plus délicieuse, la plus brillante, la plus belle qu'il eût jamais rencontrée et elle l'adorait. Il n'en restait pas moins que, pour des raisons qu'il refusait de comprendre — ou tout au moins d'accepter — Maria refusait de coucher avec lui. Elle se montrait même beaucoup moins permissive que cela.

Ils s'étreignaient et s'embrassaient avec passion lorsqu'ils étaient allongés sur son divan, mais s'il hasardait sa main sous son pull-over, l'ardeur de Maria se figeait en une terreur panique.

« Non, Danny, je t'en supplie ! Non !

— Maria, disait-il, voulant essayer de lui expliquer patiemment les choses, ce n'est pas une amourette d'un jour, tu le sais. Nous nous aimons vraiment. Je veux te toucher parce que je t'aime. C'est tout. »

Cette fois, elle se leva et le supplia de comprendre ce qu'elle ressentait.

« Danny, nous sommes tous les deux catholiques. Ignores-tu que c'est péché ce genre de choses avant le mariage ?

— Quel genre de choses ? reprit-il exaspéré. Où est-il écrit dans la Bible que l'homme ne peut toucher le sein de la femme ? D'ailleurs, le Cantique des Cantiques...

128

« — Danny, s'il te plaît, tu sais parfaitement que ça n'a rien à voir, et qu'il n'y aurait plus de limites si... » dit calmement Maria, en proie à une véritable agonie intérieure.

« Mais je te jure de ne pas en demander davantage. »

Maria le regarda, les joues en feu. Elle poursuivit avec candeur :

« Ecoute, tu crois que toi, peut-être, tu pourrais t'arrêter, comme ça, au beau milieu. Mais je me connais. Je sais que moi je ne pourrais pas m'arrêter. »

Cette confession réjouit Danny.

« C'est donc que, dans le fond de toi-même, tu veux aller jusqu'au bout. »

Elle fit signe que oui, l'air honteux.

« Danny, je suis une femme. Je t'aime et j'ai en moi toute cette passion qui ne demande qu'à éclater, mais je suis aussi catholique pratiquante et les sœurs m'ont appris que c'était un péché mortel.

— Franchement, poursuivit-il, comme s'il s'agissait d'un débat universitaire, peux-tu me dire, toi, une fille évoluée de Radcliffe, en 1957, si tu crois que tu iras réellement rôtir en enfer pour avoir couché avec quelqu'un que tu aimes ?

— Oui, si c'est avant d'être mariée, répondit-elle sans hésiter.

— Bon Dieu, c'en est trop ! » s'exclama-t-il, à bout de patience ou presque... et d'arguments aussi...

Succombant alors au désir éperdu de gagner à ses idées ce bastion de conservatisme sexuel, Danny lança impétueusement :

« Ecoute, Maria, un jour nous nous marierons. Que veux-tu d'autre ? »

Sans doute était-elle trop retournée pour noter qu'il avait parlé mariage, mais elle reprit :

« Danny, je t'en supplie, par tout ce que j'ai de plus sacré, je ne puis oublier la façon dont j'ai été élevée. Je veux arriver vierge devant mon mari.

— Nom de Dieu, mais c'est dépassé tout ça ! N'as-tu pas lu le rapport Kinsey ? Disons qu'aujourd'hui dix pour cent des filles arrivent vierges au mariage.

— Danny, même si je devais être la dernière sur terre à voir les choses ainsi, je resterai vierge jusqu'à ma nuit de noces. »

A court d'arguments, Danny ne put qu'émettre un « merde » presque involontaire.

Essayant de maîtriser sa propre passion, il continua :

« D'accord, d'accord, oublions cette affaire et allons dîner. »

Tandis qu'il nouait sa cravate, il fut surpris de l'entendre répondre :

« Non ! »

Il fit demi-tour et aboya :

« Maintenant quoi ?

— Danny, soyons honnêtes. Nous ne pouvons pas continuer ainsi. Nous commençons à nous mettre en colère l'un contre l'autre, ce qui signifie que la tendresse de nos sentiments en pâtira inévitablement. »

Elle se leva, comme pour le mettre en position désavantageuse, tant physique que morale.

« Danny, je tiens à toi, dit-elle, mais je ne veux plus te voir...

— Jamais ?

— Je ne sais pas, répondit-elle, du moins pendant quelque temps. Tu seras à Tanglewood cet été, moi je rentrerai à Cleveland. Sans doute cette séparation nous fera-t-elle du bien. Nous aurons chacun du temps pour réfléchir.

— Bonté ! Mais tu ne m'as pas entendu dire que je voulais t'épouser ? »

Elle fit signe que oui, puis reprit :

« Si, mais je me demande si tu en as vraiment l'intention. C'est pourquoi nous avons besoin de ce temps de réflexion.

— Pourrons-nous au moins nous écrire ? demanda Danny.

— Bien sûr. »

Maria se dirigea vers la porte et se retourna. Elle le regarda un instant et murmura :

« Tu ne peux savoir combien ça me fait mal, Danny ! »

Là-dessus, elle partit.

Dès le printemps 1957, George Keller était en mesure de suivre ses cours en anglais comme n'importe quel autre étudiant.

Il avait décidé de se spécialiser en sciences politiques, car, selon Brzezinski, sa maîtrise de la langue russe et sa connaissance pratique de la politique de derrière le Rideau de fer le rendaient indispensable à Washington.

Dans le programme du second semestre, il choisit le cours intitulé « Principes de politique internationale », sous l'égide d'un dénommé William Palmer Eliot.

Un choix prémonitoire... Le jeune chargé de cours, assistant d'Eliot, ne parlait-il pas anglais avec un accent étranger encore plus fort que celui de George ? Il s'appelait Henry Kissinger. Poussés par leur sixième sens, ils gravitèrent l'un vers l'autre.

Kissinger, un réfugié d'Allemagne pendant la guerre, avait été lui aussi étudiant à Harvard et avait, lui aussi, anglicisé son prénom. Il avait acquis un sens exceptionnel de la politique sur le plan théorique autant que sur le plan pratique. Il avait dirigé le séminaire international de Harvard et faisait partie de l'équipe de rédaction de *Foreign Affairs,* la revue politique la plus réputée sans doute dans le monde entier.

George attribuait à son seul mérite d'avoir été admis au séminaire de Kissinger, jusqu'au jour où il découvrit que ce dernier avait fait des pieds et des mains pour l'avoir dans son groupe d'étudiants.

Ni l'un ni l'autre n'eurent à s'en repentir.

Kissinger appréciait la façon dont George possédait la langue russe. Recruter le jeune Hongrois pour son équipe servirait son ambition de devenir le numéro un de Harvard (et du monde...). Il savait pertinemment que Zbig Brzezinski, son grand rival, souhaitait désespérément garder George dans sa sphère d'influence. Au sortir d'une conférence de groupe, en début de semestre, Kissinger héla George :

« Monsieur Keller, puis-je vous voir un moment ? J'aimerais vous dire un mot au sujet de votre dernier mémoire.

— Certainement », répondit George, légèrement inquiet.

« Etait-ce ce que vous souhaitiez, professeur ? » demanda George dès que le dernier étudiant fut parti.

Adroit stratagème : George avait astucieusement conféré à Kissinger le titre de professeur tout en sachant qu'il n'était qu'un simple assistant. Celui-ci, flatté, accueillit cet honneur avec un large sourire.

« Monsieur Keller, votre rapport n'était pas seulement " bon ", il était de premier ordre. Je n'ai jamais lu un mémoire qui distinguât avec pareille acuité les subtilités des diverses philosophies européennes.

— Merci, professeur, répondit George ravi.

— Je sais que vous êtes une de nos dernières " importations " de Hongrie. Qu'étudiiez-vous à Budapest ?

— Le droit. Le droit russe, évidemment. Voilà qui ne sert pas à grand-chose...

— Cela dépend. Pour ma part, je serais heureux d'être secondé dans mes recherches par un expert en ce domaine capable de lire le russe.

— Honnêtement, monsieur, je n'aurai le titre d'expert qu'une fois mon diplôme en poche », répondit George.

Les yeux de Kissinger pétillèrent derrière ses épaisses lunettes cerclées de noir.

« En Hongrie, sans doute, vous ne seriez pas expert, mais ici, à Cambridge, les personnes ayant votre expérience sont aussi rares que dents aux poules.

— Ou neige en juillet... » suggéra George pour faire montre de sa connaissance de l'anglais idiomatique.

« Naturellement, répliqua M. Kissinger, c'est pourquoi, si vous en aviez le temps, j'aimerais vous demander d'être assistant de recherches. Le Centre d'études européennes paye deux dollars de l'heure, ce qui n'est pas si mal. Il y aurait en prime, si je puis dire, la possibilité de trouver dans ce travail un sujet en vue d'une thèse de fin d'études.

— Voudriez-vous dire par là que vous dirigeriez ma thèse ?

— Jeune homme, je serai insulté si vous ne me le demandiez pas, répondit Kissinger avec affabilité. Puis-je conclure que vous acceptez mon offre, George ? A moins que vous préfériez réfléchir davantage et peut-être même en parler à votre directeur d'études ? Qui est-ce ? Ce jeune Polonais du nom de Brzezinski ?

— C'est exact. J'expliquerai cela à Zbig. Quand nous mettons-nous au travail, monsieur ?

— Passez dans mon bureau après déjeuner. Et puis, George, quand nous ne sommes pas dans la salle de cours, appelez-moi Henry, s'il vous plaît. »

Et ce fut la fin de la troisième année...

Tandis qu'Eisenhower était réélu Président par sa bienveillante famille (l'Amérique), un membre de la promotion fut choisi, ministre du Seigneur Lui-même, auprès de millions d'êtres humains. En effet, à la grande surprise de tous, sur son lit de mort l'Aga Khan avait désigné son petit-fils, le prince Karim, de la promo 58, pour lui succéder comme chef spirituel des musulmans ismaélites.

Beaucoup de ses camarades de promotion virent en cela un signe précurseur de bénédictions du ciel.

Entre tous, c'était George Keller qui avait fait le plus de chemin, géographiquement et intellectuellement. Au bout de sept mois, il maîtrisait à fond la langue anglaise. La structure de la phrase se pliait à sa volonté. Les mots étaient pour lui de simples pions dans la course au pouvoir, habiles à ouvrir une brèche dans les remparts du discours et à capter les esprits.

Il était à pied d'œuvre pour escalader la montagne académique sous l'égide d'un mentor magistral. A supposer que Harvard ne lui ait rien apporté d'autre, cette expérience lui avait au moins permis de devenir un des proches de Henry Kissinger.

Il se vit ainsi confier pour l'été le poste hautement convoité d'assistant personnel de M. Kissinger pour organiser le séminaire international et éditer son journal, *Confluence*.

Le séminaire rassemblait plusieurs douzaines de membres du gouvernement et d'intellectuels éminents des deux côtés du Rideau de fer en vue d'une série de colloques et de conférences pour les sensibiliser aux nouvelles configurations du globe de l'après-guerre.

Une des tâches de George était d'établir des liens avec les représentants des pays de l'Est et de savoir ce qu'ils pensaient *réellement* de Harvard, de ce séminaire et même de Kissinger.

Malgré leur méfiance initiale, tous finirent par succomber au charme de George et se livrèrent avec une sincérité qu'ils auraient crue impossible dans le cadre d'une université capitaliste occidentale.

Rien, dans les instructions que Henry avait données à George ne suggérait qu'il aurait à pousser le zèle jusqu'à devenir physiquement intime avec l'une des participantes.

Est-ce par suite de la chaleur étouffante à Cambridge et de l'excitation provoquée par ces essaims de filles aguichantes, qui n'avaient rien à voir avec celles de Radcliffe et déambulaient dans le Yard vêtues des plus courts des shorts et des plus moulants des tee-shirts, est-ce parce que le temps avait libéré George de son sentiment de culpabilité et de ses tabous secrets, toujours est-il qu'au début du mois d'août, il se retrouva au lit avec une journaliste polonaise connue, une femme frisant la quarantaine et qui avait vécu.

« Jeune homme, murmura-t-elle, vous êtes l'amoureux le plus expérimenté que j'aie jamais rencontré... »

George sourit.

« ... et aussi le plus froid, s'empressa-t-elle d'ajouter. Vous faites ça comme si vous l'aviez appris dans un manuel.

— Douteriez-vous de ma sincérité ? demanda-t-il bon enfant.

— Bien sûr que non, répliqua-t-elle avec un clin d'œil, je n'ai pas pensé une seconde que vous étiez sincère. Vous êtes leur espion, n'est-ce pas ?

— Naturellement, répondit George avec un sourire jusqu'aux oreilles, et mon patron veut que je trouve quelle déléguée est la plus douée au lit.

— Et alors ? poursuivit-elle, l'air coquin.

— Le jour où l'on remettra le prix Lénine du sex-appeal, vous l'aurez haut la main.

— Ah ! George ! roucoula-t-elle, vous parlez avec autant d'élégance que vous faites l'amour. Quel bel avenir vous avez devant vous !

— Dans quel domaine, à votre avis ?

— C'est évident, répondit-elle, il n'y a qu'une profession qui requiert une égale quantité de vos deux meilleurs atouts : c'est la politique. »

Et elle l'attira contre elle pour s'engager une fois de plus dans la dialectique d'Eros.

L'ascension de Jason Gilbert vers la gloire dans le domaine des sports continua sans entrave. Ses coéquipiers lui donnèrent la preuve de leur estime en l'élisant capitaine de l'équipe de tennis — comme ils l'avaient fait pour celle de squash.

Quoiqu'il ne fût pas de nature à garder rancune, il ne put s'empêcher d'envoyer à son ancien directeur, M. Trumbull, l'article du *Crimson,* citant ses innombrables exploits sportifs à ce jour.

L'amour de Ted et Sara avait atteint une telle intensité que la seule idée d'avoir à passer deux mois loin l'un de l'autre leur paraissait intolérable. Sara persuada donc ses parents de la laisser s'inscrire aux cours d'été qu'offrait Harvard et de sous-louer un appartement pour elle.

Sa mère resta perplexe devant cette soudaine passion pour son travail universitaire, mais son père, à qui elle avoua le bien-fondé des soupçons maternels, la soutint et l'aida à avoir gain de cause.

Pour Danny Rossi, l'été 1957 marqua le début de l'apogée de sa carrière musicale.

Munch lui avait demandé d'interpréter le *Troisième Concerto pour piano* de Beethoven avec l'orchestre symphonique de Boston le 12 octobre. Débordant de joie, Danny appela Me Landau pour lui faire part de la nouvelle. Quelle ne fut pas sa surprise d'apprendre que son professeur projetait d'assister au concert et avait déjà mis de côté le prix du voyage !

Danny éprouvait une satisfaction mitigée à l'idée d'entrer dans la valse des concerts. L'humiliation du compte rendu défavorable du *Crimson* au sujet de son ballet le hantait encore. Il y avait aussi sa relation tumultueuse avec Maria...

Il avait espéré que la séparation de l'été l'aiderait à clarifier la situation, lui permettant de séduire quelques filles à Tanglewood, et de remonter dans sa propre estime. Une tragédie vint, hélas, endeuiller son été.

Le soir de son arrivée à Tanglewood, sa mère l'appela pour lui annoncer que Me Landau avait succombé à une crise cardiaque. Fou de chagrin, Danny sauta dans le premier avion pour assister à l'enterrement de son cher professeur. Au cimetière, il laissa couler ses larmes, sans la moindre honte.

Lorsque le cortège funéraire se dispersa, sa mère, qu'il n'avait pas vue depuis trois longues années, le supplia de revenir à la maison. Le dernier vœu de Mᶜ Landau était, disait-elle, qu'il se réconciliât avec son père.

Ainsi le fils prodigue retourna-t-il en cette maison où il avait passé une adolescence si misérable.

Arthur Rossi avait changé au physique comme au moral. Il s'était adouci. Son visage était buriné, ses tempes grisonnaient. Danny fut saisi de remords : n'était-il pas la cause de ces signes visibles de déclin physique ?

Père et fils se retrouvèrent face à face, mal à l'aise, incapables de prononcer un mot. Danny dut faire effort pour se rappeler la dureté de son père envers lui. La haine qu'il avait jadis éprouvée avait disparu, sans pour autant faire place à l'amour filial.

« Tu as l'air en forme, mon fils.

— Toi aussi, papa.

— Ça fait longtemps... n'est-ce pas ? »

C'était tout ce qu'il pouvait dire. La chimère d'une excuse paternelle que Danny avait si longtemps caressée n'était que pure et simple invention née de ses rêves d'enfant.

Danny tendit la main à son père et ils s'étreignirent.

« Tu me donnes une grande joie, murmura Arthur Rossi, oublions le passé. »

Oui, se dit Danny, après tout qu'est-ce que ça peut foutre ? Le seul qui ait jamais été un père pour moi est mort.

Journal d'Andrew Eliot

8 août 1957

Tout cet été, j'ai eu l'impression d'avoir un pied dans l'avenir et l'autre dans le passé.

Comme je dois, en principe, recevoir mon diplôme en juin, mon père a tenu à ce que je m'initie aux affaires de la famille, aussi m'a-t-il confié à ce « brave vieux Johnny Winthrop », un de ses fondés de pouvoir à qui ces deux épithètes conviennent à merveille.

« Il vous suffira d'ouvrir les yeux et les oreilles, mon ami, m'a-t-il expliqué au terme de ma première journée, vous regardez quand j'achète, quand je vends ou quand je temporise. Vous aurez tôt fait de vous familiariser avec ça. En attendant, si vous alliez nous chercher une bonne tasse de thé ? »

Nos bureaux de Boston sont à deux pas de la Société historique : il n'y a que le parc des Commons à traverser. C'est là que j'entrepris ma véritable éducation, en me plongeant dans les carnets du révérend Andrew Eliot, promotion 1737, et dans ceux de son fils, John, promotion 1772.

J'ai photocopié certains passages croustillants des carnets de John Eliot lorsqu'il était jeune étudiant à Harvard :

2 septembre 1768. John part pour l'université. Fait son baluchon, y met l'essentiel — redingote bleue, tricorne et toge sont de rigueur. Ainsi que fourchette, cuiller et pot de chambre.

Papa exige qu'il prenne le ferry de Charlestown. Moyen le moins onéreux de voyager ; plus important que tout, les bénéfices vont à Harvard.

La scolarité est réglable en espèces, que ce soit en pommes de terre ou en bois de chauffage. Un gars a apporté un mouton.

6 septembre 1768. Description de la nourriture peu appétissante du réfectoire : « Chaque étudiant reçoit une livre de viande par jour », écrit John ; mais, comme elle n'a aucun goût, vous ne sauriez dire de quel animal elle provient. De temps en temps, on sert des légumes ; des pissenlits pour les grandes occasions. Ne parlons pas du beurre, il a été la cause de violentes manifestations estudiantines. « En tout cas, nous ne mourrons pas de soif : nous avons du cidre à volonté. Sur chaque table, il y a un vaste récipient d'étain que nous nous passons de bouche en bouche, tels des Anglais faisant ribote. »

A mesure que la situation avec l'Angleterre se détériorait, l'atmosphère du campus se tendait. Des combats sanglants opposèrent étudiants insurgés et étudiants loyalistes. La guerre éclata.

A la fin de 1773, peu de temps après la « Boston Tea Party », le réfectoire vit une bagarre entre patriotes et Tories. Non pas une simple histoire de cuisine, mais une véritable émeute qui fit des victimes. Les jeunes professeurs durent s'en mêler pour mettre une halte à ce carnage.

Un beau jour, je découvris quelque chose de fascinant, à savoir que les troupes britanniques avaient jadis projeté de faire disparaître Harvard de la carte.

« Le 18 avril 75, pour reprendre le célèbre poème du professeur Longfellow, Paul Revere galopa toute la nuit à bride abattue pour prévenir les citoyens de Lexington et de Concord de l'arrivée imminente des Jaquettes Rouges.

« Pendant ce temps, une autre partie des troupes marchait sur Cambridge. Dans son *Journal* du 19 avril, John Eliot nous décrit la panique qui s'empara de Harvard ; il était bien connu que les Anglais considéraient ce campus comme un " haut lieu de sédition ".

« Craignant que l'ennemi empruntât le pont de la Charles, un groupe de jeunes étudiants le démantelèrent, en interdisant ainsi l'accès. Ils se tapirent dans les fourrés, curieux de voir ce qui se passerait.

« Peu après midi, une horde de soldats anglais apparut sur la rive ouest du fleuve, conduite par Sir Percy, splendide dans son uniforme, et monté sur un non moins splendide cheval blanc.

« Comprit-il ce que nous — j'entends les gars de Harvard — avions fait pour les détourner ? Toujours est-il qu'il se trouva fichtrement embêté... Mais cet animal d'Anglais avait plus d'un tour dans son sac : il avait pris soin d'emmener des charpentiers qui, en un tournemain, vous réparèrent le pont.

« Ils se dirigèrent alors vers le centre de la ville, dont toutes les fenêtres étaient closes, les volets baissés.

« Percy allait prêter renfort aux troupes déjà arrivées à Lexington. Ne connaissant pas la route, il se rendit à Harvard, source d'informations la plus sûre. Il prit avec lui quelques hommes, alla se poster en plein milieu du Yard, devant les bâtiments apparemment vides, et réclama en hurlant que l'on vînt immédiatement lui indiquer le chemin.

« Personne ne se montra. Ces jeunes étudiants avaient du cran.

« John Eliot et ses camarades observaient la scène à travers les interstices des lattes des volets, en craignant que Percy ordonnât à ses troupes de tirer, ce qu'il eût fort bien pu faire. Il envisagea alors un nouveau stratagème : il réitéra sa demande... en latin.

« Et voilà qu'Isaac Smith, professeur assistant, émergea de Hollis Hall et vint à la rencontre de l'Anglais.

« Ce qu'ils se dirent, nul ne le saura jamais. Toujours est-il que les étudiants virent Smith faire un signe dans la direction de Lexington. Sur un geste de Percy, ils s'enfuirent au galop. Sur-le-champ, un tollé général s'éleva contre Smith, scandé de " morveux-qui-pue-son-homard ".

« L'homme en resta stupéfait. Il appartenait à cette engeance qui peut vous citer par cœur Cicéron et Platon mais est incapable de se rappeler le nom d'un étudiant.

« Il bégaya qu'on lui avait soutiré ce renseignement au nom du roi. Comment lui, fidèle sujet de Sa Majesté, aurait-il pu refuser ? Il ajouta que Lord Percy prévoyait d'honorer Harvard d'une autre visite.

« Les étudiants étaient outrés. Apparemment, le général aurait dit à Smith que, ce soir-là, " ils prendraient bien un verre de madère au coin du feu ".

« Cet abruti n'avait pas saisi que par " feu ", le Jaquette Rouge signifiait " incendie ". Nombre d'étudiants voulurent passer au goudron et à la plume ce simple d'esprit " sur "-cultivé.

« Tandis qu'ils discutaient, Smith fila à l'anglaise... Jamais on ne le revit.

« Après une chevauchée à train d'enfer, Paul Revere atteignit Cambridge tard dans la nuit, porteur de la triste nouvelle de ce qui s'était passé à Concord et Lexington.

« Des étudiants se joignirent aux *minutemen* pour dresser en hâte des barricades, en vue de parer à une attaque des Anglais.

« Les Anglais ne revinrent pas.

« A Watson Corner, la milice de Brookline, sous le commandement d'Isaac Gardner, promo 1747, tendit une embuscade aux Jaquettes Rouges. Isaac y perdit la vie, mais ses vaillants compagnons mirent les Anglais en déroute.

« C'est grâce à des hommes comme Gardner que Harvard ne fut pas transformée en champ de bataille. »

En lisant les notes de John Eliot, je ne pus m'empêcher de me demander comment, nous, étudiants modernes, réagirions si l'université était assiégée. Que ferions-nous ? Dérouterions-nous l'ennemi à coup de Frisbies ?

Il était presque cinq heures lorsque je m'en revins de mon « déjeuner ». J'allai droit vers M. Winthrop pour le prier de m'excuser. Il leva la tête tout en restant assis à son bureau et me répondit qu'il ne s'était pas aperçu de mon absence.

Telle est l'histoire de ma vie...

Lorsque la promotion 58 réintégra Cambridge pour sa dernière année, tous étaient douloureusement conscients que leur vie estudiantine tirait à sa fin. Dans neuf mois, ils seraient expulsés du ventre confortable de Harvard et projetés dans ce monde froid et cruel.

Leur vie semblait se dérouler à une vitesse prodigieuse. Les étudiants faisaient penser à des skieurs descendant une pente : certains ont peur d'acquérir de la vitesse et, parvenus au but, ou presque, ils n'arrivent pas toujours à garder leur équilibre.

La promotion avait déjà connu trois suicides, imputables à la tension provoquée par le seul fait de vouloir rester à Harvard. En cette dernière année, deux autres étudiants devaient mettre fin à leurs jours, cette fois par peur de quitter Harvard...

Le dernier acte est triste pour d'autres raisons. Lentement, curieusement, le cynisme, endémique au cours des trois années précédentes, se transforme en une nostalgie qui engendre, d'ici à juin, un embryon de regret : temps gâché, occasions ratées... Cette insouciance qu'aucun d'entre nous ne connaîtra jamais plus.

Il y a des exceptions et les rescapés du feu de la dernière année sont, en général, ceux qui ont le plus de chances de devenir une des gloires de leur promotion.

L'un d'eux, et non des moindres, fit ses débuts de soliste avec l'orchestre symphonique de Boston, le 12 octobre 1957. Dans cet auditorium bondé et vénérable, le Danny Rossi qui se dirigea nerveusement vers le piano était bien différent du jeune homme à lunettes qui avait quitté Eliot House au printemps dernier.

Il devait sa métamorphose en partie aux suggestions d'une admiratrice amoureuse qui avait trouvé regrettable que des hublots cachent le charme de son regard gris-vert et pénétrant ; le lendemain, il s'était acheté des verres de contact.

Dès qu'il apparut sur la scène du Symphony Hall, Danny apprécia le conseil de sa dulcinée. Au milieu des applaudissements polis et chaleureux, lui parvinrent des remarques du genre : « Oh ! mais il est beau gosse ! »

Il exécuta son morceau à la perfection, ou presque. On le sentait passionné. Lors du mouvement final, une boucle retomba sur son front.

La salle se leva pour l'applaudir.

Emporté, grisé par ce raz de marée, il avait perdu la notion du temps. Il aurait pris racine sur scène si Munch ne l'avait pas emmené dans les coulisses après avoir posé un bras bienveillant sur ses épaules.

A peine était-il rentré dans sa loge que ses parents firent leur apparition. Et, à leur suite, les journalistes — nouvelles planètes qui commençaient à graviter autour du soleil Danny Rossi...

Les flashes se déchaînèrent : Danny et Munch se serrant la main, photos avec les parents, puis avec une ribambelle de dignitaires du monde de la musique, venus en nombre de New York.

Danny finit par se lasser :

« Ecoutez, mes amis, supplia-t-il, je suis fatigué. Comme vous pouvez le deviner, je n'ai guère dormi la nuit dernière. Puis-je vous demander de ranger vos appareils et de sortir, si vous avez pu prendre les photos que vous souhaitiez prendre. »

Les journalistes semblaient satisfaits ; ils battirent en retraite. Toutefois, un photographe s'avisa qu'aucune photo à portée commerciale n'avait été prise.

« Danny, s'écria-t-il, pourrions-nous avoir une photo de vous en train d'embrasser votre petite amie ? »

Danny jeta un coup d'œil vers le coin où Maria se terrait. Il lui fit signe de s'approcher, mais elle secoua la tête négativement.

« Non, Danny, s'il te plaît. C'est ta soirée et je ne suis qu'un membre de l'auditoire. »

Doublement déçu, car il aurait aimé que le monde le vît avec une fille aussi chouette, Danny acquiesça et dit aux journalistes :

« Elle n'a pas l'habitude de ce genre de chose. Ce sera pour une autre fois. »

Bon gré, mal gré, les journalistes se retirèrent. Les Rossi et Maria se dirigèrent vers la limousine qui devait les conduire au Ritz où un appartement leur avait été réservé par la direction de l'orchestre symphonique.

Blotti dans le cocon de cuir somptueux de la voiture de place, Danny se répétait : « Je ne peux pas y croire, *je suis une vedette. Une vedette !* »

Loin d'imaginer qu'il connaîtrait une telle euphorie, Danny avait demandé à ses parents de limiter le nombre des invités. Il croyait qu'il serait rongé de tristesse par l'absence de celui grâce à qui il en était arrivé là. L'ovation de ce soir avait été tellement grisante que, pour le moment, il ne pouvait penser à personne d'autre qu'à lui-même.

Munch et le maître de concerts passèrent prendre une coupe de champagne et repartirent rapidement. Ils donnaient un concert en matinée le lendemain et avaient hâte d'aller se coucher. Le directeur administratif du Boston Symphony Orchestra était accompagné d'un personnage de marque, qui refusait d'attendre un jour de plus pour parler à Danny.

L'hôte inattendu n'était autre que Hurok, le célèbre impresario. Hurok dit au jeune pianiste combien il avait apprécié son interprétation. Il ajouta qu'il espérait que ce dernier lui permettrait de le représenter. Il promit même à Danny que, dès l'an prochain, il lui donnerait la chance de jouer avec des orchestres de premier ordre.

« Mais, monsieur Hurok, je suis un parfait inconnu.

— Vous peut-être, reprit le vieil homme, mais pas moi. Et la plupart des directeurs d'orchestre que je contacterai feront confiance à ce qu'ils entendront.

— Voudriez-vous dire par là qu'il y en avait ce soir dans la salle ?

— Non, poursuivit Hurok, toutefois M. Munch a cru utile d'enregistrer le concert de ce soir. Avec votre permission, je pourrai faire un bon usage de ces cassettes.

— Ça, alors !

— Bonsoir, monsieur Hurok, interrompit Arthur Rossi, je suis le père de Danny. Si vous le désirez, nous pourrions nous voir au petit déjeuner ? »

Danny foudroya son père du regard, puis il se tourna vers l'impresario.

« J'en suis très flatté, monsieur. Peut-être pourrions-nous en discuter à un autre moment...

— Evidemment, reprit Hurok enthousiaste et comprenant fort bien la situation. Je serai heureux de bavarder avec vous lorsque vous serez moins occupé. »

Là-dessus il sortit, non sans avoir pris poliment congé de ses hôtes. Ils se retrouvaient maintenant à quatre : Danny, ses parents et Maria.

« Eh bien ! plaisanta Arthur Rossi en adressant un sourire à Maria, nous voici entre Italiens. »

Il évita le regard de Danny, car il savait qu'il venait, un instant plus tôt, d'outrepasser les limites encore nouvelles de leur relation père-fils. Il redoutait la colère de Danny.

« Si vous me le permettez, dit Gisela Rossi, j'aimerais porter un toast à la mémoire de celui qui, ce soir, n'était parmi nous qu'en pensée. »

Danny approuva de la tête. Ils levèrent leurs verres.

« A Frank... » commença le père.

Il s'arrêta net en entendant son plus jeune fils murmurer avec une surprenante maîtrise de soi :

« Non, papa, *pas ce soir.* »

Un silence s'ensuivit. Mme Rossi chuchota :

« A la mémoire de Gustav Landau. C'était le professeur de Danny, ajouta-t-elle à l'intention de Maria.

— Je sais, répondit Maria, Danny m'a dit l'affection qu'il avait pour lui. »

Il y eut un silence, personne ne sachant comment le rompre.

« Je ne voudrais pas gâcher votre soirée, reprit Maria, mais il se fait tard et je ferais mieux de regagner Radcliffe.

— Si tu peux m'attendre une minute, je serais heureux de te ramener, proposa Danny. Je demanderai au chauffeur de me déposer ensuite à Eliot.

— Non, non, protesta-t-elle, l'orchestre t'a donné cet appartement fantastique. Ce sera plus agréable que de te retrouver dans le misérable lit de fer d'une maison de Harvard. »

Avant qu'elle s'en rendît compte, Arthur et Gisela dirent bonsoir et se dirigèrent vers leur chambre au bout du corridor.

Danny posa délicatement la main sur l'épaule de Maria.

« Maria, s'il te plaît, murmura-t-il, ne nous séparons pas ce soir. Je veux être avec toi. Je veux partager cette nuit mémorable avec celle que j'aime.

— Je suis fatiguée, Danny. Je t'assure que c'est vrai, répondit-elle.

— Maria, écoute, supplia Danny, remonte et partageons cette chambre, comme un couple.

— Danny, reprit-elle avec tendresse, je sais ce que cela a représenté pour toi, mais nous ne sommes pas faits l'un pour l'autre. Surtout après une soirée comme celle-là.

— Que veux-tu dire ?

— Ce soir je t'ai vu changer. Je suis heureuse de ton succès, mais tu viens d'entrer dans un monde nouveau, dans lequel je me sens mal à l'aise. »

Il essaya de dominer sa colère, mais n'y parvint pas.

« Est-ce une nouvelle excuse pour me dire que tu n'iras pas au lit avec moi ?

— Non, murmura Maria dont la voix trahissait l'émotion. Ce soir, j'ai compris que dans ta vie il n'y avait pas de place pour qui que ce fût. »

Elle fit demi-tour et se dirigea vers la sortie.

« Maria, attends-moi », cria-t-il, et sa voix résonnait dans le hall de marbre.

Elle s'arrêta :

« Je t'en prie, Danny, tu n'as pas besoin d'ajouter autre chose. Tu resteras présent dans mon affection... »

« Adieu », dit-elle d'une voix quasi imperceptible.

Et elle disparut.

C'est ainsi qu'au soir de son plus grand triomphe, Danny Rossi se retrouva seul, dans un lobby d'hôtel désert, grisé par son succès et brisé par ce qu'il savait avoir perdu. Mais il finit par se convaincre que c'était là le prix...

... de la gloire...

Ted et Sara étaient inséparables. Ils suivaient les mêmes cours et leur conversation tournait surtout autour des classiques.

Ils allèrent jusqu'à choisir des sujets qui se complétaient pour leur thèse de fin d'année.

Ils passaient leurs après-midi en bibliothèque, assis l'un en face de l'autre, bûchant et agrémentant la tâche par l'échange de messages sans queue ni tête, en latin ou en grec.

Vers seize heures, ils se joignaient à l'exode des sportifs qui allaient s'entraîner, à cette seule différence que leur terrain de sport était la nouvelle chambre d'Andrew.

Depuis qu'ils étaient de retour à Harvard, tous deux se rendaient compte que leur idylle devait arriver à un terme, comme leurs jours heureux d'étudiants. Ou peut-être à une sorte de consommation.

Ted avait demandé à être admis à poursuivre ses études de lettres classiques à Harvard. Sara envisageait de faire la même chose, bien que ses parents eussent indiqué qu'ils aimeraient lui offrir une année d'études en Europe.

C'était une façon d'exprimer leur désaccord vis-à-vis de sa relation avec Ted qu'ils n'avaient pas rencontré et dont ils ne savaient rien ou à peu près rien.

En revanche, Sara était devenue une habituée des dîners du dimanche chez les Lambros. Elle avait presque l'impression de faire partie de la famille, ce qui était un des vœux les plus chers de Mama Lambros.

Ces amoureux, passionnés des classiques, ne laissaient pas planer d'équivoque quant à leur avenir. Jamais ils ne parlaient mariage, car il leur paraissait évident que leur engagement mutuel était pour la vie. La cérémonie serait une simple formalité.

Tous deux savaient qu'en grec les mots *homme* et *femme* signifiaient également époux et épouse. Ainsi, tant du point de vue de la sémantique que de celui de l'esprit, ils étaient mariés.

Lorsque George revint à Eliot House pour sa dernière année, il se sentait aussi américain et « harvardien » que ses camarades.

Il avait un tel désir d'étudier qu'il avait demandé une chambre pour lui seul.

« Tu pourras t'amuser à passer tes nuits à travailler », avait lancé Newall en plaisantant.

George avait l'impression d'être un officier d'artillerie. Il avait passé l'année précédente à se réorienter et l'été à ajuster son tir, à choisir le sujet de thèse idéal. Après tout, qui pouvait mieux que lui écrire un mémoire sur « La révolution hongroise à travers la presse russe » ? A en croire M. Kissinger on pourrait envisager de le publier.

Il était prêt à se servir de ses munitions récemment acquises pour faire sauter les barrières qui s'élèveraient sur la route du triomphe politique.

Que visait-il, en fait ? Ce fut précisément la question que lui posa Kissinger le dernier jour du séminaire, tandis qu'assis dans son bureau climatisé ils se congratulaient en prenant un verre de thé glacé.

« Vous pourriez être professeur à Harvard, déclara Henry.

— Je sais, répondit George. Mais est-ce là que s'arrêtent vos ambitions, Henry ? »

Les rôles étaient renversés. Le mentor, avec un sourire mi-figue, mi-raisin, essaya de répondre en rectifiant le tir avec enjouement :

« Dans le fond, reprit-il gaiement, devenir empereur me conviendrait relativement bien. Et vous ?

— Moi je me contenterais de devenir président, répliqua George, amusé. Mais vous, vous n'êtes pas plus que moi éligible pour cet office. Vous voyez, Henry, nous connaissons les mêmes petites contrariétés... Ne jamais parvenir au sommet, telle est notre destinée.

— Pardon, monsieur Keller, dit Kissinger, en levant l'index, vous semblez commettre l'erreur d'imaginer que les hommes qui sont à la Maison-Blanche gouvernent vraiment le pays. Permettez-moi de vous enlever vos illusions. Ce sont, pour la plupart, des *quarterbacks* qui se fient aux conseils de leur entraîneur. Vous et moi, mon ami, nous sommes en passe de devenir des conseillers indispensables. N'y a-t-il pas de quoi nous réjouir ? »

George leva son verre et s'exclama :

« Bonne chance, Henry ! »

Jason Gilbert rentra à Cambridge bronzé, en pleine forme, après un camp d'été avec les Marines.

Dès son arrivée, il alla trouver dans leurs nouveaux quartiers Eliot et Newall débarrassés de leur cinglé de Hongrois. En buvant de la bière fraîche, ils parlèrent amour et guerre. Newall, élève officier dans la Marine, avait passé son été à sillonner le Pacifique à bord d'un porte-avions. Sur le chemin du retour, il avait fait escale à Honolulu où, selon sa propre expression, il s'était « défoulé » pendant une semaine. Il leur décrivit ses exploits hawaïens avec délectation et force détails.

L'été de Jason, sous les ardeurs du soleil du Sud des Etats-Unis, avait été légèrement différent. Il avait eu droit à un sergent instructeur qui gardait une dent contre les gars de l'Ivy League. Pour une infraction mineure, Jason avait dû faire le tour de la base en courant avec bottes de combat et paquetage, sous un soleil de plomb.

« Tu devais être mort de fatigue, remarqua Eliot en décapsulant une bière.

— Ce n'était pas si dur que ça, reprit Jason sur un ton désinvolte. N'oublie pas que j'étais en forme. Mais, rassure-toi, j'ai simulé la crise cardiaque.

— Pas bête ! rétorqua Newall. On m'a dit que ces adjudants des Marines peuvent être de vrais sadiques.

— Le mec était plutôt à plaindre, déclara Jason à la grande surprise de ses amis.

— Pourquoi ? s'enquit Newall.

— Je pense avoir compris pourquoi il nous faisait la vie dure, expliqua-t-il en baissant le ton. Dites-vous bien que la vie en Virginie, en dehors de la base, n'a rien de marrant si vous n'êtes pas blanc. Un samedi où nous étions en permission, nous sommes allés en ville nous empiffrer de glaces. Nous étions assis dans un restaurant lorsque j'ai aperçu notre sergent qui passait dans la rue. Imbécile que je suis, je lui ai fait signe de se joindre à nous.

— Qu'est-ce qu'il y a de mal à ça ? demanda Andrew.

— Tu ne le croiras pas, mais il s'est arrêté et nous a fait un bras d'honneur.

— Je ne pige pas, dit Andrew. Vous essayiez juste d'être sympa, non ?

— Bien sûr. Mais Jason le Naïf n'avait pas encore saisi qu'*en dehors de la base,* la ville de Quantico pratique la ségrégation comme au moment de la guerre civile. Pouvez-vous imaginer que ce type qui appartenait à l'Armée américaine *n'avait pas le droit* de se joindre à nous pour prendre une glace dans ce troquet ? Il a cru que nous nous moquions de lui et c'est ça qui l'a rendu furax.

— Sans déconner, dit Newall, c'est quand même incroyable à notre époque ! Bon Dieu, Gilbert, je parie que, du coup, tu apprécies de n'être que juif. »

Tout en dévisageant son coéquipier et prétendu « ami », Jason, tel un boxeur chevronné, esquiva adroitement l'insulte involontaire.

« Newall, reprit-il, je te pardonne cette remarque, parce que je sais que tu es né abruti. »

Andrew Eliot, l'éternel médiateur, changea presto de sujet.

« Ecoutez, les gars, j'ai le dernier annuaire des étudiants. Pourquoi ne jetterions-nous pas un coup d'œil sur les nouvelles venues pour nous en dégotter une avant les autres ?

— Bonne idée ! répondit Newall, content de se retrouver en terrain neutre. Qu'en dis-tu, mon vieux Gilbert ? Daignerons-nous tourner notre regard du côté des mignonnes de la promo 61 ? »

Jason sourit.

« Au moins tu as de la suite dans les idées, Newall, railla-t-il. Toujours le dernier à partir. Pour ma part, j'ai fait mes devoirs hier. Mon élue parmi ces charmantes minettes est Maureen McCabe. Je l'emmène ce soir à Norumbega Park. »

Journal d'Andrew Eliot

24 novembre 1957

Plusieurs d'entre nous avaient décidé de faire du match de football Harvard-Yale une fête d'adieux dont on se souviendrait.

Newall et moi avions contacté de vieux copains de New Haven et nous étions débrouillés pour dénicher canapés et moquettes confortables pour caser tout le monde.

Nous avions même prévu quelque chose pour Gilbert qui, en échange, avait persuadé sa sœur, Julie, de nous trouver deux cavalières parmi les plus jolies et, osions-nous espérer, les plus accommodantes de ses amies de Briarcliff. Disons que le « Cliff » de Julie est une fac de filles beaucoup plus proche de la vie que notre « Cliffe » de Cambridge, Massachusetts. On y met l'accent sur ce qui est important, à savoir la beauté et le charme. Je veux dire par là que, si une fille ne doit pas être dépourvue de cervelle, les filles de Radcliffe finissent, elles, par être de fichues intellectuelles, des espèces de bêtes à concours, qui nous feraient presque oublier pourquoi Dieu a créé la femme.

Je n'ai rien contre Radcliffe et si, un jour, j'ai une fille, je souhaiterais qu'elle y aille mais, en matière de mariage, disons que Briarcliff me convient mieux.

Julie Gilbert nous ramena des filles qui en jetaient. De notre côté, nous lui avions réservé notre hôte de Yale, Charlie Cushing, garçon très gentil, façon polie de dire que c'est un de ces gars archi-bien-élevés, mais à la cervelle creuse (à côté de lui, j'ai l'air d'un Einstein).

Nos places dans le stade de Yale étaient sensationnelles. Nous eûmes droit aux premiers rangs, parsemés de sommités de ce monde comme confettis à la mi-carême. Quatre rangées plus bas, M. Pusey, recteur de Harvard, et les doyens applaudissaient poliment les exploits, peu fréquents, de notre équipe.

A quelques mètres de moi étaient assis le sénateur du Massachusetts, Jack Kennedy, et sa femme Jackie, une fille drôlement chouette.

Moins compassés que la plupart des anciens élèves installés dans ces hautes sphères, ils encourageaient à tue-tête l'équipe de Harvard à marquer des points contre les joueurs de Yale, des gars sauvages, hypertrophiés mais, malheureusement, trop compétents.

Hélas ! Même les vociférations d'un sénateur américain ne purent aider les nôtres ce jour-là. Et Yale nous écrasa, cinquante-quatre à zéro.

Après tout, qu'est-ce que ça peut foutre, me suis-je dit au cours des réjouissances qui ont suivi le match ; les « Yalies » ont si peu de raisons d'être fiers ! Bon Dieu, qu'on les laisse au moins gagner ce fichu match !

Un après-midi, au début du mois de décembre, Sara dit à Ted :

« Tu ne crois pas qu'il serait temps de demander ma main à mes parents ?

— Et s'ils refusent ?

— Eh bien, nous prévoirons simplement deux places de moins à notre mariage, répondit-elle.

— Je ne comprends pas. Est-ce que leur opinion compte pour toi, ou non ?

— Oh ! rien ne m'empêchera de rester près de toi. Pour toujours, reprit-elle. Mais j'avoue que je serais heureuse que tu plaises à mon père. Et je suis sûre que c'est ce qui se passera. Maman, quant à elle, n'accueillera personne que je lui présenterais. »

Ted était anxieux. On le comprend. Désireux de faire plaisir à Sara en gagnant les faveurs de son père, il passa les jours qui précédèrent leur visite à essayer de se renseigner sur l'homme qu'elle admirait tant.

Le *Who's who* lui apprit que Philip Harrison avait fait ses études secondaires à St. Paul, qu'il était sorti de Harvard en 1933 et qu'après une brillante carrière dans la Marine, il était devenu l'un des banquiers les plus respectés des Etats-Unis.

Son nom apparaissait fréquemment dans le *New York Times* à l'occasion de visites qu'il rendait au locataire de la Maison Blanche soucieux d'avoir son avis sur des problèmes particulièrement épineux.

Il avait engendré trois fils, mais sa fille restait la prunelle de ses yeux. A entendre Sara, il incarnait toutes les vertus.

« Bigre, se disait Ted, si cette histoire de complexe d'Œdipe est tant soit peu vraie, je n'ai pas chance qui vaille. »

« Ecoute Ted, je pense que le bleu sera parfait pour le réveillon.

— Et si, au contraire, je portais celui de flanelle grise pour le réveillon et gardais le bleu pour l'église ? »

Ils passaient en revue la garde-robe d'Andrew, en quête de frocs convenables pour les fêtes de fin d'année, pour permettre à Ted de faire la meilleure impression possible.

« Dans le fond, Lambros, ce n'est pas important. Son paternel ne va pas te juger sur tes vêtements !

— Tu veux dire *tes* vêtements ! » corrigea Ted en souriant.

Il poursuivit, inquiet :

« Et sa mère ? A moins que tu ne croies carrément que je n'ai aucune chance avec elle ! »

Par amitié, Andrew estima qu'il valait mieux ne pas laisser Ted à ses illusions.

« Tu vois, Lambros, elle apprécierait sans doute que tu assistes au mariage de sa fille en qualité d' " extra ", mais pas en qualité de marié. Ecoute, mon vieux, prends *tous* mes vêtements, même la sacro-sainte cravate de mon club si ça peut t'aider à te sentir mieux dans ta peau. Pour ma part, je crains que la seule chose qui puisse impressionner Daisy Harrison serait si tu portais couronne... hélas, je n'en ai pas à te prêter...

— On peut dire que tu me remontes le moral ! » grommela Ted.

Andrew prit son camarade par l'épaule.

« Trois ans et demi de Harvard ne t'ont donc pas appris qu'il s'agissait non pas de *qui* tu es, mais de *ce que* tu es ?

— Tu peux parler, Eliot ! Tu as probablement encore des étiquettes du *Mayflower* sur ta valise, toi !

— Allons, Ted, j'échangerais volontiers avec toi. Ça me fait une belle jambe d'avoir des ancêtres qui ont débarqué les premiers si je ne réussis pas à me trouver une fille à inviter pour le réveillon de la Saint-Sylvestre. Tu piges ?

— Oui, je suppose...

— Bon. Alors, emporte ta panoplie de l'étudiant modèle et va jeter de la poudre aux yeux des parents. »

Le 23 décembre, Ted et Sara prirent l'express à destination de New York, un train surchauffé, bondé d'étudiants qui devisaient gaiement et chantaient à tue-tête des noëls ou autres rengaines traditionnelles du genre « *You ain't nothing but a hound dog* » et « *Blue Suede shoes* ». Ted et Sara lisaient, échangeant un mot de temps en temps.

« Qui vient nous chercher à Greenwich ? s'enquit Ted lorsque le train quitta Stamford.

— Sans doute un de mes frères. En général, papa travaille tard les veilles de fêtes.

— Y a-t-il une petite chance pour que l'un d'eux m'accepte ?

— Très peu, j'en ai peur, répondit Sara. Tu vois, Phippie et Evan seront forcément un peu jaloux que tu sois à Harvard alors qu'ils y ont été refusés tous les deux.

— Sans blague ! Même avec les relations de ton père ?

— Papa n'est pas alchimiste, reprit Sara en souriant. Et leur dossier était loin d'être brillant. Non, Lambros, papa et toi serez les seuls représentants de Harvard. Est-ce assez pour te réconforter ?

— Oui, concéda Ted, effectivement. »

A leur descente du train, Sara chercha du regard un de ses frères parmi la foule qui se pressait sur le quai mal éclairé. Soudain, elle poussa un cri de joie :

« Papa ! »

Ted resta immobile tandis qu'elle se précipitait dans les bras d'un monsieur de haute taille. Après ce qui lui parut plusieurs minutes, père et fille s'approchèrent de lui, bras dessus, bras dessous.

Philip Harrison tendit la main :

« Ravi de vous rencontrer, Ted. Sara m'a souvent parlé de vous.

— Pas trop en mal, j'espère, répliqua Ted, essayant de sourire. Merci de m'avoir invité. »

Ils prirent le Merritt Parkway, puis des routes étroites et boisées, pour aboutir à une vallée et à une maison plus modeste d'apparence que Ted ne se l'était imaginée.

Daisy Harrison se tenait sur le seuil pour les accueillir, l'air impeccablement décontracté. Elle embrassa sa fille, puis se tourna vers leur hôte :

« Vous devez être Theodore, dit-elle en lui serrant la main. Nous avions hâte de vous rencontrer. »

Elle ne parvenait pas à jouer avec conviction la comédie de la politesse mondaine.

Quelques instants plus tard, Ted se retrouva un grog brûlant à la main, face à un feu ronflant avec élégance, entouré du clan Harrison. On eût dit un dessin humoristique du *New Yorker*. Tous étaient affublés de tenues dites « pour la campagne » de chez *Abercrombie et Fitch*, ce qui donna à Ted l'impression d'être trop habillé avec son col à pattes et le costume trois-pièces d'Andrew Eliot.

Les deux frères aînés lui parurent sympa, même si le « Salut » de Phippie et le « Enchanté » d'Evan n'étaient pas très empressés.

Ned, quatorze ans, se montra plus chaleureux.

« Dis donc, Ted, s'exclama-t-il de sa voix perçante, cette année, l'équipe de foot de Yale a fichu une sacrée piquette à celle de Harvard !

— Ecoute Ned, reprit Ted, il faut que tu comprennes que nous avons une sorte d'obligation mondaine à l'égard de Yale. Il faut bien que nous perdions de temps en temps ; c'est une thérapie pour soulager leur complexe d'infériorité. »

Ce genre de plaisanterie dans le style de Harvard conquit le plus jeune Harrison.

« Super ! s'exclama Ned. Mais tu ne crois pas qu'un score de cinquante-quatre à zéro n'est pas aller un peu trop loin ?

— Pas le moins du monde, intervint Sara, les types de New Haven se sentaient mal dans leur peau cette année. Tu sais, ceux de Harvard les ont battus à plate couture, obtenant presque toutes les bourses d'études de la Rhodes Fondation.

— Ce qui est un peu plus important que le foot, lança sur un ton enjoué Philip Harrison, promotion 33.

— En fait, Ted », fit remarquer Mme Harrison, avec cette douceur mielleuse qui eût suffi à déclencher un coma chez un diabétique, « toute ma famille sort de Yale. La vôtre sort de Harvard, je présume ?

— Précisément », répliqua Ted qui s'était bien préparé à ce genre de question.

Sara sourit en son for intérieur et pensa : « Les Grecs mènent les bourgeois anglo-saxons protestants un à zéro. »

Le premier soir donna le ton de la semaine. M. Harrison paraissait intéressé, amical. Lorsqu'ils n'étaient pas dehors à chasser les jeunes et jolis partis du voisinage, les aînés se montraient cordiaux. Le jeune Ned, dont le rêve était d'être admis un jour à Harvard, était enchanté de l'invité de sa sœur. Après que Ted eut passé une heure à l'aider à potasser son Virgile, Ned l'eût volontiers échangé contre ses deux frères aînés !

Mais il y avait Daisy...

Une nuit, Ted fut réveillé par les voix de M. et Mme Harrison qui s'élevaient de la pièce voisine. La conversation était animée, quelques décibels au-dessus de la normale. Ted comprit, non sans une certaine gêne, qu'il était l'objet de cette discussion, bien que son nom ne fût jamais prononcé.

« Voyons, Philip, sa famille possède un restaurant.

— Daisy, votre grand-père était laitier.

— Mais il a envoyé mon père à Yale.

— Il se paye *lui-même* ses études à Harvard. Je ne vois pas ce qui vous gêne. Ce jeune homme est parfaitement...

— Il est quelconque, Philip. Commun, commun, commun ! L'avenir de votre fille ne vous intéresse donc pas ?

— Bien sûr que si, Daisy », reprit M. Harrison, en baissant la voix.

Leur conversation devint inaudible. Ted se retrouva abasourdi, dans l'obscurité de sa chambre.

Le matin du 1ᵉʳ janvier, veille de leur retour à Cambridge, Philip Harrison pria Ted de faire avec lui un tour dans les bois.

« Je pense que nous devrions jouer franc-jeu, commença-t-il.

— Certainement, monsieur, répondit Ted, avec une légère appréhension.

— Je n'ai pas été sans remarquer les sentiments de ma fille à votre égard et je suis sûr que, de votre côté, vous avez perçu que Mme Harrison est...

— ... tout à fait contre, poursuivit Ted, d'une voix sourde.

— C'est dramatiser un peu les choses... Disons que Daisy appréhende un peu le fait que Sara puisse s'engager trop rapidement.

— Euh... c'est compréhensible », répliqua Ted, en veillant à ne rien dire qui pût être déloyal.

Ils firent quelques pas en silence. Puis Ted se jeta à l'eau :

« Et vous, monsieur, comment voyez-vous les choses ?

— Pour ma part, Ted, j'estime que vous êtes un jeune homme intelligent, convenable et ayant les pieds sur terre. D'ailleurs, peu importe mon opinion, Sara m'a dit qu'elle vous aimait et voulait vous épouser. Cela me suffit. »

Il s'arrêta puis reprit lentement, d'une voix légèrement tremblante :

« Ma fille est ce que j'ai de plus précieux au monde. Mon vœu le plus cher est qu'elle soit heureuse.

— Je ferai tout mon possible pour qu'elle le soit.

— Ted, insista M. Harrison, je veux que vous me promettiez de ne jamais faire de mal à ma fille, ma petite fille. »

Ted fit un signe de tête, incapable ou presque qu'il était de parler.

« Oui, monsieur, dit-il, je vous le promets. »

Journal d'Andrew Eliot

2 février 1958

Qui sait ? J'ai peut-être un avenir dans une profession, celle d'entremetteur... La seule rencontre que j'aie organisée dans ma vie a abouti à un mariage.

La cérémonie a eu lieu samedi dernier, en l'église de Syosset, Long Island. La charmante mariée n'était autre que Julie, la sœur de mon copain Jason Gilbert. L'heureux époux était mon vieux copain Charlie Cushing, que j'avais jusqu'alors considéré comme un parfait idiot.

Vraisemblablement, je me trompais à son sujet, car il a réussi à mettre Julie enceinte la première fois qu'ils ont couché ensemble.

Fort heureusement, son état dit « intéressant » a été découvert très tôt, on a donc pu faire les choses *comme il faut.* Elle a eu droit à sa photo dans le *Times* et Mme Gilbert a su organiser une somptueuse réception avec tellement de grâce, et, reconnaissons-le, de célérité, que son petit-enfant devrait pouvoir se permettre d'arriver « prématurément » sans que les mauvaises langues du coin y trouvent trop à redire.

En fait, qu'ils aient célébré ou non Pâques avant les Rameaux, je pense qu'ils sont faits l'un pour l'autre. Julie est mignonne, d'accord, mais ce n'est pas Mme Curie. A Briarcliff, elle apprenait sans doute les ficelles de l'art de la chasse au mari ; disons qu'elle a passé ses examens haut la main.

Après tout, le « Cush », comme nous l'appelions affectueusement, est un sang-bleu bostonien dont le pedigree remonte à l'époque coloniale. Quant aux Gilbert, ils compensent par leur allant la patine sociale qui leur fait défaut.

Gilbert père les a comblés en leur offrant un « pignon sur rue » très décent, à Woodbridge, pour que le Cush puisse achever (avec classe) ses études à Yale.

A ma grande surprise, j'ai assez mal vécu ce mariage. De notre bande de copains, Cush était le premier à partir. Du coup, je me suis dit que peut-être un jour ce serait mon tour de me mettre un fil à la patte. Mais, réflexion faite, quelle fille sensée accepterait de m'épouser ?

Au retour du mariage, Newall et Andrew se retrouvèrent coincés dans la Corvette de Jason. Andrew remarqua que Jason avait l'air sombre, il n'avait guère souri pendant la cérémonie.

« Eh, Gilbert, dit-il, tu sembles de mauvais poil.

— Oui », rétorqua laconiquement Jason. Et il accéléra.

« Je crois comprendre que tu n'approuves pas réellement cette union.

— C'est une façon comme une autre de dire les choses, commenta-t-il en serrant les dents.

— Et pourquoi ?

— Parce que Cushing est le plus parfait abruti que j'aie jamais rencontré.

— Ecoute, mon vieux, s'exclama Newall, réprobateur, tu n'exagérerais pas un peu les choses ?

— Merde, non ! grogna Jason. Ma sœur a à peine dix-huit ans. Tu ne crois pas que ce grand con aurait pu prendre des précautions ?

— Peut-être sont-ils amoureux l'un de l'autre », émit Andrew qui avait le don de voir le bon côté des situations les plus pénibles.

« Cette fois, ça suffit ! explosa Jason. Ils se connaissent à peine.

— J'ai senti que, des deux côtés, les parents étaient heureux, suggéra Newall.

— Evidemment, renvoya Jason, ils sont allergiques au scandale ; c'est leur seul trait commun.

— A moins que je me goure complètement, reprit Newall, il m'a semblé que ton père appréciait le Cush.

— Oui, c'est vrai, répliqua Jason sur un ton sarcastique, mais c'est surtout parce que ses ancêtres se sont battus à Bunker Hill.

— Les miens aussi, renchérit Newall. Serait-ce pour cela que tu m'apprécies, Gilbert ?

— Non, rétorqua ce dernier qui ne plaisantait qu'à moitié. Du reste, pour être franc, je ne peux pas te sentir. »

« Danny, à mon avis, vous commettez une grosse erreur.

— Je suis désolé, professeur, mais je ne me vois pas en train de faire une nouvelle année d'études.

— Ecoutez, Danny, avec Nadia Boulanger cela n'aurait rien de fastidieux. Cette femme incarne la musique contemporaine. Rappelez-vous que la majorité des grands compositeurs de notre époque sont passés par « la Boulangerie » !

— Peu importe, si je repousse cela d'un ou deux ans. M. Hurok m'a fait part de propositions fantastiques émanant des principaux orchestres...

— Ah ! Danny, vous semblez avide d'applaudissements, répondit Piston, l'air entendu. Je voudrais vous voir moins impétueux. Pris dans cet engrenage, vous ne ralentirez jamais suffisamment pour étudier.

— J'accepte de prendre ce risque. Quitte à paraître présomptueux, je crois être capable de me lancer dans la composition. »

Le professeur hésita. Danny sentit qu'il n'exprimait pas le fond de sa pensée. Il pressa l'issue.

« Dois-je comprendre, monsieur, que vous m'en jugez incapable à ce stade ?

— A vrai dire », reprit le professeur, en pesant soigneusement ses mots pour ne pas blesser Danny, « presque tous ceux qui sont allés chez Nadia, Copland par exemple, étaient des artistes arrivés à maturité. Elle a su néanmoins éveiller chez eux quelque chose qui a enrichi tout ce qu'ils ont écrit par la suite...

— Je ne crois pas que vous ayez répondu à ma question, reprit poliment Danny.

— Voyez-vous », répondit le professeur Piston, en détournant son regard, « je pense que le devoir d'un enseignant est de dire la vérité. C'est une des conditions *sine qua non* de l'éducation. »

Le professeur marqua une pause, puis il rendit son verdict :

« Danny, nous savons que vous êtes un grand pianiste. Pour ma part, je suis persuadé qu'au fil des ans vous deviendrez un chef d'orchestre hors pair. Cependant, vos compositions sont encore, comment dirais-je, mal dégrossies. J'entends par là que vous avez des idées excellentes, mais anarchiques. Voilà pourquoi je suis convaincu que vous devriez passer un an chez Nadia. »

Danny fut piqué au vif. Les propos du professeur faisaient écho à ceux qu'avait émis le critique du *Crimson*.

Il regarda Walter Piston et pensa : « Après tout, quel bénéfice as-tu retiré, *toi*, de ton séjour chez Nadia Boulanger ? Tes symphonies n'ont rien de génial. A quand remonte ta dernière invitation comme soliste ? Non, Walter, à mon avis tu es jaloux sur les bords. Je passerai la Boulangerie... »

« Je crains de vous avoir blessé, poursuivit Piston, d'un ton empreint de sollicitude.

— Non, pas du tout. Vous m'avez dit ce que vous pensez, j'apprécie votre franchise.

— Vous réfléchirez de nouveau à cela ?

— Bien sûr », répondit Danny avec diplomatie.

Puis il se leva et quitta le bureau.

Incapable d'attendre d'être de retour dans sa chambre, c'est d'une cabine de Harvard Square que Danny téléphona à New York.

« Monsieur Hurok, vous pouvez m'envoyer n'importe où, du moment que le piano est bien accordé.

— Bravo ! exulta l'impresario. Je vais vous arranger une année passionnante. »

Et c'est ainsi que, par bravoure ou par folie, Danny Rossi fut le premier de la promo à quitter la sécurité amniotique de Harvard, pour plonger dans les eaux du monde réel. Eaux glaciales, infestées de requins.

Au dernier trimestre, le rythme du temps s'accéléra, comme se bousculent les phrases d'une fugue qui se hâte vers sa conclusion. Mai fit son entrée avant même qu'avril fût achevé. Ceux qui venaient de terminer leurs thèses eurent à peine le temps de reprendre leur souffle avant les examens de fin d'année.

Certains membres de la promo virent là l'ultime occasion de s'offrir le luxe d'une dépression nerveuse.

Ainsi le sort voulut-il qu'à la veille de son examen d'histoire et de littérature, Norman Gordon fut aperçu par son maître de conférences en train de déambuler le long de la Charles.

« Alors, Norm, déjà fini ?

— Non », répliqua Norman, qui jusque-là avait eu d'excellentes notes ; le professeur remarqua dans son regard une lueur étrange. « J'ai décidé que la matière dans laquelle je me spécialisais ne me plaisait pas. En fait, je n'ai aucunement l'intention de me présenter aux examens de fin d'études. Je pars dans l'Ouest, élever des vaches.

— Oh ! » s'exclama le professeur, qui le conduisit avec ménagement à l'infirmerie.

Et la psychiatrie prit le relais de l'éducation...

En un sens, le jeune Gordon réalisait un désir inconscient : celui de ne pas quitter les quatre murs sécurisants d'une institution en quelque sorte paternelle.

« Excellent travail », déclara Cedric Whitman lorsqu'il rencontra Sara pour leur dernier entretien. « Je ne pense pas trahir un secret en disant que ceux qui l'ont lu partagent ma façon de voir. J'irai jusqu'à dire qu'on y trouve les éléments d'une thèse de doctorat

— Merci, dit Sara avec un sourire timide, mais je ne ferai pas de troisième cycle.

— Dommage, car vous avez une intelligence vraiment originale.

— Un helléniste suffira dans la famille.

— Qu'avez-vous l'intention de faire, alors ?

— D'être épouse et mère.

— Cela exclut-il tout le reste ?

— Disons que j'estime que je devrais aider Ted autant que je le peux. Ce sera plus facile si j'ai un boulot peu contraignant. Je vais apprendre la sténo chez Katie Gibbs, cet été. »

Whitman ne put cacher sa déception. Sara le perçut. Elle se mit sur la défensive.

« Ce n'est pas que cela déplairait à Ted, poursuivit-elle, mais...

— Je vous en prie, Sara, reprit le professeur, vous n'avez pas à vous justifier. Je comprends. »

En son for intérieur, il se disait : « Il est évident que cela *déplairait* à Ted. »

Il se leva pour lui serrer la main et lui souhaiter bonne chance.

« Je suis heureux de savoir que Ted et vous resterez dans nos parages. Je me permettrai de jouer la sibylle et de prédire que vous serez tous deux admis à Phi Bêta Kappa, distinction aussi enviée que méritée. »

La prédiction de Whitman se confirma. Le 28 mai, lorsque la plus ancienne société américaine de distinctions académiques publia la liste des membres élus cette année-là, les noms de Ted et de Sara y figuraient.

Il en fut de même pour Danny Rossi, qui termina ses études avec la mention très bien et George Keller pour lequel certains critères habituels ne furent pas retenus, et dont la thèse de second cycle fut couronnée du prix Eliot au titre de « meilleur essai dans le domaine des sciences sociales ». Kissinger avait tenu à rédiger une lettre soulignant les performances extraordinaires de George en un temps record.

Jason Gilbert ne reçut aucune distinction honorifique pour ses études, mais il poursuivit sa carrière distinguée sur les courts de tennis. Il insuffla à son équipe l'énergie nécessaire pour écraser Yale pour la troisième année consécutive. Enfin, ce qui montre la valeur relative des réussites sportive et intellectuelle, c'est que Jason fut élu président de la classe de dernière année, à une écrasante majorité. Il reçut aussi le Bingham Prize, visant à récompenser l'athlète le plus courageux.

Surabondance de biens ne nuit pas, surtout en matière d'honneurs et de distinctions, pour des membres de Harvard. Nul ne fut surpris outre mesure de voir Jason obtenir une bourse Sheldon, attribuée à des étudiants ayant brillé dans un domaine particulier. Le récipiendaire de cette bourse se voit offrir une année de voyage, à condition de ne pas poursuivre d'études à proprement parler. M. Sheldon connaissait bien les rêves de tout jeune étudiant...

Mêmes les Marines furent impressionnés, et Jason se vit accorder un sursis pour profiter du voyage financé par sa bourse Sheldon.

Ces distinctions lui valurent l'attention d'étudiants et étudiantes qui ne lisaient habituellement pas la page sports du *Crimson*. C'est ainsi qu'un beau soir, un visiteur inattendu frappa à sa porte.

« Nom de Dieu ! Mais qu'est-ce qui amène chez moi l'encyclopédie vivante ? Tu n'as donc plus de mots à apprendre ?

— Ne te fiche pas de moi, répliqua George Keller. Je suis venu te demander un service.

— A moi ? Mais, mon vieux, je ne suis qu'un malheureux athlète.

— Je sais, poursuivit Keller, et c'est en cette qualité que tu peux m'aider.

— Et comment ? interrogea Jason.

— Pourrais-tu m'apprendre à jouer au tennis, Gilbert ? Je t'en serais tellement reconnaissant ! »

Jason parut éberlué :

« Pourquoi le tennis ? Et pourquoi moi ?

— C'est simple, reprit George, l'été dernier m'a montré que le tennis était le sport le plus rentable au niveau des relations mondaines et tu es, sans aucun doute, l'expert en cet art parmi les étudiants de Harvard.

— J'en suis flatté, Keller, mais je me suis engagé hélas ! à écraser mes adversaires lors du tournoi de la NCAA, la semaine prochaine. Je n'ai franchement pas le temps. »

Le visage de George, éclairé par l'espoir, s'assombrit sous le coup de la déception.

« Je serais heureux de te payer, ce que tu voudras.

— Là n'est pas la question, je ne veux rien.

— Quand commençons-nous ? s'empressa de demander George.

— Sapristi, je ne sais pas, dit Jason au pied du mur, peut-être au cours de la semaine de remise des diplômes.

— Dimanche 8, dix-sept heures ? Je sais qu'il n'y a rien de prévu à ce moment-là. »

Le gars connaissait le programme par cœur !

« D'accord, capitula Jason avec un soupir, tu as une raquette ?

— Evidemment, répondit George, j'ai même des balles. »

Andrew Eliot attendait devant le bâtiment du département d'histoire, lorsqu'on afficha les résultats des examens de fin d'année. Il n'en crut pas ses yeux : il revint stupéfait à Eliot House et téléphona à son père.

« Grand Dieu, mais que se passe-t-il, mon garçon ? Ce n'est pas encore le tarif de nuit !

— Papa, marmonna Andrew sous le coup, je voulais que vous soyez le premier à savoir... »

Le jeune homme hésita :

« Allons, mon garçon, dis-moi vite ! Ce coup de fil va te coûter une fortune.

— Ecoutez, papa, vous ne le croirez pas, mais j'ai réussi mes examens et je vais recevoir mon diplôme. »

La nouvelle laissa le père d'Andrew sans voix.

Il finit par lui dire :

« Quelle bonne nouvelle ! Je n'aurais pas imaginé que tu le décrocherais ! »

Journal d'Andrew Eliot

10 juin 1958

Au cours de la semaine précédant la remise des diplômes, Harvard organise diverses cérémonies destinées à calmer le traumatisme de notre nouvelle et symbolique naissance.

Lundi, le bal, en tenue de soirée, a attiré beaucoup de monde. Environ la moitié de la promo se pressait dans la cour de Lowell House, en smokings blancs, loués pour l'occasion. Les réjouissances ont duré jusqu'à l'aube, aux accents langoureux des saxophones de l'orchestre.

Larry Elgart. Je suppose que si ce bal avait une visée éducative, comme c'est le cas pour tout ce qui se passe à Harvard, il s'agissait de nous donner un avant-goût de notre vie de quadragénaires.

L'orchestre se laissait aller, parfois, à un clin d'œil au répertoire moderne, avec un ou deux cha-cha-chas, la dernière mode dans l'art de Terpsichore, et quelques chansons d'Elvis, mais il se cantonnait plutôt aux rengaines gentillettes du genre « Love me tender ».

J'oubliais ! nous avions des cavalières ! Je rougis d'avouer que Newall et moi avions passé avec Jason une entente, « sociale » dirons-nous, qui rappelait la politique d'échange vestimentaire que j'avais menée avec Ted Lambros. Il nous a donc refilé ses vêtements usagés. Bien entendu, les « ex » de Gilbert sont encore en exceptionnellement bon état. « A peine portées », vous dirait Joe Keezer. Le seul ennui est qu'il y a toujours en elles des relents d'attachement à l'égard de Jason.

153

Inutile de dire qu'en dépit de notre charme pourtant considérable, Dick et moi n'avons abouti à rien avec ces deux filles.

Demain soir, autres réjouissances : promenade en bateau au clair de lune, dans le port de Boston. Newall préfère s'abstenir : il a peur d'avoir le mal de mer... de quoi aurait-il l'air, le lendemain matin, au moment où il doit être nommé officier de marine ?

Ce carnaval se poursuit. Pour ma part, je ne cesse de me demander pourquoi personne ne semble s'amuser.

J'en suis arrivé à une conclusion que je crois pour le moins profonde. La promo *n'est pas* vraiment une *classe*. J'entends par là que nous ne formons pas une fraternité, ni même un groupe.

En fait, le temps que nous avons passé ici représentait une sorte de trêve. Un cessez-le-feu dans cette guerre pour détenir la célébrité et le pouvoir. Plus que deux jours et les armes parleront de nouveau.

Bien qu'il ait plu par intermittence au début de la semaine de remise des diplômes, Harvard obtint, grâce à ses bonnes relations avec Ce qui fait la pluie et le beau temps, que ce jeudi 12 juin 1958 fût une journée chaude et ensoleillée, parfaite pour cette trois cent vingt-deuxième cérémonie dite « Commencement ».

Tout le monde semblait s'être déguisé pour la circonstance. Depuis les toques et les toges noires des étudiants de premier cycle jusqu'à celles d'un rose électrique des candidats au doctorat, sans oublier le costume du shérif du Middlesex qui ouvrit à cheval les cérémonies, paré de ses atours du XVIIIe siècle.

A la suite de Jason Gilbert et de deux autres maîtres des cérémonies, la promo défila dans la cour d'honneur, autour d'University Hall, puis dans le grand espace qui séparait Memorial Church de la bibliothèque Widener. Chaque année, des rangées de pliants de bois y surgissaient comme par magie transformant cet espace bucolique en un « amphithéâtre tricentenaire ».

Reprenant une tradition vieille de trois siècles, les cérémonies commencèrent par un discours en latin, que comprirent une poignée de personnes, tandis que les autres faisaient semblant.

L'orateur, choisi quinze jours plus tôt par le département de lettres classiques, était Theodore Lambros, originaire de Cambridge, Massachusetts. Son discours s'intitulait : *De optimo genere felicitatis*. Il portait sur la forme la plus noble du bonheur.

Le discours de « salutation », prononcé en latin, consiste, comme son nom le suggère, à saluer les dignitaires présents par ordre hiérarchique : le recteur Pusey, le gouverneur du Massachusetts ; viennent ensuite les doyens, les chapelains, etc.

Ce que tous attendent, c'est le salut traditionnel aux jeunes filles de Radcliffe (qui, bien entendu, arrivent en queue de liste).

Nec vos ommitamus,
puellae pulcherrimae Radcliffianae,
quas socias studemus
vivendi, ridendi, bibendi...

Nous ne vous oublions pas non plus,
gentes demoiselles de Radcliffe,
dont nous recherchons assidûment la compagnie
pour partager nos vies, nos rires et nos libations...

Vingt mille paires de mains applaudirent ; aucune n'applaudit plus vigoureusement que celles de la famille Lambros, débordante de fierté, mais qui n'avait pas compris un traître mot.

Après ces salutations, l'orateur prononce une petite homélie. Ted avait choisi de développer l'idée que la forme la plus noble du bonheur se trouve dans l'amitié désintéressée à l'égard d'autrui.

Le recteur pria ensuite la promotion 1958 de se lever et invita ses représentants à gravir les marches de Memorial Church pour entrer dans la « fraternité des hommes éduqués ».

Jason Gilbert, grand maître des cérémonies, s'avança le premier vers le podium, pour recevoir le diplôme symbolique, au nom de ses camarades.

Assis près du podium, dans une enclave réservée aux familles, le père de Jason entendit une voix de femme s'exclamer :

« On dirait qu'il est droit sorti d'un ouvrage de Scott Fitzgerald, celui-là ! »

M. Gilbert se tourna vers son épouse pour lui enjoindre de ne pas parler aussi fort mais, ce faisant, il s'aperçut que Betsy pleurait et que ce compliment émanait d'une autre femme non loin d'eux. Il sourit en pensant que, dans toute l'assemblée, il n'y avait pas de père plus fier que lui.

Il se trompait, bien sûr. Il y avait là un millier de pères d'étudiants de la promo 58 et tous partageaient ce qu'ils croyaient être l'apogée du bonheur et de la fierté.

Quatre ans plus tôt, mille cent soixante-deux jeunes gens étaient entrés à Harvard au sein de la promo 58. Mille trente et un d'entre eux recevaient aujourd'hui leur diplôme. Un peu plus de dix pour cent avaient échoué. Pour reprendre le terme latin, en son sens littéral : ils avaient été « décimés »...

Parmi ceux qui avaient abandonné leurs études en cours de route, certains reviendraient peut-être un jour les terminer. D'autres avaient carrément renoncé à l'ambition de faire Harvard, soit en devenant fous, soit en se suicidant. Aujourd'hui personne ne pensait à eux car ce jour était sous le signe de l'exultation et non de la compassion.

Ainsi, pas un instant Jason ne pensa à David Davidson, son compagnon de chambre en première année, toujours derrière les murs de l'hôpital psychiatrique du Massachusetts, nullement abattu par son échec, rêvant de gloire scientifique.

De retour à Eliot House, le repas que partagèrent Art et Gisela Rossi avec leur fils Danny fut un déjeuner d'adieu. Danny partit le lendemain matin pour Tanglewood, en qualité de soliste. Il devait se rendre ensuite en Europe pour une série de concerts que Hurok avait organisés pour lui.

Sa mère ne put s'empêcher de lui demander pourquoi Maria n'était pas là, car elle avait apprécié cette jeune fille.

Art Rossi se montra plus compréhensif :

« Allons, chérie, murmura-t-il, ce n'était sans doute qu'une toquade. Dan est trop jeune, trop intelligent, pour se laisser mettre le grappin dessus aussi tôt. »

Danny les laissa à leurs conversations. Dans son cœur, il souffrait car, lorsqu'il lui avait demandé d'être à ses côtés « en souvenir du bon vieux temps », Maria avait refusé.

George Keller s'était résigné à déjeuner seul, sur une marche du perron. Aucun, ni de ses proches ni de ses amis, n'était présent. Andrew Eliot s'approcha de lui :

« Hé, George, lui dit-il, accepterais-tu de me rendre un petit service ? Viens à notre table bavarder avec mes demi-sœurs. Pour être franc, je ne me rappelle pas le nom de la moitié d'entre elles, mais il y en a qui sont chouettes.

— Merci, Andrew, c'est sympa de ta part. Je serai ravi de me joindre à vous. »

En fin d'après-midi, ce fut la séparation : un millier d'atomes, s'éloignant à des vitesses variables vers des directions différentes.

Reformeraient-ils jamais une unité ?

Cette unité avait-elle jamais existé ?

LA VIE RÉELLE

Le genre humain
ne supporte guère la réalité.

T. S. ELIOT, 110.

Journal d'Andrew Eliot

14 juin 1958

Aujourd'hui, mariage de Ted et de Sara. J'étais témoin, sans doute parce que je les avais hébergés si longtemps (« au Moyen Age, tu aurais eu le droit de cuissage », plaisanta Sara). Pour des raisons compliquées, la cérémonie fut simple. Pour commencer, Sara appartenait à l'Eglise épiscopalienne et Ted, à l'Eglise grecque orthodoxe. Non que la famille Lambros formulât des exigences au niveau de la cérémonie religieuse, mais il semble que Daisy Harrison eût estimé préférable que la cérémonie se déroulât en terrain plus ou moins neutre. On choisit donc Appleton Chapel, derrière Memorial Chapel, sous l'égide de l'éminent pasteur de l'université, le révérend George Lyman Buttrick.

Daisy avait évidemment rêvé de marier sa fille à Greenwich, au sanctuaire de Christ Church, église imposante élevée à la gloire de Dieu grâce à la contribution de certains adorateurs de Mammon.

Un double obstacle interdit cette pompe et cette cérémonie solennelle. D'une part, Daisy n'avait pas la moindre envie d'exhiber la belle-famille devant le Tout-Greenwich. D'autre part, Sara avait indiqué qu'on ne la forcerait à se marier là que morte, ce qui eût assombri les festivités.

On opta donc pour un mariage dans l'intimité, incontestablement respectable, de la chapelle de Harvard, avec le concours du chœur de l'université, et l'on s'en tint à une liste d'invités restreinte, composée en majorité d'étudiants.

La postérité retiendra que je *n'ai pas* oublié l'alliance.

En fait, je l'ai gardée au péril de ma vie au cours des vingt-quatre heures où elle a été en ma possession, car c'était un héritage de la famille Lambros, une relique du Vieux Monde.

Je me trouvais à une place de choix, pouvant à la fois observer les personnes concernées, le public et les pôles d'émotion les plus intenses. Comme on aurait pu le prévoir, Mme Lambros fut celle qui pleura le

159

plus. Côté Sara, la seule personne qui eut à rentrer ses larmes fut Philip Harrison.

Nul ne pouvait s'attendre à voir la mère de Sara tomber dans le sentimentalisme. Disons qu'elle a traité la famille de Ted en cousins-pauvres-que-l'on-est-bien-forcé-d'inviter. Je l'ai entendue déclarer à Mme Lambros :

« J'espère que vous réalisez que votre fils épouse la descendante de l'une des plus anciennes familles américaines. »

Daphné traduisit cette remarque à sa mère et transmit la réponse :

« Maman trouve que vous ne faites pas du tout votre âge. »

Peut-être manquait-il quelques nuances dans la traduction, mais disons que le ton était juste.

Pour la réception, Daisy avait loué les somptueux salons du Ritz. Pour ajouter une touche œcuménique elle avait opté pour du dom pérignon, comme pour rendre hommage à l'inventeur catholique, ô combien ! du champagne. Ainsi les bulles bénies du révérend dom Pérignon pétillèrent-elles bientôt dans les coupes autant que dans les têtes.

Mme Harrison en fut pour diverses surprises cet après-midi-là, la première étant que la famille Lambros arriva en vêtements nettement occidentaux, du style Brooks Brothers, via Joe Keezer. D'après Sara, elle s'était attendue à les voir se présenter en babouches, accoutrés comme des paysans grecs.

La seconde surprise fut le comportement de ses deux fils aînés, qui leur valut la palme de la grossièreté. Phippie et Evan eurent l'imprudence de vouloir défier des échappés d'Eliot House, à un sport où ils étaient sans conteste les maîtres, l'art de lever le coude.

Ils s'aperçurent à leurs dépens et au prix d'une bonne migraine le lendemain, qu'il n'y avait pas assez de champagne en France, et encore moins à Boston pour rivaliser avec un gars comme Newall, dont même les jambes sont des flûtes... Jason Gilbert, qui a un solide entraînement, est une véritable éponge lorsqu'il s'agit de champagne.

Estimant que mes obligations en tant que témoin passaient avant l'occasion, pourtant rare, de boire jusqu'à plus soif du champagne, je restai relativement sobre afin de pouvoir aider mes protégés à s'échapper discrètement à la fin des festivités.

Cela me donna l'occasion de bavarder avec Harrison père qui, par un heureux concours de circonstances, célébrait une réunion de sa promo de Harvard en même temps que notre « Commencement ». Il m'avoua son émotion.

Personnellement il m'est impossible d'imaginer où je serai dans vingt-cinq ans. Je ne sais pas, d'un jour à l'autre, ce que je veux faire de ma vie.

Tous ignoraient où Ted et Sara passeraient leur lune de miel. Tous, sauf moi. Car, malgré leurs protestations, j'avais insisté pour que les jeunes mariés profitent de notre maison de campagne du Maine, déserte à ce moment-là. J'étais enchanté de savoir que cet endroit servirait pour une si noble cause.

Il serait faux d'imaginer que c'est toujours moi qui rends service à Lambros. En fait, Kit, la cousine de Sara, m'a demandé de m'occuper d'elle.

C'est donc ce que j'ai fait et je me suis fort bien occupé d'elle pendant quelques jours... et quelques nuits.

Les mariages vous font cet effet-là.

Danny Rossi n'aurait jamais pu imaginer que les crises d'asthme dont il avait souffert étant enfant lui serviraient un jour dans sa carrière musicale.

En effet, tandis que la majorité de ses condisciples de Harvard non sursitaires marchaient au pas et saluaient pour accomplir leurs obligations militaires, il avait été réformé et se trouvait donc libre de parcourir le monde et *d'être salué* comme une étoile montante.

Hurok semblait s'être contenté de signer pour lui des engagements au petit bonheur la chance. Toutefois, en impresario expérimenté, Hurok avait un plan étudié.

Il souhaitait soumettre Danny à l'épreuve de chefs d'orchestre exigeants et de publics connaisseurs, afin qu'il s'accoutume à la critique et peaufine sa technique tout en s'endurcissant psychologiquement.

Ce que le vieil homme ignorait, c'était que Danny était aussi un virtuose avec les journalistes. La presse se montrait unanimement favorable.

Danny conquit Londres en jouant du Brahms avec Beecham et le Royal Philharmonic. Il s'envola ensuite pour Amsterdam où il joua du Mozart avec Haitink et le Concertgebouw.

Vint ensuite Paris avec un concert salle Pleyel (Bach et Chopin, agrémentés de Couperin et Debussy pour faire plaisir aux Parisiens).

A en croire *le Figaro,* Rossi était « *un nouveau Liszt en miniature* ». *Le Monde* exprimait la même chose, mais avec une métaphore différente : « *Pas seulement un géant pour son âge, mais un géant de son âge.* »

Le soir qui suivit la dernière apparition de Danny à Berlin, von Karajan organisa un souper au Kempinski avec le P-DG de la Deutsche Grammophon. Le lendemain, Danny signa un contrat pour cinq albums.

Le jeune pianiste était assis, tout fier, dans le bureau de Hurok. Il regardait l'impresario feuilleter un dossier bourré de coupures de presse.

« Alors, qu'est-ce que vous en pensez ? » s'enquit Danny.

Le vieil homme leva les yeux et sourit.

« Ce que j'en pense, mon garçon, c'est que vous venez de faire un tour de piste...

— Pardon ?

— Vous ne connaissez pas cette expression du music-hall ? Lorsqu'un impresario veut lancer un spectacle à New York, il commence par l'essayer dans une petite ville de province.

— Voudriez-vous insinuer que Paris, Amsterdam ou Berlin sont de petites-villes-bonnes-pour-un-tour-de-piste ?

— C'est juste, répondit Hurok sans sourciller. Par rapport à New York, toute ville fait figure de petite ville. Le jour où vous réussirez *ici,* vous pourrez dire que vous avez réussi.

— Quand estimez-vous que je serai fin prêt pour le grand jour ?

— Je serai même heureux de vous donner la date exacte », répondit nonchalamment Hurok en attrapant une feuille qui traînait sur son bureau. « Le 15 février 1961, avec Lenny Bernstein et le Philharmonic. Il suggère que vous jouiez une symphonie de Beethoven.

— Mais c'est dans un an ! Que vais-je faire jusque-là ? Me ronger les ongles ?...

— Danny, reprit l'impresario sur un ton paternel, suis-je un agent ou une nounou ? Vous partirez en tournée dans d'autres petites villes. »

Le succès de la campagne publicitaire qui précéda le concert fut tel que, le soir de la première de Danny à New York, le public de Carnegie Hall était prêt à lui faire une ovation avant même de l'entendre.

A la fin du concert, la salle se leva pour applaudir. Bernstein invita Danny à s'approcher du podium et lui fit lever le bras à la façon d'un boxeur victorieux. Danny était un nouveau champion du monde. Il avait remporté la victoire là où cela comptait.

La réception eut lieu dans l'appartement luxueux de l'un des membres du conseil d'administration du Philharmonic.

Dans la salle se pressaient acteurs et musiciens de réputation internationale, ainsi que des hommes politiques connus.

Bien entendu, on le pria de jouer et on amena pour lui un Steinway au milieu du salon.

Danny avait prévu qu'à cette heure avancée et après un tel effort il ne serait pas en forme pour exécuter un morceau de musique classique.

Après avoir rejoué le prélude du concerto, Danny passa à un pot-pourri d'extraits de *West Side Story* de Bernstein, sur un tempo de jazz.

L'auditoire, enchanté, ne se lassa pas.

« Et maintenant ? demanda Danny. Je finis par ne plus savoir que jouer. »

Bernstein suggéra :

« Pourquoi ne feriez-vous pas pour d'autres ce que vous venez de faire pour moi ? »

Danny hocha la tête. Il se rassit et interpréta des passages de *My Fair Lady,* des succès de Cole Porter, Rodgers et Hart ou d'Irving Berlin, puis il s'excusa, se déclarant épuisé.

Une femme jeune et brune, des plus élégantes, s'approcha de lui et lui dit d'une voix harmonieuse :

« Monsieur Rossi, j'ai vivement apprécié votre performance de ce soir. J'espère que Jack et moi réussirons à vous convaincre de venir jouer pour un public restreint à la Maison Blanche, un de ces jours. »

Harassé, légèrement étourdi, Danny se contenta d'acquiescer poliment de la tête, non sans ajouter :

« C'est très aimable à vous. Merci. »

Lorsqu'elle se fut éloignée, Danny réalisa qu'il avait parlé à l'épouse du président des Etats-Unis.

Journal d'Andrew Eliot

10 mars 1959

A la fin de mes études, je m'attendais à une période de flottement au sens figuré, mais sûrement pas au sens propre.

Et me voici en train de traverser l'Atlantique sur un bâtiment de la Marine américaine. Connaissant le brillant palmarès de ma famille en ce domaine, j'étais déterminé à ne pas m'aventurer dans des sentiers où je risquais de faire des faux pas.

Lorsque je reçus l'ordre de me présenter au conseil de révision, trois mois plus tard, je paniquai. Je n'avais nulle envie de passer deux ans à faire le biffin, en marchant au pas autour d'un marécage. Je me suis donc engagé dans la Marine. Après tout, sur un bateau, ça ne devait pas être trop dur... au moins on ne peut pas vous forcer à faire de longues biffes.

Je compris vite mon erreur. La vie d'un marin peut être infernale. Newall, mon vieux compagnon de piaule est enseigne de vaisseau, en poste à San Francisco. Il attend d'être affecté à un bâtiment rempli de gars auxquels il pourra aboyer des ordres, tout en croisant sous les tropiques. Moi, j'avais opté pour une vie « sans privilège », je me retrouvai donc « sans spé » dans la Marine.

Après quelques rudiments d'instruction, on m'a embarqué sur le destroyer *St. Clare* pour laver le pont. Nous avions pour mission d'escorter le *USS Hamilton,* telle une nounou de l'océan. Au départ, mes fonctions étaient doubles : briquer les ponts, et servir de ballon de foot à notre maître principal qui, Dieu sait pourquoi, m'a pris en grippe dès notre première rencontre. Je ne me suis pourtant jamais vanté d'avoir fréquenté Harvard, ni même l'université.

Ainsi, lorsque je n'étais ni occupé à une des corvées supplémentaires qu'il avait prévues pour moi, ni de quart, il surgissait dans notre poste et confisquait le livre que je lisais sous prétexte que c'était de la « saleté ».

Un beau jour, je décidai de lui rendre la monnaie de sa pièce.

Le soir venu, je déclarai à haute voix que j'avais l'intention de me retirer pour lire et rejoignis ma couchette pour me plonger dans... la Bible. C'était prévisible : il fit son apparition cinq minutes plus tard et m'arracha le livre des mains en braillant :

« Matelot, vous vous salissez l'esprit ! »

Je lui montrai alors, devant deux autres gars, que j'étais en train de m'enrichir l'esprit en lisant les Ecritures.

« Oh ! » dit-il.

Il replaça alors le livre sur ma couchette et sortit.

J'avais bel et bien gagné la bataille, mais j'avais perdu la guerre.

Après cet incident, il s'acharna jour et nuit à me rendre la vie impossible. N'en pouvant plus, il m'arriva de songer à déserter, mais nous nous trouvions à des milliers de milles de toute terre !

Pour survivre, il fallait coûte que coûte que je largue ce maudit rafiot.

M'étant assuré que mon gars était à l'autre bout du bateau, j'allai trouver mon capitaine de compagnie pour le supplier de m'accorder un transfert. Je ne lui donnai pas la vraie raison, mais me contentai de lui dire que j'estimais avoir d'autres capacités qui me permettraient de mieux servir la Marine.

« Lesquelles ? » me demanda-t-il.

« Oui, lesquelles... » me demandai-je à mon tour. Une idée me traversa l'esprit, je lui déclarai que j'éprouvais le besoin d'écrire. Cela sembla l'impressionner. Aussi, au grand dépit de mon maître principal, je fus transféré au service « information ».

Je fais ainsi fonction de rédacteur en chef et de journaliste. J'écris pour divers journaux de la Marine, et je fais parvenir à Washington les articles les plus intéressants, en vue d'une plus large diffusion.

Ce travail s'est révélé très chouette, même si une de mes propositions pour une dépêche à sensation a été censurée par le commandant. Personnellement, je trouvais que c'était un bon article, plein de mouvement, de suspens, de rebondissements, doté d'une touche humoristique. Enfin !...

La semaine dernière, nous venions de pénétrer en Méditerranée, par une nuit sans lune et un brouillard à couper au couteau (introduction dramatique, pas vrai ?), lorsque, dans l'obscurité traîtresse, nous avons abordé un bâtiment. Aucune victime, juste des réparations à effectuer lors de la prochaine escale. Coïncidence extra, il s'agissait du bâtiment que nous étions chargés d'escorter ! A en croire le commandant, c'était une mésaventure qui n'arrive jamais aux bâtiments américains.

Considérant qu'il était de mon devoir de journaliste de relater la vérité, je lui fis remarquer que c'était pourtant ce qui s'était passé.

Cela le mit en colère et il me lâcha une bordée de synonymes du manque d'intelligence. Le fond du message était que la Marine américaine pouvait commettre une erreur mais que, dans ce cas, bon Dieu, on n'en faisait pas un communiqué de presse.

Je serai dégagé de mes obligations militaires dans un an, trois mois et onze jours. Et, avec un peu de chance, honorablement.

De toute façon, le plus tôt sera le mieux.

Sara termina à la tête de sa classe.

Rien, dans ses études précédentes, n'avait laissé présager qu'elle surpasserait ses compagnes diplômées de Radcliffe dans l'art de la sténo et de la dactylo. A la fin de l'été, elle était capable de prendre une dictée à la vitesse remarquable de cent dix mots à la minute et d'en taper soixante-quinze.

« Avec cette vitesse et votre bagage universitaire, lui a déclaré Mme Holmes qui dirigeait le cours d'été, vous êtes fin prête pour un poste de secrétaire de direction. Vous devriez éplucher les petites annonces. »

Les deux premières entrevues la placèrent devant un dilemme. Le poste de secrétaire du vice-président de Harvard Trust offrait soixante-dix-huit dollars par semaine, tandis que le journal de l'université exigeait plus d'heures de travail et n'offrait que cinquante dollars. Cependant la préférence de Ted et de Sara allait au *Journal*.

D'une part, le *Journal* n'était pas loin de chez eux, d'autre part, il assurait des possibilités d'avancement (« avec votre connaissance des langues, vous pourrez rédiger des articles assez rapidement », avait fait remarquer Mme Norton, chef du personnel, lorsqu'elle avait vu la réaction de Sara devant le salaire qu'on lui proposait).

L'aspect le plus attirant de ce poste était qu'il pourrait leur fournir à tous deux des renseignements intéressants sur le monde des lettres classiques. Ils seraient les premiers à savoir qui écrivait un livre, sur quel sujet et si cet ouvrage allait être accepté ou refusé ; cela serait d'une valeur inestimable pour Ted lorsqu'il chercherait un emploi.

La préparation du doctorat se révéla plus ardue que Ted ne l'avait imaginé. Il lui faudrait suivre des séminaires de linguistique, de grammaire comparée, de métrique, de stylistique grecque et latine, etc. Heureusement, Ted avait la chance d'avoir pour commensale une compagne qui était capable de discuter sur des sujets aussi ésotériques.

Dès leur premier été de vie commune, Ted avait insisté pour préparer le repas du soir. Le « chef » estimant devoir terminer ses travaux d'helléniste avant de pénétrer dans la cuisine, Sara était forcée d'attendre dix heures du soir avant que son mari commençât à préparer le *deipno* (le dîner).

Un délicat problème, à traiter avec diplomatie...

En effet, quelle épouse normale eût trouvé à redire à un délicieux repas aux chandelles, accompagné de vin grec, servi en musique par un serveur chevronné, venant s'asseoir ensuite pour redire son amour et qui, le souper terminé, partageait votre couche ?

Comment cette épouse eût-elle pu avouer à son mari que, si enchante-resses que fussent ces soirées, elle avait du mal, le lendemain matin, à ne pas s'endormir sur sa machine à écrire... Sara en conclut que la seule façon de résoudre le problème, était d'apprendre les secrets de la cuisine grecque sous la tutelle de Mama Lambros. Ainsi, tandis que Ted s'échinerait sur l'étymologie de l'indo-européen, elle serait en mesure de préparer le repas.

Flattée par l'intérêt que manifestait sa belle-fille, Thalassa Lambros fit de son mieux pour accélérer son éducation culinaire.

En janvier, Sara se sentit assez sûre d'elle-même pour s'arroger les fonctions de cuisinière. Ce n'était pas trop tôt, car Ted allait faire face à une série d'examens à la fin du dernier trimestre.

L'allemand, obligatoire, le désespérait. Sara, qui en avait fait trois ans, put l'aider à acquérir la notion du rythme et de la structure. En parcourant péniblement plusieurs articles avec lui, elle lui montra comment saisir le sens général d'un paragraphe, grâce aux citations classiques du texte.

Encouragé par Sara, Ted franchit avec succès les obstacles que représen-taient ses divers examens et entreprit une thèse sur Sophocle. Sur proposition du professeur Finley, il fut nommé assistant pour le cours de lettres classiques.

Il se tournait et se retournait dans son lit, incapable de trouver le sommeil.

« Chéri, qu'est-ce qui ne va pas ? » demanda Sara en posant la main sur son épaule.

« Je n'y peux rien, mon amour. J'ai fichtrement peur pour demain.

— Ça se comprend, dit-elle d'une voix apaisante, c'est la première fois que tu donnes un cours. Il serait anormal que tu ne sois pas anxieux.

— Je ne suis pas anxieux, répliqua Ted, je suis affolé.

— Ecoute, mon chéri, ce ne sont que des travaux dirigés. Tes étudiants, eux, auront encore plus peur que toi. Rappelle-toi ta première année !

— Oui, c'est vrai ! J'étais un petit citadin terrifié. Mais on raconte que ces fichus étudiants de première année ont un niveau de plus en plus élevé, et je ne cesse d'avoir ce fantasme ridicule qu'un prof mondialement connu va décider de nous faire demain une visite inattendue. »

Sara jeta un coup d'œil du côté du réveil. Il était presque cinq heures du matin ; inutile de persuader Ted d'essayer de se rendormir.

« Et si je te faisais du café pendant que tu m'expliqueras ce que tu as l'intention de leur dire. Ce serait une espèce de répétition. »

Sara prépara deux grandes tasses de Nescafé et ils s'assirent à la table de la cuisine.

Vers sept heures et demie elle se mit à rire.

« Bon Dieu, qu'est-ce qu'il y a ? Qu'ai-je fait de mal ? demanda Ted, inquiet.

— Foutu dingue de Grec ! dit-elle en riant. Tu viens de discourir brillamment sur Homère près de deux heures durant. Ne crois-tu pas que tu es fin prêt à affronter tes premiers étudiants, puisque tout ce que tu as à faire est de tenir cinquante minutes ?

— Tu es une sacrée psychologue ! dit-il radieux.

— Pas vraiment, mais figure-toi que je connais mon époux mieux qu'il ne se connaît. »

La date, l'heure et le lieu de son premier cours devaient rester gravés dans sa mémoire.

Le vendredi 1er septembre 1959, à dix heures une, Ted pénétra dans la salle de cours. Il déballa un nombre ahurissant de bouquins soigneusement marqués à certaines pages, afin qu'il pût en lire des passages s'il se trouvait à court d'idées.

A dix heures cinq, il inscrivit son nom au tableau, suivi des heures où il recevrait dans son bureau, puis il se tourna face aux étudiants.

Ils étaient quatorze, dix garçons et quatre filles, classeurs ouverts, stylos en main, prêts à noter chacun de ses mots.

« Mon Dieu, se dit Ted, si je commettais une erreur incroyable et que l'un d'eux aille en parler à Finley... Mon vieux Lambros, il faut te jeter à l'eau... »

Ted sortit son bloc-notes jaune où étaient consignées ses notes. Son cœur battait si fort qu'il se demanda s'ils n'allaient pas l'entendre...

« Au cas où l'un de vous se croirait à un cours de physique, je tiens à préciser que nous sommes en travaux dirigés de lettres classiques et que je suis votre assistant. Je vais relever vos noms. Vous pouvez, de votre côté, apprendre le mien, je l'ai inscrit sur le tableau. Il se trouve que c'est le mot grec pour " brillance ", je laisserai cela à votre appréciation personnelle. »

Il y eut quelques rires. Les étudiants paraissaient apprécier. Ted s'anima.

« Ce cours a pour sujet les racines de notre culture occidentale. Les deux épopées attribuées à Homère représentent, en effet, les premiers chefs-d'œuvre de la littérature occidentale. Comme nous le verrons au cours des prochaines semaines, l'*Iliade* est notre première tragédie, l'*Odyssée* notre première comédie... »

Cela dit, il ne regarda plus une fois le texte qu'il avait préparé. Il se contenta de s'émerveiller sur la grandeur d'Homère et de son style.

Une main se leva au dernier rang.

« Avez-vous lu Homère en grec, monsieur Lambros ? interrogea une jeune cliffie à lunettes.

— Oui, répondit fièrement Ted.

— Pourriez-vous nous réciter des passages du texte grec, afin que nous puissions avoir une idée de ce que cela pouvait donner ?

— Je vais faire mon possible », répondit Ted.

Et voilà Ted en train de réciter avec passion le début de l'*Iliade,* non sans veiller à accentuer les mots que les étudiants étaient en mesure de comprendre... *heroon,* héros ou *dios Achilleus,* Achille semblable à un dieu.

Les étudiants stupéfaits applaudirent. La cloche sonna. Ted se sentit envahi par une vague de soulagement, de bonheur et de lassitude.

Des bribes de conversation lui parvinrent, tandis que les étudiants quittaient la salle :

« Barbe, déclara l'un d'eux, on n'a pas tiré le bon numéro.

— Ce type c'est de la dynamite », répondit l'autre.

Le dernier commentaire qu'il put saisir était émis par une voix féminine :

« Encore mieux que Finley ! »

Non, cette fois, c'était son imagination qui lui jouait des tours. John Finley Jr n'était-il pas l'un des plus grands professeurs qui ait jamais enseigné à Harvard ?

Pour utiliser la bourse de voyage qui lui avait été allouée, Jason Gilbert partagea équitablement son temps entre les sports et la culture, le tennis et les musées, tout en participant à de nombreux tournois européens.

Sa bourse ne lui permettant pas d'études officielles, il passa l'hiver à faire une étude comparative du ski dans le monde, en s'attachant plus particulièrement aux pentes autrichiennes, françaises et suisses.

Lorsque son enthousiasme pour ce sport commença à fondre, il se dirigea vers Paris. Il ne connaissait pas un mot de français, mais il parlait couramment le langage international du charme et n'eut pas à chercher bien loin pour trouver un guide du beau sexe.

A peine arrivé, il se lia d'amitié avec une étudiante des Beaux-Arts, Martine Pelletier, alors qu'elle admirait un Monet au Jeu de Paume et que lui admirait ses jambes.

En flânant sur les Grands Boulevards, Jason s'émerveillait de cette vie parisienne. Il examinait ces myriades d'affiches collées sur les colonnes

Morris annonçant une infinie variété de spectacles culturels, quand l'une d'elles attira son attention :

Salle Pleyel
Pour la première fois en France
Le jeune prodige américain
DANIEL ROSSI
pianiste

« Dis donc, s'exclama-t-il en s'adressant à Martine, je connais ce gars. Veux-tu que nous allions l'écouter ? »

Ainsi par un heureux effet du hasard, Jason Gilbert assista au début triomphal de Danny Rossi à Paris.

Jason et Martine durent se frayer un chemin dans les coulisses au milieu d'une foule de journalistes et de flagorneurs, avant de parvenir près de Danny. L'étoile de la soirée, ravie de retrouver un condisciple, souhaita la bienvenue à la séduisante amie de Jason en un français aisé, rapide et fleuri.

Plus tard, tandis qu'ils soupaient d'une gratinée à l'oignon aux Halles, Martine demanda à Jason :

« Je croyais que ce Danny Rossi était ton ami.

— Et qu'est-ce qui peut te faire croire qu'il ne l'est pas ?

— Figure-toi qu'il m'a invitée à l'accompagner chez Castel, ce soir, sans toi.

— Cette espèce de sale petit nabot s'imagine sans doute être un don de Dieu aux femmes.

— Non, Jason, sourit-elle, c'est toi le don de Dieu aux femmes. Lui, il est le don de Dieu à la musique. »

Vers la fin du mois d'avril 1959, Jason avait fait le plein côté « souvenirs ». Il avait hâte de se retrouver sur un court de tennis. Considérant que ce serait son « tour d'adieu », il s'était inscrit à autant de tournois internationaux qu'il le pouvait.

Sous cet angle aussi, son voyage se révéla éducatif. Il apprit, entre autres, qu'il était loin d'être le meilleur joueur de tennis au monde. Jamais il ne réussit à dépasser les quarts de finale et il finit par considérer comme un petit triomphe de remporter ne fût-ce qu'un set contre un grand joueur.

Au tournoi international de Gstaad, à la mi-juillet, il eut l'honneur d'avoir pour adversaire l'Australien Rod Laver. Au bout de quelques sets, Jason dut s'incliner contre l'invincible gaucher, et perdre avec élégance.

Jason quittait le court en se demandant pourquoi il avait été si lent ou pourquoi la balle avait été si rapide, lorsqu'une grande jeune femme aux cheveux châtains retenus en queue de cheval s'approcha de lui :

« Pas de chance aujourd'hui, n'est-ce pas ? »

Elle parlait anglais avec un charmant accent étranger.

« Effectivement, je n'ai pas eu de veine, répondit-il. Et vous, vous jouez aussi ?

— Oui, je participe au simple dames demain après-midi. J'allais vous proposer d'être mon partenaire pour le double mixte de vendredi.

— Bonté ! pourquoi ? Vous venez d'avoir la preuve que je joue comme un pied.

— Je ne suis pas très bonne non plus, répondit-elle.

— Ce qui veut dire que nous risquons de nous faire massacrer.

— Qu'importe, c'est une bonne détente. N'est-ce pas ce qui compte ?

— J'ai été élevé dans l'idée que la seule chose qui comptait, c'était la victoire, poursuivit Jason avec une honnêteté enjouée. Mais je suis en train de revoir mes théories. Alors, pourquoi pas ? Ce serait un plaisir d'être vaincu en votre compagnie. A propos, comment vous appelez-vous ?

— Fanny Van der Post, répondit-elle en lui tendant la main. Je fais partie d'une équipe de tennis universitaire hollandaise.

— Et moi, Jason Gilbert, un gars tout juste bon à ramasser les balles de Rod Laver. Pourrions-nous discuter de notre stratégie sur le court en dînant ensemble ce soir ?

— Certainement, répondit-elle, je loge au Boo Hotel de Saanen.

— Quelle coïncidence, remarqua Jason, moi aussi.

— Je le sais, je vous ai aperçu au bar hier soir. »

Dans la soirée, ils se rendirent à une auberge vieille de trois siècles dans une « coccinelle » que Jason avait louée.

« Mon Dieu, dit Jason en s'asseyant, cette maison est plus ancienne que l'Amérique.

— Jason, reprit Fanny amusée, n'as-tu pas remarqué que tout, ou presque, en ce vieux monde est plus ancien que l'Amérique ?

— Si, reconnut-il, et ma fierté nationale en a pris un coup au cours de ce voyage. J'ai l'impression d'être né hier et de mesurer soixante centimètres...

— Ecoute, Jason, dit-elle avec un clin d'œil malicieux, si tu veux comprendre ce que c'est que d'être petit, viens en Hollande. Il fut un temps où nous étions une grande puissance mondiale. C'est nous qui possédions Central Park. A présent, une de nos seules raisons d'être célèbres est d'avoir donné Rembrandt au monde.

— Tous les Néerlandais ont-ils une aussi piètre opinion d'eux-mêmes ?

— Oui, c'est une habile façon de s'imposer. »

Ils parlèrent sans arrêt, des heures durant, jusqu'au petit matin.

Ils se dirent bonsoir ; Jason se sentait attiré par cette fille.

Fanny était née dans une ferme des environs de Groningen, au début de la Seconde Guerre mondiale. Elle avait connu la terrible famine qui avait dévasté son pays à la fin de la guerre. Elle en avait vu de dures pendant son enfance, mais avait gardé une bonne humeur contagieuse et un optimisme qui enchantaient Jason.

Elle nourrissait, certes, des ambitions, mais celles-ci n'étaient pas envahissantes. Fanny faisait sa médecine à Leiden. Elle étudiait juste assez pour devenir un médecin compétent, et jouait au tennis juste assez pour se maintenir à un bon niveau.

Après cette soirée, Jason jugea que Fanny était la personne la plus équilibrée qu'il eût jamais rencontrée. Elle n'avait rien de ces intellectuelles de Radcliffe qui s'acharnent à devenir professeurs à la faculté de médecine, ni de ces jeunes filles de la bonne société dont le seul but dans la vie est la bague de fiançailles.

Elle avait une qualité que Jason n'avait pas trouvée chez les filles avec lesquelles il était sorti aux Etats-Unis : elle se contentait d'être elle-même.

Assis dans la tribune, Jason la regarda jouer le lendemain après-midi. Son service était puissant et précis. Elle ne perdit qu'au deuxième set. Jason la rejoignit à la sortie du court avec une serviette et un verre de jus d'orange.

« Merci, dit Fanny essoufflée, mais j'aimerais mieux une bière fraîche. Tu ne trouves pas que mon adversaire était plutôt agressive ?

— Exact, répliqua Jason, je parie que son père lui aurait donné une bonne fessée si elle avait perdu. Bon Dieu ! Ne te rendait-il pas enragée à gueuler comme ça ?

— Non, quand je joue je n'entends rien. De toute façon, je me suis bien amusée. »

Ils se dirigèrent vers le vestiaire.

« Tu sais, dit Jason, tu pourrais être fichtrement bonne si tu t'y mettais sérieusement.

— Ne dis pas de bêtises, vois-tu, le tennis est un jeu. Si je m'y mettais sérieusement, cela deviendrait une profession. Et maintenant, serais-tu d'accord pour aller prendre une fondue chez Rougemont ? Cette fois, c'est moi qui t'invite. »

Ils discutèrent brièvement de leur stratégie pour les doubles du lendemain. Fanny étant un peu plus petite que lui, elle jouerait au filet.

« Je compte sur toi pour empêcher les balles d'atteindre le fond du court, plaisanta Jason.

— Par pitié, n'attends pas trop de moi ! Dans ton cerveau d'Américain compétitif, tu t'imagines que nous avons une chance réelle de gagner.

— C'est exact, concéda Jason, j'avoue que j'y pensais. Les deux énergumènes contre lesquels nous jouerons sont peut-être pires que nous.

— Personne dans ce tournoi n'est pire que nous.

— Ciel ! quelle partenaire tu fais. Tu ébranles ma confiance.

— Rien ne saurait ébranler ta confiance, Jason ! »

Et elle sourit d'un air entendu.

Ils faillirent gagner.

« Dieu merci, nous avons perdu ! » déclara Fanny en s'épongeant le visage avec une serviette. « Je n'avais pas envie de passer un autre après-midi comme celui-là. Tu vois, Jason, je trouve que nous ne nous sommes pas mal débrouillés pour une première fois. L'année prochaine, nous pourrions perdre plus honorablement.

— Le problème, c'est que je ne pourrai pas venir l'an prochain. J'ai un engagement.

— Un engagement ? » s'enquit-elle, ne comprenant pas ce qu'il voulait dire. « Serais-tu fiancé ?

— Oui », répondit-il, se complaisant à prolonger le quiproquo. « A la Marine nationale américaine. Je me dois à elle corps et biens pendant deux ans, à partir de septembre.

— Dommage de gâcher un si beau corps ! lança-t-elle, amusée. Et quand rentres-tu ?

170

— Oh, pas avant trois semaines... » répondit-il. Puis il la regarda droit dans les yeux, « ... que je préférerais passer avec toi... et pas forcément à jouer au tennis.

— On peut arranger ça, je pense.

— J'ai ma Volkswagen, poursuivit-il, où aimerais-tu aller ?

— Figure-toi que j'ai toujours rêvé d'aller à Venise.

— Pourquoi ? s'enquit Jason.

— Parce qu'il y a des canaux, comme à Amsterdam.

— Excellente raison », répondit Jason.

Ils prirent leur temps, empruntant les routes montagneuses de la Suisse. Arrivés en Italie, ils passèrent quelques jours sur les rives du lac de Côme, échangeant, bavardant.

Si Jason eut vite l'impression de connaître intimement les amis de Fanny, elle découvrit que son nouvel ami était beaucoup plus complexe que le beau joueur de tennis blond qu'elle avait admiré pour la première fois dans la salle d'un bar bondé.

« Quelle sorte d'Américain es-tu ? » lui demanda-t-elle, tandis qu'ils pique-niquaient au bord du lac.

« Que veux-tu dire par là ?

— Simplement, qu'à moins d'être d'origine indienne, ta famille a bien dû venir de quelque part. Est-ce que Gilbert est un nom anglais ?

— Non. C'est un nom fabriqué. Lorsque mes grands-parents ont débarqué à Ellis Island, ils s'appelaient Gruenwald.

— Allemands ?

— Non, ils étaient russes. En fait, juifs.

— Alors tu es juif, reprit-elle, apparemment intéressée.

— Disons, vaguement.

— Comment peut-on être vaguement juif ? Ça reviendrait à être vaguement enceinte, pas vrai ?

— L'Amérique étant un pays libre, mon père a décidé que la religion juive ne voulait rien dire pour lui. Selon sa propre expression, il aspirait à " se fondre dans la masse ".

— Voyons, c'est impossible. Un juif ne saurait être autre chose que juif.

— Et pourquoi pas ? Tu es protestante, tu pourrais devenir catholique si tu le désirais, pas vrai ? »

Une expression incrédule passa sur son visage.

« Pour quelqu'un d'aussi intelligent que toi, disons que tu as des arguments naïfs, mon vieux. Tu t'imagines donc que Hitler vous aurait épargnés, toi et ta famille si tu avais renié ta foi ? »

Jason sentit monter en lui une vague d'irritation. Où voulait-elle en venir ?

« Pourquoi faut-il qu'on me sorte tout le temps Hitler pour me convaincre que je suis juif ? demanda-t-il.

— Bon sang, Jason, répliqua-t-elle, ne vois-tu pas ce que l'Atlantique t'a épargné lorsque tu étais enfant ? Moi, j'ai grandi à l'ombre des nazis. Je les ai vus emmener nos voisins. Ma famille a même caché une petite juive pendant la guerre.

— Vraiment ? »

Elle fit un signe de tête affirmatif.

« Eva Goudsmit. Nous étions comme deux sœurs. Ses parents possédaient une usine de porcelaine et étaient, du moins le pensaient-ils, des piliers de la communauté néerlandaise. Mais cela n'a nullement impressionné les soldats qui les ont emmenés.

— Que leur est-il arrivé ? s'enquit Jason à voix basse.

— Ce qui est arrivé aux millions de juifs européens. Après la guerre, Eva les a cherchés. Inlassablement cherchés. Elle a frappé à la porte d'innombrables organismes. En vain. La seule piste valable a été celle d'un cousin éloigné qui vivait en Palestine. C'est pourquoi, dès la fin de ses études, elle est partie le rejoindre. Nous restons en contact. Chaque été, je pars en Galilée, la retrouver dans son kibboutz. »

Cette conversation et d'autres qui suivirent au cours des semaines qu'ils passèrent ensemble firent naître en Jason le vif désir de connaître son propre héritage. Ironie du sort, ce n'était pas à un autre juif qu'il devait cette résolution, mais à une jeune Hollandaise chrétienne à laquelle il s'attachait chaque jour un peu plus.

Il avait eu l'intention de la ramener en voiture à Amsterdam et de reprendre l'avion là-bas, mais ils tombèrent amoureux de Venise et s'y attardèrent jusqu'à ce qu'il fût temps pour Jason de se présenter devant les autorités militaires.

« Je t'en prie, Jason, reprit-elle, ne te sens pas obligé de me dire ce genre de choses. Nous avons passé des moments merveilleux. Je penserai toujours à toi avec tendresse, mais il serait stupide de notre part d'imaginer que nous allons passer deux ans à mourir de langueur l'un pour l'autre.

— Parle pour toi, Fanny, protesta-t-il, j'entends que si tu éprouves pour moi un sentiment aussi profond que celui que j'éprouve pour toi...

— Jason, tu es le garçon le plus formidable que j'aie rencontré. Avec personne je ne me suis sentie en pareille harmonie. Pourquoi ne pas voir venir les événements, sans nous faire toutefois trop d'illusions ?

— Ecoute, Fanny, as-tu lu l'Odyssée ?

— Evidemment. Eux ils ont été séparés pendant vingt ans.

— Alors qu'est-ce que c'est que vingt-quatre mois ?

— Mais l'Odyssée, mon amour, c'est un conte de fées...

— D'accord, ma petite Hollandaise cynique », répliqua Jason, adoptant une attitude à la John Wayne pour marquer des points, « promets-moi simplement de répondre à chacune de mes lettres, et voyons ce qui se passera.

— Je te le promets. »

Ils s'étreignirent une dernière fois, puis il s'éloigna vers son avion. Lorsqu'il atteignit la porte de l'avion, il se retourna et regarda vers la terrasse où elle se tenait.

Même de loin, il pouvait voir des larmes ruisseler le long de son visage.

Danny Rossi s'éveilla, étonné de se retrouver dans une chambre d'hôtel aussi luxueuse qu'inconnue. Un programme de concerts très chargé l'avait habitué à changer de chambre comme de pyjama. Mais, jusqu'à présent, il avait toujours su dans quel pays, dans quelle ville, avec quel orchestre, dans quel hôtel il se trouvait.

Tandis qu'il tentait d'éclaircir ses esprits embrumés, il aperçut cinq statuettes d'or sur la commode. Des souvenirs lui revinrent à la mémoire.

La veille avait eu lieu la cérémonie annuelle de la remise des Grammy qui couronnaient les succès de l'industrie du disque. Cette cérémonie s'était déroulée lors d'un gala dans l'immense salle de bal du Century Plaza Hotel de Los Angeles. Danny avait eu à peine le temps de passer un smoking au Beverly Wilshire et de s'y faire conduire.

Que Danny soit reconnu meilleur pianiste classique n'avait rien d'inattendu, mais les Grammy récompensaient sa virtuosité aussi bien à l'égard de la presse qu'au piano.

Danny était passé maître en ces deux arts... On pouvait contester que son interprétation des concertos pour piano de Beethoven fût le meilleur enregistrement des douze derniers mois, en revanche on ne pouvait nier que sa campagne publicitaire fût sans égale.

Ce qui avait fait sensation, la veille, c'était qu'il avait gagné un deuxième Grammy, pour son album de *Jazz*. C'était l'apogée d'une fantaisie, d'un clin d'œil ironique qu'il s'était permis au soir de sa première avec le New York Symphony Orchestra, quand il s'était laissé aller à improviser sur des extraits de comédies musicales, lors de la réception qui avait suivi le concert.

Le lendemain, Edward Kaiser, directeur de la Columbia l'avait contacté. Il était persuadé que les petites fantaisies musicales de Danny se vendraient comme des petits pains.

Au début, *Rossi on Broadway* se vendit moyennement, puis davantage grâce à la popularité croissante de Danny. Son apparition sur le Ed Sullivan Show le propulsa plus haut que l'astronaute John Glenn. Les ventes passèrent de trois cents à soixante-quinze mille albums par semaine.

Progressivement, les pièces du puzzle s'ordonnèrent dans sa tête, sans qu'il pût s'expliquer la présence de ces statuettes dorées qui scintillaient dans la lumière du jour naissant. D'où pouvaient-elles bien provenir ?

Cela s'expliquerait sans doute, dès que le mystère de sa présence dans une chambre d'hôtel inconnue serait résolu.

Il entendit couler de l'eau dans la salle de bains. Quelqu'un se livrait à des ablutions matinales. Visiblement il avait partagé cette chambre et ce lit.

Pourquoi sa mémoire, habituellement si fidèle, était-elle si vague aujourd'hui ?

Une voix cristalline chantonna un « Bonjour mon chéri ! »

Impeccablement coiffée, parée d'atours diaphanes, Carla Atkins qui, la veille, s'était vu décerner trois Grammy, émergea de la salle de bains.

« Carla, tu as fait sensation hier soir !

— Disons que tu ne t'es pas si mal débrouillé toi-même, mon ami », roucoula-t-elle en se glissant contre lui entre les draps.

« Je suppose que tu ne parles pas des Grammy ? reprit Danny en souriant.

— Foutaise ! s'exclama Carla, ces petites statues ça ne vaut rien au lit. A mon avis, nous méritons tous deux une mention spéciale, tu ne trouves pas ?

— Je suis heureux de te l'entendre dire, répondit candidement Danny. J'aimerais me rappeler ma soirée avec la plus grande chanteuse américaine. Avions-nous bu ?

— Oh ! un peu de champagne. Après cela, nous sommes montés et nous avons pris quelques " amphèts ".

— Des amphèts ?

— Oui, chéri. Tu sais, ces petites capsules à l'odeur revigorante. Tu ne vas pas me dire que c'était la première fois que tu en prenais ?

— Si, avoua Danny. Pourquoi diable ne puis-je me rappeler si j'ai aimé ça ou non ?

— Parce que, mon cher, tu planais tellement qu'il a fallu que je te bourre de tranquillisants, sinon tu aurais grimpé aux rideaux. Que dirais-tu d'un petit déjeuner ?

— Bonne idée, répondit Danny... Cinq ou six œufs, du bacon et des toasts ? »

Carla décrocha le combiné et commanda un petit déjeuner « pour cinq ».

« Pour cinq ? » interrogea Danny après qu'elle eut raccroché.

« Oui, chéri... pour nos cinq petits amis là-bas... »

Et elle montra du doigt les cinq Grammy sagement alignés.

L'hôtesse lui proposa du champagne.

« Non, merci, répondit Danny.

— Pourtant, monsieur Rossi, vous devriez être en train de célébrer vos victoires », ajouta-t-elle avec un sourire plein de sous-entendus. « N'hésitez pas à m'appeler si vous changez d'avis... En attendant, félicitations ! »

Après s'être attardée quelques secondes espérant que Danny lui demanderait son numéro de téléphone, elle le quitta sans enthousiasme pour aller s'occuper des autres célébrités qui faisaient le voyage Los Angeles-New York également en première classe.

Danny était plongé dans ses pensées. Il fouillait dans ses souvenirs pour tenter de reconstituer ce qui s'était passé après qu'il eut pénétré dans la chambre d'hôtel de Carla Atkins.

Petit à petit, tout finit par lui revenir.

D'abord l'exaltation d'avoir été la vedette incontestée de la soirée... suivie de celle d'avoir eu des rapports intimes avec Carla. Enfin la sensation qu'avaient éveillée les capsules qu'elle avait apportées. Les capsules...

Oui, il se rappelait avoir été envahi par un sentiment de posséder le monde, une vigueur décuplée. Hélas, celles que Carla lui avait données pour le faire redescendre lui avaient embrouillé les idées...

Journal d'Andrew Eliot

20 décembre 1960

Je me marie demain. Voilà qui devrait être intéressant.

Newall est bloqué à Hawaï par la Marine. Il ne peut pas venir. Mes autres copains seront là, y compris Ted et Sara Lambros et ce dingue de George Keller.

J'ai demandé à Jason Gilbert d'être mon témoin. Il a accepté, mais refuse de porter son uniforme des Marines. Dommage, cela aurait ajouté un certain lustre à l'événement.

La cérémonie religieuse sera suivie d'une réception au *Beacon Hill Club*. Nous nous envolerons aux Barbades pour notre voyage de noces, puis nous rentrerons à New York où je commencerai un stage chez Downs et Winship, banquiers spécialisés dans les investissements.

Je suis sûr que l'expérience sera heureuse, surtout si je réussis à comprendre comment tout est arrivé si rapidement.

Je pourrais dire que, jusqu'à un certain point, il y a eu pression parentale, même si, dans notre famille, ce genre de choses n'existe pas, mon père se contentant de « suggestions ».

L'été dernier, je fus dégagé de mes obligations militaires juste à temps pour notre grand rassemblement familial dans le Maine. Mon père m'a dit alors, en passant, qu'il pensait que je finirais bien par me marier.

Il a remarqué qu' « après tout, un homme a intérêt à ne pas attendre d'être en fin de course pour se marier ». J'ai acquiescé avec respect, ce qui a coupé court à notre dialogue.

N'ayant ni ponts à briquer, ni rapports à écrire pour la Marine, je ne savais trop que faire. En outre, ces mois passés en mer n'avaient fait qu'exacerber mon intérêt pour le beau sexe.

Jusqu'à cette année, j'avais conservé l'idée romantique que mariage et amour étaient liés. Toutefois, ayant vécu à l'écart de la vie, d'abord à Harvard, puis lors de mon séjour sur l'océan infini, j'en ignorais les réalités.

D'ailleurs, l'amour est l'un des rares sujets sur lesquels mon père avait des opinions si marquées qu'il les a exprimées par un mot grossier. Lors d'une partie de pêche, je lui fis part de mon émotion au mariage de Ted et de Sara, non sans ajouter qu'ils incarnaient à mes yeux le couple idéal.

Papa me regarda en levant les sourcils et déclara :

« Ecoute, Andrew, tu ne sais donc pas que l'amour c'est de la... merde ? »

Je n'irai pas jusqu'à prétendre que je n'ai jamais entendu un vocabulaire plus corsé dans la Marine, mais dans la bouche de mon père, je reconnais que c'était la première fois. Il m'a ensuite expliqué que, dans sa jeunesse, les meilleurs mariages ne se nouaient pas au septième ciel, mais au club, au cours d'un déjeuner. Dommage que cette pratique se démodât.

Ainsi, son condisciple Lyman Pierce, président du Boston Metropolitan, avait une fille « absolument fantastique » pour laquelle, dans le bon vieux temps, il eût arrangé d'éblouissantes fiançailles avec moi.

Je concédai que je n'étais aucunement opposé à rencontrer des filles fantastiques et que je serais enchanté de téléphoner à cette jeune personne, à condition que ce fût pour des relations amicales, sans engagement de ma part.

Mon père répondit que je ne le regretterais pas et, là-dessus, il s'en retourna à ses poissons.

Je ne m'attendais pas à grand-chose lorsque j'appelai Faith Pierce au Wildlife Preservation Fund où elle travaillait à titre bénévole. Je m'étais imaginé une de ces petites bourgeoises insipides, snob et pleines aux as. Elle était tout, sauf insipide. Je fus séduit par son *extraordinaire beauté.*

Faith était une des plus jolies filles que j'aie jamais rencontrées. Elle avait de quoi donner du fil (et de l'or) à retordre à Marilyn Monroe.

Qui plus est, je la trouvais sympa. C'était une créature rare au milieu de cette prétendue aristocratie... Une enthousiaste. Qu'il s'agît de donner des coups de pied dans un ballon de foot sur les bords de la Charles, d'aller dîner chez *Me Jacques* ou d'avoir des relations avant le mariage, pour elle tout était drôlement chouette. Son père et sa mère ne s'entendaient pas merveilleusement. Ils avaient divorcé et l'avaient envoyée en Suisse. Même la pension lui parut chouette, tout comme le collège suisse où elle acquit un admirable accent français, agrémenté de quelques mots lui permettant de le mettre à profit.

Disons que notre liaison a été un tourbillon, et je n'ai pas le moindre doute quant à l'épithète dont elle la qualifierait. Nous avions tellement d'amis communs que je craignais de commettre une sorte d'inceste social...

Je tiens à dire que je n'épouse pas Faith pour la simple raison que nos pères et mères sont des fanas de cette idée.

Dans le tréfonds de mon cœur je suis un romantique... J'épouse Faith Pierce parce qu'elle m'a murmuré quelque chose qu'aucune fille ne m'avait jamais dit.

Juste avant que je lui fasse ma demande...

« Je crois que je t'aime, Andrew. »

Un matin, vers la fin du printemps 1962, Danny Rossi éprouva au réveil un sentiment de solitude, de vide dans son lit autant que dans sa vie.

« Comment est-ce possible ? se demanda-t-il. Me voici dans mon duplex de la Cinquième Avenue, avec vue sur Central Park. Un maître d'hôtel va m'apporter mon petit déjeuner sur un plateau d'argent. Il me remettra mon courrier qui comprendra au moins une douzaine d'invitations à des soirées aux quatre coins du monde, et je me sens malheureux !

« Malheureux ! Ridicule ! Je suis la coqueluche des critiques. Je pense que, s'il m'arrivait d'éternuer au cours d'un concert, ils écriraient que c'était une nouvelle et géniale interprétation du morceau. Impossible de me rendre à pied de chez moi au bureau de Hurok, sans que les gens me saluent ou me demandent des autographes.

« Malheureux ? Il n'y a pas un orchestre au monde qui ne rêve de m'avoir comme soliste. Ils me recherchent autant pour ma personnalité que pour mon talent. Sans compter ces innombrables mignonnes qui rêvent de coucher avec moi.

« Alors, pourquoi, tandis que le soleil hivernal fait jouer ses rayons platinés à travers les vitres, oui, pourquoi est-ce que je me sens plus mal dans ma peau qu'au temps où je passais des heures à répéter dans la petite pièce minable installée dans le sous-sol de la maison paternelle ? »

Après le petit déjeuner, Danny enfila un jean et un pull-over arborant l'effigie de Beethoven. Il grimpa à son studio, situé au second étage. Sur son piano l'attendait une composition inachevée, abandonnée à une heure avancée de la nuit. Sur un fauteuil traînait un magazine qu'il avait feuilleté pour se délasser avant que le somnifère ne fît effet.

Il s'agissait du *Bulletin de l'association des anciens élèves de Harvard,* resté ouvert à la page « Nouvelles des promotions ».

« Comment se fait-il que seuls les gars ennuyeux écrivent pour donner de leurs nouvelles ? Qu'est-ce qui peut bien leur faire croire que leur mariage ou même la naissance d'un enfant intéresse qui que ce soit ? »

Cependant, malgré son indifférence, il s'affala dans son fauteuil et relut la liste des mariages et des naissances qui s'était révélée si soporifique la veille.

Je *crois* que j'aimerais me marier.

Je *sais* que je veux me marier. Avec une fille *sincère,* qui puisse partager ma vie... et mes *pensées.* Une épouse qui m'aime pour ce que je suis et non pour cette fausse image que la machine publicitaire a fabriquée.

Dans ma vie y a-t-il jamais eu quelqu'un qui m'ait aimé pour *ce que* je suis ? Pour *moi* ?

Maria... Maria...

Mon Dieu, il comprenait l'erreur qu'il avait commise en laissant glisser entre ses doigts son unique chance de nouer une relation vraie et profonde. Pour la raison la plus ridicule qui fût : parce que Maria n'avait pas réagi comme les autres en immolant son corps sur l'autel de son ego.

Quand l'avait-il vue pour la dernière fois ? Il y avait deux ans ? Trois ans ? Elle avait dû terminer ses études à Radcliffe, avait sans doute épousé un garçon-catholique-comme-il-faut et élevait ses enfants. Une fille aussi bien qu'elle ne serait pas restée à attendre que Danny Rossi la rappelât. Elle avait trop de bon sens pour ça.

Il comprit pourquoi il était déprimé, et qu'il ne pouvait rien y faire.

Ou... qui sait ?

Maria devait avoir vingt-trois, vingt-quatre ans. Avait-elle poursuivi ses études ? Que diable était-elle devenue ? Peut-être était-elle entrée au couvent ?

Fait étrange, Danny avait conservé le numéro de téléphone de Maria à Cleveland. Preuve plus ou moins consciente qu'il n'avait pas perdu tout espoir.

Il respira profondément et composa le numéro.

La mère de Maria répondit.

« Pourrais-je parler à Maria Pastore, s'il vous plaît, madame, s'enquit-il, inquiet.

— Maria n'habite plus ici. »

Danny sentit son cœur se serrer. Comme il le redoutait, il arrivait trop tard...

« Si vous voulez, je puis vous donner son numéro de téléphone. C'est de la part de qui, s'il vous plaît ?

— Danny Rossi.

— Mon Dieu, reprit Mme Pastore, je savais bien que cette voix m'était familière. Nous suivons votre carrière avec admiration.

— Merci. Comment va Maria ?

— Bien. Elle enseigne la danse dans une école de filles et son travail lui plaît.

— Pourriez-vous me donner son adresse ?

— Certainement, répondit Mme Pastore, mais je serais heureuse de lui transmettre un message.

— Non, merci. De plus, je vous serais reconnaissant de ne pas lui dire que j'ai appelé. J'aimerais... lui faire la surprise de l'appeler. »

« Un, deux, trois, plié. En quatrième. Cambrez. »

Maria donnait un cours de danse classique à une douzaine de fillettes d'une dizaine d'années. Elle était tellement absorbée qu'elle entendit à peine la porte s'ouvrir derrière elle. Quelque chose la fit toutefois regarder vers le miroir où se reflétait l'image d'une silhouette jadis familière.

Elle resta interdite. Incrédule. Avant de se retourner, elle eut la présence d'esprit de dire à ses élèves :

« Continuez à répéter les mouvements. Laurie, je te charge de battre la mesure en cadence. »

Elle fit ensuite demi-tour et s'avança vers son visiteur :

« Bonjour Danny.

— Bonjour Maria. »

Tous deux étaient mal à l'aise.

« Es-tu en ville pour un concert ? Je n'ai pas dû le voir dans le journal.

— Non, Maria. Je suis venu te voir. »

Cela interrompit net la conversation. Ils se dévisagèrent un instant, tandis que Laurie battait la mesure à l'intention des jeunes danseuses.

« M'as-tu entendu, Maria ? reprit doucement Danny.

— Oui, mais je ne sais pas trop qu'en penser. Pourquoi, après tout ce temps ? »

Plutôt que de répondre à sa question, Danny posa celle qui lui brûlait la langue.

« Est-ce qu'un veinard t'a mis le grappin dessus, Maria ?

— Disons que je sors plus ou moins avec un architecte...

— Est-ce sérieux ?

— Oh ! il veut m'épouser.

— T'arrive-t-il encore de penser à moi ? »

Elle hésita puis répondit :

« Oui.

— Alors nous sommes tous les deux dans la même situation. Je pense souvent à toi.

— Quand en trouves-tu le temps ? s'enquit-elle non sans ironie. Tes aventures amoureuses défraient la chronique...

— Vois-tu, il s'agit d'un autre Danny Rossi. Le vrai Danny Rossi est toujours amoureux de toi. Son vœu le plus cher c'est une épouse du nom de Maria et une maisonnée remplie d'enfants.

— Et pourquoi moi ?

— Ecoute, Maria, il me faudrait des heures et des heures pour te l'expliquer.

— Pourrais-tu me l'expliquer brièvement, disons en vingt-cinq mots maximum ? »

Danny se rendait compte que, s'il ne réussissait pas à l'atteindre maintenant, l'occasion ne se représenterait plus.

« Maria, reprit-il avec conviction, je sais que la dernière fois que tu m'as vu j'étais ivre d'applaudissements. Pour être franc, je te dirai que je m'en suis lassé. J'ai compris qu'ils ne suffisaient pas. Mes concerts font salles combles, mais ma vie est incroyablement vide. Est-ce que tu me suis ?

— Danny, tu n'as pas répondu à ma question : pourquoi moi ?

— Ce n'est pas facile à expliquer, mais depuis que je suis devenu célèbre, si c'est le terme qui convient, tout le monde prétend m'aimer et, pour ma part, je n'en crois pas un traître mot. La seule personne en laquelle j'avais confiance, c'était toi. Toi tu sais que si je joue les fanfarons c'est qu'au fond de moi-même je ne pense pas compter vraiment pour quelqu'un. »

Il s'arrêta et la regarda.

« Cela fait un peu plus de vingt-cinq mots, répliqua-t-elle gentiment.

— Et qu'est-ce que tu crois de ce que je viens de te dire ? »

Il entendit à peine sa réponse car elle était au bord des larmes.

« Tout », dit-elle.

Les vingt et une semaines d'instruction à l'école d'infanterie de la Marine de Quantico, Virginie, furent la seule expérience éducative que Jason préféra à Harvard.

Il eut des cours dans des domaines aussi peu académiques que l'art du commandement, les techniques d'instruction militaire, la lecture des cartes, la tactique de l'infanterie, ainsi que l'histoire et les traditions des Marines. On leur enseigna également le secourisme, la manœuvre des tanks et véhicules amphibies et, pour sa plus grande joie, l'entraînement et la mise en forme.

Alors que la plupart des autres diplômés universitaires s'évanouissaient, geignaient ou priaient pour que cela se terminât au plus vite, le bonheur de Jason allait croissant. Faute d'avoir été brillant étudiant, il était cette fois décidé à terminer en tête.

Jason Gilbert, sous-lieutenant de l'infanterie de la Marine américaine, profita de sa première permission pour écrire une longue lettre à Fanny, lui expliquant les raisons de son silence. Sa réponse fut courte mais chaleureuse :

J'ai été surprise de recevoir ta lettre. L'*Odyssée* n'est peut-être pas un conte, après tout...

A mon tour je te demande d'être patient car je suis en pleine période de révision pour mes examens de fin d'études.

Dès que je travaillerai dans une clinique, j'aurai tout le loisir de t'écrire.

Je t'embrasse,

FANNY.

P.-S. — Te dirai-je que tu me manques ?

A Noël, Jason revêtit son uniforme de parade (veste bleue montant jusqu'au cou, boutons dorés, casquette blanche), pour faire de l'effet sur ses parents.

Son arrivée fut gâchée, hélas, par un événement attristant. En effet, lorsque Jason fit sa glorieuse entrée, il trouva son père, sa mère, sa sœur, autour de la table de la salle à manger. Julie avait la tête entre les mains. De la pièce voisine parvenaient les pleurs de la jeune Samantha.

L'élégant officier fut pour le moins déçu lorsque son père l'accueillit en s'exclamant :

« Bonjour, mon fils, tu arrives à temps ! »

Il embrassa sa mère, s'assit avec eux et demanda :

« Bonté, mais qu'est-ce qui se passe ?

— Charles et Julie ont des petits problèmes, répondit sa mère.

— Des problèmes ? vociféra le père. Ce salopard l'a plaquée. Abandonner sa femme et son enfant n'est pas ce que j'appelle un comportement adulte.

— Pour ma part, commenta Jason, je n'ai jamais considéré que Charles était adulte. Puis-je connaître ses raisons ?

— Il m'a déclaré que le mariage n'était pas pour lui, gémit Julie. Il a ajouté qu'il n'avait jamais voulu se marier.

— J'aurais aussi bien pu te le dire et t'épargner ce chagrin, remarqua Jason, tu vois, vous étiez trop jeunes.

— Arrête de faire la morale, Jason, coupa son père, furieux.

— D'accord, excuse-moi », répondit-il à voix basse, non sans ajouter : « Julie, je suis désolé que tu sois tombée amoureuse de ce crétin. »

En entendant les condoléances de son frère, Julie éclata de nouveau en sanglots.

« Enfin, je vois que Noël ne va pas être très gai », poursuivit Jason. Là-dessus, il se leva et se mit à arpenter la pièce.

Le réveillon fut sinistre. M. Gilbert ayant surmonté le choc que lui avait causé l'échec de sa fille se tournait vers Jason, sa source de fierté.

« Tu disais que tu n'avais pas trouvé ta période d'entraînement ennuyeuse, Jason, dit-il émerveillé.

— C'est exact, mais je crains d'en avoir trop fait. L'officier responsable voudrait que je me range pour devenir responsable du programme de formation.

— Et qu'y a-t-il de mal à cela ?

— Disons que la perspective de passer encore un an et demi à Quantico ne m'enchante pas. Enfin, avec un peu de chance, ils me laisseront participer à quelques tournois de tennis. En tout cas, je suis mieux loti qu'Andrew qui, d'après ce qu'on m'a dit, brique le pont d'un destroyer.

— Je ne comprendrai jamais pourquoi celui-là est resté sous-officier, remarqua M. Gilbert.

— Moi, si. Tu vois, les Eliot ont toujours eu des postes importants dans la Marine, amiraux, vice-amiraux, etc. Andrew redoutait qu'on exigeât trop de lui. C'est pourquoi, par rapport à lui, j'ai quelque avantage en ce qui concerne ma carrière.

— Comment cela ? » s'enquit son père, président de la deuxième firme d'électronique du monde.

« Parce que, contrairement à Andrew qui s'accroche à une branche faiblarde d'un arbre généalogique imposant, il n'y a qu'une génération que nous sommes sortis de notre ghetto.

— Tu as une façon peu flatteuse de présenter les choses », poursuivit son père.

C'était la première fois, du moins à sa connaissance, que le mot ghetto était prononcé chez eux. Cela le mit mal à l'aise et lui parut déplacé pour un réveillon.

Il passa à un sujet plus approprié en cette saison festive.

« As-tu eu des nouvelles de ton amie hollandaise ?

— Pas aussi récentes que je le voudrais, répondit Jason. A vrai dire, papa, j'aimerais bien l'appeler après le dîner, si tu m'y autorises.

— Evidemment », répondit M. Gilbert, heureux de détourner la conversation d'un passé trop proche à son gré.

Jason fut dégagé de ses obligations militaires en août 1961, à temps pour rentrer à Harvard Law School, la fac de droit de Harvard.

Il rêvait de revoir Fanny. Ils étaient restés en contact épistolaire au cours des vingt-quatre mois de leur séparation.

L'Armée ne lui ayant pas accordé les quelques semaines nécessaires pour aller vers celle dont il voulait faire sa femme, il lui fallut remettre leurs retrouvailles au terme d'une autre année d'études.

A en croire un vieux dicton de Harvard Law School, « la première année vous fait crever de peur, la seconde vous fait crever de boulot, la troisième... vous fait crever d'ennui ».

« Tu devrais te diriger vers le barreau, lui conseilla Gary McVeagh. Beau gosse comme tu l'es, tu convaincrais les jurés féminins sans avoir à ouvrir la bouche. Tu gagnerais à tous les coups ! »

Jason avait un plan précis dont son père et lui parlaient depuis des années.

S'il parvenait à se maintenir au niveau des génies de Harvard Law School, il ferait son apprentissage auprès d'un magistrat, comme assistant, puis exercerait un emploi dans une firme prestigieuse de New York ou de Washington, ce qui servirait de tremplin à son ambition suprême, la politique.

« Jason, lui avait dit son père en plaisantant, je suis sûr que tu y arriveras ; tiens, je suis prêt à t'acheter une maison à Washington. »

C'est un rêve plus neuf et plus intense qui soutint Jason au long de la lugubre série des partiels de janvier, puis à l'approche des examens de fin d'année.

Il reprenait courage en se disant qu'échec ou réussite, il retrouverait cette merveilleuse jeune Hollandaise dont la photo lui souriait sur son bureau.

Bien qu'elle n'en eût jamais rien dit dans ses lettres, Jason la sentait impatiente de le revoir.

Au cours de son voyage en avion vers Amsterdam, Jason ne tenait plus en place à l'idée de la retrouver. Cela faisait si longtemps... La routine militaire, si pesante, lui avait-elle fait embellir leur relation ? Leurs retrouvailles à l'aéroport de Schiphol seraient-elles une déception ?

Dès qu'il l'aperçut, de l'autre côté de la douane, il sut qu'il n'en serait rien. Ils s'embrassèrent et il ressentit le même émoi.

Ils passèrent les premiers jours à la ferme de ses parents où Jason put apprécier les liens étroits et chaleureux qui unissaient la famille Van der Post. Le frère de Fanny, étudiant à La Haye, ainsi que sa sœur mariée, sans parler d'une tribu d'oncles, de tantes et de cousins, vinrent faire la connaissance de l'ami américain de Fanny.

Fanny emmena Jason visiter la maison d'Anne Frank, pour qu'il pût comprendre concrètement ce qu'avaient vécu ses coreligionnaires pendant la Seconde Guerre mondiale.

Jason contempla sans mot dire le minuscule réduit où la jeune fille et sa famille s'étaient cachées pendant plus d'un an pour échapper aux troupes d'occupation, avant qu'on ne les traînât à la mort.

« Au milieu de ses épreuves, elle sut rester bienveillante, remarqua Fanny, persuadée que les gens étaient fondamentalement bons. Et ils ont emmené cette admirable enfant, une innocente, à la chambre à gaz, simplement parce qu'elle était juive ! Tu devrais lire son *Journal*. »

Jason avait entendu parler d'Anne Frank. *Le Journal d'Anne Frank* avait été adapté au théâtre et la pièce, que ses parents avaient vue, avait remporté un grand succès sur Broadway.

Il se demanda pourquoi ses parents n'en avaient pas discuté sérieusement avec sa sœur et lui. Auraient-ils pensé que cela n'avait *rien* à voir avec eux ?

Ils descendirent à Venise en voiture, pour reprendre leur histoire d'amour au point où ils l'avaient laissée trois ans plus tôt.

Brèves vacances : ils étaient de nouveau sur le point de se quitter.

« Je reviendrai en juin, dès que mon dernier examen sera terminé, promit Jason.

— Que ferai-je jusque-là ? demanda-t-elle tristement.

— Allons, ce ne sera pas si long cette fois. Notre dernière séparation a duré presque trois ans.

— C'est vrai, répondit-elle, pensive, mais je ne savais pas combien je t'aimais. »

Jason la regarda.

« Fanny, dit-il, j'ai une confession à te faire.

— Laquelle ? demanda-t-elle, surprise.

— Hier après-midi, tu te rappelles, j'ai voulu me promener seul. J'avais une raison. »

Il retira de sa poche un petit écrin recouvert de velours.

« Si elle va à l'un de tes doigts, nous devrions nous marier.

— Jason, reprit-elle en souriant, si elle va, ne serait-ce qu'à un de mes orteils, nous nous marierons. »

Andrew vint chercher George Keller à la gare de Bangor, dans le Maine. Ils profitèrent du trajet qui les séparait de la villa des Eliot à Seal Harbor pour échanger des nouvelles.

« Tu es bien pâle, George. Je parie que tu n'as pas mis le nez dehors de tout l'été !

— Je suis étudiant, et non pas maître nageur, mon ami. Ma thèse doit être finie d'ici le printemps.

— Pourquoi es-tu si pressé ?

— Difficile à expliquer. Il est important que je m'en tienne au programme que je me suis fixé. Merci de m'avoir convaincu de venir passer un week-end chez toi.

— Un week-end ? J'espérais que tu passerais la semaine !

— Eh non ! Ma thèse me réclame...

— D'accord, capitula Andrew, mais gare à toi, si je t'aperçois en train de gribouiller ne serait-ce qu'une carte postale au cours de ces deux jours ! Compris ?

— Je me soumets. Alors, mon vieux, le mariage, qu'est-ce que tu en penses ?

— Permets-moi de te dire que c'est sensas et que tu devrais essayer.

— En temps voulu, Andrew ; il faut d'abord que...

— Attention... Rappelle-toi que je t'ai interdit de mentionner la thèse pendant tout le week-end. Oh ! Si tu pouvais te cantonner à des sujets d'ordre général, ce serait sympa pour Faith. C'est une fille merveilleuse, mais disons qu'elle n'est pas portée sur les discussions intellectuelles. »

La ravissante Mme Eliot leur faisait des signes depuis le môle où elle les attendait. George Keller, pourtant peu versé dans ce genre de considération, ne put s'empêcher de remarquer comme le bikini lui allait bien, et quelle sensation agréable procurait son accolade.

Faith accompagna les deux hommes vers la terrasse où un pichet de Martini les attendait.

« J'espérais avoir l'occasion de bavarder avec vous depuis que je vous ai aperçu à notre mariage, dit Faith en tendant un verre à George, Andrew m'a dit que vous étiez un de ces brillants esprits...

— Il me flatte.

— Je sais, reprit-elle en riant, il me flatte aussi, mais j'aime ça. »

George lui remit un paquet.

« Vous n'auriez pas dû », s'exclama-t-elle en déchirant l'emballage.

Puis elle poursuivit avec une gaieté un peu jouée :

« Un livre ! Regarde, Andrew, George m'a apporté un livre.

— Faith adore lire. Qu'est-ce que c'est, ma chérie ?

— Il a l'air intéressant », reprit-elle en montrant la couverture.

Il s'agissait de *la Nécessité de choisir* de Henry Kissinger.

« De quoi s'agit-il ?

— Du problème des missiles entre les Etats-Unis et l'URSS. C'est l'ouvrage le plus complet qui ait été publié à ce sujet.

— L'auteur est un des professeurs de George, expliqua Andrew.

— Un très grand homme, s'empressa d'ajouter George. C'est mon patron de thèse et celui qui, dès mon arrivée en Amérique, a agi pour moi *in loco parentis*.

— Voudriez-vous dire bizarre ? » questionna Faith.

George préféra ne pas répondre ; il ajouta :

« Il m'a cité dans la préface. Puis-je vous lire ce passage ?

« Formidable ! s'exclama Faith. C'est la première fois que je rencontre quelqu'un dont le nom est cité dans un livre. »

George eut tôt fait de retrouver la page en question. Il la lut à haute voix : « Je ne saurais trop remercier mon élève et ami George Keller pour sa patiente et experte collaboration. »

« Mon Dieu, commenta Andrew, il t'appelle son ami, c'est formidable !

— Oui, et non seulement il a fait de moi son chargé de cours, mais il s'est débrouillé pour que je collabore au périodique *Foreign Affairs*.

— A mon avis, George, c'est presque suspect... » ajouta Faith.

George fut charmé par son sens de l'humour.

« Eliot, reprit-il gaiement, tu es un homme heureux. »

« Eh bien, Faith », s'enquit Andrew, après avoir raccompagné George à la gare, « que penses-tu de ce vieux George. Un fou génial ? non ?

— Il a du charme, répondit-elle pensive, mais tu vois, il y a en lui un je-ne-sais-quoi qui me gêne, mais je suis incapable de préciser... Sans doute est-ce sa façon de parler. As-tu remarqué qu'il n'a pas le moindre accent ?

— Evidemment. C'est ce qui est extraordinaire chez lui.

— Andrew, ne sois pas si naïf : si un étranger n'a pas d'accent, c'est qu'il essaye de cacher quelque chose. Je me demande si ton ancien camarade ne serait pas un espion ?

— Un espion ? Et pour le compte de qui ?

— J'en sais rien. De l'ennemi... ou, qui sait, des démocrates... »

Extrait du *Carnet du jour* de *Time Magazine* du 22 janvier 1963 :

Mariés :

Daniel Rossi, vingt-sept ans, jeune prodige du clavier et **Maria Pastore**, vingt-cinq ans. Ils se sont connus lorsqu'ils étaient étudiants. Leur premier mariage. Célébré à Cleveland, Ohio.

Après un voyage de noces en Europe (au cours duquel Rossi honorera des engagements), le couple envisage de s'installer à Philadelphie. Rossi vient d'être nommé chef d'orchestre associé de l'orchestre philharmonique de cette ville.

La seule promesse que Maria avait pu arracher à Danny avant leur mariage était qu'il réduirait le nombre de ses tournées, afin qu'ils puissent s'enraciner quelque part et construire un foyer.

Si, au départ, il avait hésité à renoncer aux murmures d'adulation en toutes les langues, la proposition de l'orchestre philharmonique de Philadelphie avait constitué une solution miraculeuse.

Ils achetèrent une grande maison, de style Tudor, à Bryn Mawr. Elle était assez spacieuse pour permettre de transformer le premier étage en studio pour Danny, tout en réservant une pièce claire et aérée pour Maria, où Danny fit installer une barre, mais que Maria souhaitait voir rapidement transformée en chambre d'enfants.

Ils passèrent leur nuit de noces à l'hôtel *Sheraton*, où Gene Pastore avait organisé une fastueuse réception.

Au cours de la cérémonie, Danny parut avoir perdu son entrain habituel, quoiqu'il essayât de ne pas le montrer. Vu sa réputation de don Juan international, il craignait de ne pas être à la hauteur, la seule fois où cela comptât vraiment.

Les invités insistèrent pour qu'il s'assît au piano, mais il fut sans doute le seul à remarquer que son jeu n'était pas aussi parfait que d'habitude. Peut-être le champagne était-il à blâmer...

Il se sentait légèrement étourdi, et il devrait sous peu pénétrer dans la chambre de la fille la plus attirante qu'il eût jamais connue *et qui avait toute sa vie attendu ce moment-là.*

Leur appartement comprenait deux salles de bains. En se brossant les dents, il se regarda dans la glace et y vit le visage d'un adolescent terrifié.

Allait-il y arriver ? « Voyons, se dit-il, ne t'en fais pas. Et qui plus est, elle est vierge. Même si tu n'es pas en superforme, comment s'en apercevrait-elle ? »

Danny se regarda une autre fois dans la glace : non, il était incapable d'entrer dans la chambre et de faire face à Maria.

En tout cas, pas par ses propres moyens.

Il ouvrit sa trousse de toilette et en sortit une demi-douzaine de petits tubes qu'il disposa sur l'étagère au-dessus du lavabo. Leur effet allait, se disait-il, de *largo e pianissimo* (pour les tranquillisants) à *allegro e presto* (pour les stimulants qu'il utilisait après un vol long et fatigant).

Il tendit la main vers un tube dont l'étiquette annonçait METB, fit glisser une capsule dans sa paume moite et replaça sa pharmacopée dans sa cachette.

Une voix enjouée l'appela depuis la chambre :

« Danny, es-tu encore là ou suis-je abandonnée au soir de mes noces ?

— J'arrive, chérie », répondit-il, espérant que sa voix ne trahissait pas sa nervosité.

Il écrasa la capsule dans sa main pour en hâter l'effet et l'avala avec une gorgée d'eau.

Son inquiétude se dissipa. Son cœur battait plus vite, mais ce n'était plus de peur. Il enfila un peignoir et se dirigea vers la chambre.

Maria l'attendait, radieuse.

« Danny, dit-elle tendrement, je sais que nous allons être heureux.

— Moi aussi », répondit-il. Et il s'allongea à ses côtés.

Jusque-là, Danny Rossi n'avait jamais exécuté de prestation musicale ou autre qui ne fût pas passionnée et parfaite. Cette nuit-là ne fit pas exception.

Mais il s'en était fallu de peu. De très, très peu...

Les lettres ne suffirent bientôt plus à Fanny et Jason. Rituel hebdomadaire, l'appel téléphonique devint quotidien, les factures... astronomiques.

« Tu sais, cela reviendrait moins cher que l'un de nous saute dans l'avion pour rejoindre l'autre, remarqua Jason.

— Je suis d'accord, Jason. L'ennui c'est que je ne peux passer mes examens là-bas, pas plus que tu ne peux passer les tiens ici. Patientons encore quelque temps et nous serons si longtemps ensemble que tu finiras peut-être par en avoir marre de moi.

— Ça, jamais ! »

Le mariage devait avoir lieu en juillet, à Groningen. Mais dès la fin de ses examens, le 15 mai, Fanny appela Jason et lui fit ses adieux « pour trois semaines » : elle avait décidé d'aller passer ce temps-là auprès d'Eva dans un kibboutz du genre spartiate. Ils ne pourraient donc se téléphoner.

« Crois-tu que tu arriveras à passer vingt et un jours sans m'appeler ?

— Non, répondit Jason.

— Alors, viens me rejoindre en Israël après ton dernier examen. Il est temps que tu visites la terre de tes ancêtres.

— J'envisagerai la question si je suis vraiment désespéré, reprit-il. Au fait, et tes oraux ?

— Finis, dit-elle modestement.

— Formidable, te voilà donc docteur en médecine ! Félicitations ! Diable, tu n'as pas l'air plus enthousiaste que ça ! ?

— Vois-tu, répondit-elle, à mes yeux je vais devenir quelque chose de beaucoup plus important : une épouse. »

Ces mots se gravèrent dans le cœur de Jason Gilbert. Ce devaient être les derniers qu'il entendrait jamais prononcer par Fanny Van der Post.

Dix jours plus tard, Jason fut réveillé à six heures du matin par un appel téléphonique en provenance d'Amsterdam.

« Jason, lui dit une voix tremblante d'émotion, j'ai une nouvelle atroce à t'annoncer...

— Fanny ! Il est arrivé quelque chose à Fanny !

— Oui... elle a été tuée... »

Jason se redressa. Son cœur battait à se rompre.

« Comment ? Que s'est-il passé ?

— J'ignore les détails, balbutia le frère de Fanny, Eva vient d'appeler. Elle nous a dit qu'il y avait eu une attaque terroriste. Leur kibboutz est très proche de la frontière. Apparemment des Arabes se sont introduits pendant la nuit. Ils ont lancé des grenades dans le dortoir des enfants. Fanny s'occupait d'une petite fille et... »

Là-dessus, il éclata en sanglots.

Jason demeura paralysé par le choc.

« Non, je ne peux pas y croire !... »

Au cours des vingt-six ans de sa vie protégée, Jason n'avait jamais eu à faire face, même de loin, à une tragédie. Aujourd'hui, il était touché à bout portant. Au plus profond de son être.

« Eva m'a vanté le courage de Fanny. Elle n'a pas hésité à se jeter sur une grenade pour sauver les enfants. »

Jason ne savait que dire, que penser, que faire. Il sentait monter en lui des larmes et de la rage.

« Anton, murmura-t-il, je suis incapable de te dire à quel point je partage votre tristesse.

— Et moi, combien je partage la tienne ; Fanny et toi vous vous aimiez tellement. »

Il ajouta d'une voix à peine audible :

« Nous avons pensé que tu souhaiterais peut-être te rendre à l'enterrement. »

L'enterrement... Le mot provoqua une douleur sourde. Voilà qui lui faisait toucher du doigt que Fanny était morte.

Qu'il n'entendrait plus jamais sa voix...

Qu'il ne la reverrait plus jamais...

On lui avait posé une question. Désirait-il assister à la cérémonie au cours de laquelle le corps de sa bien-aimée serait mis en terre ?

« Bien sûr, Anton, s'entendit-il répondre d'une voix mal assurée, quand aura-t-elle lieu ?

— Dès que nous serons tous là-bas. Si tu viens, nous t'attendrons.

— Je ne comprends pas, reprit Jason, la cérémonie n'a pas lieu en Hollande ?

— Non, répondit Anton, Fanny est morte en Israël. Nous avons pensé qu'elle devrait être enterrée dans le cimetière protestant de Jérusalem. Le voyage te paraît trop long ?

— Voyons, tu plaisantes, poursuivit Jason, je me mets en quête d'une place d'avion et je te rappelle pour te donner mon heure d'arrivée. »

Ce matin-là, il avait un examen qu'il préparait depuis des semaines. Etant donné l'heure du décollage, il aurait pu s'y présenter, mais, à ses yeux, plus rien n'importait. Tout lui était égal.

Son avion fit escale à Idlewild, l'aéroport international de New York. Ses parents l'attendaient.

« Jason, dit sa mère en pleurant, c'est atroce...

— Pouvons-nous faire quelque chose ? s'enquit son père.

— Je ne pense pas », répondit Jason, l'air égaré.

Là-dessus, M. et Mme Gilbert embrassèrent leur fils et s'éloignèrent rapidement.

Deux employées des services de sécurité vidèrent et inspectèrent scrupuleusement le contenu de son sac de voyage : trois chemises, des sous-vêtements, deux cravates, une trousse de toilette. L'une d'elles alla jusqu'à vérifier son tube dentifrice et sa mousse à raser.

« Puis-je y aller ? » demanda Jason en essayant de réprimer son impatience.

« Oui, monsieur, mais veuillez passer dans cette cabine à droite pour que l'on vous fouille. »

L'avion était bondé. Des enfants couraient dans les allées qu'arpentaient des vieillards barbus et des jeunes non moins barbus. Sans doute méditaient-ils sur un point essentiel du Talmud ou sur un passage du Livre des Prophètes.

Sans trop savoir pourquoi, Jason se leva et se joignit à eux. La diversité des visages des passagers le frappa. A côté des patriarches stéréotypés, droit sortis, semblait-il, de l'Ancien Testament, il remarqua ces jeunes gens athlétiques et bronzés. Des agents de sécurité, se dit-il... Jason fut surpris de se reconnaître : en effet, ici et là, des jeunes gens blonds aux yeux bleus conversaient en hébreu.

Tous étaient différents, pourtant tous étaient juifs. Et il se trouvait parmi eux...

Quatorze heures plus tard, le pilote annonça qu'ils commençaient la descente vers l'aéroport de Tel Aviv. Des passagers pleuraient. Ils débarquèrent et traversèrent l'aire de stationnement entre deux rangées de soldats armés jusqu'aux dents. Jason vit un vieillard baiser le sol.

Le douanier qui visa son passeport lui souhaita : « Bienvenue au pays. »

Jason répliqua instinctivement :

« Je ne suis qu'un touriste, monsieur.

— Bien sûr, reprit le douanier, mais vous êtes juif et ici, vous êtes chez vous. »

N'ayant pas de bagages à récupérer, il se dirigea vers les portes coulissantes. Elles s'ouvrirent sur une foule de gens qui se pressaient en piaillant pour accueillir leurs familles. Une tour de Babel...

Jason se dressa sur la pointe des pieds et aperçut Anton Van der Post qui l'attendait en compagnie d'un gros monsieur chauve d'un certain âge. Il se hâta de les rejoindre.

La seule conversation qu'ils purent avoir sans pleurer se résuma à un échange de banalités :

« Bon voyage ?

— Excellent. Comment tes parents prennent-ils la chose ?

— Aussi bien que possible. Jason, je te présente Yossi Ron, secrétaire du kibboutz. »

Jason lui serra la main.

« Shalom, monsieur Gilbert, dit-il, je ne puis vous dire à quel point je comprends... »

Ils montèrent dans le vieux camion du kibboutz et se mirent en route.

Une heure plus tard, ils escaladèrent une colline escarpée et entrevirent Jérusalem dont les pierres, d'un blanc nacré, brillaient au soleil du matin.

Anton parla pour la première fois depuis le début du trajet :

« Nous avons pensé qu'elle aurait aimé être enterrée avec ta bague, Jason. Avons-nous bien fait ? »

Jason acquiesça d'un signe de tête. Il était face à cette horrible vérité qui l'avait amené en cette terre dite sainte.

La cérémonie fut simple. Elle se déroula à l'ombre des cyprès du cimetière protestant d'Emek Refaim.

Une délégation du kibboutz se tenait autour de la tombe. Tous étaient bronzés et portaient chemises à col ouvert. Jason se sentit mal à l'aise en costume sombre et cravate. Anton soutenait sa mère. Une jeune Israélienne serrait dans la sienne la main de M. Van der Post. Il s'agissait visiblement d'Eva Goudsmit.

Les visages des Hollandais étaient marqués par la douleur. Ceux du kibboutz pleuraient sans retenue la perte d'une amie.

Nul ne pouvait imaginer ce que Fanny représentait pour Jason Gilbert. Lorsqu'ils descendirent le cercueil dans la tombe, une partie de lui-même s'en fut avec elle.

A la fin de la cérémonie, Eva et lui se rapprochèrent instinctivement l'un de l'autre. Aucune présentation ne fut nécessaire.

« Fanny parlait de toi si souvent, dit Eva d'une voix rauque. Si quelqu'un méritait d'être heureuse, c'était bien elle. J'aurais dû mourir à sa place. »

Eva et Jason franchirent les grilles du cimetière. Arrivés à Bethleem Road, Jason lui dit :

« J'aimerais voir l'endroit où cela s'est passé.

— Tu veux dire le kibboutz ? »

Il hocha la tête.

« Voudrais-tu y retourner avec nous cet après-midi ?

— Non, répondit-il, je souhaite rester avec la famille de Fanny jusqu'à ce qu'ils repartent, demain matin. Je louerai ensuite une voiture et me rendrai en Galilée.

— Je préviendrai Yossi. Combien de temps comptes-tu rester ? »

Jason Gilbert laissa son regard errer sur les toits de la Vieille Ville et répondit :

« Je l'ignore. »

Le lendemain matin à cinq heures, Jason emmena la famille de Fanny à l'aéroport.

Ils se promirent de garder le contact, tout en sachant qu'ils avaient perdu celle qui faisait le lien entre leurs vies.

Une carte étalée sur le siège vide à côté de lui, Jason se dirigea vers le nord. Il longea la côte méditerranéenne puis, à la sortie de Césarée, il mit le cap vers l'est, traversa Nazareth, la Galilée, et atteignit la mer de Galilée où, il y avait deux mille ans, le Christ avait marché sur les eaux. Il remonta ensuite vers le nord, traversa Kiryat Shmona.

A midi, il atteignit les portes de Vered Ha-Galil. Il y pénétra et gara sa voiture.

Mis à part la végétation luxuriante et les fleurs, l'endroit, entouré de fils de fer barbelés, lui rappelait un camp militaire.

Le kibboutz paraissait désert. Jason regarda sa montre et comprit pourquoi. C'était l'heure du déjeuner. Le réfectoire se trouvait dans le grand bâtiment qui se dressait à côté des bungalows.

A l'intérieur s'élevait le brouhaha d'une conversation animée. Jason aperçut Eva, en tee-shirt et en short.

« Bonjour, Jason », dit-elle.

Eva le présenta aux autres kibboutzniks, qui lui souhaitèrent la bienvenue et lui exprimèrent leur tristesse.

« J'aimerais voir l'endroit où c'est arrivé. »

Après le déjeuner, Eva l'accompagna au *srif* où il allait dormir. En s'y rendant, ils longèrent des rangées de baraques de bois toutes identiques.

« Tu auras droit à la couchette de Dov Levi, dit-elle.

— Et lui, où va-t-il dormir ?

— Dov fait sa *miluim,* sa période militaire. Il est absent trois semaines.

— Je ne pense pas rester aussi longtemps. »

Eva le dévisagea et ajouta :

« Quelque chose t'incite à repartir si vite ?

— Non, concéda-t-il, pas vraiment. »

Jason envoya promener ses chaussures. Il s'allongea sur le lit métallique grinçant et passa en revue les événements des dernières soixante-douze heures.

Il se revoyait, au début de la semaine, sur le campus de Harvard Law School avec ses camarades. Il ne pensait alors qu'à son mariage, à ses examens et à sa future carrière politique. Aujourd'hui, il se retrouvait seul en cette terre de ses ancêtres, avec la perspective d'une vie dénuée de sens.

Il finit par s'endormir, d'un sommeil agité. Il s'éveilla en sursaut, Yossi le secouait doucement. Ce dernier était accompagné d'un quadragénaire, un dénommé Aryeh, agent de sécurité du kibboutz.

Jason les suivit jusqu'au bâtiment réservé aux enfants.

« Je trouve curieux, dit-il lorsqu'ils s'approchèrent du dortoir, que tous ces enfants dorment ensemble. Ne seraient-ils pas plus en sécurité auprès de leurs parents ?

— Cela fait partie de la philosophie du kibboutz, expliqua Yossi, les enfants sont élevés ensemble pour développer en eux le sens de la camaraderie. Ils ne manquent pas d'affection, ils voient leurs parents tous les jours. »

Le dortoir contenait deux rangées de lits. Des dessins d'enfants décoraient les murs.

On ne voyait aucune trace des dégâts causés par l'explosion. On s'était hâté de les faire disparaître.

« C'est donc ici ? demanda doucement Jason.

— Oui », confirma Aryeh, d'une voix triste, une cigarette bon marché à la bouche. « Une petite fille souffrait d'une angine et Fanny la soignait quand...

— Et vous n'avez pas de sentinelles ? Vous êtes pourtant très proches de la frontière.

— Chacun de nous passe une nuit par mois à patrouiller les environs du kibboutz. L'ennui, c'est que la surface à surveiller est vaste. Si les *feddayin* sont patients, et visiblement ceux-là l'étaient, ils attendent que la patrouille passe, puis ils coupent les fils électriques, font leur sale boulot et s'esquivent.

— Vous voulez dire que vous n'en avez pas attrapé un seul ?

— Non, répondit Aryeh d'une voix lasse, les explosions ont créé la panique. Il nous fallait penser aux blessés car, en plus de Fanny, des enfants avaient été blessés. Le temps d'organiser une battue et ils avaient retraversé la frontière.

— Pourquoi ne vous êtes-vous pas lancés à leur poursuite ?

— L'armée a pris la relève. De notre côté, nous ferons notre possible pour les arrêter la prochaine fois.

— Car vous envisagez une " prochaine fois " ?

— Ils reviendront, eux ou leurs cousins. Ils s'obstineront à nous chasser jusqu'à ce que nous leur fassions comprendre que nous sommes ici chez nous. »

Jason leur demanda de le laisser seul.

Il revivait la scène... Les terroristes forçaient la porte grillagée. Ils lançaient des grenades sur les enfants endormis. Par réflexe, il chercha le revolver qu'il avait jadis porté à la hanche. Il bouillait de rage et s'en voulait.

« Si seulement j'avais été là pour les protéger, pensait-il. Pour *la* protéger. Elle serait vivante... »

Une semaine après son arrivée, Jason réussit à appeler les Etats-Unis. Son père lui annonça qu'il avait expliqué la situation au recteur de Harvard Law School. Jason serait autorisé à passer au printemps prochain les examens auxquels il n'avait pu se présenter.

« Quand penses-tu rentrer, Jason ? interrogea son père.

— Je ne sais pas. Il y a tant de choses dont je ne suis plus très sûr. »

Ce kibboutz était l'un des plus anciens du pays. Il avait été fondé par des juifs visionnaires qui avaient quitté l'Europe avant « le déluge », convaincus que, comme tout autre peuple, ils avaient droit à une terre qui fût leur. Persuadés que la Palestine était, depuis toujours, leur pays, ils se considéraient comme l'avant-garde d'un retour en masse.

« Si tu trouves ces bâtiments primitifs, remarqua Yossi, un soir après le dîner, imagine ce que cela pouvait être à l'arrivée de nos ancêtres. Ils vivaient sous la tente et labouraient sans tracteur.

— Ça devait être intolérable, commenta Jason.

— Inconfortable, oui. Intolérable, non. Disons qu'ils appréciaient chaque minute de cette vie, même la pluie glaciale, car elle était à eux, comme cette terre sur laquelle elle tombait. La Seconde Guerre mondiale en a amené d'autres. Il y a eu d'abord les rescapés du peloton d'exécution, puis les survivants des camps de concentration. Certains sont encore ici. Ils travaillent aux champs avec les jeunes. »

Jason avait remarqué les chiffres bleus tatoués sur leurs avant-bras.

Jan Goudsmit, le cousin d'Eva, avait échappé à la chambre à gaz. Il était parvenu en Palestine sur un de ces nombreux bateaux clandestins. Sitôt débarqué, il avait été appréhendé par les Britanniques et envoyé dans un camp pour étrangers non résidents.

« Peux-tu les imaginer en train de dire à un homme qu'il est étranger dans son propre pays ? »

Yossi se mit à rire.

« Bref, ils ont mis Goudsmit en détention dans un camp pas tout à fait aussi rigoureux que ceux des Allemands. Eux, au moins, ne maltraitaient pas leurs prisonniers, mais les barbelés étaient les mêmes... Il a pu s'évader pour participer à la guerre d'indépendance. C'est ainsi que nous nous sommes rencontrés car nous partagions le même fusil.

— Vous faisiez quoi ?

— Oui, écoute-moi bien, ami américain. Nous avions un fusil pour deux. Et crois-moi, les balles étaient rares. On les comptait soigneusement ! A la fin des hostilités, j'ai ramené Jan chez moi.

— C'est ainsi que j'ai pu le retrouver, interrompit Eva. Dès qu'il a eu une adresse fixe, il a donné son nom au comité qui s'évertuait à aider les survivants à se retrouver. La branche hollandaise nous a mis en contact.

— J'imagine que cela n'a pas dû être facile pour toi de quitter le pays dans lequel tu as été élevée, d'avoir à apprendre une nouvelle langue, etc., dit Jason.

— C'est vrai, reconnut Eva, la décision n'a pas été aisée. J'aimais beaucoup les Van der Post, mais le plus curieux c'est que ce sont eux qui m'ont convaincue de partir. J'ai parfois la nostalgie d'Amsterdam. J'y suis retournée plusieurs fois voir Fanny, mais Jan m'avait persuadée qu'il n'y avait qu'un seul endroit au monde où un juif pouvait se sentir chez lui.

— En tant qu'Américain patriote, je vois une exception à cela.

— Dis plutôt en tant qu'autruche, intervint Yossi. Ecoute Jason, depuis combien d'années y a-t-il des juifs en Amérique ?

— Si mes souvenirs d'école sont exacts, Peter Stuyvesant en a aidé quelques-uns à s'installer à La Nouvelle-Amsterdam au début du XVIIIe siècle.

— Ne tire pas trop vite de conclusions, mon ami, poursuivit Yossi. Sais-tu qu'il y a deux fois plus longtemps que l'on trouve des juifs en Allemagne ? Et qu'ils y avaient aussi bien réussi ?

— Et étaient aussi bien intégrés, s'empressa d'ajouter Eva.

— Jusqu'au jour où un fou de peintre en bâtiment décida qu'ils souillaient la société aryenne et devaient être exterminés. Peu importe si Heine et Einstein étaient juifs ! Il fallait qu'ils nous détruisent. Et ils y sont presque parvenus. »

Jason resta assis, en silence. Il s'efforçait de se persuader qu'il s'agissait là de la propagande que l'on assenait à tout visiteur débarquant en Israël.

Il avait été élevé dans l'idée que les juifs avaient eu une issue leur permettant d'échapper aux pogroms et aux persécutions, celle qu'avait adoptée son père : l'assimilation.

Après une semaine passée le jour à ramasser des oranges et la nuit à discuter, Jason n'avait encore aucun désir de s'en aller. Il fallut qu'on lui rappelle que Dov Levi allait rentrer de sa période militaire et voudrait récupérer son lit, pour que Jason comprenne qu'il devait envisager l'avenir immédiat.

« Ecoute, lui expliqua Yossi, je ne te demande pas de passer ta vie ici, mais si tu désires y passer l'été, je peux te caser dans un bungalow avec six ou sept autres volontaires. Qu'en penses-tu ?

— Que c'est une bonne idée », répondit Jason.

Jason s'assit et écrivit à ses parents :

> Mes chers parents,
>
> Pardonnez-moi d'avoir été si peu communicatif depuis notre dernière conversation téléphonique, mais mon univers s'est brusquement écroulé.
>
> Le mois prochain devait être celui de notre mariage. Je suis en proie à un tel chagrin que mon seul réconfort est de rester près de l'endroit où elle est morte.
>
> J'ai besoin de temps pour réfléchir à ce que je veux faire du reste de ma vie. La perte de Fanny m'a beaucoup fait changer. Il me semble que j'ai perdu mon ambition de me battre et de réussir.
>
> L'état d'esprit de ceux du kibboutz est contagieux. Bien sûr, certains jeunes veulent devenir médecins ou professeurs, mais après leurs études ils reviendront, pour la plupart, partager avec la communauté ce qu'ils auront appris.
>
> Il est étrange que je n'aie pas rencontré ici une personne dont le but dans la vie soit de devenir célèbre. Tous aspirent à vivre dans la paix et la sérénité et à profiter des vraies joies de la vie : travailler dur, avoir des enfants, avoir des amis.
>
> Je voudrais vous dire que je suis serein, mais ce n'est pas le cas. En moi, un instinct primitif continue à réclamer vengeance. Je sais que c'est mal, mais pour l'instant je suis incapable d'exorciser ces sentiments.
>
> J'ai décidé par conséquent de passer l'été comme volontaire dans ce kibboutz.
>
> Etant entraîné à manier des armes à feu, je prendrai régulièrement un tour de garde, et si un terroriste est assez fou pour s'en prendre de nouveau à cet endroit, je puis vous assurer qu'il le regrettera.
>
> Merci de me laisser me débrouiller seul, je l'apprécie.
>
> Affectueusement,
>
> JASON.

Extrait
du BULLETIN de l'ASSOCIATION des ANCIENS ELEVES
de HARVARD
de juin 1963 :

Theodore LAMBROS a obtenu son doctorat ès lettres classiques.

Harvard University Press publiera sa thèse sous le titre :
Tlemosyne, le héros tragique chez Sophocle.

A la rentrée, M. Lambros fera partie du corps enseignant du département de lettres classiques en qualité d'assistant.

Journal d'Andrew Eliot

Ai passé un coup de fil à Lambros pour le féliciter d'avoir réalisé son rêve qui était d'enseigner à Harvard. Et d'avoir, par-dessus le marché, réussi à faire accepter son livre par un éditeur. Le gars fonce comme un taureau.

Il a joué au modeste, m'a raconté qu'un poste d'assistant ne représentait pas grand-chose et que le plus difficile était de savoir si, oui ou non, on lui accorderait une chaire. Il est trop pressé... Il y arrivera. Je voudrais simplement le sentir moins anxieux.

Sara en a profité pour me féliciter à son tour.

J'ai protesté en lui disant que l'honneur en revenait à Faith. Pour ma part, tout ce que j'ai fait aura été de rentrer du bureau un soir, juste à temps pour mettre les choses en route. Elle, elle a porté le petit Andy pendant neuf mois.

Sara semblait désireuse de parler pampers, allaitement et autres problèmes de nursery. Ted et elle auraient-ils, à leur tour, des idées ?... Dans le fond, ce serait logique. Ted a atteint le point de sa vie où il peut être fier de ce qu'il a accompli. C'est le moment de penser famille.

Dès que Faith s'est trouvée dans une situation dite intéressante, nous avons fait une folie en achetant une grande maison près de Stamford. Etant donné que je suis chez Downs et Winship, il m'arrive de mettre à profit le trajet pour convaincre un ancien camarade de collège ou de fac travaillant également dans une firme de Wall Street, de se joindre à nous pour tel ou tel investissement.

Au cours des dernières années, j'ai beaucoup appris sur la profession de banquier. Avouons que le succès dépend en bonne partie des relations que l'on a pu conserver avec ses ex-condisciples, en déjeunant avec eux à leur club ayant pignon sur Wall Street.

Voilà qui ne dépasse pas mes capacités. Je n'ai donc pas été mis à la porte jusqu'à présent.

Un vice-président de ma firme m'a même encouragé à « continuer à faire du bon travail ».

Franchement, je ne vois pas comment je pourrais en faire davantage. A moins de déjeuner deux fois par jour...

Vive le mariage ! C'est une façon de joindre l'utile à l'agréable, vous y gagnez du temps en déplacements. Les célibataires qui travaillent avec moi sont préoccupés de savoir où ils dénicheront leur prochaine conquête.

Pour ma part, je sais qu'à la fin d'une rude journée passée en civilités, une jolie blonde m'attend avec le meilleur Martini du Connecticut. On ne saurait rêver mieux, n'est-ce pas ?

La paternité a été l'expérience la plus fascinante de ma vie.

Pour l'instant, mon rôle est modeste, puisque nous avons engagé une merveilleuse nurse anglaise. Du coup, Faith n'a pas grand-chose à faire non plus. Je reconnais que j'ai hâte de parler à Andy, de lui apprendre à nager, à jouer au foot, et de sentir qu'il me respecte... au moins pour l'instant.

J'essayerai de lui épargner les pressions de la « tradition Eliot ».

A vrai dire, je lui parle déjà. Il m'arrive de me glisser dans sa chambre en l'absence de sa nurse et de lui débiter des inepties du genre : « Dis, mon vieux, si nous filions en douce chez Clopin prendre un demi ? »

J'ai l'impression de voir se dessiner un sourire sur sa frimousse. Peut-être comprend-il davantage que je ne l'imagine...

Le premier dimanche de juillet, les volontaires arrivèrent à Vered Ha-Galil et Jason emménagea dans l'une des petites baraques qui leur avaient été réservées. Ils venaient de Scandinavie, de France, d'Angleterre, des Etats-Unis ou du Canada. Tous, ou presque, étaient plus jeunes que lui. Fait surprenant, beaucoup étaient chrétiens.

Levés à cinq heures du matin, ils travaillaient dans les orangeraies sans trop se plaindre, jusqu'à huit heures du matin. Après le petit déjeuner, les autres repartaient aux champs mais eux se retrouvaient dans la salle de classe du kibboutz pour apprendre des rudiments d'hébreu. Jason suivait le mouvement, bien qu'il eût l'impression d'être leur grand-père.

Jason préférait passer ses soirées seul, dans le garage du kibboutz où il réparait et révisait les véhicules. Ce qui avait été jadis pour lui un passe-temps était devenu une activité nécessaire, pour l'empêcher de penser.

Le kibboutz n'étant pas à cheval sur les principes religieux, le jour du sabbat, on entassait les volontaires dans le vieux car à bout de souffle et on les emmenait pour d'interminables excursions, sur des routes de campagne cahotantes.

En sa qualité de professeur d'anglais, Eva servait de guide au cours de ces expéditions. Ils aboutirent ainsi à la forteresse de Massada qui surplombait la mer Morte. C'est là qu'au Ier siècle de notre ère, un petit groupe de juifs, dits zélotes, avait été assiégé pendant deux ans par les légions romaines. Au bord de la défaite, ils choisirent de se suicider plutôt que de devenir esclaves.

Eva leur fit un bref commentaire, tandis qu'autour d'eux des archéologues, dont une centaine de volontaires venus passer l'été, continuaient leurs fouilles.

« Ce vestige de l'ancien Israël, expliqua-t-elle, est devenu pour nous symbole de ralliement. Il montre notre détermination à ne plus céder à l'oppresseur. »

Jason regarda par-dessus les murailles de la forteresse la plaine qui s'étendait à leurs pieds. Il imagina ce qu'avaient pu ressentir cette poignée de malheureux zélotes en apercevant les ennemis armés jusqu'aux dents qui grouillaient au-dessous d'eux.

Après Massada, ils visitèrent Yad Va-Shem, le mémorial de Jérusalem, dédié aux six millions de victimes de l'holocauste.

Le sol de ce monument fort sombre était recouvert de dalles commémorant les camps de concentration où les victimes avaient péri. L'ampleur de la catastrophe était trop monstrueuse à contempler.

La flamme qui brûlait jour et nuit à la mémoire de ces martyrs semblait misérablement petite, mais elle demeurerait à jamais étincelante.

Eva développa ce thème durant le trajet du retour, qui fut ainsi empreint d'une gravité solennelle.

Les rayons du soleil couchant se jouaient sur la mer de Galilée. Ils roulaient depuis près d'une heure dans un silence absolu. Jonathan, un volontaire américain, rompit le silence :

« Eva, il y a un point qui m'intrigue. Dans mon pays, chaque fois que j'évoque l'holocauste avec des amis qui ne sont pas juifs, ils me posent inévitablement la même question : pourquoi sont-ils allés si passivement à la chambre à gaz ? Pourquoi ne se sont-ils pas défendus ? »

Il y eut un léger remous parmi les passagers du car. Tous se penchèrent en avant pour mieux entendre la réponse d'Eva.

« Certains d'entre eux se sont battus, Jonathan. Je pense aux courageux résistants du ghetto de Varsovie. Ils se sont battus jusqu'au bout contre les nazis. Je reconnais que leur exemple n'a pas été suivi. Cela s'explique. Lorsque le monde a compris, et crois-moi, tout le monde, y compris votre président Roosevelt le savait, que Hitler avait l'intention d'exterminer les juifs d'Europe, les pays n'ont pas ouvert leurs portes pour leur offrir refuge. Au contraire. Je pourrais te raconter des histoires abominables de bateaux bourrés de juifs qui avaient réussi à s'évader et que l'on a renvoyés en Allemagne.

« Lorsque les juifs se sont rendu compte qu'ils n'avaient aucun endroit où aller, beaucoup ont désespéré. Ils ont perdu la volonté de lutter, n'ayant pas une cause *pour laquelle se battre*. »

Un silence s'ensuivit. Une jeune Danoise reprit :

« Crois-tu que cela pourrait se reproduire ?

— Non, répondit Eva, jamais. Et ce qui me donne cette certitude, c'est ce que nous voyons par ces fenêtres : les juifs ont enfin un pays à eux. »

« Très bon, ton *speech* », déclara Jason à Eva tandis qu'ils se promenaient après le dîner, par une belle soirée d'un été touchant à sa fin.

« Tu l'as trouvé intéressant ?

— Oui, répondit Jason. Il m'a secoué !

— Comment cela ?

— Disons que tu sous-entendais que les juifs ne pouvaient être vraiment acceptés qu'ici. Ce n'est pas ce que l'on m'a appris.

— Pardonne-moi, poursuivit-elle, vois-tu, ma famille était aussi hollandaise que la tienne est américaine. Mais le jour où la guerre a éclaté, nous avons eu tôt fait de devenir des juifs, des étrangers.

— Mon père ne voit pas les choses comme ça. »

Eva le regarda et ajouta en réprimant une certaine fougue :

« Alors ton père ignore l'histoire de son peuple. »

Elle se reprit vivement :

« Je suis navrée de te paraître impolie.

— T'inquiète pas, reprit-il, mais j'ai été élevé dans l'idée qu'en Amérique, c'est autre chose. Que c'est un pays où tous sont égaux, comme le stipule notre Constitution.

— Et tu y crois ?

— Plus ou moins », dit-il, oubliant pour le moment les petites humiliations que lui avait values son héritage.

« Puis-je te poser une question ?

— Evidemment.

— Pourrais-tu être élu président des Etats-Unis ? »

Jason hésita puis répondit :

« Non.

— Tu viens de mettre le doigt sur la différence : en Israël, tu pourrais être élu président. »

Vers le milieu du mois d'août, Jason avait acquis une connaissance rudimentaire de l'hébreu. Il avait également acquis une collection de lettres de plus en plus pressantes en provenance de ses parents, lui demandant quand il comptait rentrer. Il ne pouvait répondre, ne sachant plus où il en était.

Souhaitait-il retourner à Harvard Law School ? Souhaitait-il quitter Israël ?

Il finit par prendre une décision et appela ses parents :

« Vous voyez », expliqua-t-il en s'efforçant de paraître en forme et rationnel, « j'aimerais repousser encore un peu mon retour à Harvard.

— Jason, écoute : tu ne m'as jamais laissé tomber. Ne peux-tu pas te ressaisir ? Souviens-toi de l'avenir brillant qui t'attend.

— Papa, répondit-il sans élever la voix, je suis adulte. Je suis capable de prendre mes décisions moi-même. »

Eva était installée à l'une des grandes tables du réfectoire, désert à cette heure. Il vint s'asseoir à côté d'elle.

« Veux-tu une limonade ? lui demanda-t-elle.

— Je préférerais une bière. »

Elle alla lui chercher une canette à la cuisine et se rassit.

« Alors, qui a gagné ?

— Nous avons fait match nul, répondit Jason. Disons que nous avons perdu tous les deux.

— Tu restes ?

— En tout cas cette année. Après tout, autant que je finisse d'apprendre l'hébreu. Peut-être deviendrai-je le George Keller d'Israël...

— Je ne te suis pas, qui est ce George Keller ?

— Un Hongrois complètement siphonné, un de mes camarades de Harvard.

— D'après ce que tu m'as raconté au sujet de tes camarades de Harvard, ils ont tous l'air siphonnés.

— C'est vrai, dit-il en souriant, la preuve en est que je me retrouve ici,

197

moi, président de ma promotion, sénateur américain en puissance, en train de ramasser des oranges dans le nord d'un petit pays du Moyen-Orient.

— Au contraire, badina Eva, cela tendrait à prouver que tu es le seul sensé de la bande. »

Pour la première fois de sa vie, Jason Gilbert mobilisa son énergie pour étudier.

Grâce à Eva, il trouva le meilleur cours intensif d'hébreu de tout le pays. C'était à l'université de Tel-Aviv. Ce cours était destiné à des professionnels de haut niveau, désireux d'apprendre rapidement la langue.

Ils avaient quatre heures de cours le matin, une heure l'après-midi. Jason allait ensuite faire du jogging sur la piste cendrée, puis il retournait travailler dans sa chambre jusqu'à ce qu'il s'endormît sur ses bouquins. Il ne s'arrêtait qu'une demi-heure pour regarder *Mabat,* le journal télévisé.

Après un mois de cette torture qu'il s'était imposée, Jason eut la joie de constater qu'il comprenait ce qui se passait dans le monde qui l'entourait.

Sara Lambros fut réveillée par des bruits étouffés en provenance de l'autre pièce. A moitié endormie, elle cligna des yeux en direction du réveil. Il était à peine six heures.

« Ted, mais qu'est-ce que tu fiches, bon sang !

— Je m'habille, ma chérie. Pardon de t'avoir réveillée.

— Tu sais l'heure qu'il est ?

— Oui, et il faut que je me dépêche.

— Bonté ! Mais où vas-tu à une heure pareille ?

— Au square. Il faut que j'arrive chez le marchand de journaux avant mes étudiants.

— Pourquoi, grands dieux ! »

Ted ne s'était pas rasé. Il avait enfilé une veste douteuse et s'était coiffé d'un bonnet de laine.

« Et tu sors comme ça ? Tu as l'air d'un clochard.

— Parfait, Sara. C'est bien là l'idée. Il est essentiel que personne ne me reconnaisse en train d'acheter le *Confy Guide.* »

Sara s'assit et se mit à rire.

« C'est donc ça ? Allons, Ted, tu sais bien que tous les profs le lisent !

— Je sais. Je sais. Mais, dis-moi, en as-tu déjà vu un dans les mains d'un professeur ?

— Non, et à vrai dire je n'ai pas la moindre idée de la façon dont ils se le procurent. Je les soupçonne d'envoyer leur épouse l'acheter pour eux. D'ailleurs j'irais volontiers t'en chercher un à l'heure du déjeuner.

— Mon Dieu, non ! Impossible d'attendre si longtemps. Il faut que je connaisse le verdict. Je file ! »

Il se rendit d'un pas vif à Harvard Square où il arriva en sueur. Après tout, on était en septembre, le jour de la rentrée... et il était habillé comme en plein hiver.

Du coin de l'œil, il aperçut l'imposante pile de magazines à la couverture noire et brillante. Sans doute venait-on de les apporter. Il regarda furtivement à droite et à gauche pour être sûr qu'il ne courait aucun danger. Il prit d'un air détaché un *New York Times* et se saisit prestement du *Harvard Crimson Confidential Guide to Student Courses* qu'il enfouit prestement dans le journal.

Il tendit la somme exacte qu'il avait soigneusement préparée et s'esquiva.

Incapable d'attendre d'être de retour, il se précipita dans une cabine téléphonique, extirpa le magazine et, d'une main tremblante, chercha les pages qui se rapportaient à la section lettres classiques.

Il commença par GREC A. C'était encourageant : « M. Lambros est un guide merveilleux à travers les méandres de cette langue difficile. D'un cours qui pourrait être rébarbatif il fait un véritable enchantement. »

Suivait LATIN 2A : « Les étudiants choisissant cette unité de valeur seront bien avisés de choisir le cours de M. Lambros. On peut dire que c'est le prof le plus intéressant du département de lettres classiques. »

Il referma le magazine, le glissa dans le *Times* et poussa un cri de joie en son for intérieur. D'ici l'après-midi, tous auraient lu, et tout aussi clandestinement, ces critiques émises par les étudiants.

Il avait réussi son coup ! Les heures qu'il avait passées à préparer ses cours n'avaient pas été vaines.

Vite que Sara voie ça !

Il piqua un sprint pour rentrer chez lui.

« Theodore ! »

La voix était familière. Il s'arrêta net. John Finley, manque de chance, faisait sa petite promenade du matin.

« Bonjour, monsieur. Vous voyez, je fais mon jogging pour me mettre en forme en ce début de trimestre.

— Merveilleux. Ne vous arrêtez surtout pas pour moi.

— Merci, monsieur », bafouilla Ted. Et il se remit à courir.

« Oh ! Ted, lui cria de loin Finley, mes félicitations pour ces critiques élogieuses à votre égard. »

Journal d'Andrew Eliot

23 novembre 1963

Dallas ! La presse qualifie de « tragédie grecque » ce qui s'est passé hier à Dallas. Je vois pourtant cela comme une tragédie bien américaine. Je ressens cet événement si profondément que j'irais presque jusqu'à dire qu'un de mes proches est mort.

Tous, riches ou pauvres, blancs ou noirs, et plus encore ceux d'entre nous qui nous identifiions à lui qui était jeune et sortait de Harvard, nous sommes atterrés par la mort de John Kennedy.

Nous nous préparions au match Harvard-Yale, espérant, sans trop y croire, que le président ferait une apparition de dernière minute dans un hélicoptère de l'Armée, et voilà qu'il est mort.

Je ne suis pas le seul à voir en lui un de ces preux chevaliers d'antan. Il possédait une sorte de charisme qui avait changé l'atmosphère du pays. Il nous rendait fiers d'être américains, intrépides, pleins d'espoir. Nous avions l'impression d'ouvrir un nouveau et glorieux chapitre de notre histoire.

S'il avait trouvé la mort en défendant un principe, on aurait au moins pu comprendre, sinon accepter.

Ma génération aura maintenant une façon différente de voir la vie, d'évaluer la réussite.

Kennedy avait remporté tous les prix. Doux lauriers de nos couronnes terrestres... On va l'enterrer... Avec la moitié de vie qui lui restait...

C'est à Tanglewood que Danny Rossi apprit que Maria avait donné le jour à une fille.

Il avait prévu d'être auprès de Maria pour la naissance, et s'était absenté vingt-quatre heures pour un concert. Mais la petite Sylvie avait décidé d'arriver en avance.

Les parents de Maria étaient là lorsque Danny fit son apparition, les bras chargés de fleurs.

Il embrassa ses beaux-parents et la jeune maman rayonnante, non sans lui murmurer quelques mots affectueux à l'oreille, puis il se précipita à la pouponnière pour y contempler sa fille.

« C'est encore mieux que de créer une symphonie, n'est-ce pas, monsieur Rossi ? » remarqua l'accoucheur de Maria qui faisait sa ronde.

« Oh, oui ! renchérit Danny en serrant la main du médecin. Merci pour tout.

— Ne vous en faites pas, vous vous y habituerez.

— A quoi ?

— A avoir une fille. La plupart des pères souhaitent secrètement un fils, en tout cas la première fois. Je suis sûr que Sylvie sera votre joie. »

Danny réfléchit aux paroles du médecin ; il se sentit soulagé. Durant son voyage de retour à Cleveland, il n'avait pu réprimer une vague déception. Il avait espéré un héritier pour perpétuer la tradition musicale qu'il s'efforçait d'établir. Rares étaient les femmes pianistes de renommée internationale. La seule chance qu'avait une femme de diriger des musiciens, c'était comme majorette. Il n'avait pas pensé que sa fille pourrait devenir danseuse étoile.

Sylvie fut baptisée trois semaines plus tard. Les Rossi célébrèrent l'occasion avec deux cents invités et du champagne.

Danny était au comble du bonheur. Etre père lui conférait un nouveau statut social. Une chose l'étonnait : Maria ne voulait pas de nurse. Elle voulait élever Sylvie comme elle l'entendait.

« Ecoute, Danny, j'ai passé les neuf derniers mois plongée dans des livres sur l'éducation des enfants. Je n'ai aucune envie d'avoir sur le dos une de ces filles raides d'empois qui vienne me dire que je ne sais pas m'y prendre avec mon enfant.

— Mais tu seras épuisée.

— Pas si tu m'aides un peu.

— Bien sûr, répondit-il en souriant, mais j'ai un programme de concerts très chargé.

— On dirait que tu es esclave de ton propre destin. Tu n'es pas forcé d'accepter tous ces engagements, non ? »

Comment lui faire comprendre ?

« Maria, ma chérie, j'ai prévu quelques voyages, ne serait-ce que pour garder mes contacts. »

Maria le regarda. Ses joues s'empourprèrent.

« Danny, j'espérais que le mariage te changerait. Quand j'ai compris que ce n'était pas le cas, je me suis dit qu'au moins la paternité le ferait. Bonté, mais qu'est-ce qui te rendra adulte et responsable ?

— Qu'est-ce que tu racontes ?

— Pourquoi ne cesses-tu pas de butiner à travers le monde, comme une abeille qui va de fleur en fleur ? As-tu besoin de toute cette adulation ? Si je ne te suffis pas, il y a bien assez de femmes par ici, prêtes à se jeter à tes pieds. »

Danny ne se sentit pas tenu de justifier le mode de vie d'un artiste.

« Maria, je suppose que cette scène n'est qu'une manifestation de la dépression puerpérale. »

Voyant alors qu'il l'avait blessée, Danny vint s'agenouiller auprès d'elle.

« Je suis dégueulasse de t'avoir dit ça. Pardonne-moi, s'il te plaît. Je t'aime, Maria. Profondément. Ne le crois-tu pas ? »

Elle hocha la tête.

« Je voudrais simplement qu'il n'y ait que moi... » répondit-elle.

A peine cinq mois plus tard, Maria était de nouveau enceinte. L'année suivante, elle donnait naissance à une deuxième fille.

Cette fois, Danny était à New York lorsqu'elle commença à ressentir les premières douleurs. Il arriva à la maternité avant que l'enfant ne fît son apparition.

En janvier 1964, Jason avait terminé ses six mois d'études intensives de l'hébreu. S'étant astreint à une discipline rigoureuse, n'ayant eu recours à l'anglais que pour écrire une lettre hebdomadaire à ses parents, il parlait assez couramment l'hébreu.

Ses parents exerçaient une certaine pression épistolaire pour qu'il revînt à Noël. Il s'y était dérobé, écartant la possibilité de retourner aux Etats-Unis, fût-ce pour une brève visite, prétendant qu'il allait entreprendre un travail très important.

Il en discuta avec Eva et Yossi, en hébreu, lors de sa première visite au kibboutz depuis l'été.

« J'ai l'intention de m'engager, annonça-t-il.

— Formidable ! s'exclama Yossi. On a besoin d'hommes ayant ton expérience. »

Eva ne dit rien.

Yossi nota son air grave et lui demanda :

« Eva, qu'y a-t-il ? N'es-tu pas satisfaite de sa décision ?

— Je suis heureuse qu'il reste, répondit-elle, mais j'ai le sentiment qu'il le fait pour une mauvaise raison.

— Laquelle ? interrogea Jason.

— Par esprit de vengeance. Pour venger la mort de Fanny.

— Peu importent ses raisons, rétorqua Yossi sur la défensive, la Bible ne nous permet-elle pas " œil pour œil, dent pour dent " ?

— C'est bien primitif et tu le sais, contre-attaqua Eva, c'est une métaphore, donc à ne pas prendre au pied de la lettre.

— Les Arabes, eux, la prennent au pied de la lettre, reprit Yossi.

— Laissons tomber cette polémique. Ai-je ou non votre bénédiction pour m'engager ? demanda Jason.

— Pas la mienne, déclara Eva intransigeante.

— En tout cas, tu as la mienne, contra Yossi, et celle de ton kibboutz.

— Mais je ne suis pas membre du kibboutz, répondit Jason.

— Tu le seras après la réunion de cette semaine, si tu le souhaites, reprit Yossi.

— Oui, je désire en faire partie », répondit Jason.

Bien que ce fût l'hiver, Jason s'imposa un sévère entraînement pendant les quelques semaines qui suivirent. Il se levait tôt pour courir sous la pluie glaciale. Il s'exerçait avec des haltères dans la salle de sport rudimentaire du kibboutz et se remettait à courir avant le dîner.

Il passait de longs moments à parler avec Eva, s'efforçant de la convaincre qu'il s'engageait par conviction. Il la supplia de ne pas le laisser aussi ignorant de l'histoire de son pays. Parfois, le soir, ils effleuraient des sujets personnels.

Il lui posait des questions sur son enfance, lui demandant comment elle avait vécu la guerre dans la famille de Fanny, comment elle avait surmonté le traumatisme de l'holocauste et comment elle avait réagi en découvrant que ses parents avaient été massacrés.

Elle lui dit à quel point elle avait été brisée en apprenant le sort de ses parents, mais qu'elle avait le sentiment d'avoir eu de la chance, ayant bénéficié de l'affectueuse protection des Van der Post.

La fondation d'Israël signifiait que jamais ses enfants ne connaîtraient le même sort.

L'allusion aux enfants amena Jason à lui demander en hésitant pourquoi elle n'était pas mariée. Elle lui répondit que, comme tant d'autres, elle avait émergé de l'holocauste broyée affectivement, incapable d'éprouver des émotions.

Jason sentit qu'elle lui cachait quelque chose. Jusqu'au soir où elle se confia à lui...

Elle avait fait la connaissance d'un jeune officier, Mordechaï. Ils étaient devenus très proches... Il avait été tué en fin de service militaire, non par un feu ennemi, mais durant un exercice de tir.

« *Moi,* je reviendrai », lui dit Jason, désireux d'apaiser une crainte qu'elle n'avait osé exprimer.

« Oh ! je le sais bien, répondit-elle, sans conviction, aucun magasinier n'a jamais été tué.

— Mais qu'est-ce qui te fait croire que je vais m'engager dans l'Intendance ?

— C'est simple, rappelle-toi que j'ai été dans l'Armée. La plupart des recrues ont dix-huit ans. Un garçon de ton âge est considéré comme un vieillard. Tu auras de la chance si tu ne te retrouves pas en train de fouiller les sacs à main à l'entrée des cinémas.

— J'ai été dans les Marines américains, expliqua-t-il en souriant. J'ai terminé mon service cinquième du bataillon. Tu veux parier ?

— Tu perdrais, répondit-elle, parce que tu vas faire connaissance avec ce qu'Israël a de mieux : son armée. Et aussi avec ce qu'il y a de pire... sa bureaucratie. »

Par une journée glaciale de février, Jason Gilbert descendit de son autobus au Kelet, centre d'incorporation de l'armée israélienne, situé dans la banlieue de Tel Aviv. Le camp était constitué de baraques au toit de tôle ondulée, de quelques eucalyptus et de tentes.

Après avoir passé avec succès toute une série de tests psychologiques et médicaux, Jason se retrouvait là, à faire la queue avec un autre membre du kibboutz qui semblait nerveux, moins à l'idée d'être incorporé qu'à celle d'être loin des siens, pour la première fois.

« T'inquiète pas, Tuvia », lui dit Jason en lui montrant les autres adolescents qui attendaient leur tour, « tu vas te faire beaucoup de copains dans ce jardin d'enfants ! »

On sépara les recrues par petits groupes. Le jeune kibboutznik s'accrochait presque à la ceinture de Jason pour rester avec lui.

Ils se rendirent ensuite chez le « boucher » afin de se faire tondre. Impitoyablement. Pour certains de ces don Juan de la ville, ce fut le glas de leur jeunesse. Jason eut du mal à s'empêcher de rire en les voyant refouler leurs larmes tandis que leur noble toison à la Elvis Presley tombait sur le sol.

A son tour, Jason s'assit et laissa la tondeuse de l'Armée vagabonder dans sa crinière bouclée.

Vint la distribution des plaques d'identité. L'officier suggéra à Jason de changer de prénom en faveur d'un autre qui fût plus biblique et plus patriotique.

« Dans la Grèce antique, au temps où tout juif aspirait à être un de ces Grecs raffinés, chaque Jacob se fit appeler Jason. Réfléchis à ça, soldat ! »

Après qu'ils eurent enfilé leurs treillis, un caporal les conduisit vers les tentes où ils devaient passer les trois nuits suivantes.

Dans la soirée, ils se promenèrent dans le camp pour repérer les baraques de recrutement où ils seraient interviewés en vue d'être affectés à une unité spéciale. Au-dessus d'une de ces baraques, une pancarte annonçait fièrement : LES BRAVES SONT PARACHUTISTES.

« C'est là que je serai demain à l'aube, déclara Jason.

— Toi et un millier d'autres, corrigea Tuvia, moi y compris. Tout le monde convoite ce béret rouge. Et, si bête que cela puisse paraître, j'ai plus de chances que toi.

— Ah, oui ! Combien de points as-tu eus à ta visite médicale du mois dernier ?

— Quatre-vingt-onze, lança fièrement Tuvia.

— Figure-toi que j'en ai eu quatre-vingt-dix-sept, rétorqua Jason. C'est le maximum que l'on puisse obtenir, et lorsque je leur ai posé des questions au sujet de ces trois autres points, ils m'ont répondu que Superman n'était pas juif...

— Ecoute, mon vieux, poursuivit Tuvia, en admettant qu'il le soit, il ne pourrait pas faire partie des paras israéliens parce qu'il est trop vieux ! »

A sept heures du matin, il y avait déjà de longues queues devant les baraques des brigades d'élite.

Jason tua le temps en faisant des exercices d'assouplissement. Il pénétra enfin dans la tente de l'officier de recrutement pour les paras. C'était un homme d'une bonne trentaine d'années, maigre comme un clou, les cheveux noirs.

Ses premiers mots ne furent guère encourageants :

« Casse-toi, Yankee. J'admire ton geste, mais tu es trop vieux.

— Je n'ai que vingt-sept ans et j'ai derrière moi deux ans de service militaire.

— Vingt-sept ans, ça veut dire dix ans de foutus. Au suivant. »

Jason croisa les bras.

« Malgré le respect que je vous dois, je ne partirai pas avant d'avoir été admis à passer les épreuves physiques.

— Ecoute, tu tomberais raide mort rien qu'en regardant le programme d'entraînement. Va-t-il falloir que je te flanque moi-même à la porte ?

— Je le crains, mon colonel.

— Fort bien », répliqua-t-il, et il attrapa prestement Jason par le col.

L'ex-Marine lui fit lâcher prise et cloua l'officier à son bureau.

« Mon colonel, je vous prierai de reconsidérer ma demande, reprit Jason le plus poliment du monde.

— Entendu, répondit-il, encore haletant, tu pourras tenter ta chance. »

Une fois que Jason fut sorti, l'officier se rassit et massa ses bleus, se demandant s'il devait ou non appeler la police militaire.

« Non, se dit-il, que ce salaud arrogant aille donc s'effondrer sur les collines. »

« Suivant ! » brailla-t-il rageusement.

Jason se dirigeait vers l'endroit où il était censé passer ses épreuves d'endurance physique, lorsqu'il entendit des pas derrière lui. Il se retourna et aperçut Tuvia.

« Eh bien, lui dit Jason, je vois que tu as réussi, toi aussi. A-t-il été dur avec toi ?

— Pas du tout. Il a regardé mes papiers, a vu que nous étions du même kibboutz et m'a admis. Mais qu'est-ce que c'était que ce boucan que j'ai entendu quand tu y étais ?

— Oh ! rien de spécial. Deux juifs en train de régler une légère différence d'opinion. »

La distance n'était que de deux kilomètres, mais deux kilomètres en côte. Les candidats devaient l'escalader en courant, par groupes de quatre, en portant un poteau télégraphique.

Tuvia réussit à se trouver dans la même équipe que Jason mais, tandis qu'ils gravissaient la dernière pente, l'un d'eux s'effondra. Les trois autres s'arrêtèrent, à peine capables de soutenir le poteau.

« Allons, mon vieux, encouragea Jason, tu peux y arriver. Il n'y a plus que quatre cents mètres.

— Je ne peux pas, haleta la jeune recrue.

— Il le faut pourtant, aboya Jason, tu vas tout foutre en l'air. Debout, nom de Dieu ! »

Son ton de voix, qui rappelait celui d'un officier, surprit tellement le garçon qu'il se releva.

Ils terminèrent leur parcours et laissèrent tomber leur gigantesque fardeau sur le sol où il s'enfonça dans la boue hivernale.

Jason et Tuvia qui avaient pratiquement porté le poteau à eux seuls, essayaient de reprendre leur souffle et se massaient les bras.

Un des officiers en charge du recrutement s'approcha d'eux :

« Pas mal ! » dit-il.

Puis, se tournant vers celui qui avait faibli, il ajouta :

« Je crois que tu ferais mieux de retourner dans l'infanterie, mon ami. Les autres peuvent rester pour la suite des épreuves. »

Il regarda Jason :

« Alors, grand-père, prêt à recommencer ?

— Tout de suite ? » s'enquit Jason, non sans dissimuler son incrédulité.

« Euh, bien sûr, dès que vous voudrez. Le même parcours ?

— Oui. Le même parcours, le même bout de bois. Seulement, cette fois-ci, je serai assis dessus. »

Au bout de deux heures, ils formaient, comme l'armée de Gédéon, un groupe réduit quant au nombre, mais trié sur le volet.

« Très bien, grogna l'officier, si vous avez trouvé que c'était dur aujourd'hui, je vous suggère d'essayer une autre brigade. Croyez-moi, c'était un jeu d'enfant comparé à ce qui vous attend. Réfléchissez, vous pourrez ainsi vous épargner une dépression nerveuse. Rompez. »

Jason et Tuvia regagnèrent leur tente en chancelant. Ils s'effondrèrent sur leur paillasse.

« Toi, au moins, on peut dire que tu as quelque chose dans le ventre, dit Tuvia. Tous les officiers te regardaient. Tu as été tellement super que je vais partager avec toi mon bien le plus précieux. »

Jason sentit qu'il lui glissait quelque chose dans la main.

Une demi-barre de chocolat suisse...

Vingt-quatre heures plus tard, les candidats au corps de parachutistes furent embarqués dans un car à destination de la base de Tel Noff. Au cours du voyage, un homme vint trouver Jason. C'était l'officier recruteur des parachutistes.

« Salut, grand-père, dit-il, je suis surpris de voir que tu es encore des nôtres. Mais je te préviens, tu ne vas pas arrêter de courir pendant les six mois à venir.

— C'est parfait, mon lieutenant, répondit Jason.

— A propos, ne me donne pas du " mon lieutenant ", je m'appelle Zvi. »

Et tout ce que Jason se rappela des six mois qui suivirent fut qu'il courait. Même dans ses rêves...

Pour sa première journée de permission, Jason se rendit en stop à Vered Ha-Galil. Il fut heureux de revoir Eva qui sut comprendre qu'il avait, avant tout, besoin de dormir.

Quand il se réveilla, elle avait des nouvelles à lui annoncer.

« Ton père a téléphoné plusieurs fois. Je lui ai dit où tu étais. Il m'a paru affolé. Il m'a fait promettre de te demander de l'appeler dès que je te verrais. »

Jason se leva. Il se dirigea vers le téléphone du kibboutz pour appeler son père en PCV.

« Ecoute, Jason, lui dit son père sur un ton de reproche, je veux bien être patient, mais cette histoire d'armée a assez duré. Cette fois, je veux que tu rentres ici. C'est ici ta place. C'est un ordre.

— Désolé, papa, mais je ne reçois d'ordre que de mes supérieurs. Quant à savoir où est ma place, c'est mon affaire.

— Et ta carrière, qu'est-ce que tu en fais ? Et tout ce à quoi Harvard t'a préparé ?

— Tu vois, papa, si Harvard m'a appris une chose, c'est à découvrir mes propres valeurs. Ici, je sens qu'on a besoin de moi. Je me sens bien dans ma peau. Qu'y a-t-il d'autre dans la vie, nom d'un chien ?

— Jason, je veux que tu me promettes de voir un psychiatre.

— D'accord, papa, j'irai voir un psychiatre le jour où tu viendras en Israël. Je serai prêt alors à m'asseoir avec toi pour discuter et nous verrons qui de nous deux est fou.

— Entendu, Jason, je ne discute plus. Promets-moi simplement de téléphoner chaque fois que tu en auras l'occasion.

— Promis. Embrasse maman.

— Tu nous manques, mon ami. Tu nous manques vraiment.

— Toi aussi, papa », répondit-il doucement.

Jason faisait partie des cinquante pour cent qui reçurent leurs ailes et leurs bérets rouges.

Il fut immédiatement admis au cours supérieur pour acquérir les techniques d'attaque en hélicoptère et apprendre à connaître dans le détail la topographie du pays, sans se servir d'une carte.

Au cours des six mois qui suivirent, Jason parcourut à pied chaque centimètre carré de la Terre sainte. Il commença à apprécier les nuits à la belle étoile.

Après une semaine passée au kibboutz, il intégra l'école des élèves officiers située aux environs de Petach Tikva. La seule chose qu'il apprit là fut que le principe israélien de commandement pouvait se résumer en deux mots : « Suivez-moi. » En effet, les officiers marchent toujours en tête, dans toutes les missions.

Eva et Yossi assistèrent à la cérémonie de la remise des diplômes. Ils regardèrent Jason défiler devant le chef d'état-major et le saluer. Zvi se tenait à la droite du commandant. Au moment où Jason passa, il chuchota quelque chose à l'oreille du général.

« Je suppose que ce surnom me restera, dit Jason en les rejoignant. Maintenant, tout le monde m'appelle *Saba,* grand-papa. »

Alors qu'il le ramenait en voiture au kibboutz, Yossi demanda à Jason comment il comptait passer ses dix jours de liberté avant son service actif.

« J'aimerais revoir les endroits que j'ai parcourus. Mais, cette fois, je veux le faire en voiture... avec un guide.

— La Bible est le meilleur des guides, suggéra Yossi.

— Je le sais », répondit Jason.

Puis il ajouta timidement :

« J'espérais qu'Eva pourrait me servir de guide. »

Ils couvrirent ainsi quatre mille ans d'histoire. Des mines du roi Salomon au cœur du Sinaï, en passant par le désert impitoyable du Néguev, puis à Beersheba, berceau d'Abraham, d'Isaac et de Jacob.

Ils se rendirent ensuite à Ein Gedi, le point le plus bas du globe, où ils nagèrent, ou, plus exactement, flottèrent, dans la mer Morte. Ils traversèrent Qumran, où furent retrouvés dans des grottes les manuscrits de la mer Morte, puis Jéricho, dont les murailles s'écroulèrent au son des trompettes de Josué et dont les Jardins de balsamines avaient été offerts par Antoine à Cléopâtre.

Ils arrivèrent enfin à Jérusalem, la cité conquise par le roi David, dix siècles avant Jésus-Christ, la capitale spirituelle du monde.

Ils ne purent visiter les ruines du temple de Salomon, situé dans le quartier jordanien de la ville divisée.

« Un jour, nous pourrons le voir, dit Eva, quand la paix sera revenue.

— Vivrons-nous assez longtemps pour cela ? demanda Jason.

— Je l'espère, reprit Eva, et si je ne vis pas assez longtemps pour le voir, mes enfants, eux, le verront. »

Extrait du CARNET DU JOUR
du BULLETIN des ANCIENS ELEVES
de HARVARD
d'octobre 1965 :
Promotion 1958

Naissance : un fils, Theodore, chez **Theodore LAMBROS** et **Sara LAM-BROS,** née **HARRISON** (Radcliffe, 1960), le 6 septembre 1965.

M. Lambros vient d'être promu maître assistant en lettres classiques à Harvard.

Journal d'Andrew Eliot

12 octobre 1965

Quelle ironie !... Au moment précis où Ted et Sara, le couple idéal à mes yeux, atteignent avec la naissance de leur premier enfant un nouveau sommet du bonheur, moi j'entre dans les statistiques.

A la grande joie et pour le plus grand profit de la confrérie des avocats, Faith et moi sommes en instance de divorce.

Les choses se passent sans haine, mais plutôt dans une profonde indifférence.

Il semble que Faith n'ait jamais trouvé « chouette » d'être mon épouse. Nos avocats pérorent sur des histoires d'incompatibilité de caractère. Le fin fond de l'affaire est que Faith estime que la vie ici est « ennuyeuse à mourir », or ce n'est pas un motif suffisant pour divorcer.

A vrai dire, je ne vois pas comment elle pouvait dire que sa vie à la campagne était morne. Vu le nombre de ses liaisons, elle devait avoir un emploi du temps frénétique.

Dès que j'ai commencé à la soupçonner de marivaudage extra-conjugal, je me suis inquiété du qu'en-dira-t-on. Je n'aurais pas dû. Elle avait des aventures avec presque tous mes amis.

Dans un sens, j'aurais préféré ne pas avoir découvert le pot aux roses. J'étais loin de me rendre compte que les choses en étaient à ce point. Disons que mes week-ends étaient relativement agréables. Elle avait même l'air de s'amuser. Hélas, un de mes copains du Lunch Club a pensé qu'il était de son devoir, en tant qu'ancien de Harvard, de me faire savoir, plus ou moins directement, que j'étais la risée de tout le Sud du Connecticut.

En rentrant à la maison, j'ai essayé de trouver un moyen d'aborder le sujet avec Faith, mais lorsqu'elle m'a accueilli à la porte, je n'ai pas eu le courage de la confondre.

Après tout, me répétais-je, ce n'est peut-être pas exact. J'ai pris l'apéritif, j'ai dîné et je me suis couché. Comme un automate. J'ai passé une nuit blanche, le cœur battant, me demandant que faire...

A vrai dire, je ne me faisais aucune illusion sur sa fidélité. Ce qui me brisait, c'était de savoir que je perdrais les enfants.

Vous pouvez prouver que votre femme vous trompe sans vergogne, peu importe, la cour lui donnera à coup sûr la garde des enfants. Et moi, je ne puis me faire à l'idée que je n'entendrai plus mon petit Andy crier à tue-tête quand je rentre : « Voilà papa ! » comme si j'étais le maître de l'univers, que je ne serai pas là le jour où ma petite Lizzie balbutiera ses premiers mots.

Non seulement ils ont donné un sens à ma vie, mais ils m'ont fait découvrir que je ne suis pas si mauvais père que ça...

Vers quatre heures du matin, à bout et désespéré, l'idée folle m'est venue de foutre le camp en voiture avec les deux gosses.

Cela n'aurait rien résolu...

Le lendemain, j'ai téléphoné au bureau que j'étais souffrant. Je voulais régler la question avec Faith. Elle n'a rien nié. Je pense qu'elle était soulagée que je sois au courant.

Lorsque je lui ai demandé si elle voulait le divorce, son « oui » a été immédiat.

Je l'ai priée de me préciser à quel moment remontait son désir de divorce. Elle m'a répondu qu'elle ne m'avait *jamais aimé,* mais qu'elle *avait seulement cru* m'aimer.

Ayant compris son erreur, elle jugeait qu'il valait mieux que nous nous séparions. J'ai rétorqué que je trouvais plutôt léger d'avoir eu deux gosses d'un type qu'elle n'aimait pas.

Ce à quoi elle a riposté :

« C'est bien ce que je ne peux pas supporter chez toi : tu n'es qu'un abruti de sentimental. »

Elle m'a demandé de faire mes bagages et de vider les lieux sur-le-champ, car elle avait une journée chargée. J'ai répliqué que je regrettais, mais que je resterais jusqu'à ce qu'Andy rentre de la maternelle. Elle m'a dit de prendre mon temps, du moment que j'aurais déguerpi à l'heure du dîner.

En jetant négligemment chemises et cravates dans une valise, je me demandais comment diable faire comprendre à un petit bonhomme de quatre ans pourquoi son papa s'en allait. Lui dire : « Maman ne m'aime pas » ne me semblait pas spécialement indiqué.

Lorsque la gouvernante le ramena à la maison, j'avais mis au point une histoire selon laquelle je devais maintenant habiter New York pour être plus près de mon travail. Qu'il ne soit pas triste, je reviendrais les voir, Lizzie et lui, tous les week-ends. Et j'étais sûr que nous pourrions encore passer l'été dans le Maine...

Tout en lui débitant mon roman, j'observais sa petite frimousse ; cela me fendit le cœur de constater qu'il avait parfaitement saisi la vérité. A quatre ans, mon fils était déçu que je ne sois pas totalement franc envers lui.

« Puis-je aller avec toi, papa ? » dit-il suppliant.

J'avais mal... J'aurais voulu m'enfuir avec lui. Je lui répondis que l'école et ses amis lui manqueraient. Il fallait qu'il continue à être un gentil petit garçon et qu'il veille sur sa petite sœur.

Il me le promit, sans doute pour me faciliter les choses, et il ne pleura pas lorsqu'il me vit jeter mon barda dans la voiture. Il se tint sagement devant la porte du garage et agita son bras en signe d'au revoir.

Les gosses sont plus malins que nous le croyons, c'est pourquoi nous pouvons leur faire du mal.

Lorsque les prix Pulitzer 1967 furent décernés, ce fut la joie à Harvard. Le choix de deux anciens élèves de Harvard n'avait rien d'exceptionnel, mais il était rare — c'était peut-être une première — que deux membres d'une même promo fussent honorés de concert.

Stuart Kingsley, promotion 58, recevait le prix de poésie et Danny Rossi, promotion 58 également, celui de musique.

Les deux condisciples ne s'étaient jamais rencontrés à Harvard. Stuart Kingsley avait fait ses études à Adams House, dans un anonymat presque total.

Sa poésie puissante, parfois publiée dans *The Advocate,* lui avait valu les louanges discrètes du *Crimson.*

Jusqu'à ce matin où le jury lui avait fait part de sa décision par un coup de téléphone, Stuart avait mené une vie relativement effacée. Sa femme Nina (Bryn Mawr, promotion 61), ses deux enfants et lui habitaient un de ces appartements qui ne payent guère de mine, donnant sur Riverside Drive, près de Columbia University, où il était professeur de stylistique.

Ce qui enthousiasmait Stu, autant ou presque que le prix, était la perspective de rencontrer son ancien et illustre camarade, lors de la cérémonie de remise des prix.

« Nina, s'exclama-t-il, figure-toi qu'on me prendra peut-être en photo avec Danny Rossi ! »

A sa grande déception, Stuart apprit qu'il n'y avait pas de cérémonie de remise des prix Pulitzer, les honneurs se limitant à un coup de téléphone et une photo dans le *New York Times.*

« Bonté, mais qu'est-ce que ça peut faire ? » lança Nina pour dissiper les regrets de son mari. « Ta femme va donner pour toi la plus grande réception que tu aies jamais vue. Le champagne coulera à flots. »

Il la serra contre lui.

« Merci, ça me plairait. On n'a jamais donné une réception en mon honneur.

— Tu sais, mon chéri, si tu as une telle envie de rencontrer Danny Rossi, je me ferai un plaisir de l'inviter à notre réception.

— D'accord, répliqua-t-il avec un sourire sardonique, je suis persuadé qu'il sera ravi de venir. »

Nina l'attrapa par les épaules :

« Ecoute, mon ami. Je n'ai pas assisté à ce ballet qui a valu son prix à Danny Rossi, mais je suis sûr que le fait que George Balanchine en ait été le chorégraphe a plutôt aidé les choses. Peu importe. Il faudrait qu'il soit de qualité pour être à la hauteur de tes *Poèmes choisis.* La seule chose que Rossi ait de plus que toi, ce sont quelques mèches d'un roux flamboyant.

— Oui, reprit Stu, et aussi quelques petits millions de dollars. Le gars est une vraie vedette. »

Nina regarda Stu avec une affectueuse indulgence :

« Tu sais pourquoi je t'aime, Stu ? Parce que tu es le seul génie que je connaisse souffrant d'amégalomanie.

— Merci, mon amour », répondit-il en rassemblant ses notes et en les fourrant dans son attaché-case. « Je file. Je te verrai vers sept heures. Pourquoi ne pas célébrer l'occasion entre nous, tout simplement. »

A son retour, Nina lui réservait une surprise.

« Nina ! Tu plaisantes ou non ?

— Non, mon ami. Tu déjeunes avec ton condisciple demain, à une heure, au *Russian Tea Room*. Si étonnant que cela puisse te paraître, je te signale qu'il est enchanté de *te* retrouver.

— Nina, tu es fantastique. Pour un grand jour, c'est un grand jour !

— Oui, Stuart, répondit-elle tendrement, pour lui ! »

La *Russian Tea Room* de la Cinquante-septième Rue, plaquée à une octave de Carnegie Hall, sert de lieu de rendez-vous au monde littéraire et musical international. Stuart Kingsley ne le connaissait que de réputation. Aujourd'hui il se tenait à l'entrée, nerveux, surveillant discrètement les tables pour voir s'il apercevait Danny Rossi.

Il crut reconnaître un vieil ami. Ce dernier, un peu chauve et portant lunettes, lui rendit à peine son signe de tête. Stuart perçut alors son erreur : il avait salué Woody Allen.

Il prit soin de ne pas commettre le même impair lorsqu'il aperçut Rudolf Noureev trônant parmi des balletomanes extatiques. Stu ne put s'empêcher de sourire en son for intérieur à l'idée d'être entouré de célébrités.

Il repéra enfin son condisciple. Danny l'attendait, assis à une table, disparaissant sous une nappe de feuilles de papier à musique.

« Je vois que tu ne perds pas une seconde, plaisanta Stuart en lui serrant la main.

— Tu as raison. J'ai tendance, hélas ! à prendre trop d'engagements. On ne peut pas remettre le 24 décembre une *Symphonie pour le 14 Juillet !...* »

Danny commanda deux *blinis*. Ils se lancèrent dans le « connais-tu un-tel ? » et découvrirent qu'ils avaient de nombreux amis communs dans le cercle artistique de la promo.

« Tu t'absentes souvent de Philadelphie ? demanda Stuart.

— Au moins une fois par semaine, j'ai dû louer un studio dans les appartements qui dépendent de Carnegie Hall.

— Ça doit être dur pour ta femme », émit Stuart, incapable de s'imaginer contraint de passer une nuit loin de sa Nina bien-aimée.

« Certainement, répliqua Danny, mais Maria est très prise par les enfants. »

Il changea rapidement de sujet :

« Figure-toi que je me suis presque autant réjoui de ton prix que du mien. Je suis un de tes fervents admirateurs.

— Tu as lu mes poèmes ?

— Ecoute, Stuart, reprit Danny en souriant, tu es publié régulièrement dans le *New Yorker*. C'est ma lecture en avion. Je ne crois pas avoir raté un seul de tes poèmes qui y sont parus. »

« Nina ne le croira pas », murmura Stuart, avant de poursuivre à voix haute :

« Et toi, écris-tu pour l'instant, Danny ?

— Bonne question, Stuart ! Disons que je commence à me sentir acculé à la composition et cette rencontre avec toi est une bénédiction. As-tu envisagé d'écrire le livret d'une opérette ?

— Pour tout t'avouer, c'est un de mes rêves secrets, confessa Stuart, et j'y songe depuis deux ans. L'ennui c'est que mon projet repose sur un ouvrage plutôt pour intellectuels...

— Je ne vois pas ce qu'il y a de mal à cela, répondit Danny, encourageant. Rassure-toi, je n'ai pas l'intention de me lancer dans un *Hello Dolly*. A quel chef-d'œuvre de la littérature as-tu pensé ?

— Crois-le ou pas, à *Ulysse,* de James Joyce.

— Superbe ! A ton avis, ce serait réalisable ?

— Ecoute », poursuivit Stuart dont le flux créatif était tout à coup libéré, « je suis tellement plongé dans ce fichu bouquin, que je pourrais t'en écrire les grandes lignes ici, sur cette nappe. Mais je suppose que tu as un emploi du temps atrocement chargé.

— Commande-nous un café, pendant que je m'occupe de réorchestrer mon agenda », dit Danny d'un ton dégagé.

Tout l'après-midi, Danny resta bouche bée devant le torrent d'idées que faisait jaillir son condisciple. Ils ne pouvaient évidemment faire tenir l'épopée de Joyce en une représentation de deux heures. Sans doute feraient-ils mieux de se limiter à l'épisode « Night town », dans lequel le héros, Léopold Bloom, erre à travers les quartiers exotiques de la ville.

Les ressources d'ordre musical étaient infinies. Seul un changement insignifiant était nécessaire, « notre seule et unique concession à des préoccupations bassement commerciales ».

Tout ce qu'ils auraient à faire serait de transposer l'action de Dublin à New York. Stuart abondait en idées enthousiasmantes, mais il se faisait tard et il leur fallut remettre la suite au lendemain.

A la fin de leur deuxième rencontre, après huit heures de collaboration fiévreuse et créative, ils voyaient se profiler deux actes, des mélodies et un endroit où caser une séquence de ballet. Ils se réjouissaient à la pensée que, lorsque le rideau tomberait sur les adieux de Bloom et du jeune Stephen Dedalus, plus un œil ne resterait sec... Et qu'ils rafleraient tous les prix.

Danny proposa de louer deux villas voisines à Martha's Vineyard. Leurs familles pourraient ainsi passer l'été près d'eux et, s'ils réussissaient à intéresser un producteur, les répétitions pourraient commencer après Noël.

Il n'y avait qu'une ombre au tableau. Stuart la mentionna avec une certaine gêne :

« A vrai dire, Dan, je crains que mes moyens soient un peu trop limités pour louer une villa là-bas, cet été...

— Ne t'inquiète pas. Avec ce que nous avons déjà, je suis sûr que nous trouverons un producteur qui nous versera une solide avance. Oh, j'y pense, as-tu un agent ?

— Tu sais, Danny, les poètes n'ont pas d'agent... Pour ma part, j'ai la chance d'avoir une épouse qui n'a pas peur de se servir du téléphone.

— Dans ce cas, je vais me lancer à la recherche du meilleur agent pour Broadway. D'accord ?

— Entièrement.

— Excuse-moi, mais il faut que je me sauve. Comme dirait le Mad Hatter : " Je suis en retard pour un rendez-vous très important ". »

« Plutôt le lapin blanc d'Alice... » pensa Stuart Kingsley ; mais il n'osa pas contredire son respectable associé.

L'été à Martha's Vineyard est un enchantement. Si, de surcroît, vous êtes en train d'écrire un spectacle destiné à Broadway, l'île devient paradisiaque.

Stuart et Nina furent invités à des barbecues constellés de célébrités ainsi qu'à des soirées éblouissantes.

Stuart devait sa bonne fortune à son agent, Harvey Madison, qui avait organisé la rencontre décisive avec Edgar Waldorf, roi incontesté des producteurs de Broadway. Elle avait eu lieu au « 21 », seul endroit qui convînt à la circonstance.

Stuart, Harvey et Danny attendaient depuis vingt minutes lorsque le producteur, ventripotent et accoutré de façon voyante, fit son entrée. Avant même de s'asseoir, il déclara avec emphase :

« Je suis conquis. »

Stuart se sentit mal à l'aise :

« Mais monsieur Waldorf, nous n'avons pas encore ouvert la bouche. »

Sa réponse polie fut interrompue par une discrète mais vive chiquenaude de Harvey Madison qui s'empressa d'intervenir :

« Ce qu'Edgar Waldorf veut dire, c'est qu'il adore l'idée en elle-même.

— Non, ce que j'adore, c'est l'alchimie des auteurs. Imaginez deux lauréats Pulitzer, anciens élèves de Harvard par-dessus le marché, en train de composer pour Broadway, mais c'est absolument fa-bu-leux ! A propos, avez-vous songé à un titre ?

— Comme vous le savez, répondit le compositeur, nous nous sommes inspirés de l'*Ulysse* de James Joyce, en le resituant à New York.

— Merveilleux, merveilleux, murmurait Edgar, en contrepoint.

— Le roman, lui, s'inspire de l'*Odyssée* d'Homère, poursuivit Danny, et le thème de notre pièce étant le voyage de notre héros à travers la ville, nous avions pensé l'appeler *Manhattan Odyssey*. »

Edgar réfléchit un instant. Il fourra une crevette dans sa bouche avant de répondre :

« C'est bon. Très bon. Ma seule objection : n'est-ce pas *trop* bon ?

— Comment peut-on dire que quelque chose est *trop* bon ? demanda naïvement Stuart.

— J'entends cela au sens relatif, reprit Edgar, faisant rapidement marche

213

arrière. Votre public moyen de Broadway n'a pas fait Harvard. Je crains de ne pas trouver suffisamment de gens familiers avec le mot *Odyssée*.

— Tout de même, monsieur Waldorf, fit remarquer Danny, ce terme est passé dans le vocabulaire courant. »

Harvey Madison estima opportun de recentrer la conversation, car elle déviait légèrement.

« Ecoutez, mes amis, Edgar a une idée de titre sensationnelle. Laissez-le vous en faire part. »

Le producteur ventripotent attendit que les regards fussent braqués sur lui, tels des projecteurs, puis il s'écria :

« *Rejoyce !*

— Pardon ? demanda Danny Rossi.

— Vous ne saisissez pas ? L'auteur s'appelle James Joyce. Rendons à César ce qui est à César et à Joyce ce qui est à Joyce : Rejoyce. Un point d'exclamation et le tour est joué. Fa-bu-leux, non ? »

Danny et Stuart échangèrent un regard sceptique.

« A mon avis, l'idée est géniale », émit Harvey Madison, habitué à encenser tout ce qui pouvait sortir d'une source potentielle de revenus.

« Qu'en pensez-vous, mes amis ?

— Autant l'appeler *Hello, Molly*, commenta Danny, sarcastique.

— J'aime bien *Manhattan Odyssey*, déclara tranquillement Stuart.

— Mais vous venez d'entendre Edgar Waldorf », interrompit Harvey Madison.

C'est alors que s'éleva un panégyrique pour le moins inattendu !

« Je trouve *Manhattan Odyssey* absolument fa-bu-leux. Et moi, Edgar Waldorf, je serai honoré de le lancer. »

Le producteur s'attacha ensuite à obtenir des dates de la part des auteurs, afin de prévoir les répétitions, organiser une tournée, louer une salle de théâtre. En apprenant que Danny et Stuart auraient des chances de terminer leur œuvre cet été s'ils pouvaient s'isoler à Martha's Vineyard, Waldorf, magnanime, offrit de mettre son humble demeure personnelle en cette île à la disposition de Stuart.

« J'ai des scrupules à accepter...

— Je vous en prie, monsieur Kingsley. J'insiste. Cela me permettra, d'ailleurs, de déduire les frais de cette maison de ma déclaration d'impôts. »

Ensuite, sans avoir lu un mot ni entendu la moindre note, il fonça droit au cœur du problème.

« Quelle vedette allons-nous engager ?

— A mon avis, Zero Mostel serait parfait dans le rôle de Bloom, suggéra Danny.

— Fabuleux, répliqua Waldorf. Et que penseriez-vous de Theora Hamilton dans le rôle de Molly, la femme de Bloom ?

— Fantastique ! gloussa Harvey, une idée de génie. Mais croyez-vous qu'elle accepterait de partager la tête d'affiche avec Zero Mostel ?

— J'en fais mon affaire. Mostel et Hamilton, Hamilton et Mostel !

— Pour être franc, avoua timidement Stuart, je ne crois pas que je l'aie jamais vue.

— Je te garantis que tu te la rappellerais, fit remarquer Danny, hélas ! son talent ne dépasse pas son balcon.

— Laissons de côté ce rôle et concentrons-nous sur ce qui compte, vos deux génies. Allez, mes amis. Embarquez-vous pour Martha's Vineyard et créez cette œuvre exquise qui éblouira Broadway. »

Edgar s'éloigna à reculons en se confondant en courbettes et, après leur avoir déclaré qu'ils étaient l'honneur et la gloire de sa vie, il virevolta et sortit au son d'invisibles trompettes.

Harvey Madison le suivit, laissant les deux auteurs savourer leur réussite.

« Il faut que j'appelle Nina, s'exclama Stu. Peux-tu m'attendre pour que nous rentrions ensemble ?

— Navré, répliqua Danny, mais j'ai une matinée importante dans vingt minutes.

— J'ignorais que tu avais un concert aujourd'hui.

— Uniquement de la musique de chambre, Stu. Tu as vu la couverture du dernier *Vogue* ?

— Pour tout t'avouer, ce n'est pas mon genre de magazine », répliqua-t-il sur une longueur d'onde différente de celle de son associé.

« Eh bien, regarde-la chez ton marchand de journaux, mon vieux. Elle est mon invitée d'honneur dans mon studio, cet après-midi. »

En dehors de quelques cocktails, les professeurs et les assistants du département de lettres classiques de Harvard ne se fréquentaient guère. Il fallait voir là moins une question de différence d'âge que la distinction quasi calviniste entre ceux qui avaient une chaire et ceux qui n'en avaient pas.

Aussi Ted Lambros, maître assistant, fut-il surpris lorsque Cedric Whitman l'invita à déjeuner au club des membres de la faculté.

« Ted », dit le professeur après s'être éclairci la voix, « j'ai reçu un coup de téléphone de Bill Foster, le nouveau doyen de Berkeley. Ses collègues ont beaucoup apprécié votre livre et il aimerait savoir si vous seriez intéressé par la chaire de littérature grecque qu'ils vont créer. »

Ted se trouva pris de court : il ne parvenait pas à saisir ce qu'il y avait derrière cette proposition. Serait-on en train d'insinuer qu'il n'obtiendrait pas de chaire à Harvard ?

« Je... je pense que c'est flatteur.

— Plutôt, rétorqua Whitman, le département de lettres classiques de Berkeley passe pour l'un des meilleurs. Il comprend des universitaires éminents et, sur le plan pratique, les traitements sont, disons-le, généreux. Je me suis permis de conseiller à Bill de vous écrire directement, cela vous vaudra, en tout cas, une agréable invitation à vous rendre en Californie pour des conférences. »

Tel Agamemnon, décrit par Eschyle, Ted se sentit « profondément atteint d'un coup mortel ». Il eut toutefois le courage de demander :

« Cedric, serait-ce la façon de Harvard de me signifier qu'on ne renouvellera pas mon contrat ? Soyez franc, je vous en prie, je suis capable d'assumer le coup.

— Ted, reprit Whitman sans hésitation, je ne puis parler au nom du département. Vous savez l'admiration que John Finley et moi avons pour vous et combien nous souhaiterions vous garder, mais cela se décidera en fin de compte par un vote et Dieu sait comment réagiront les historiens, les archéologues et ceux qui sont moins au courant de votre travail. A mon avis, si vous avez une offre officielle émanant de Berkeley, cela pourrait stimuler chez les indécis un réflexe de possessivité.

— Vous estimez donc que je devrais au moins aller y faire un tour ?

— Croyez-en un vieux de la vieille, sourit son mentor, un universitaire ne laisse jamais passer un voyage gratuit dans un endroit quelque peu acceptable. Et, en Californie, *res ipsa loquitur...* »

Sara fut heureuse de le voir rentrer.

Ted l'embrassa machinalement, mais ne put dissimuler son angoisse.

« Sinistre, ce déjeuner avec Cedric !

— Ils ne renouvellent pas ton contrat ?

— C'est bien ça la vacherie ! Il est resté vague sur Harvard. Tout ce qu'il m'a dit c'est que Berkeley m'offre un poste.

— Leur département de lettres classiques est excellent », répondit Sara.

Ted sentit que son cœur s'arrêtait de battre. Ce n'était pas ce à quoi il s'attendait.

« Tu crois donc que pour ici c'est foutu ? » questionna-t-il, lugubre.

Voyant qu'elle ne réagissait pas, il poursuivit :

« Je pensais avoir des chances d'obtenir une chaire ici.

— Figure-toi que je le croyais aussi, reprit-elle. Mais tu connais les rouages du système. Ils n'admettent pratiquement personne par promotion interne. Ils commencent par vous envoyer ailleurs pour faire vos premières armes et voir quel genre de réputation vous acquérez. Si vous réussissez, ils vous reprennent.

— L'ennui, c'est la Californie..., gémit Ted.

— Et alors ? Ne pourrons-nous pas survivre à quatre mille kilomètres de Harvard ? »

Le dernier dimanche de mars, Ted et Sara s'envolèrent pour San Francisco.

Ils furent accueillis à leur descente d'avion par un universitaire d'un certain âge accompagné d'un jeune collègue, tenant à la main, pour se faire reconnaître, un exemplaire de l'ouvrage de Lambros sur Sophocle. Bill Foster les salua chaleureusement et leur présenta Hans-Dietrich Meyer, spécialiste en papyrologie, récemment transplanté de Heidelberg en Californie.

« Ils sont sympa, tu ne trouves pas ? » demanda Sara à Ted alors qu'ils défaisaient leurs valises. « Ils sont décontractés, amicaux. A l'entendre, on a du mal à réaliser que Meyer a été professeur à trente et un ans. Pour un Allemand, il ne fait pas teuton. Il a dû se californiser à l'usage !

— Allons, dit Ted, ils nous font le coup du charme. As-tu remarqué qu'ils connaissaient même ta thèse de DEA ?

— J'ai remarqué et *j'ai apprécié*. Tu n'aimes pas te laisser séduire, toi ? Laisse-toi faire. Si nous faisions un tour du côté de Telegraph Avenue ? »

Rien ne semblait plaire à Ted. Ni les rues animées, ni les librairies, ni les ménestrels pourtant hauts en couleur avec leurs guitares. Au bout d'une centaine de mètres, Sara remarqua que quelque chose avait fini par attirer l'attention de son mari.

« Tiens, tiens, dit-elle en souriant, il y a au moins une chose dans ce paysage qui semble avoir l'heur de te plaire...

— De quoi parles-tu ?

— Oh ! oh ! Monsieur Lambros, nous venons de croiser six filles sans soutien-gorge et cela a provoqué chez vous des réactions de bon aloi. Ne va pas me dire que j'ai tort, j'ai bien observé ton visage.

— Tu te trompes, riposta Ted, il y en avait sept. »

Et il finit par sourire...

En raison du décalage horaire, ils se réveillèrent tôt en se disant qu'ils seraient les premiers dans la salle à manger réservée aux membres de la faculté. Ils se trompaient.

Quelqu'un était assis à une table à l'écart et déjeunait en lisant un ouvrage des Presses universitaires d'Oxford.

« Regarde, murmura Sara, il me semble que nous partageons cette salle à manger avec le directeur des études de grec d'Oxford.

— Mon Dieu, mais tu as raison ! C'est Cameron Wylie ! Diable, que peut-il foutre ici ?

— La même chose que nous, dit Sara sur un ton enjoué, il prend son petit déjeuner. N'est-il pas chargé de cours, cette année ?

— Bien sûr que si, je l'oubliais. Il donne un cours sur Homère et Eschyle. Tu crois que nous aurons la chance de l'entendre ?

— Pourquoi n'irais-tu pas te présenter et le lui demander ?

— Je n'ose pas, avoua Ted. Après tout, c'est un grand bonhomme !

— Allons, bravache de Grec ! Où est passé ton aplomb habituel ? Préférerais-tu que je te serve d'émissaire ?

— Non, non. T'inquiète pas. Je ne sais pas comment m'introduire, c'est tout, répondit Ted en se levant à contrecœur.

— Tu peux toujours essayer un " Bonjour monsieur ". On dit que c'est une façon très en vogue et très ancienne d'engager une conversation. »

Ted écouta nerveusement le bruit de ses propres pas qui résonnaient dans la salle vide.

« Veuillez m'excuser, professeur, j'espère que je ne vous dérange pas. Je souhaitais simplement vous exprimer l'admiration que j'ai pour vos travaux. J'estime que votre article sur *l'Orestie* que j'ai lu l'an dernier est le meilleur qui ait été publié sur Eschyle.

— Merci, répondit l'Anglais, avec un plaisir non feint. Accepteriez-vous de vous joindre à moi pour le petit déjeuner ?

— Nous nous demandions, ma femme et moi, si vous accepteriez de vous joindre à nous.

— J'en serais ravi. »

Il se leva, prit sa tasse de café, son livre, et suivit Ted.

« Professeur, permettez-moi de vous présenter ma femme, Sara. Oh ! j'ai omis de me présenter : Ted Lambros.

— Enchanté », dit l'Anglais en serrant la main de Sara.

Il s'assit puis se tourna vers Ted.

« Lambros ? Ne seriez-vous pas le spécialiste de Sophocle ?

— Eh bien, oui », répondit Ted, saisi de vertige à l'idée d'être reconnu, « je suis ici pour donner une conférence.

— J'ai trouvé votre livre remarquable, poursuivit Wylie ; il a été chaleureusement accueilli par ceux qui s'intéressent à Sophocle. J'ai veillé à ce qu'il fasse partie de la liste des ouvrages au programme d'Oxford. En outre, j'ai souri de voir un auteur avec un nom comme le vôtre écrire un livre sur Sophocle. Cela m'a paru des plus approprié. »

Ted ne saisit pas le rapport mais il ne voulait pas avoir l'air ignare devant un universitaire aussi éminent. Sara bondit à la rescousse et se sacrifia sur l'autel de la naïveté.

« Je vous suis mal, monsieur », dit-elle respectueusement.

L'universitaire anglais s'empressa d'expliquer :

« Voyez-vous, un dénommé Lampros fut le professeur de danse et de musique de Sophocle.

— Quelle coïncidence », répliqua Sara, charmée par cette anecdote.

Elle posa ensuite la question qui, elle le devinait, brûlait les lèvres de Ted.

« Pourriez-vous m'indiquer la source de ce détail amusant ?

— Oh, reprit le professeur Wylie, *Athénée* I, 20, références dans la *Vita* et autres allusions par-ci, par-là. Il devait être fort, ce Lampros. Aristoxène le place au même rang que Pindare. Etes-vous également une helléniste distinguée, madame ?

— Pas par profession, répondit timidement Sara.

— Ma femme est trop modeste. Elle a obtenu une mention à sa maîtrise de lettres classiques de Harvard.

— Admirable », conclut Wylie.

Puis il se tourna vers Ted :

« Quel est le sujet de votre conférence ?

— Oh, je développerai quelques réflexions relatives à l'influence d'Euripide sur le meilleur élève de Lampros.

— J'ai hâte de vous entendre. Quand aura-t-elle lieu ? »

Pendant une fraction de seconde, Ted hésita. Il redoutait qu'un universitaire de la classe de son interlocuteur vînt y assister et jugeât ainsi de théories qu'il sentait insuffisamment au point.

Sara, qui ne partageait pas ses angoisses, répondit pour lui :

« Demain, à dix-sept heures, Dwinelle Hall. »

L'Anglais sortit un stylo et nota ces précisions sur son agenda.

A ce moment précis, Bill Foster fit son apparition.

« Je vois que nos deux humanistes ont fait connaissance, dit-il d'un ton jovial.

— Vous voulez dire trois, corrigea Wylie. Les Lambros sont tous deux *Lamproi*[1]. »

Ted passa les heures qui suivirent dans l'angoisse. Sara lui fit répéter sa conférence et conclut :

« Tu es prêt, mon vieux, tu es fin prêt.

— Hum... Daniel l'était aussi lorsqu'il est entré dans la fosse aux lions.

— Relis la Bible, chéri : ils ne l'ont pas mangé, si tu t'en souviens... »

Ted entra dans la salle, résigné à son sort.

Une centaine de personnes étaient éparpillées dans l'auditorium. Pour lui, elles étaient sans visage. Toutes sauf trois : Cameron Wylie et... deux colleys. Des chiens ?

« Prêt ? chuchota Bill Foster.

— Oui, je crois. Mais Bill, ces visiteurs canins ? Est-ce... ?

— Oh ! répondit Foster en souriant, ne vous inquiétez pas ; ils comptent parmi mes étudiants les plus attentifs. »

Là-dessus, il monta sur l'estrade et introduisit le conférencier.

Ted commença par évoquer une image saisissante. Imaginez Sophocle, auteur dramatique réputé, quadragénaire, qui avait triomphé du grand Eschyle au cours d'une joute oratoire, assis dans le théâtre de Dionysos, en train de regarder la dernière production d'un jeune auteur du nom d'Euripide.

L'auditoire était envoûté. Ted les avait transportés à Athènes, au ve siècle avant Jésus-Christ. Avec lui, les tragédiens grecs prenaient vie.

Arrivé à la conclusion, Ted jeta un coup d'œil à la pendule du fond de la salle. Sa conférence avait duré quarante-neuf minutes. Exactement le temps qui lui avait été imparti. Les applaudissements furent enthousiastes. Même les deux chiens parurent satisfaits.

Bill Foster vint lui serrer la main et chuchota :

« Remarquable, Ted. Croyez-vous être assez en forme pour répondre à une ou deux questions ? »

Ted était piégé. Il sentit qu'un refus de sa part risquait d'être interprété comme une forme de pusillanimité académique.

La première main qui se leva fut celle de Cameron Wylie.

L'Anglais se leva et déclara :

« Professeur Lambros, vos remarques sont extrêmement intéressantes, voire stimulantes. Je me demande cependant si vous sentez une influence euripidienne marquée dans *Antigone* ? »

Ted respira : Wylie avait lancé un compliment et non pas un javelot...

« C'est chronologiquement possible, mais je ne partage pas les vues romantiques du xixe siècle sur *Antigone*.

— Très juste. Très juste, renchérit Wylie. Les interprétations romantiques sont des inepties qui n'ont rien à voir avec les textes eux-mêmes. »

Wylie se rassit avec un sourire. Ted aperçut une fille aux cheveux frisés qui agitait frénétiquement la main.

---

1. En grec dans le texte : brillants *(N.d.T.)*.

Elle se leva et se mit à pérorer.

« Je pense, déclara-t-elle, que nous sommes à côté de la question. En quoi ces types dont vous avez parlé nous intéressent-ils aujourd'hui ? Pas une seule fois je ne vous ai entendu prononcer le mot *politique*. Quelle était, par exemple, la position de ces Grecs sur la liberté d'expression ? »

Ses remarques furent accueillies par des murmures désapprobateurs. Ted perçut distinctement un « oh, merde ! » et Bill Foster lui fit signe qu'il pouvait ignorer la question s'il le souhaitait. Grisé par son succès, Ted accepta de répondre à la question.

« Ecrite pour être représentée devant les habitants de la *polis*, chaque pièce était, par essence, politique. Les problèmes du moment leur tenaient tellement à cœur que même les poètes dits comiques ne parlaient d'autre chose. Il n'y avait aucune restriction à ce que pouvait dire Aristophane et ses congénères, c'est le concept de *parrhesia*. En un sens, leur théâtre est un témoignage durable de la démocratie qu'ils ont aidé à inventer. »

La jeune fille qui avait posé la question resta coite, abasourdie que Ted l'ait prise au sérieux. Elle avait eu l'intention de faire passer un souffle d'anarchie intellectuelle dans la salle, et restait émerveillée par la qualité de la réponse.

« Vous êtes super, professeur », murmura-t-elle, en se rasseyant.

Bill Foster se leva. Il était très satisfait de la réponse de Ted.

« J'aimerais remercier le professeur Lambros pour son admirable conférence, à la fois logique et philologique... »

Ted était triomphant.

Il se leva, prit son livre et s'éloigna vers la bibliothèque.

Bill Foster fit faire à Ted et à Sara une visite détaillée du campus. Pour déjeuner, le trio se glissa dans un minuscule restaurant diététique.

Quelque chose obsédait Ted.

« Comment définiriez-vous Cameron Wylie ? » demanda-t-il à Bill, d'un air qui se voulait décontracté.

« Disons qu'il tient du tigre et du chaton. Il est absolument merveilleux avec les étudiants du premier cycle, mais pour ce qui est des professeurs, il ne peut pas souffrir les imbéciles. Ainsi, la semaine dernière, lorsque Hans-Peter Ziemssen est venu donner une conférence, Wylie l'a ridiculisé au cours des questions qui ont suivi.

— Mon Dieu ! » murmura Ted.

La réception en leur honneur eut lieu chez les Foster.

Y étaient présents tous ceux qui comptaient dans le cercle universitaire de la baie de San-Francisco ainsi qu'un éminent professeur d'Oxford. Ted remarqua que Sara était engagée dans une discussion animée avec un personnage qui ressemblait étonnamment au poète beatnik Allen Ginsberg. A l'examen, *c'était* Ginsberg.

Ted se devait de rencontrer l'auteur de *Howl*, ce ululement extrémiste, cause de mainte polémique littéraire lorsqu'il était étudiant. Il s'approcha. Ginsberg décrivait une expérience personnelle pseudo-apocalyptique.

« En entrevoyant le ciel par la fenêtre, j'ai eu l'impression de voir les profondeurs de l'univers. Le ciel m'est soudain apparu. »

« Ted, tu as été fantastique ! Je n'ai jamais été aussi fière de ma vie ! Tu les as époustouflés.

— Même ce vieux gredin de Cameron Wylie a paru impressionné, remarqua Ted, l'air dégagé.

— Je sais, je l'ai entendu le dire à deux ou trois personnes.

— Que diriez-vous, madame Lambros, si je vous annonçais que nous ne serons peut-être pas obligés de quitter Cambridge ?

— Je ne comprends pas, répondit Sara, surprise.

— Ecoute, lui confia Ted, Wylie va écrire à Harvard en ma faveur. Ne crois-tu pas qu'une lettre de lui me catapulterait vers la chaire de mes vœux ? »

Sara hésita. Elle avait été tellement enchantée du séjour à Berkeley que cette « bonne » nouvelle la déçut.

Elle avait l'intime conviction que Harvard avait déjà pris une décision.

« Ted, répondit-elle, embarrassée, je ne voudrais pas te faire de peine, mais tout ce que peut dire Wylie c'est que tu es un helléniste distingué et un excellent professeur.

— Bon Dieu ! Mais n'est-ce pas suffisant ? »

Sara soupira.

« Tu vois, Ted, ils n'ont pas besoin d'une lettre d'Oxford pour leur dire ce qu'ils savent déjà. Autant regarder les choses en face, ils ne te jugent pas seulement sur le plan universitaire ; ils votent ton admission à leur club pour les trente-cinq années à venir.

— Voudrais-tu dire par là qu'ils ne m'encaissent pas ?

— Oh ! qu'ils t'aiment bien, c'est sûr, mais t'aiment-ils *assez* ?

— Merde », dit Ted à mi-voix, dont l'euphorie sombrait dans un abîme de désespoir. « Cette fois, je ne sais plus où j'en suis. »

Sara l'entoura de ses bras.

« Ted, murmura-t-elle, si, en cette conjoncture, cela peut t'être une aide quelconque, rappelle-toi que je suis chair de ta chair. »

Ils s'embrassèrent.

« Ted, dit tout de go le recteur de Berkeley, nous avons une chaire de littérature grecque disponible et vous avez été retenu à l'unanimité. Que diriez-vous de dix mille dollars par an pour débuter ? »

Ted se demanda s'il savait qu'il lui offrait presque trois mille dollars de plus que ce qu'il gagnait à Harvard.

Réflexion faite, il le savait certainement.

« Nous nous chargerions, bien entendu, de vos frais de déménagement », s'empressa d'ajouter Bill Foster.

Ce n'était pas tout... Bill Foster gardait d'autres atouts dans sa manche.

« J'ignore, poursuivit le recteur, si Sara se souvient de ce monsieur grisonnant qu'elle a rencontré chez Bill. Il s'agit de Jed Rope, le directeur des Presses universitaires de Berkeley. Il serait prêt à lui offrir un poste de rédactrice dont le salaire reste à négocier.

— Fantastique ! s'exclama Ted. Elle en sera ravie. »

Il ajouta alors d'un ton aussi détaché que possible :

« Je suppose que je recevrai une offre officielle par écrit.

— Naturellement, répondit le recteur, mais disons que ce ne sera qu'une formalité administrative, car je puis vous certifier qu'il s'agit d'une offre ferme. »

Cette fois ce fut *Ted* qui invita Whitman à déjeuner au club de la faculté. Son mentor parut satisfait du rapport que Ted lui fit de ses ébats californiens.

« Voilà, je pense, de quoi renforcer considérablement votre cause. Je demanderai au recteur de téléphoner à Wylie à propos de sa lettre afin que nous puissions soumettre votre candidature lors de la prochaine réunion du département. »

Le vote officiel eut lieu vingt-quatre heures plus tard. Furent soumis à l'examen des membres du département : la bibliographie de Ted (quatre articles, cinq études critiques, son ouvrage sur Sophocle et les appréciations des critiques qui allaient de « solide » à « monumental »), ainsi que des lettres de recommandation, émanant d'experts en la matière dont Ted ne connaîtrait jamais le nom, et une lettre en provenance du célèbre professeur d'Oxford.

Ted et Sara attendaient anxieusement dans leur appartement de Huron Avenue. La réunion avait commencé à seize heures. Il était dix-sept heures trente et ils étaient toujours sans nouvelles.

« Qu'en penses-tu, est-ce bon signe ou mauvais signe ?

— Pour la dernière fois, Lambros, dit Sara, je n'ai pas la moindre idée de ce qui se passe. Je puis t'assurer, tant en qualité d'helléniste qu'en qualité d'épouse, que tu mérites une chaire à Harvard.

— Si les dieux sont équitables, s'empressa-t-il d'ajouter.

— Exact, reprit Sara, mais n'oublie pas que, dans le monde universitaire, il n'y a pas de dieux... seulement des professeurs... Etres humains, ambivalents, fantasques et imparfaits... »

Le téléphone retentit.

Ted s'en empara.

C'était Whitman. Sa voix ne trahissait rien.

« Par pitié, Cedric, dites-moi vite : qu'a donné le vote ?

— Je ne puis rentrer dans les détails, mais honnêtement il s'en est fallu de très très peu. Je suis navré, mais votre candidature n'a pas été retenue. »

Une question lui brûlait la langue :

« Pourrais-je simplement connaître le prétexte, je veux dire les raisons, qui ont motivé cette décision ?

— Elles sont difficiles à préciser, mais on a parlé " d'attendre un deuxième ouvrage important ".

— Ah bon, rétorqua Ted, non sans penser avec amertume qu'il y avait un ou deux types dotés d'une chaire qui n'en étaient même pas à leur premier bouquin...

— Ted, poursuivit Whitman, nous serions heureux, Anne et moi, que vous veniez tous deux dîner.

— Quand ? Ce soir ? » demanda Ted.

Sara opina vigoureusement de la tête.

« Euh... d'accord. A quelle heure ? »

Sara insista pour se rendre à pied chez les Whitman. Elle sentait que Ted aurait besoin d'un moment pour se remettre.

« Ecoute, chéri », lui dit-elle, tandis qu'il se traînait lamentablement, l'air effondré, « je devine les jurons que tu réprimes, Dieu sait que j'ai, moi aussi, envie de hurler. C'est vrai, tu t'es fait avoir.

— Dis plutôt que je me suis fait *royalement* avoir. Une bande de salauds ont joué aux chrétiens et aux lions avec ma carrière. J'ai foutrement envie d'aller défoncer leurs foutues portes d'acajou et de leur casser la gueule.

— Tout de même pas celle de leur femme, j'espère », corrigea Sara en souriant.

Réalisant le côté infantile de sa sortie, Ted se mit à rire, mais son rire eut tôt fait de se transformer en sanglots.

Il enfouit sa tête contre Sara qui essayait de le consoler.

« Mon Dieu, que je suis bête ! Mais, vois-tu, j'espérais tellement l'avoir...

— Je le sais, je le sais », murmura-t-elle tendrement.

Ce fut le plus bel été que connurent jamais Stuart et Nina.

Le matin, Stuart enfourchait sa bicyclette et pédalait jusque chez les Rossi, croisant en chemin Maria et ses deux filles qui allaient rejoindre Nina et ses fils sur la plage privée d'Edgar Waldorf.

Stu rentrait en début de soirée, fourbu et surexcité. Il prenait Nina par la main et l'emmenait faire une longue promenade sur la plage.

« Comment s'en tire notre grand compositeur classique avec les " airs d'opérette " ? » demanda un jour Nina lors d'une de leurs promenades.

« Ce type est d'une telle virtuosité qu'il pourrait écrire un rondo de la main gauche et un ragtime de la main droite. Disons qu'il ne sous-estime pas son auditoire. A mon avis, certaines de ses mélodies sont trop complexes.

— Tu vois, je croyais qu'à Broadway la simplicité était le secret de la réussite, remarqua Nina. Oh, comme je voudrais entendre ce que Danny a fait de tes paroles ! D'après ce que me dit Maria, Danny n'a rien joué, même pour elle.

— Chaque artiste a son caractère, vois-tu.

— Tout comme chaque ménage est différent, ajouta Nina. Dis-moi, tu crois qu'ils sont heureux ?

— Ecoute, ma chérie, je lui fais son livret, je ne suis pas son conseiller conjugal. Une chose est sûre : j'aime travailler avec lui. »

Le premier week-end de septembre, Edgar Waldorf arriva en avion accompagné de Harvey Madison pour entendre le fruit du labeur estival de ses deux jeunes génies.

Plus munificent que jamais, Waldorf débarqua les bras chargés de cadeaux destinés aux filles Rossi, aux fils Kingsley et aux épouses des auteurs. Quant aux « gars », c'était à eux d'avoir quelque chose pour lui...

Après un repas italien pantagruélique, les deux visiteurs, les artistes et leurs femmes passèrent au salon pour la première audition de *Manhattan Odyssey*.

Danny était au piano, Stuart faisait office de narrateur, glissant quelques bribes de dialogue pour montrer avec quelle habileté il avait adapté Joyce. La partie lyrique était adroitement insérée, la partie musicale musclée, le rythme osé.

Les auteurs chantèrent ensemble le duo final entre Bloom et Stephen, puis ils se tournèrent vers leurs épouses et leurs arbitres pour connaître leur verdict.

Un silence respectueux s'ensuivit.

« Eh bien, Nina ? demanda Stuart non sans impatience, achèterais-tu un billet pour ce spectacle ?

— Je serais prête à y aller tous les jours ! répondit-elle, enthousiaste.

— Et moi, ai-je l'approbation de ma femme ? s'enquit Danny.

— Je ne suis pas critique professionnelle, reprit timidement Maria, mais j'estime, en toute honnêteté, que c'est la meilleure partition musicale que j'aie jamais entendue. »

Quelques heures après que Ted s'était vu refuser une chaire à Harvard, des appels téléphoniques déferlèrent de toutes les universités importantes des Etats-Unis.

Certains voulaient simplement exprimer leurs condoléances, d'autres s'assurer de la nouvelle : si Lambros avait été rejeté, qui sait s'il n'y aurait pas une place pour eux à Harvard... Les appels téléphoniques les plus surprenants émanèrent de ceux qui supposaient connaître les secrets de cet après-midi fatal.

En rentrant de chez les Whitman, Ted avait franchi le cap de la dépression et atteint une sorte d'euphorie « *post mortem* » : un sentiment paradoxal d'ivresse engendré par la déception.

« Cela tourne à la plaisanterie, dit Sara, nous ferions mieux de décrocher le téléphone et d'aller nous coucher. »

A cet instant précis, le téléphone sonna.

Bill Foster appelait de Berkeley.

Cela tombait mal ! Ted était mort de fatigue et encore un peu dans les vignes du Seigneur. Bill eut la bonne idée de faire les frais de la conversation.

« Ted, je sais que je t'appelle à une heure indue. Je ne veux pas te retenir. Nous attendons avec impatience ta lettre d'acceptation afin de mettre ton nom sur nos listes de cours.

— Merci, Bill », répondit Ted, ayant de la peine à adopter un ton à la fois mesuré et sincère.

Le lendemain fut l'un des jours les plus pénibles de sa vie. Non seulement Ted avait une terrible gueule de bois, mais il dut faire effort pour pénétrer dans Boylston Hall, aller au département de lettres classiques et saluer la secrétaire d'un air indifférent.

Pis encore, il lui fallut rencontrer les professeurs titulaires et échanger les banalités d'usage en refoulant l'agressivité qu'il ressentait intérieurement.

En traversant le Yard et en passant devant la statue de John Harvard, il redoutait de se trouver nez à nez avec John Finley, pensant que son idole pût l'ignorer maintenant qu'il était passé au nombre des « ratés ».

Mais il réalisa qu'il ne pouvait pas se retirer dans sa tente comme Achille. Maintenant moins que jamais, puisqu'il n'était plus un héros, du moins aux yeux de Harvard. Il avait été évincé. Rejeté du club.

Grâce à Dieu, il n'y avait personne lorsqu'il se décida à aller chercher son courrier. Il échangea les salutations de rigueur avec la secrétaire et admira la façon dont elle dissimula qu'elle était au courant des événements de la veille, car *elle savait tout*. C'était, se dit-il, une qualité que les secrétaires partagent avec les croque-morts, forcées qu'elles sont de garder une attitude aimable au milieu des pires catastrophes.

En se rendant à son cours de onze heures, Ted sentit une poussée d'adrénaline. « Voyons, se dit-il, je ne vais pas faire payer à mes pauvres gars la saloperie qu'on m'a faite. »

Par bonheur, le sujet lui plaisait : il s'agissait d'*Hippolyte*, tragédie d'Euripide, et il se sentait en mesure de parler de l'injustice des dieux ! Il monta sur l'estrade et donna un des cours les plus émouvants de sa carrière.

Les étudiants applaudirent, chose rare en milieu d'année...

Son fils l'accueillit à la porte. « Un autre qui me trouve à son goût », se dit Ted.

Il embrassa Sara et, pendant qu'elle préparait le dîner, il alla mettre son fils au lit, suivant un rituel qui tournait autour de l'interprétation par Ted d'une berceuse grecque, *Nani to moro mou, nani*, qui n'était pas forcément dans le ton.

Il alla ensuite s'asseoir à côté de Sara et se défit de la cuirasse mentale dont il s'était protégé toute la journée.

Le téléphone sonna.

« C'est Robbie Walton, annonça Sara, à mon avis tu devrais lui parler. Il est navré de ce qui t'est arrivé. »

Ted prit le téléphone.

Rob, premier étudiant dont Ted avait dirigé la thèse, avait quitté Harvard pour prendre un poste de maître assistant à Canterbury College. Il avait voué à Ted une gratitude éternelle.

« Comment a-t-on pu vous faire ça ? s'exclama Rob.

— Tu sais, ce sont les hasards du jeu. Que cela te serve de leçon.

— De toute façon, je suis persuadé que vous avez bien d'autres propositions. Du moins, vous le méritez.

— Disons que j'en ai quelques-unes, répondit Ted sans s'avancer. Content à Canterbury, Rob ?

— Assez. J'ai quelques étudiants brillants et le site est magnifique. Oh certes, le département de lettres classiques est un peu calme. Nous n'avons personne de la classe de Ted Lambros.

— Peut-être parce qu'on ne lui a pas proposé de venir », rétorqua Ted qui ne plaisantait qu'à moitié.

« Insinueriez-vous que vous accepteriez, le cas échéant, de venir ici ?

— A l'heure actuelle, je n'ai pas d'idées très nettes sur la question. Je préfère laisser venir les choses. »

Robbie s'anima brusquement.

« Ecoutez, si vous êtes le moins du monde sérieux à propos de Canterbury, j'en parlerai demain matin à celui qui est à la tête du département. Mon Dieu, il n'en croira pas ses oreilles !

— Dans le fond, ce pourrait être amusant de voir sa réaction si tu lui en touchais deux mots. Merci, Rob. »

« Quel plan machiavélique concoctes-tu à présent ? » lui demanda Sara lorsqu'il se rassit.

« Oh ! Une simple manœuvre qui s'appelle assurer ses arrières, ma chérie.

— Moi, j'appelle ça des coups bas.

— Sara, tu n'as pas encore compris ? Le coup bas… c'est la seule façon de jouer le jeu universitaire. »

Robbie rappela deux jours plus tard. Il exultait.

« Je le savais ! s'exclama-t-il avec enthousiasme. J'ai communiqué votre livre à Tony Thatcher qui dirige le département de lettres classiques. Il a été emballé. Il m'a prié de prendre date avec vous en vue d'un entretien. Que penseriez-vous du mercredi 14 ?

— Parfait », répondit Ted.

Dans les jours qui suivirent, Ted dévora tous les renseignements qu'il put obtenir sur Canterbury College. Fondée en 1772, c'était l'une des plus anciennes universités des Etats-Unis. Elle avait été créée sur l'ordre de Gilbert Sheldon, archevêque de Canterbury, sous le règne de George III, en vue de former des prêtres pour ses colonies.

Pour Sara, Canterbury n'était qu'une équipe de football rivale, perdue au fin fond du Vermont. Si elle avait entendu vanter la beauté du campus, Sara n'avait pas entendu de louanges particulières au sujet du département de lettres classiques.

Si elle avait osé s'exprimer en toute sincérité, Sara eût avoué qu'elle préférait, en fait, Berkeley à Harvard, mais l'idée d'aller à Canterbury semblait remonter le moral de Ted… Là-bas, il pourrait être le roi des montagnes, et la seule crainte de Sara, qu'elle garda pour elle, était d'avoir à vivre dans ces montagnes…

Ils prirent leur temps pour faire le trajet et descendirent dans une auberge. Ils s'installèrent sous le porche pour contempler le paysage féerique. En face d'eux se dressait la bibliothèque Hillier dont la tour blanche s'étirait fièrement vers le ciel sans nuages.

« Mon Dieu, Sara, ne la trouves-tu pas plus imposante qu'Eliot House ?

— Non, mais elle est très belle. »

Là-dessus Robbie arriva. Il les salua avec effusion.

« On m'a prié de vous servir de guide officiel, dit-il. Nous avons le temps de faire une visite détaillée du campus et de prendre une tasse de thé avant votre conférence. »

Rob était un fervent de la vie à Canterbury.

« Respirez cet air, insista-t-il, c'est le plus pur que vous puissiez trouver. Ici, pas de pollution urbaine.

— Pas de ville non plus », ajouta prosaïquement Sara.

En approchant de Canterbury Hall, Robbie commença à se sentir mal à l'aise :

« Euh, Ted, je... j'espère que cela vous sera égal s'il n'y a pas foule.

— Peu importe. Je serai heureux de n'avoir pour auditoire que Sara et toi.

— Cela pourrait bien être le cas, répondit Rob, visiblement embarrassé, vous voyez, j'ai mentionné votre conférence pendant mes cours, mais les affiches n'ont été apposées que relativement tard.

— C'est-à-dire ? s'enquit Ted.

— Hum, ce matin », répondit Rob alors qu'ils atteignaient l'entrée du bâtiment.

Sara commençait à avoir de sombres pressentiments.

Une vingtaine de personnes attendaient dans la salle de conférences. Ted eut du mal à cacher sa déception.

« Ne vous inquiétez pas, chuchota Rob, le président et le doyen sont là, c'est ce qui compte.

— Et les membres du département ?

— Oh, il y en a quelques-uns », s'empressa de répondre Rob.

Ted et Sara savaient ce que cela signifiait. Certains professeurs avaient choisi de boycotter sa conférence.

Bien que son ancien étudiant eût introduit Ted de façon chaleureuse, Sara ne put s'empêcher de se demander pourquoi le département n'avait pas choisi quelqu'un ayant plus d'ancienneté pour le présenter. Après tout, Ted n'était-il pas l'auteur de ce que l'*American Journal of Philology* avait flatteusement qualifié d' « ouvrage le plus important paru sur Sophocle au cours des dix dernières années ».

Ted fit sa conférence avec calme et confiance sans tenir compte du vide de l'auditorium.

A la fin, les personnes présentes l'applaudirent énergiquement.

Un monsieur distingué aux tempes grisonnantes vint lui serrer la main.

« Tony Thatcher, doyen de la section des lettres classiques, dit-il. J'ai vivement apprécié votre conférence. Pourrions-nous prendre le petit déjeuner ensemble demain à huit heures ?

— Parfait », répliqua Ted.

Ted répondit à des questions d'étudiants. Après quoi, Rob lui présenta un jeune étudiant qui portait lunettes d'écaille et moustache à la Clark Gable.

« Ted, voici notre latiniste. Il vous emmènera dîner ce soir.

— Enchanté, professeur Lambros, dit Dunster d'une voix de baryton, je suppose que vous ne verriez pas d'inconvénient à un bon Martini ? »

« — Volontiers », répondit Ted en s'efforçant de ne pas relever le fait que Dunster n'avait pas fait le moindre compliment, si banal fût-il, sur sa conférence.

« Je vais chercher Rob et Sara.

— Oh, Rob ne se joindra pas à nous, reprit Dunster. J'ai trouvé qu'un dîner en petit comité faciliterait votre rencontre avec les autres professeurs. J'y pense, Ken Bunting n'a pu venir vous écouter, car il était pris, mais il souhaite s'entretenir avec vous. »

Robbie raccompagna les deux hôtes d'honneur hors de l'amphithéâtre et Sara ne put s'empêcher d'éprouver un sentiment de pitié à son égard.

Les autres professeurs du département de lettres classiques les attendaient au *Windsor Arms*.

Dunster fit les présentations.

« Le professeur Lambros et madame Lambros, Graham Foley, notre archéologue... »

Un monsieur replet, à la calvitie naissante, s'approcha et leur serra la main.

« Digby Hendrickson, notre historien... »

Un petit homme fluet leur octroya le premier sourire de la soirée :

« Bonsoir. Appelez-moi Digby, tout simplement. Puis-je vous appeler Ted et Jane ?

— Si vous le voulez, répondit Ted avec un sourire diplomatique, mais je vous signale que ma femme s'appelle Sara.

— Et lui », poursuivit Dunster, en désignant un grand quadragénaire bon chic, bon genre, aux cheveux filasse lui retombant sur le front, « c'est Ken Bunting, notre helléniste. Il était absent tout à l'heure.

— Navré de n'avoir pu assister à votre conférence, Lambros, dit-il pour s'excuser, mais j'aurai l'occasion de la lire dès qu'elle sera publiée, n'est-ce pas ?

— Je l'ignore », reprit Sara, qui avait eu tôt fait d'analyser la situation, « ce ne sont que des idées auxquelles Ted réfléchit. Il faudra beaucoup les travailler avant d'en envisager la publication. »

Ted fut stupéfait de voir la désinvolture avec laquelle Sara minimisait ses talents d'universitaire. Ce sentiment se changea vite en gratitude lorsqu'il entendit la réponse chaleureuse que ces propos modérés suscitèrent chez l'helléniste de Canterbury.

« Très juste, conclut Bunting, cette précipitation à se faire imprimer semble monnaie courante à Harvard, non ?

— Oui, je suppose...

— Etes-vous tous d'accord pour un Martini ? » s'enquit Dunster.

Ses collègues approuvèrent à l'unanimité. L'archéologue, lui, se contenta d'un signe de tête pour marquer son assentiment.

A sept heures et demie, tout ce qu'on leur avait servi était de grands cocktails et des plats de banalités.

L'esprit de Ted fonctionnait fiévreusement. Il essayait de déterminer qui, dans ce groupe, détenait le pouvoir. En prévision de sa visite, Ted avait lu tous les articles que les membres de ce département avaient publiés. Cela n'avait pas été long. Il décida de parler à leur helléniste de son article le plus important, « Le symbolisme des vaisseaux chez Homère ».

« Monsieur Bunting, j'ai été fasciné par votre article sur la fin de la seconde partie de l'*Iliade*. Votre théorie sur le contingent attique était... »

Dunster l'interrompit de sa voix mielleuse :

« Mademoiselle vient prendre nos commandes... »

En son for intérieur, Sara Lambros chanta un alléluia...

A la grande surprise de Ted et de Sara, l'archéologue articula plusieurs syllabes :

« D'habitude, à cette heure-ci je suis déjà au lit », déclara-t-il sans s'adresser à personne en particulier. « Bonsoir tout le monde. Merci pour le pot. »

Là-dessus, il se retrancha dans son mutisme, salua les hôtes d'honneur et partit.

« Tu parles, ricana Dunster, il rentre tout bonnement chez lui pour regarder la télévision. »

Puis se tournant vers Sara :

« Croyez-le ou non, cet homme regarde la télévision !

— Oh ! beaucoup de gens le font, répondit-elle sans s'engager.

— Est-ce que votre mari a, lui aussi, un faible pour ce média ?

— Nous n'avons pas de récepteur », répondit-elle d'un ton neutre, en se disant : « Qu'il mette cela sur le compte de maigres moyens ou du snobisme, peu importe, du moment qu'il approuve. »

Deux heures passèrent sans la moindre allusion à un auteur grec ou latin. Ted essayait désespérément d'y voir clair. Il repensait à ce que Sara lui avait dit plus tôt :

« C'est un club. Ils te jugent avant de t'accepter dans leur club.

— Lambros, vous jouez au tennis ? demanda inopinément Bunting.

— Oh, mentit Ted, un peu. Je m'efforce d'améliorer mon jeu. » Et il nota dans ses tablettes qu'il serait bon de demander à l'un des frères de Sara de lui donner des leçons au cas où il obtiendrait ce poste.

« Ce vieux Bunting ici présent est la gloire de notre département, glissa Digby, l'historien.

— Il a été l'un des finalistes des championnats internationaux de 1956. Aujourd'hui il avait un match important contre un nouvel assistant du département de sciences politiques. »

Se tournant vers son champion de collègue, Digby s'enquit :

« Alors, tu l'as battu à plate couture, Ken ? »

Bunting hocha modestement la tête :

« Six-quatre, cinq-sept, six-trois, six-un. Cela n'en finissait pas. J'ai failli être en retard pour le dîner.

— Bravo, claironna Digby, nous allons fêter ça ! »

En portant un toast à Kenneth Bunting pour son triomphe bien modeste, au tennis, Sara pensait : « Espèce de crétin prétentieux ! tu n'aurais pas pu repousser ton match pour venir écouter la conférence de mon mari ? »

Lorsqu'ils se retrouvèrent seuls, Ted se permit enfin d'exprimer à haute voix ce qu'ils avaient eu sur le cœur pendant le dîner :

« Mon Dieu, quels merdeux !

— Tu vois, Ted, poursuivit Sara abasourdie, à Harvard il y a également des merdeux, mais ceux-là sont de petits merdeux... »

Elle se réveilla à l'aube. Son mari était debout, près de la fenêtre, le regard perdu.

« Qu'y a-t-il, mon chéri ? demanda-t-elle avec sollicitude. Est-ce que cela t'a déprimé ?

— Non, reprit-il, au contraire.

— Ne me dis pas que tu es content de la façon dont ils t'ont traité hier !

— Non, c'est ce paysage... A vous couper le souffle. Je me dis que nous pourrions être heureux ici.

— Mais à qui *parlerions-nous* ? Aux arbres ? Les ruisseaux babillent davantage que cette espèce d'archéologue replié sur lui-même. »

Ted baissa la tête.

« Les questions des étudiants étaient intéressantes. »

Sara ne réagit pas.

« La bibliothèque est une splendeur... »

Elle ne réagit toujours pas.

« Il y a des départements fort valables ici, notamment celui de français. Et ce Lipton, en maths. Il a travaillé à la bombe atomique.

— Ecoute, Ted, avec moi, pas besoin d'avoir recours au sophisme. Je reconnais que cette université a un caractère historique et je sais qu'il y a encore quelque chose en toi qui t'empêche de faire face au monde sans les lettres de noblesse de l'Ivy League. Je n'arrive pas à le comprendre, mais il faut que je m'y fasse.

— Elle est bien située...

— Oui, seulement à trois heures de route de Harvard.

— Deux heures et demie », précisa-t-il dans un souffle.

La salle à manger ressemblait à une orangeraie. Des couples allant d'un âge moyen à un âge certain étaient attablés. Les hommes arboraient des blazers orange, leurs épouses des écharpes aux couleurs de Canterbury.

« S'agit-il d'une réunion ? » demanda Ted à Tony Thatcher, lorsque le doyen et lui s'assirent pour prendre leur petit déjeuner.

« Les anciens élèves ne viennent pas uniquement ici pour les matches de football. Ils viennent souvent faire des pèlerinages sentimentaux.

— Je peux comprendre ce qu'ils ressentent.

— J'en suis heureux, répondit le doyen, car j'aimerais vous avoir à Canterbury.

— Vu la façon dont vous venez d'employer la première personne du singulier, dois-je comprendre que je ne fais pas l'unanimité dans le département ?

— Je ne pense pas que nous réussissions un jour à obtenir un vote unanime, même dans le cas d'une hausse de salaire. A franchement parler, ce dont nous avons besoin, c'est d'une force cohésive universitaire ayant les pieds par terre. Je veux que Canterbury devienne la première des petites universités. Meilleure que Darmouth ou Amherst. Nous ne pouvons y arriver sans y attirer des hommes de votre calibre. C'est pourquoi le président m'a investi de son autorité pour vous offrir un poste de professeur associé avec l'assurance qu'au bout d'un an ce poste vous sera acquis. Qu'en pensez-vous ?

— Franchement, l'idée d'une période dite probatoire me semble déconcertante.

— Ne voyez là qu'une simple formalité, poursuivit le doyen sur un ton rassurant, ceux qui ont voix au chapitre savent bien l'atout que vous représentez pour nous. »

« Ted, je ferai mon possible. Je te le promets. »

Sur le chemin de retour, Sara n'eut cesse de réitérer qu'elle l'avait épousé pour le meilleur et pour le pire. Ayant émis une dernière fois que sa préférence allait à Berkeley, elle ajouta qu'elle apprendrait à aimer la vie au grand air.

« Ecoute, Sara », reprit Ted, tant pour se rassurer que pour la rassurer, « un jour nous ferons un retour triomphal à Harvard. Je vais profiter du calme pour écrire un ouvrage sur Euripide qui sera tellement remarquable que ceux de Harvard viendront me supplier à genoux de revenir. Rappelle-toi comment les Romains se sont aplatis aux pieds de Coriolan pour qu'il revienne après l'avoir foutu dehors.

— Bien sûr, répliqua-t-elle, mais il a quand même fini avec un couteau dans le dos !

— Touché, sourit Ted, pourquoi diable ai-je épousé une femme aussi douée ?

— Parce que tu voulais des enfants intelligents », dit-elle en souriant à son tour.

Mais intérieurement, elle ruminait : « Mon ami, si tu respectais vraiment mon intelligence, tu suivrais mes conseils... »

Jason Gilbert prit deux décisions importantes qui devaient affecter le reste de sa vie. Il avait constaté que tout ce qu'il avait fait depuis deux ans et demi l'incitait à s'engager personnellement pour défendre la terre de ses aïeux. Cela voulait dire qu'il resterait dans ce pays et s'y enracinerait.

Toutefois la solitude lui pesait. En voyant les enfants du kibboutz, il avait envie d'être père, mais il n'était pas sûr d'avoir encore un cœur intact à offrir. Il était encore en deuil.

A chacune de ses permissions, Eva et lui s'asseyaient dans l'immense réfectoire vide et parlaient jusqu'aux petites heures du matin.

Un soir, il lui avoua :

« Je ne sais pas ce que je ferai le jour où tu te marieras. Qui aura la patience de m'écouter vitupérer contre le monde ?

— J'y ai pensé, répondit-elle timidement, depuis que tu es ici j'ai, pourrait-on dire, une épaule sur laquelle pleurer.

— Oh ! tu ne pleures jamais.

— C'est une façon de parler, comme si je disais : tu es le seul ici qui me tienne la main. Simple métaphore... »

Leurs regards se rencontrèrent.

« J'aimerais tenir ta main pour de bon, dit-il.

— Et moi j'aimerais pleurer sur ton épaule pour de bon. »

Ils s'enlacèrent.

« Eva, tu comptes beaucoup pour moi. Je voudrais te dire que je t'aime, mais vois-tu, je ne sais pas si je suis encore capable d'aimer.

— Il en est de même pour moi, Jason. Peut-être pourrions-nous essayer ? »

Là-dessus, ils s'embrassèrent.

La cérémonie eut lieu à Vered Ha-Galil, au début d'une permission d'un mois qui avait été accordée à Jason lorsqu'il s'était réengagé. Les kibboutzniks se réjouirent de savoir que Jason et Eva avaient décidé de rester parmi eux.

Pour Jason, le kibboutz avait remplacé sa famille qui lui était devenue presque étrangère. Eva avait demandé d'inviter ses parents à leur mariage, mais il avait refusé. La veille de leur mariage, il s'assit dans leur nouvel appartement, un *srif* de deux pièces, équipé d'accessoires luxueux comme un petit réfrigérateur, deux plaques chauffantes et une télévision noir et blanc, et il écrivit une lettre à ses parents.

Chers parents,

J'épouse demain Eva Goudsmit, la jeune fille que la famille de Fanny avait cachée pendant l'holocauste.

En temps normal, je vous aurais invités. Je réalise cependant que vous n'approuvez aucunement mes choix et l'engagement que je prendrai demain ne fait que consacrer ce qui, à vos yeux, est une rébellion.

Au cours de mes vingt-quatre premières années j'ai joué le jeu, fidèle à vos principes, remarquant à peine les petits compromis que je devais faire en chemin, tout comme, j'en suis sûr, vous avez à peine remarqué ceux que vous avez dû faire. Je me rends compte que cela partait d'une bonne intention : vous redoutiez que vos enfants aient à souffrir d'être juifs. Ce que je souhaite pour *mes* enfants, c'est qu'ils en soient fiers.

Ici, être juif est un honneur, et non un handicap. Mes enfants connaîtront le danger, jamais la honte.

Je vous serai pour toujours reconnaissant de ce que vous avez fait pour moi. Respectez, je vous en prie, mon droit de vivre en accord avec mes opinions, même si elles diffèrent des vôtres.

Votre fils qui vous aime,

JASON.

L'année qui suivit, les canons arabes des montagnes du Golan ne cessèrent de bombarder les kibboutz au nord d'Israël. Les terroristes s'infiltraient par les frontières de la Jordanie et du Liban. Ils visaient des objectifs qui n'avaient rien de militaire, assassinaient des civils, des femmes faisant leur marché le vendredi matin ou des enfants dans la cour de leur école.

Le peuple israélien réclamait une riposte et non une simple réaction. Un commando d'élite de parachutistes reçut l'ordre d'entamer des représailles.

Jason Gilbert participa des semaines durant à la préparation d'une offensive de l'autre côté de la frontière.

Un jour, à l'aube, ils sautèrent dans leurs véhicules et foncèrent vers Samua, village perdu dans les montagnes. Les services secrets les avaient informés qu'il y avait là une base des commandos d'*El Fatah*. A cinq cents mètres du village, ils s'arrêtèrent et gravirent le reste à pied, fusil en main.

Des avions israéliens apparurent au-dessus de leurs têtes. Ils se dirigeaient au-delà de Samua pour effectuer un bombardement et détourner ainsi l'attention des soldats de l'armée jordanienne du lieu de l'opération.

A moins de cent mètres du village, Jason se mit à courir et fit signe à ses hommes de tirer afin de créer une certaine confusion. Tandis qu'ils progressaient le long de cette pente escarpée, des fusils apparurent aux fenêtres, déclenchant un tir de riposte.

Le soldat à la droite de Jason tomba, touché à la poitrine. Un instant, Jason resta paralysé : le sang empourprait la chemise de cet homme qu'il ne connaissait que sous le nom d'Avi.

C'était la première fois qu'il voyait un homme blessé au cours d'une action. Ce n'est que lorsque le médecin qui se précipitait vers eux lui fit signe d'avancer que Jason remonta à l'assaut de la colline, indigné.

Tout en chargeant, il sortit une grenade de sa ceinture, la dégoupilla et la jeta vers le centre du village. Elle explosa sur un toit.

Les parachutistes pénétrèrent dans Samua. Les terroristes s'étaient enfuis, laissant derrière eux quelques habitants, âgés et ébahis. Les Israéliens fouillèrent les maisons et poussèrent les villageois effrayés vers le bas de la montagne.

On alluma une fusée éclairante pour signaler que Samua avait été évacuée. Jason et des artificiers se dépêchèrent d'installer des charges de dynamite dans les maisons. Dix minutes plus tard, le commando israélien s'était regroupé un peu plus bas. Un artificier fit sauter la première charge et les maisons de pierre explosèrent l'une après l'autre.

Dix-sept minutes plus tard, tous avaient repassé la frontière. Jason se retrouva dans un camion en compagnie de Yoram Zahair, son supérieur.

« L'opération Samua a été un succès », déclara Yoram.

Jason se retourna et reprit amèrement :

« Vous direz cela aux parents d'Avi... »

L'officier hocha la tête :

« Ecoute, *Saba,* la guerre n'est pas un match de foot. On ne saurait gagner sans que l'adversaire marque lui aussi, des points. »

Vers la fin de mai 1967, le capitaine Gilbert était auprès d'Eva pour la naissance de leur premier enfant, un fils. Ils l'appelèrent Joshua, en souvenir du père d'Eva. C'est alors que la radio annonça une mobilisation générale. Les troupes de réserve étaient rappelées.

Au cours des vingt-quatre heures qui suivirent, la *Voix d'Israël* déversa un flot ininterrompu de phrases absurdes du genre : « Il faut servir de la glace au chocolat avec le gâteau d'anniversaire », « Les girafes aiment les pastè-ques » ou « Mickey ne sait pas nager ». Il s'agissait de messages codés indiquant aux citoyens soldats où ils devaient se présenter avec leurs armes.

Nasser avait massé cent mille hommes armés de matériel soviétique et un millier de tanks le long de la frontière sud d'Israël.

La guerre était inévitable. Restait à savoir si Israël survivrait.

Depuis 1956, l'Egypte et Israël étaient séparés par quelques unités symboliques de Casques bleus de l'ONU éparpillées à la frontière. Nasser ordonna aux Casques bleus de déguerpir. Ils se retirèrent, ne laissant que du sable entre les deux pays...

Le roi de Jordanie plaça son armée sous les ordres du haut commande-ment égyptien. Des renforts arrivèrent en nombre en provenance d'autres pays arabes.

Israël devait faire face à plus de deux cent cinquante mille hommes, deux mille tanks et sept cents avions. Le pays se trouvait menacé sur trois frontières, la mer constituant la quatrième frontière. C'est par là que les Arabes entendaient les chasser.

Toutes les chances étant contre eux et toutes les nations prêchant la modération sans y contribuer en aucune façon, ils se retrouvaient seuls. Désespérément seuls.

Le 54ᵉ bataillon de parachutistes, peloton de Jason, était mobilisé depuis plus d'une semaine. Il campait dans une oliveraie non loin de Tel Shahar.

Sur l'ordre de l'état-major du bataillon, ils faisaient d'interminables exercices d'évacuation rapide des blessés sur brancards, ce qui était peu réjouissant. Bon nombre des hommes avaient des transistors qui les tenaient informés de l'aggravation de la situation. Les ambassades de Grande-Bretagne et des Etats-Unis conseillèrent à leur personnel de quitter Israël.

Chaque soir, Jason essayait de remonter le moral de ses soldats. Au fil des jours, la tension augmentait et il était de moins en moins convaincant, et d'autant moins qu'il n'était pratiquement pas au courant de ce qui se passait.

Au soir du 4 juin, il reçut enfin un communiqué : *Préparez-vous à faire mouvement demain matin à six heures.*

La direction n'était pas précisée.

A l'annonce de cette nouvelle, son peloton se sentit revivre. Au moins, ils feraient autre chose que d'attendre d'être annihilés par les bombes.

« Tâchez de dormir, les gars, leur dit Jason, demain nous aurons de quoi faire. »

Les hommes se dispersèrent. Ils se dirigèrent vers leurs sacs de cou-chage. Un jeune réserviste coiffé d'une calotte s'approcha de Jason, tira un petit livre de cuir bleu de sa poche et lui demanda :

« *Saba*, puis-je prier au lieu de dormir ?

— Bien sûr, Baruch, répondit Jason, peut-être que ce soir Dieu nous écoute. Quelles prières peut-on réciter la veille d'une attaque ?

— Les psaumes sont toujours de circonstance, *Saba*. »

Là-dessus, le jeune soldat s'éloigna vers un coin tranquille où il ne dérangerait pas ses camarades endormis et il se mit à réciter les psaumes à voix basse.

Dans son sac de couchage, Jason se demandait s'il reverrait un jour sa femme et son fils.

A l'aube du lundi 5 juin, les cars arrivèrent. Il s'agissait de véhicules délabrés que certains empruntaient pour se rendre à leur travail à Tel Aviv. Aujourd'hui ils les emmèneraient vers le Sinaï, vers une base aérienne du Néguev où les attendait une flottille de Sikorskis.

En descendant des cars, les soldats scrutèrent nerveusement le ciel, sentant que les hostilités avaient commencé. Proches comme ils l'étaient de la frontière, ils redoutaient une attaque aérienne de la part des Egyptiens.

Jason rassemblait ses hommes et les répartissait en groupes de huit par hélicoptère, lorsqu'un officier supérieur l'appela. Il revint radieux :

« J'ai une nouvelle qui vous intéressera, les gars, s'écria-t-il, il semblerait que ce matin, à sept heures quarante-cinq, notre aviation ait entrepris une attaque préventive des bases aériennes de l'ennemi. L'aviation égyptienne n'existe plus. Le ciel appartient à Israël ! A nous de conquérir les terres ! »

Avant même que les hommes aient eu le temps de manifester leur joie, un jeune soldat leva la main. C'était Baruch. Brandissant son petit livre de prières, il s'écria joyeusement :

« Vous voyez, *Saba,* Dieu *écoutait.* »

Ce matin-là, il n'y eut pas d'agnostiques dans l'armée israélienne...

« Bon, dit Jason, voici ce qui est au programme. Nous faisons mouvement, tankistes, infanterie, tout le monde. Nous traversons le canal pour aller visiter les pyramides. Oh ! un petit travail auparavant : les Egyptiens sont installés à Um Katef, la porte du Sinaï. Les tanks ne peuvent s'en approcher suffisamment. Allons-y et déblayons. Il n'y aura pas de place pour tous. Je vais prendre des volontaires. »

Toutes les mains se levèrent.

La nuit tombée, ils commencèrent à atterrir dans des dunes situées au nord du point de résistance égyptienne. Les hélicoptères faisaient des allées et venues, transportant les soldats, tels des hommes d'affaires dans le métro aux heures de pointe. Les derniers atterrissages se firent sous un feu nourri, en provenance de la forteresse.

Comme convenu, les hommes se divisèrent en deux groupes, les uns formant un groupe d'assaut, les autres les couvrant.

Soudain une de leurs roquettes toucha un convoi de munitions. Celui-ci explosa, causant des dégâts dans les deux camps.

A la lumière de la tour qui brûlait, Jason compta cinq corps immobiles et des douzaines de camarades blessés. Il ordonna à ses hommes de s'arrêter et d'attendre l'arrivée des brancards. C'est ainsi qu'ils accomplirent pour de bon ces gestes qu'ils avaient faits si souvent pour s'entraîner.

Jason prit son fusil, prêt à s'adonner à cette tâche inhumaine qui consiste à tuer. Pour la paix...

Au soir de la première journée, la menace d'annihilation n'existait plus.

Les aviations jordanienne et syrienne avaient subi le même sort que celle des Egyptiens. Les troupes du Sud se dirigeaient vers le canal de Suez sans rencontrer de vraie résistance.

Israël combattait sur trois fronts avec une armée qui devait se battre aussi bien au nord qu'au sud. C'est pourquoi, dès que le 54ᵉ bataillon eut dégagé la voie permettant la prise du Sinaï, ils se rendirent au nord où la bataille du Golan faisait rage.

Tandis qu'ils voyageaient, se livrait un féroce corps à corps dont l'objet ultime était Jérusalem.

Le mercredi matin, en atteignant le Golan, ils apprirent que les parachutistes avaient repris la vieille ville et se trouvaient au pied du plus sacré des monuments, le Mur des lamentations.

Pendant ce temps, le bataillon de Jason s'empara de la position de l'armée syrienne située à l'est de Dar Bashiya. L'artillerie lourde qui, des années durant, avait bombardé sans répit les kibboutzim du Nord, était enfin réduite au silence.

Six jours après qu'elle eut commencé, la guerre était finie. La configuration d'Israël avait changé. Au sud, l'ensemble du désert du Sinaï servait de zone tampon. A l'est, jusqu'au Jourdain, tout le territoire était sous son contrôle, avec une frontière facile à défendre. Au nord, c'étaient les Israéliens qui occupaient le Golan, menaçant la Syrie, et non pas l'inverse.

C'était un succès sur tous les plans sauf un : cela n'avait pas amené la paix.

Le 1ᵉʳ septembre, le sommet arabe de Khartoum adopta trois résolutions : il n'y aurait aucune négociation avec Israël, aucune reconnaissance d'Israël, aucune paix avec Israël.

Berçant son fils dans ses bras, Jason dit à sa femme :

« Ils auraient pu ajouter : aucun *répit* pour Israël non plus... »

De leur côté, les Arabes vaincus, ébranlés par les bombardements, envisageaient une nouvelle forme de guerre : une campagne de terreur et de sabotage. Ils créèrent l'OLP dont le but déclaré était la « libération nationale » du peuple qui n'avait jamais été nation.

Aucune mesure ne semblait empêcher ces nouveaux terroristes de pénétrer en territoire israélien. Ils traversaient le Jourdain, se cachaient dans des grottes, faisaient leur sale besogne, repartaient ou se dirigeaient vers le nord avant de disparaître de l'autre côté de la frontière libanaise.

Les raids de l'armée israélienne, efficaces avant la guerre, ne servaient plus à rien.

Ils isolèrent le Jourdain avec des champs de mines. Ils allèrent jusqu'à ratisser les sentiers pour permettre aux patrouilles de repérer à l'aube si quelqu'un les avait empruntés pendant la nuit. Comme l'hydre de la mythologie grecque, chaque fois qu'on leur coupait une tête, on eût dit qu'il leur en poussait deux autres...

On recruta les meilleurs commandos de chaque unité pour former une force antiterroriste d'élite, le *Sayaret Matkal*, unité de reconnaissance de l'Etat-Major.

Jason était déterminé à en faire partie. Il se rendit donc au Quartier Général, prêt à livrer la même bataille que cinq ans plus tôt, lorsqu'on lui avait dit : « Vous êtes trop vieux. »

En voyant l'officier chargé du recrutement, il comprit que ce ne serait pas nécessaire. En effet, il s'agissait de Zvi Doron en personne, celui qu'il avait réussi à convaincre dans la tente de recrutement des parachutistes. Cette fois, les deux hommes rirent, puis Zvi lui fit part de sa seule réserve quant à son désir de s'engager.

« Tu vois, *Saba*, je suis persuadé que, physiquement, tu en es capable. Seulement à présent tu es époux et père et disons que ce n'est pas le genre de boulot qui contribue à rendre un mariage heureux. Tu seras souvent absent, et qui plus est tu ne pourras parler à ta femme d'aucune de nos opérations. Crois-moi, des divorces, j'en ai trop vu dans les troupes de reconnaissance parachutistes.

— Ecoute, répondit Jason, je ne suis pas resté en Israël pour la cueillette des oranges. J'y suis resté pour y accomplir une mission et, tant que je pourrai servir à quelque chose, je n'hésiterai pas à prendre les risques nécessaires. Alors, tu m'acceptes ?

— A condition que tu me promettes d'en parler à ta femme.

— Promis. »

Eva le comprenait trop bien pour discuter. Elle savait qu'elle avait épousé un homme à la nature ardente.

Elle ne se mettrait pas en travers de son chemin. Elle se contenta de lui arracher la promesse futile qu'il ne prendrait aucun risque superflu.

Après tout, il avait une femme, un fils et un deuxième enfant qui allait naître dans quatre mois...

George Keller aurait aussi bien pu travailler au musée d'Art moderne. Chaque matin, depuis quatre ans, il se rendait au 30 Rockefeller Plaza, au cœur de New York et, après divers contrôles d'identité, il prenait l'ascenseur jusqu'au cinquante-sixième étage.

Pour se rendre à son bureau somptueusement décoré, il empruntait des couloirs tapissés de Renoir, de Picasso, de Cézanne ou de Van Gogh, joyaux de l'une des collections les plus admirables du monde.

C'était en ces altitudes où l'air se faisait rare que le gouverneur Nelson Rockefeller et ses frères avaient leur base d'opérations. Chacun entretenait une aile destinée à ses intérêts variés : présidences d'associations, activités philanthropiques, etc.

George avait été embauché sur la recommandation de Henry Kissinger. Il appartenait à l'équipe qui rédigeait des mémorandums sur la politique internationale, à l'usage du gouverneur.

« Tu prépareras les voies pour la politique étrangère de la présidence Rockefeller », lui avait dit son mentor.

S'il avait eu des hésitations à quitter Harvard, elles disparurent lorsqu'il s'aperçut que son salaire égalait celui d'un professeur titulaire.

George n'avait pas manqué d'offres alléchantes. Ayant passé chaque été à organiser le séminaire international de Harvard, ses responsabilités s'étaient accrues en fonction de l'estime que lui portait Kissinger. Quand il soutint sa thèse de doctorat en sciences politiques, il était corédacteur en chef de *Confluence*, la revue prestigieuse du séminaire.

Henry Kissinger témoignait une loyauté à toute épreuve à l'égard de ses protégés. Il n'hésitait pas à inclure George dans sa propre stratégie d'avancement. Il ne fallait pas y voir une amitié désintéressée. George constituait un atout du fait de ses talents universitaires et de son sens inné de la diplomatie. C'était, sinon une alliance entre égaux, du moins une honnête association.

Harvard aurait souhaité que George restât. Le professeur chargé du département avait convoqué Kissinger pour voir comment persuader le jeune étudiant de rester au sein de l'université.

« Je crois que ses aspirations l'attirent davantage du côté de Washington que de Cambridge, commenta Henry, mais je ferai de mon mieux. »

Kissinger n'exerça pas de pression excessive sur George pour qu'il reste à Harvard, car il avait besoin d'assurer l'avant-garde de sa propre carrière. En plaçant George auprès des Rockefeller, ses protecteurs de longue date, il avait un allié sûr dans la vie « réelle ».

En juin 1963, George Keller prêta serment d'allégeance à la Constitution américaine, devenant ainsi citoyen américain et patriote dans l'âme.

Le fait de recevoir sa citoyenneté représenta pour lui une espèce d'acte de naissance tardif. Non seulement il s'était assuré un avenir, mais il avait pratiquement oblitéré son passé.

Avait-il jamais été hongrois? Avait-il jamais eu un père ou une mère? Une sœur? Ou même une fiancée au nom d'Aniko? Il lui arrivait, en de rares occasions, de faire un cauchemar dans lequel il était égaré dans une tempête de neige aveuglante. Il avait évité de lire la presse hongroise, sauf lorsque cela lui était absolument nécessaire.

Telle Athéna, il semblait sorti adulte du crâne de Zeus. Et, dans le cas de George, Zeus était Henry Kissinger.

George Keller partit donc pour New York, pour beaucoup la ville la plus prodigieuse du monde, mais, pour lui, la simple banlieue de Washington.

L'atmosphère habituellement calme du bureau 5600 se trouvait survoltée en cette période de 1964 durant laquelle Nelson Rockefeller ambitionnait l'investiture du parti républicain en vue des élections présidentielles. Kissinger était là si souvent que George finit par se demander comment il trouvait le temps de donner ses cours.

Henry appartenait à l'équipe Rockefeller en qualité de conseiller en politique étrangère. Il confiait à George le soin de rédiger ses rapports, tandis qu'il s'enfermait avec Rocky dans le saint des saints pour discuter de la stratégie de sa campagne.

George participa à la convention républicaine de San Francisco et, après l'échec de son patron devant Barry Goldwater, il continua à aider Kissinger à préparer le programme de politique étrangère du parti républicain.

Au soir de l'élection, George et Henry, debout dans un coin du grand salon de l'hôtel aux lumières tamisées, virent chaque nouveau résultat accentuer la défaite écrasante de leur candidat devant Lyndon Johnson.

« Eh bien, Henry, on dirait que, pour nous, c'est terminé.

— Pas du tout, George, pas du tout.

— Que voulez-vous dire ? Ils nous battent à deux contre un.

— Pas nous, rétorqua Kissinger, seulement le sénateur Goldwater. N'oubliez pas que les démocrates auront, eux aussi, besoin de conseillers qualifiés. »

George se dit que son professeur voulait sauver la face. Kissinger serait renvoyé à ses cours et lui se retrouverait au bureau 5600...

Toutefois, trois ans plus tard, lorsque Lyndon Johnson s'embourba irrémédiablement dans les marécages de la guerre du Vietnam, un professeur de sciences politiques de Harvard, replet et portant lunettes, se présenta au bureau de Robert McNamara, ministre de la Défense. Cet universitaire proposait de faire passer des messages secrets par l'intermédiaire de certains contacts français à Hô Chi Minh, alors à la tête du gouvernement nord-vietnamien.

Le Pentagone accueillit favorablement cette proposition. A la surprise de beaucoup, mais non à celle de l'intéressé, ils acceptèrent de faire de Henry Kissinger leur envoyé secret.

Il va de soi que George devinait à quel jeu s'adonnait le maître stratège, en interprétant les « bévues » que commettait Kissinger lors de leurs conversations.

Henry dit un jour :

« J'ai mangé des coquilles Saint-Jacques fantastiques, chez Prunier, l'autre soir.

— Où est-ce ? demanda George.

— Oh ! à Paris, répondit Kissinger d'un air dégagé, je suis allé là-bas quelques heures pour y remettre un document. »

George reconstituait par bribes la vérité. Kissinger était impliqué dans des négociations secrètes pour le compte du gouvernement américain. Cependant, il ne parvenait pas à saisir pourquoi une administration démocrate choisissait un professeur relativement inconnu qui avait œuvré contre eux lors de la campagne électorale précédente. N'avaient-ils pas leurs propres contacts ? Pourquoi Henry ?

Une fois que le rôle de Kissinger fut annoncé officiellement, George s'enhardit jusqu'à lui demander ce qui lui avait fait croire que son offre serait prise au sérieux.

« Oh ! voyez-vous, répliqua Henry, je pourrais frimer avec une citation tirée du *De la guerre* de Clausewitz. Mais, pour ne rien vous cacher, je me suis dit que si je tentais le coup, il n'y avait que deux réponses possibles, j'avais donc une chance sur deux.

— Oh ! » conclut George Keller, exprimant son admiration par une monosyllabe.

Et il pensa : « Cet homme est un génie. »

En flagrant contraste avec la Realpolitik sophistiquée du mentor de George, Eliot faisait preuve d'un sentimentalisme naïf. Souvent, au déjeuner, Andrew cherchait à savoir quel était le diagnostic de George quant à la maladie qui minait la nation. En ce début de juin 1968, Andrew était affolé :

« George, qu'est-ce qui se passe dans ce pays ? La guerre a-t-elle drainé notre bon sens ? Pourquoi nous entre-tuons-nous ? Il y a deux mois, à peine, on assassinait Martin Luther King ; maintenant c'est le tour de Bobby Kennedy. Peux-tu m'expliquer cette folie ? »

Et George de répondre sur le ton du détachement de l'universitaire :

« Je vois là des signes annonciateurs d'une victoire des républicains en novembre. »

Les activités secrètes de Kissinger lors de ses voyages secrets à Paris ne suffisaient pas. C'était clair. La situation empirait au Vietnam. Parmi les victimes, on comptait Lyndon Johnson. Abattu par l'avalanche de manifestations hostiles à sa politique, il préféra ne pas se représenter pour un second mandat, laissant la responsabilité des bombardements à un chef moins harassé et moins désabusé.

Ce faisant, Lyndon Johnson offrait la présidence à Richard Nixon ; ce politicien madré pouvait allégrement se passer des conseils de brillants stratèges comme Kissinger ou son jeune assistant, Keller. Le bon sens lui disait que la promesse de mettre fin à la guerre suffirait à lui ouvrir les portes de la Maison Blanche.

C'est ce qui arriva.

C'est ainsi que George dut s'éloigner des Renoir et des Van Gogh du Rockefeller Center, et qu'il se retrouva à cinquante mètres du National Security Adviser, de Henry Kissinger.

Les comédies musicales de Broadway sont au zénith le premier jour des répétitions : les auteurs les lisent alors à haute voix et chantent la partie lyrique dans sa version primitive.

Lorsque Stu et Danny eurent achevé leur duo, la troupe applaudit avec enthousiasme. Sir John Chalcott, metteur en scène, fit quelques remarques.

« Reconnaissons la qualité de ce spectacle. Durant les six semaines à venir, nous respecterons les intentions des auteurs. »

Applaudissements polis.

Zero Mostel se leva à son tour.

« Cette pièce n'a rien à voir avec les " broadwayseries " habituelles. James Joyce aurait apprécié ce que Stu et Danny en ont fait. Une chose sûre, les gars, nous allons en mettre un coup. »

Nouveaux applaudissements.

Sir John se tourna vers la vedette féminine :

« Mademoiselle Hamilton, souhaiteriez-vous ajouter quelque chose ? »

Oh ! oui, elle le souhaitait...

Affectant l'accent anglais, en l'honneur de son metteur en scène, elle reprit :

« Monsieur Kingsley, ou l'illustre monsieur Rossi, pourrait-il m'expliquer pourquoi M. Mostel chante le dernier morceau ? »

Ce n'était pas le genre de question auquel s'attendait Sir John, mais la troupe ne sembla aucunement surprise. Ils se tournèrent vers les auteurs pour une explication.

Danny quitta le piano et se dirigea vers la table autour de laquelle ils étaient assis.

« Vous voyez, mademoiselle Hamilton, cela tient à notre façon de concevoir ce spectacle. Nous voudrions, Stu et moi, mettre en relief le thème de Joyce qui nous présente Stephen en quête de ce père qu'il a perdu, et Bloom en quête de son fils mort.

— Monsieur Rossi, le roman se termine par le monologue de Molly. Pourquoi mutileriez-vous un classique pour flatter l'amour-propre de M. Mostel ? »

Avant que Danny ait pu répondre, la vedette masculine émit un commentaire laconique :

« Foutaises ! »

Avec un accent plus aristocratique que jamais, Mlle Hamilton tança celui qui partageait l'affiche avec elle :

« Monsieur Mostel, une telle vulgarité est indigne de l'acteur chevronné que vous prétendez être !

— Foutaises ! » se contenta de répondre Zero.

Six semaines plus tard, avant le départ pour Boston, une répétition rapide eut lieu à New York. Edgar Waldorf rapporta que les gens du métier qui y avaient été conviés s'étaient montrés élogieux. Certains avaient avoué être émus aux larmes par le duo qui achevait le spectacle.

Danny et Stuart s'étreignirent.

« Pense donc, s'écria le poète enthousiasmé, nous commencerons notre marche triomphale à l'ombre de Harvard. Ça ne te fait pas frissonner de joie ?

— Bien sûr que si.

— Danny, je te l'ai déjà dit, mais je voudrais que tu graves cela dans ta mémoire : je te serai éternellement reconnaissant de m'avoir choisi pour collaborer à cette œuvre.

— Stu, tu as énormément de talent.

— Ecoute, Danny, tu aurais pu avoir tous les poètes lyriques que tu voulais, mais tu as accepté de donner une chance à un type qui n'avait rien à son palmarès en ce domaine. Je n'oublierai pas ton geste.

— Merci à toi aussi, Stuart. Cela a été une joie pour moi. Nous ne sommes plus de simples associés, nous sommes presque des frères. »

Au théâtre, il est une règle invariable selon laquelle les comédies musicales ne sont jamais écrites. Elles sont *réécrites*.

« Voilà à quoi servent les avant-premières dans des villes comme New Haven ou Boston, expliqua Edgar à Danny et à Stu. Les Bostoniens sont aussi connaisseurs que les New-Yorkais, mais ils sont plus tolérants. Ils comprennent que nous soyons là pour couper, affûter, peaufiner. Les critiques peuvent d'ailleurs vous donner l'une ou l'autre indication utile.

— Et si un spectacle est parfait ? demanda Stuart ironique.

— On essaie alors de le rendre encore *plus* parfait. Même *My Fair Lady* a dû retailler ses diamants en cours de route... En tout cas, mes amis, croyez-moi, ce spectacle lui est cent fois supérieur. »

Manhattan Odyssey ouvrit à Boston le 12 février 1968. Les premières critiques ne furent pas aussi enthousiastes qu'Edgar Waldorf l'avait prédit. Elles ne furent pas bonnes... Pour être plus précis, disons qu'elles furent sanglantes.

La seule « indication utile » que proposait le *Boston Globe* était que ce « four » devrait plier bagage illico et s'éloigner à pas de loup pendant la nuit.

Le critique jugeait les paroles prétentieuses, l'orchestration incongrue. Les autres journaux se montrèrent encore plus féroces.

Danny était abasourdi. C'était la première fois qu'il était l'objet de critiques hostiles depuis que le *Crimson* de Harvard avait torpillé *Arcadia.*

En apprenant l'accueil catastrophique fait à *Manhattan Odyssey,* Maria proposa de sauter dans le premier avion pour apporter son soutien à Danny.

« Non, lui répondit-il par téléphone, j'ai la vague impression que nous allons travailler jour et nuit. Tu seras mieux en dehors du champ de bataille.

— Ecoute, Danny, dit-elle sur un ton qui se voulait rassurant, cela est déjà arrivé à bon nombre de spectacles en provenance de New York. Tu as largement le temps de remédier à ce qui ne va pas.

— D'autant plus qu'à mon avis les critiques de Boston sont snobs sur les bords. J'attends de lire *Variety*. C'est la seule opinion à laquelle je me fie. »

Variety est un journal que le monde du spectacle respecte. Dans un style bien à lui, il n'y va pas par quatre chemins.

« *Rejoyce...* pas de quoi se réjouir... »

Danny sauta les commentaires peu favorables portant sur les paroles de Stuart, sur la mise en scène de Sir John, ou sur les efforts héroïques des vedettes pour faire de leur mieux avec le matériel médiocre dont elles disposaient. Il se précipita sur le paragraphe se rapportant à son travail.

... Pour ce qui est de la musique, Rossi n'est pas dans son élément. On dirait qu'il compose des bruits et non pas des mélodies. Pas de bonnes rengaines à fredonner. Il paraît être allergique à tout air populaire, ce qui peut être le grand chic parmi les intellectuels hirsutes qu'il fréquente, mais restreint ses chances de voir les spectateurs moyens se presser aux guichets.

Manhattan Odyssey nécessitera un remaniement en profondeur pour tenir l'affiche à Broadway...

Assis dans le paisible et luxueux décor de sa suite au Ritz, Danny lut et relut la critique. Il n'en croyait pas ses yeux.

Pourquoi se montraient-ils si cruels ? Cette musique était la meilleure qu'il eût jamais écrite. Il en était persuadé.

On frappa à la porte. Il regarda sa montre, minuit vingt. Son visiteur du soir n'était autre qu'Edgar Waldorf, le producteur, dont l'exubérance était tombée.

« Je vous réveille, Dan ?

— Non, j'allais sauter par la fenêtre...

— Vous avez donc lu *Variety*.

— Oui. »

Edgar s'affala sur un canapé. Il poussa un soupir théâtral.

« Dan, nous avons des problèmes.

— J'en suis conscient. Mais n'est-ce pas le but des tournées en province ?

— Il faut remplacer Stu, reprit rapidement Edgar. Certes, il a du talent, un talent fantastique, mais il manque d'expérience. On sent qu'il n'a jamais travaillé le dos au mur. »

Danny ne savait comment réagir. Son ami et condisciple, écrivain de valeur, un garçon fin et intelligent, allait être remercié sans autre forme de procès...

Il rumina en silence avant de répondre :

« Stu est un garçon sensible, cela le tuera...

— Non, répliqua le producteur, il est adulte. Il survivra et se remettra à écrire. Une fois le spectacle sauvé, il touchera assez de droits pour en vivre convenablement. Pour le moment, il nous faut un médecin pour sauver ce spectacle, quelqu'un qui écrive bien, avec humour et *rapidement.*

— Euh... qui avez-vous en tête ? » s'enquit Danny atterré du sort qui pourrait attendre les élégants dialogues de Stu.

« Ma femme appelle New York pour voir qui est disponible.

— Mais Stu resterait en tant que parolier...

— Dieu sait qu'il y a à faire dans ce domaine également », commenta Edgar avec un imperceptible malaise dans la voix.

Il s'empressa d'ajouter :

« Stu est de retour à New York. Je ne le veux pas comme parolier non plus.

— Bon Dieu, Edgar, vous auriez pu me laisser le lui dire moi-même. C'était la moindre des choses. Ne trouvez-vous pas que vous êtes brutal ?

— Ce n'est pas moi qui suis brutal, Dan. Les affaires sont les affaires. Broadway, c'est du marche ou crève : une soirée ou dix ans ! C'est une foutue guerre entre les artistes et le *New York Times*.

— Bon, je pige, reprit Danny, mais qui va travailler avec moi comme parolier ? »

Edgar respira profondément, si profondément que l'on eût dit que la suite d'hôtel était une tente à oxygène. Il se tortilla et, la main sur le cœur, déclara d'une voix mielleuse et grave :

« Danny, il faut que nous parlions aussi de la partie musicale.

— Comment cela ?

— Oh, disons qu'elle est fantastique, sensationnelle, brillante. Mais, qui sait, peut-être un peu *trop* brillante...

— C'est-à-dire ?

— Eh bien, que tous ne sauraient en apprécier la qualité. Je veux dire... avez-vous lu les critiques ? »

« *Non,* pensa Danny, *ce n'est pas possible. Il ne veut tout de même pas me renvoyer.* »

« Nous avons besoin de chansons, expliqua Edgar. Vous savez, des airs que l'on puisse fredonner.

— J'ai lu *Variety,* Edgar. Je suis prêt à simplifier ça. J'écrirai des mélodies faciles à chantonner. »

La panique l'avait saisi. Son ton de voix se faisait involontairement plaintif. Suppliant.

« Danny, vous êtes un compositeur classique. Dieu sait que vous avez des chances d'être notre Mozart contemporain ! »

Danny perçut dans ce pâle compliment une arme pour sa propre survie.

« C'est précisément cela, Edgar. Mozart pouvait écrire dans n'importe quel style, du *Requiem* à l' *Ah, vous dirai-je maman...*

— Certes, répliqua le producteur, mais il n'est pas disponible. Croyez-moi, mon ami, vous avez besoin d'aide, vous aussi. »

Il y eut un silence pénible. Qu'allait proposer ce rustre ?

« Ne voyez là aucune attaque personnelle. Dan. Il s'agit de sauver le spectacle. Avez-vous entendu parler de Leon Tashkenian ? »

Bien sûr... A son indicible détresse... Tashkenian n'avait-il pas été affublé du sobriquet de Tash-*Kioskan,* minable musicien de kiosque, par ceux qui prenaient la musique au sérieux.

« Ce gars écrit de la *merde.* De la vraie *merde* !

— Appelez ça comme vous voudrez. Je m'en contrefous, rétorqua Edgar. Leon peut nous reprendre ça. Nous avons besoin de lui. Ce spectacle a besoin de merde, tout comme les champs ont besoin de fumier. Compris ? »

Danny Rossi étouffait de rage et d'humiliation.

« Edgar, je connais mes droits selon le contrat de l'Association des auteurs. Vous ne pouvez faire appel à un nouveau compositeur sans mon consentement. Et je refuse d'y consentir.

— D'accord, monsieur Rossi, poursuivit calmement Waldorf. Je connais mes droits, moi aussi. Ce spectacle pue. Votre musique est putride. Les gens la détestent. Si vous refusez que M. Tashkenian vous donne un coup de main, la solution est simple. Vous pouvez crever à Boston et vous faire enterrer dans votre cher campus de Harvard. En effet, si vous dites non à Leon, j'irai de ce pas apposer un écriteau sur la porte du théâtre. »

Là-dessus il sortit, affectant une colère mélodramatique. Il savait que Danny était vaincu.

Edgar se dirigea vers le téléphone du rez-de-chaussée pour appeler Leon Tashkenian, qui travaillait depuis une heure matinale dans une suite du Hilton.

Danny avala un tranquillisant qui ne lui fit aucun effet. Il frappa ensuite aux portes susceptibles de lui apporter quelque consolation.

Il commença par son agent, Harvey Madison. Ce dernier attendait son appel. Il s'empressa de rassurer son célèbre client. Il avait dû se battre avec Edgar Waldorf une bonne partie de la soirée, dit-il, pour préserver l'honneur de Danny. Bien entendu, le nom de Tashkenian ne serait pas mentionné.

« Ecoutez, Dan, philosopha Harvey, c'est ainsi que démarrent les spectacles de Broadway. Ils sont composés d'une douzaine de morceaux provenant d'une douzaine de personnes différentes.

« Si vous avez beaucoup de chance, les critiques décident que c'est du vélin et non pas du papier juste bon pour vous torcher. »

Danny écumait devant pareille trahison.

« Harvey, vous n'avez pas la moindre honnêteté, hurla-t-il.

— Danny, soyez lucide ! Dans le monde du spectacle, le mot " honnêteté " c'est ce qui fait salle vide le samedi soir. Cessez donc de jouer au naïf ! Bénissez le ciel que Tashkenian accepte de vous servir de nègre. Dès que les nouvelles partitions seront prêtes, je prendrai l'avion pour Boston et nous discuterons de cela en détail. Ne vous affolez pas. »

Danny raccrocha, furieux. Il songea à noyer son amertume, mais se rendit compte avec honte qu'il avait oublié Stuart Kingsley, son fidèle ami, brutalement banni.

Il appela New York. Nina lui répondit que son mari ne pouvait venir au téléphone.

« Danny, tu es le dernier des salauds, dit-elle d'une voix sifflante. Y a-t-il quelque chose ou quelqu'un que tu ne vendrais pas ? Stu croyait que tu étais son ami. Dieu sait qu'il t'aurait défendu, lui...

— Nina...

— J'espère que ce spectacle sera un four total et qu'il t'enverra au diable !

— Nina, s'il te plaît, laisse-moi dire un mot à Stuart. *S'il te plaît !* »

Elle marqua une brève pause puis reprit, en contenant sa rage :

« Il est à Hartford, Danny.

— Bon Dieu, mais qu'est-ce qu'il y fiche ? »

A peine avait-il achevé sa phrase qu'il comprit.

« Tu veux dire... la maison de santé ?

— Oui.

— Que lui est-il arrivé ?

— Son ami lui a fichu un coup de poignard dans le dos.

— Je veux dire : qu'a-t-il fait ?

— Oh ! il a avalé quelques douzaines de comprimés et une bouteille de scotch. Heureusement je suis rentrée tôt...

— Dieu merci, Nina, je...

— Oh ! console-toi, Danny, les médecins comprennent son cas.

— Tant mieux, conclut Danny soulagé.

— A leur avis, la prochaine fois il réussira son coup. »

Heureusement Danny dut s'absenter quelques jours de Boston. Il dirigea plusieurs concerts à Los Angeles, puis regagna New York où il arriva un matin à six heures. Après s'être reposé dans sa loge, il avala deux « Allegro Vivace » et répéta trois heures durant.

Il joua, ce soir-là, le *Concerto pour piano* de Schönberg, réputé difficile. Il fut tellement applaudi qu'il dut exécuter un rappel.

Il arriva à Boston à minuit trente-cinq. Il pénétra dans sa suite. Le téléphone sonnait.

« Oui », répondit-il avec un soupir de lassitude.

« Bonsoir, Danny. Etes-vous libre ? »

C'était Edgar.

« A vrai dire, je suis crevé. Ne pourrions-nous pas nous voir demain matin ?

— Non. Nous avons prévu une répétition à onze heures du matin et auparavant je veux faire photocopier les partitions.

— Quelles partitions ?

— Celles que Leon a écrites. Pouvons-nous monter ?

— Edgar, vous n'avez que faire de mon approbation, j'ai déjà capitulé. Je sais que c'est nul sans avoir à l'écouter...

— Allons, laissez jouer Leon. Peut-être changerez-vous d'avis. Vous pourriez même avoir quelque suggestion à formuler. »

Danny analysa rapidement la situation. Il savait à quoi s'en tenir. S'il avait abandonné tout droit de s'opposer à une addition musicale de Tashkenian, il avait conservé un privilège : celui de retirer son nom si bon lui semblait. Tout bien pesé, n'était-ce pas quelque chose ? Son nom ne conférait-il pas une certaine classe au spectacle ? Sa réputation de musicien « sérieux » n'assurait-elle pas le respect des critiques ? C'était à Edgar de le flatter...

« D'accord, mais que ce soit aussi rapide que possible.

— La " valse minute " », lança Edgar. Et il raccrocha.

Danny eut à peine le temps d'avaler un « Allegro » que l'on frappait à sa porte. Il ouvrit, anxieux. Devant lui se tenait un drôle de couple. Edgar Waldorf, élégant, replet, accompagné d'un homme assez jeune, basané, aux cheveux gominés.

« Bonsoir, dit Tashkenian, sourire aux lèvres.

— Du bollinger », reprit Edgar Waldorf, en brandissant un magnum de champagne.

Danny ne dit rien. En cas de siège, mieux vaut ne pas gaspiller les munitions. Les deux hommes pénétrèrent dans la pièce. Un garçon les suivait, apportant trois coupes sur un plateau. Il prit la bouteille, la déboucha, emplit les coupes.

« Vous avez joué à merveille ce soir, remarqua Tashkenian.

— Merci », grommela Danny, voyant là une de ces politesses hypocrites, monnaie courante dans le monde du spectacle. « Vous étiez à New York aujourd'hui ?

— Non, mais vous êtes passé en direct sur WGBH.

— Tiens !

— Si nous portions un toast ? » interrompit Edgar, fourrant une coupe de champagne dans la main de chacun des deux compositeurs. Il brandit ensuite son verre « au spectacle »...

Leon leva sa coupe mais ne but pas. Danny l'engouffra d'un trait puis s'assit.

« Bon, voyons ce que vous avez fait », dit-il en tendant la main vers la brassée de papiers sous laquelle disparaissait Tashkenian.

« Laissez-le jouer, insista Edgar.

— Merci, je suis capable de lire la musique, riposta Danny.

— Je n'en attendais pas moins d'un ancien de Harvard, répliqua Edgar. Hélas, je n'ai pas eu la chance de faire ce genre d'études. Et j'avoue que j'aime la façon dont Leon interprète ce qu'il a écrit. Allons, vas-y Leon, joue-nous ton œuvre. »

Il se tourna vers Danny :

« C'est fabuleux, fa-bu-leux ! »

Boum-bam, boom-boom-bam ! Leon cognait, tel un bûcheron sadique, s'acharnant à abattre un Steinway.

Danny leva la main.

« Ça va, ça suffit !

— Attendez, attendez ! protesta Edgar, il ne fait que s'échauffer. »

Danny capitula en soupirant.

Petit à petit, on discerna quelques sons au milieu du vacarme. Si, à certains moments de sa vie, Danny avait souhaité être Beethoven, à présent, il se serait simplement contenté d'être sourd. En effet, parmi ses nombreuses qualités, Leon Tashkenian avait la voix d'une hyène affligée d'une hernie.

La fin approchait... Elle était tellement prévisible que Danny ne put s'empêcher de gémir l'inévitable mot de la fin, « amour ».

Edgar valsait. Il se précipita vers Tashkenian, l'embrassa et annonça :

« Il l'adore ! Danny l'*adore.* »

« Qu'en pensez-vous, monsieur Rossi ? demanda Tashkenian.

— Voilà qui donne une nouvelle dimension au mot " pacotille ".

— Il plaisante, il plaisante, reprit Edgar qui riait jaune.

— Pas du tout », répondit le jeune homme au piano, sur un ton moins inquiet. Puis, se tournant vers Danny, il poursuivit :

« Pourriez-vous être plus précis dans vos critiques ?

— Pour être précis, Leon, votre un-six-quatre-cinq-un sent le cliché.

— Appelez ça cliché, si vous voulez, poursuivit Tashkenian, Richard Rodgers a su merveilleusement l'utiliser dans *Blue Moon*...

— Vous n'êtes pas Richard Rodgers et cette suite de notes sans queue ni tête n'a rien à voir avec de la musique. »

Tashkenian était jeune, mais il connaissait sa valeur. Après cette dernière salve d'insultes, il ne devait plus de respect au maestro.

« Ecoutez, Rossi, j'ai mieux à faire qu'à me laisser insulter par ce connard pompeux et surfait que vous êtes. Que mes enchaînements d'accords soient communs, j'en suis conscient. Mais c'est ça le jeu. Les clichés donnent aux gens l'impression qu'ils ont déjà entendu cet air-là. Ils s'en souviennent à moitié ou presque, avant même de l'avoir entendu. Cela veut dire qu'à l'entracte ils le fredonnent. Et, en ce monde du spectacle, c'est ça le succès et vous n'avez rien contre le succès, je présume ? »

Edgar Waldorf se sentit obligé de venir à la rescousse de celui qui conférait au spectacle sa note de classe, sinon le succès.

« M. Rossi est un des grands compositeurs de notre époque », dit-il.

Tashkenian s'était trop avancé pour reculer.

« Allons, ricana-t-il, vous n'êtes pas aussi bon qu'on le prétend dans le domaine classique. Ainsi, chez Juilliard, nous avons choisi le dernier mouvement de votre ballet *Savanarola* " à la Stravinski " pour montrer ce qu'est la lourdeur d'une orchestration. Vous n'êtes qu'un mec de la mafia de Harvard. »

Leon s'arrêta net, terrorisé par ses propres paroles.

Danny resta coi. Certaines flèches que lui avait décochées Leon dans son accès de furie l'avaient atteint.

Ils étaient là, debout face à face, se fusillant du regard, ne sachant qui repartirait à l'attaque.

Si étrange que cela pût paraître, Leon Tashkenian se mit à pleurer.

« Je suis navré, monsieur Rossi, j'ai dit n'importe quoi », murmura-t-il.

Danny ne savait comment réagir.

« Allons, plaida Edgar, il s'est excusé. »

Danny estima que la magnanimité était la seule façon de sauver la face.

« Laissez tomber, Leon, nous ferions mieux de penser au spectacle. »

Edgar se leva, tel un phénix quittant son lit de misères et de cendres.

« Mon Dieu, comme je vous aime tous les deux ! Vous êtes merveilleux ! »

Ils échappèrent par miracle à ses étreintes passionnées. Edgar prit les partitions de Leon et les tendit à Danny.

« Allez, apprenez-nous ça avec votre virtuosité habituelle.

— Que voulez-vous dire ?

— Vous devez jouer ces airs à la troupe demain matin. »

Quelle nouvelle couleuvre devait-il avaler ? Devrait-il jouer la fiente musicale de Leon, tandis que le jeune homme l'écouterait en bombant son torse ?

« Pourquoi dois-je jouer ce machin-là ?

— Parce que c'est censé être de vous.

— N'ont-ils pas entendu parler de Leon ? »

Edgar fit vigoureusement signe que non.

« Et ils n'en sauront jamais rien. »

Danny resta bouche bée. Il se tourna vers le jeune homme et lui demanda :

« Vous ne voulez vraiment pas être mentionné ? »

Leon sourit, timide.

« Ça fait partie des règles du jeu, monsieur Rossi. Je suis sûr que vous en feriez autant pour moi. »

« Ça y est, ils fredonnent ! Danny, vous m'entendez ! Ils *fredonnent*. »

Edgar Waldorf téléphonait depuis le bureau du directeur du Schubert Theatre. C'était le premier entracte depuis qu'on avait glissé dans le spectacle les morceaux écrits par Leon. Ils avaient même ajouté une reprise de *The stars are not enough* que Theora Hamilton chanterait avant que l'on baisse le rideau (Sir John Chalcott avait menacé de démissionner si on effectuait ce changement. Il se trouvait donc dans un avion à destination de Londres).

Danny n'avait pas eu la force d'aller au Schubert. Que redoutait-il ? Il l'ignorait. Etait-ce de constater l'échec de la nouvelle version du spectacle ? Ou, pis encore, sa réussite ?

« Danny, poursuivit Edgar enthousiaste, je flaire le succès. Nous tenons le bon numéro ! Faites confiance à Edgar Waldorf, vous verrez, ce sera un tabac ! »

Vers minuit, Danny entendit des petits coups coquins frappés à la porte de sa chambre d'hôtel.

C'était la distinguée, et jusqu'ici froide et distante, Mlle Theora Hamilton. Elle tenait une bouteille de ce soda du monde du spectacle, connu sous le nom de champagne.

« Monsieur Rossi, roucoula-t-elle, je suis venue porter un toast à un génie. Cette ballade que vous venez de composer pour moi restera un classique. Les gens avaient les larmes aux yeux lorsqu'on a baissé le rideau. »

Danny n'avait guère prêté attention à son opinion jusqu'ici. En revanche, il avait été plus attentif à ses seins ; aussi ne fut-il pas mécontent de voir qu'elle ne les avait pas oubliés au vestiaire.

« Puis-je entrer ? ou devrai-je me résigner à boire dans le couloir ?

— Madame, reprit galamment Danny en s'inclinant, veuillez entrer, je vous en prie. »

Et c'est ainsi que la légendaire Theora Hamilton se glissa chez lui. Ce fut d'abord la bouteille. Puis les seins. Puis le cœur passionné. Cette nuit-là, tout fut à lui.

La musique avait ses charmes... Fût-elle celle de Leon Tashkenian...

Le soir de la première new-yorkaise, Danny avait fait venir Maria de Philadelphie. Elle assista au spectacle, tandis que Danny et Edgar faisaient nerveusement les cent pas dans le foyer désert.

En se rendant à la réception qui suivit, Danny demanda anxieusement à Maria ce qu'elle en pensait.

« Disons que la version originale était plus à mon goût, mais celle-ci plaît aux spectateurs et c'est ce qui compte.

— Détrompe-toi, seul compte l'avis des critiques.

— J'ai eu beau chercher dans la salle, impossible d'apercevoir Stuart et Nina.

— Ils étaient sans doute trop émus, improvisa Danny. En fait, je ne crois pas qu'ils viendront à la réception. Ils préféreront rester chez eux à suivre les critiques à la télévision. »

Vers onze heures et demie, le verdict des critiques était rendu. Les chaînes de télévision louaient unanimement le livret de Stuart Kingsley. La femme d'Edgar l'avait refait après que Neil Simon eut refusé le travail de réécriture. Elle avait gracieusement décliné d'être citée.

Les critiques mentionnaient « cette musique vigoureuse autant que mélodieuse » (CBS-TV). Il semblait acquis que le *Times* se confondrait en éloges.

Et ce fut le cas. Edgar Waldorf lut avec des sanglots dans la voix les mots qui les rendraient à jamais riches et célèbres.

« C'est un délice ! » s'écria-t-il en agitant une feuille de papier jaune au-dessus de sa tête, « un vrai délice ! Ecoutez-moi ce bon Dieu de titre : " La musique fait un retour en force à Broadway. " »

La foule des acteurs, des investisseurs, du Tout-New York poussa des exclamations de joie. Edgar leva la main pour demander le silence afin de lire le document sacré :

Ce soir, au Schubert Theatre, Danny Rossi nous a confirmé sa maîtrise. Son ballet *Savanarola*, complexe, puissant, et les mélodies délicates et d'une simplicité sans fard de *Manhattan Odyssey* ne sont-ils pas la preuve de l'admirable variété de ses talents de compositeur. Des petits joyaux comme *This evening, like all other evenings* ou *The stars are not enough* deviendront des classiques.

Le poète Stuart Kingsley a montré qu'il possède, lui aussi, un don magique pour le théâtre...

Immédiatement après le bouquet final du critique (« espérons que ce spectacle tiendra longtemps l'affiche ! ») l'orchestre attaqua *The stars are not enough* que tous reprirent.

Tous, sauf Danny Rossi.

Les invités enchaînèrent avec les couplets. Maria se pencha alors vers son mari et lui murmura à l'oreille :

« C'est merveilleux, mon chéri. »

Il l'embrassa sur la joue, non pour la remercier, mais pour satisfaire les photographes.

Au mois de mars, lors de la remise des Tony Award, *Manhattan Odyssey* fut couronnée meilleure comédie musicale de l'année. Danny Rossi fut élu meilleur compositeur, ce qui ne surprit personne. En acceptant le prix à la place de Stuart Kingsley qui avait remporté celui du meilleur livret, Edgar Waldorf fit une brève et touchante allusion aux engagements de Stuart Kingsley que ses cours avaient empêché d'assister à cette cérémonie.

Après des enchères frénétiques, la MGM acquit les droits d'adaptation à l'écran de *Manhattan Odyssey* pour la somme record de presque sept millions de dollars.

Enfin, Danny Rossi eut les honneurs de la couverture de *Times Magazine*.

Danny mit longtemps à se remettre de la secrète humiliation que lui avait causée *Manhattan Odyssey*. Seules deux personnes étaient au courant, mais il n'en éprouva pas moins un sentiment d'échec.

Mais l'âme a d'extraordinaires capacités de régénération... Au fil des années, lorsque le nombre des versions enregistrées atteignit les deux cents, Danny finit par penser qu'*il* avait réellement composé *The stars are not enough*.

Dans le fond, si on lui avait donné la moindre chance, il en eût sans doute été capable.

Journal d'Andrew Eliot

15 mai 1968

Vivant pratiquement au New York Harvard Club, j'ai été sans doute le premier, après ceux de Cambridge, à lire le *Rapport décennal*, chronique de notre promotion au cours des dix années qui suivent l'obtention de notre diplôme.

J'ai noté que ceux qui ont le moins bien réussi sont les plus prolixes.

Ainsi, l'un de nous s'étale sur des pages pour vous raconter avec force détails assommants un service militaire des plus ordinaires, comment il a choisi sa femme, combien ses gosses pesaient à la naissance, etc., avant de passer à sa vie passionnante et riche en aventures dans l'usine de chaussures paternelle. («Nous avons dû déménager nos opérations de Nouvelle-Angleterre à Porto Rico et envisageons de les transférer en Extrême-Orient.»)

La seule chose sur laquelle il ne s'attarde pas, c'est son divorce. C'est pourtant sur ce point que j'aurais pu sympathiser avec lui. Il est clair que, derrière les strato-cumulus de sa verbosité, il essaie de dissimuler une vie de morne désespoir. Il conclut avec cette observation des plus philosophiques :

« Si la chaussure vous va, il faut la porter... »

En d'autres termes, il lui aura fallu quatre pages pour nous informer qu'il est en passe de devenir un raté réussi.

Danny Rossi, lui, se contente d'indiquer la date de son mariage et celles de la naissance de ses filles. Il y adjoint une liste de ses œuvres et des prix qu'il a glanés au cours de sa carrière. C'est tout. Pas même une conclusion lapidaire du type : « la vie est belle », « j'ai eu beaucoup de chance... », « et cela grâce aux céréales Wheaties » ou autre chose du même acabit.

Pourtant qui n'a pas vu son portrait dans les journaux et n'a pas lu une douzaine d'articles le portant aux nues?

Je parierais que beaucoup qui jadis le tenaient pour un minus se vantent maintenant auprès de leur femme et de leurs enfants d'avoir été son copain de fac. Oh! j'avoue que j'exagère moi-même ma brève amitié avec lui...

Le paragraphe de Ted Lambros est également court et percutant. Sara et lui ont apprécié leurs dix années à Harvard. Lambros est heureux que son livre sur Sophocle ait reçu des critiques favorables. Sa famille et lui se préparent avec joie à un nouveau défi : vivre et enseigner à Canterbury.

Ni Jason Gilbert ni George Keller n'ont répondu. Pour des raisons que je comprends. Jason, avec lequel je garde un contact épistolaire, en a vu de rudes. Quant à George, disons qu'il est toujours parano et soupçonneux. Il n'a même pas daigné donner les maigres informations qu'il m'octroie lorsque nous déjeunons ensemble.

Contrairement à nombre de mes anciens condisciples, j'ai tenu à être honnête dans mon mini-résumé.

J'ai accordé une phrase à mes deux ans dans la Marine sans les embellir, puis j'ai mentionné qu'après sept années passées chez Downs et Winship, j'avais été élu vice-président de cette firme.

J'ai ajouté que ma plus grande joie était de voir grandir mes enfants et que ma plus grande déception avait été de voir échouer mon mariage.

Je ne pense pas que grand monde ait lu ce que j'avais écrit, reconnaissons que je n'ai pas raconté grand-chose non plus.

Je n'ai pas dit que je ne suis pas un de ces génies de Wall Street. Dans le fond, je dois ma promotion au fait qu'avec quelques amis nous avons aidé Kinkex à se tirer d'affaire et permis à cette société de devenir le plus grand producteur mondial de la pilule (coup de chance... ou remords inconscient de m'être laissé aller à procréer avec une femme peu faite pour cela...).

Je n'ai pas clamé non plus que je mène une vie solitaire. Désespérément solitaire. Malgré ces nouveaux bars pour célibataires qui ouvrent sur First Avenue pour permettre à des types comme moi, qui ont soi-disant « réussi dans la vie » de rencontrer des femmes « chouettes »...

Je passe mes week-ends à essayer de rétablir le contact avec mes enfants (Andy a sept ans et Lizzie en a quatre), hélas sans grand succès. Faith paraît avoir abandonné le sexe pour l'alcool, son visage en témoigne. Apparemment le seul moment où elle ait les idées nettes est lorsqu'elle explique aux gosses quel salaud je suis. Et je ne bénéficie que de quelques heures, le samedi, pour démentir ces calomnies.

Mon réconfort semble venir de Harvard. J'ai acheté un appartement agréable dans un immeuble neuf d'East Sixty-First Street. Je passe le plus clair de mon temps à jouer au squash au Harvard Club. J'aide le comité des anciens à recruter des types « bien ». J'envisage de poser ma candidature au conseil des anciens élèves, ce qui me donnerait l'agréable prétexte d'aller me promener sur le campus de Harvard.

Tout compte fait, je ne suis pas plus heureux que notre loquace marchand de chaussures. Mais je crois savoir un peu mieux dissimuler les choses...

Ted Lambros se préparait avec enthousiasme à sa nouvelle vie à Canterbury. Il passa l'été 1968 à mettre de côté livres et notes, à peaufiner ses anciens cours et, plus important, à prendre des leçons de tennis.

Lorsqu'ils s'installèrent dans la maison délabrée que leur louait l'université, Sara mit son époux en garde :

« Chéri, rappelle-toi que si tu bats Bunting au tennis, il ne votera pas pour toi.

— Ecoute, répliqua-t-il sur un ton badin, n'oublie pas que tu t'adresses à un grand stratège ! Ce qu'il faut, c'est que je sois assez bon pour qu'il ait envie de me consacrer comme partenaire. »

Mais il y avait autre chose que le tennis pour l'inquiéter... Entre autres trois professeurs titulaires de lettres classiques, nantis d'épouses non moins influentes.

Il leur faudrait, bien entendu, dîner avec chacun des trois ménages. Henry

Dunster fit le premier pas et les invita. L'actuelle Mme Dunster était la troisième et tout laissait à penser qu'elle ne serait pas la dernière. Comme on aurait pu le prévoir, Dunster fit des avances à Sara, ce qui ne la flatta aucunement.

« Disons qu'il n'a pas été carrément vulgaire, se plaignit-elle à Ted, mais il m'a fait des approches grotesques. Il n'a même pas été assez mâle pour flirter ouvertement. Mon Dieu, quel goujat ! »

Ted prit la main de Sara.

« Un de liquidé. Il en reste deux. »

L'obstacle suivant, dans cette course à la nomination, était un dîner chez les Hendrickson, Digby, historien de son état et son épouse dévouée, Amelia. Leur mariage était, en fait, une union intellectuelle : ils pensaient à l'unisson. Ils partageaient la passion de la randonnée, de la montagne, et l'idée fixe que les autres membres du département cherchaient à spolier Digby de ses cours d'histoire.

« C'est désolant, commenta Sara, mais on comprend une certaine jalousie : après tout, l'histoire n'est-elle pas le fondement des études classiques ? »

Digby se saisit au vol de sa remarque et extrapola :

« Pas seulement le fondement, mais la pierre de touche. La littérature, c'est bien gentil, mais en y réfléchissant, ce ne sont que des mots. L'histoire, elle, repose sur des faits.

— C'est vrai », dit Ted Lambros, spécialiste de littérature, décidé à ravaler sa fierté.

Sara avait entrepris une action sur le front « épouses ». Son « amitié » avec la femme de Ken Bunting s'était développée en un déjeuner hebdomadaire au *Huntsman*.

Dotty s'était décrétée arbitre de la vie mondaine. Elle rangeait soigneusement les épouses de Canterbury en deux catégories : « Celles qui avaient de la classe » et « celles qui n'en avaient pas ». Sara Lambros, née Harrison, de la famille des banquiers de New York, appartenait sans aucun doute au gratin et non aux *b.o.f.*, et Dotty, qui se prétendait issue de l'aristocratie de Seattle, voyait en Sara son égale.

A la seule différence de leurs mariages...

« Dites-moi, glissa Dotty, quel effet cela fait-il d'être l'épouse d'un Latin ? »

Tout en s'efforçant de garder son calme, Sara lui expliqua que les Grecs, quoique bruns et, aux dires de certains, basanés, étaient fort différents des Latins. Flairant toutefois des sous-entendus, Sara ajouta que, pour elle, les hommes étaient tous les mêmes.

« Voudriez-vous dire par là que vous en avez connu beaucoup ? s'enquit Dotty Bunting, émoustillée et intriguée.

— Non, répondit tranquillement Sara, je voulais juste dire qu'ils sont tous bâtis de la même façon. »

Dotty Bunting devint écarlate.

Sara changea prestement de sujet : Dotty connaîtrait-elle un dentiste « bien » dans la région ?

Fidèles aux traditions régissant les rapports entre collègues, les Bunting invitèrent les nouveaux arrivés.

Comme prévu, la conversation roula sur le tennis. Bunting accusa Ted, en plaisantant, de se dérober à ses invitations répétées à venir « échanger quelques balles ». Ted renvoya le service en ripostant qu'il avait été tellement pris entre son emménagement et la mise en route de ses cours, qu'il se trouvait trop rouillé pour donner, même symboliquement, la réplique à Bunting.

« Oh, Sara, je suis sûre qu'il fait le modeste, gazouilla Dotty Bunting, je parie qu'il a fait partie de l'équipe de Harvard.

— Détrompez-vous, reprit Ted, j'étais loin d'être assez bon. Le tennis est l'un des rares sports dans lequel on peut dire que Harvard se défend.

— Oui, concéda Ken, c'est d'ailleurs un type de Harvard qui m'a battu au championnat universitaire de 1956. »

Sans le savoir, Ted avait rouvert la blessure la plus douloureuse de la carrière sportive de Bunting. Ken en fit une hémorragie verbale.

« En fait, j'aurais dû gagner. Honnêtement. Mais ce Jason Gilbert était le type même du New-Yorkais roublard. Il avait toutes sortes de ruses.

— Je n'ai jamais considéré les New-Yorkais comme particulièrement roublards, dit ingénument Sara, et je suis pourtant de Manhattan.

— Je partage votre avis, s'empressa de rectifier Bunting pour s'excuser, mais ce Gilbert, qui, entre nous, ne doit pas s'appeler Gilbert depuis très longtemps, était, disons, un de ces youpins... »

Un silence gênant s'ensuivit. Sara se tut afin de permettre à son mari de prendre la défense de leur ex-condisciple de Harvard.

Voyant que Ted avait du mal à trouver une réponse appropriée, Sara mentionna sur un ton détaché :

« Jason est de la même promotion que Ted et moi.

— Oh ! couina Dotty Bunting, vous le connaissiez ?

— Pas vraiment, répondit Sara, mais il sortait avec plusieurs de mes amies. Il était très beau garçon.

— Ah ! » s'exclama Dotty, désireuse d'en savoir davantage.

« Dites, interrompit Ken, qu'est-il devenu ce vieux Jason ? Son nom semble avoir disparu des pages de *Tennis World*.

— Aux dernières nouvelles, il est allé vivre en Israël, répondit Ted.

— Pas possible ! poursuivit Bunting en souriant, il devrait y être heureux. »

Ted lança à Sara un regard implorant. Cette fois, elle était à court de réponses et dut se contenter d'un :

« Ce dessert est délicieux. Il *faut* que vous m'en donniez la recette. »

Ils avaient gardé les Foley pour la fin. L'archéologue, au visage impassible, et sa femme, non moins impénétrable, paraissaient les plus difficiles à manœuvrer. Sara fit d'innombrables tentatives pour trouver une date qui leur convînt. Elle finit pas abandonner la partie et déclara :

« Ayez la gentillesse de nous indiquer *n'importe quelle soirée* à votre choix et nous nous rendrons disponibles.

— Je suis navrée, ma chère, répondit Mme Foley sur un ton enjoué, mais nous sommes pris. »

Sara raccrocha poliment puis se tourna vers Ted :

« Zut, oh! après tout, nous en avons eu trois sur quatre. Cela devrait suffire. »

Mis à part ses rapports avec les autres enseignants, Ted appréciait de plus en plus le mode de vie de Canterbury. Il était heureux de voir que Sara semblait s'adapter à la vie de la campagne et qu'elle commençait à profiter de la section classique de la bibliothèque Hillier. Elle lisait les derniers périodiques et le tenait au courant pendant le dîner de ce qui se passait dans le monde des spécialistes en la matière.

Les étudiants étaient enthousiasmés par Ted qui le leur rendait bien. Cela ne lui déplaisait pas, de constater que son cours sur le théâtre grec attirait plus d'étudiants que tous les autres cours offerts par le département.

Des compliments dithyrambiques arrivèrent rapidement au bureau du doyen. Tony Thatcher estima opportun de sonder les professeurs de lettres classiques à propos de la chaire qui pourrait être offerte à Ted. Il reçut des réponses affirmatives de l'helléniste, du latiniste et de l'historien. Il eut même droit à un hochement de tête de la part de l'archéologue.

Tout se serait passé sans le moindre problème s'il n'y avait pas eu l'incident du jeune Chris Jastrow.

En d'autres circonstances, cela eût pu être un spectacle émouvant : un Adonis musclé, vêtu d'un pull ras du cou, orné d'un C, endormi comme un lion puissant au soleil.

Cela se passait, hélas, au milieu de la classe de latin de Ted, qui n'en fut pas le moins du monde ému.

« Réveillez-vous, Jastrow! » dit-il d'un ton sec.

Christopher Jastrow leva lentement son beau visage et regarda Ted, ses paupières entrouvertes.

« Oui, monsieur », marmonna-t-il en retirant ses pieds du bureau qui était devant lui.

« Désolé d'interrompre votre sieste, mais auriez-vous l'amabilité de me conjuguer *voco* à l'indicatif présent passif ?

— *Voco*?

— Oui, *voco*, répéta Ted. Vous vous en souvenez sans doute, il s'agit de la première conjugaison. J'aimerais vous entendre la réciter au présent du passif. »

Un ange passa...

« Je crains de ne pas avoir préparé le cours d'aujourd'hui, monsieur.

— Ce que vous essayez de me faire comprendre, c'est que vous étiez absent la dernière fois et que vous ne vous êtes même pas donné la peine de demander à un de vos camarades ce qui était à préparer pour aujourd'hui.

— Disons que...

— Monsieur Jastrow, je désire vous voir dans mon bureau cet après-midi entre seize et dix-sept heures.

— Je regrette, monsieur, mais je ne suis pas libre à cette heure-là, répondit-il poliment, je suis à l'entraînement.

— Ecoutez, répliqua Ted, vous pourriez avoir rendez-vous avec le président des Etats-Unis que je m'en ficherais tout autant. Vous vous présenterez à mon bureau entre seize et dix-sept heures aujourd'hui, sinon... »

Ted resta dans son bureau de seize heures à dix-sept heures trente cet après-midi-là. Plusieurs étudiants passèrent. Certains souhaitaient lui poser des questions sur des points qui les intriguaient. D'autres voulaient se faire bien voir.

Chris Jastrow n'appartint à aucune de ces catégories.

Ted enfila son manteau. Il s'entortilla dans son cache-nez aux couleurs de Harvard et s'enfonça dans le couloir. Il remarqua que le secrétariat du département de lettres classiques était encore ouvert et que Leona, la secrétaire, tapait une lettre. Il passa la tête dans l'entrebâillement de la porte.

« Bonsoir, Leona. Auriez-vous le temps de taper une lettre pour moi ?

— Certainement », répondit-elle en souriant.

Elle s'empressa de glisser une feuille blanche dans la machine.

« Je vous écoute, dit-elle.

— A Monsieur Anthony Thatcher, doyen des lettres classiques :

Christopher Jastrow, promotion 1969, obtient en ce moment des résultats déplorables en UV de latin. Son attitude insouciante est à la limite de l'arrogance. Sauf miracle, il sera impossible de le garder dans ce cours après les partiels. Croyez, je vous prie, etc.

Ted dicta cette lettre, la tête entre les mains, en transes. En levant les yeux, il s'aperçut que Leona n'avait pas l'air à son aise.

« Oui, je sais bien *qui* c'est. Mais, que voulez-vous, il s'agit de l'Ivy League et nous avons un niveau à garder. »

Alors qu'elle tapait l'enveloppe, il ajouta comme pour la dégager de toute responsabilité :

« Je la glisserai moi-même sous la porte de M. Thatcher. »

Le lendemain, n'ayant pas de cours, il se rendit en bibliothèque.

Il émergea après avoir passé près de huit heures à compiler les travaux de la Fondation Hardt sur Euripide. Sa serviette était boursouflée d'exemplaires précieux de journaux européens que Sara et lui dévoreraient pendant le week-end.

Sans trop savoir pourquoi, il regarda la colline où se dressaient les bâtiments administratifs universitaires. « Dans le fond, se dit-il, je ferais bien d'aller voir mon courrier. »

Une lettre manuscrite, en provenance du département des sports, l'attendait.

Cher Ted,

Je vous serais reconnaissant de passer me voir le plus rapidement possible. Je suis à mon bureau jusqu'à dix-neuf heures trente.

Amicalement,

CHET BIGELOW,
Responsable de l'équipe de football.

Ted s'y attendait. Il jeta un coup d'œil à sa montre et vit qu'il avait encore le temps de remettre à sa place ce sale présomptueux. Il se dirigea à grands pas vers le gymnase.

« Monsieur Lambros, commença Bigelow, je crois comprendre que le jeune Jastrow a des problèmes en latin. Peut-être avez-vous du mal à percevoir la pression à laquelle nos gars sont soumis pendant la saison.

— Monsieur Bigelow, ce n'est pas mon problème. Je me demande pourquoi diable Jastrow s'est inscrit à l'UV 20 de latin, c'est tout.

— Monsieur Lambros, vous n'ignorez certainement pas, en tant que professeur, le règlement de l'université. Une langue est obligatoire pour l'obtention du diplôme. N'est-ce pas ?

— Mais pourquoi le latin ? Pourquoi, bon sang, faire choisir à votre quarterback une langue morte, plus difficile qu'une langue vivante ?

— Elle n'est pas bien difficile si le professeur se prête au jeu, expliqua Bigelow.

— Comment ?

— La plupart des types du département de lettres classiques se sont montrés vraiment chics à notre égard, ces dernières années, commenta Chet. Prenez Henry Dunster : il est fantastique ; évidemment, nous lui renvoyons l'ascenseur.

— Monsieur Bigelow, je crains fort de ne pas vous suivre.

— Dans ce cas, Ted, envisageons les choses autrement. Imaginons qu'il y ait soudain affluence d'étudiants prenant latin. Il vous faudra embaucher d'autres *instructeurs* ? N'est-ce pas ?

— Je n'aime pas vos sous-entendus, répliqua Ted avec dégoût.

— Que croyez-vous donc que j'insinue ?

— Oh, certes, je ne suis qu'un de ces paumés de Harvard, mais il me semble que vous suggérez que, si l'équipe de foot accroît notre enrôlement en nous envoyant des gars, nous devrions, en reconnaissance, leur donner leurs UV sans qu'ils aient à ouvrir un bouquin ni à assister à un cours. »

L'entraîneur de l'équipe de football regarda Ted sans mot dire.

« Vous connaissez le jeu, monsieur Lambros. Alors je suggère que vous le jouiez selon les règles. A ce que j'ai cru comprendre, vous n'avez pas ici de poste fixe. Une bonne saison ne vous ferait pas plus de mal qu'à nous. »

Ted se leva.

« Si vous voulez la guerre, murmura-t-il, vous l'aurez. Demain commencent les partiels. Si Jastrow les rate, il sera éjecté.

— Faites comme vous l'entendez, Ted. Rappelez-vous simplement que vous avez affaire à un gars qui n'a pas connu la défaite au cours des six dernières saisons. »

Jastrow ne se présenta pas à l'examen le lendemain matin. Sitôt les copies rendues, Ted se précipita à Barnes Hall et demanda une entrevue au doyen des lettres classiques.

« Tony, excusez-moi de faire irruption dans votre bureau.

— Aucun problème, répondit le doyen, je dirai même que j'avais été prévenu de votre visite.

— Par Bigelow ? »

Thatcher hocha la tête.

— Oui, Chet se montre un peu trop protecteur à l'égard de ses gars. Asseyez-vous et racontez-moi ce qui se passe. »

Thatcher écouta Ted, lancé comme un procureur. Son visage s'assombrit progressivement. Il réfléchit puis reprit :

« Vous voyez, Ted, je ne pense pas que recaler Jastrow soit la meilleure manière de pallier la situation.

— Quelle alternative envisageriez-vous ?

— Ted, je voudrais vous parler d'homme à homme. Vous savez l'estime que j'ai pour vous. Je sens que vous êtes au début d'une brillante carrière académique.

— Mais qu'est-ce que cela peut avoir à faire avec l'avenir de ma carrière ?

— Tout, répliqua l'administrateur sans sourciller.

— Pourriez-vous m'expliquer cela ?

— Ecoutez, reprit patiemment Thatcher, vous ne paraissez pas saisir. Si Jastrow ne peut pas continuer à jouer, ma tête se retrouvera sur le billot, à côté de la vôtre.

— Pourquoi ? Vous êtes professeur titulaire. Vous avez une chaire.

— J'ai aussi trois enfants et un emprunt à rembourser pour ma maison. On pourrait décider de ne pas m'augmenter pendant des années. Sachez que les anciens élèves de Canterbury forment un groupe des plus influents. Leur université leur tient très à cœur.

— Ainsi que son équipe de football, ajouta Ted, sarcastique.

— Oui, bon Dieu, ainsi que son équipe de football, rétorqua le doyen exaspéré. Ne comprenez-vous pas que, chaque fois que nous battons Yale ou Darmouth, nos étudiants nous imaginent supérieurs dans les autres domaines également. Permettez-moi de vous dire que le lundi qui suit ces victoires les chèques tombent des cieux comme la manne. Une saison sans défaite peut signifier des millions de dollars. Et je n'ai nullement l'intention de laisser un minable petit saint de votre acabit foutre en l'air le système. D'ailleurs vous n'avez pas l'air particulièrement reconnaissant d'être ici.

— Et pourquoi serais-je reconnaissant, nom de Dieu ? riposta Ted. J'ai déjà publié à moi seul plus que tous les membres du département réunis. »

Thatcher secoua la tête.

« Vous me sidérez. Vous n'avez pas la moindre idée de ce qu'il faut pour réussir une carrière universitaire.

— Je suis bon professeur et j'ai écrit un ouvrage qui fait autorité. J'estime que cela devrait suffire.

— Cela n'a pas suffi pour Harvard, grimaça Tony Thatcher. J'entends qu'ils ne semblaient pas vouloir d'un professeur qui venait de Cambridge. Et, pour être honnête, d'autres n'en ont guère envie non plus. »

Ted avait déjà participé à des batailles de rue. Il avait reçu des coups de pied, des coups de poing, avait été couvert de bleus. Cette fois, il se sentait intérieurement atteint, lacéré. S'il avait déjà compris qu'une ville aussi provinciale que Canterbury le jugeait d'après des critères sociaux, il ne se serait jamais permis d'imputer son rejet de Harvard à autre chose qu'à des critères universitaires.

Brusquement, il doutait de tout. Il ne savait s'il devait rester ou sortir. Il resta immobile dans son fauteuil, attendant et redoutant ce que Thatcher allait ajouter.

Le doyen finit par se radoucir et reprit sur un ton paternel :

« Ted, écoutez-moi. Vous allez donner son UV de latin à Chris Jastrow. De son côté, il se revaudra en buts, à la grande joie de nos généreux anciens élèves. Nous savons bien, vous et moi, que ce garçon ne sait pas un traître mot de latin ; mais nous savons aussi que, dans le fond, ce n'est pas important. L'important, c'est que personne ne fasse de remous. L'avenir de chacun en sera plus souriant, y compris le vôtre. »

Là-dessus, il se leva et tendit la main à Ted pour mettre amicalement un terme à cet entretien.

« Je suis désolé, dit Ted, mais vous n'avez pas réussi à me convaincre.

— Monsieur Lambros, reprit le doyen sur un ton cordial, permettez-moi de vous quitter en vous laissant matière à réflexion : si nous vous refusions votre chaire à la fin de l'année, vous pourriez vous retrouver sans poste nulle part.

— C'est faux.

— Non, c'est un fait. Vous auriez beau avoir des ouvrages à votre actif, le doyen de chaque université à laquelle vous poseriez votre candidature vérifiera vos références chez nous, pour voir, disons, si vous avez l'esprit d'équipe... »

Il se tut, puis ajouta en chuchotant :

« Ai-je besoin de vous en dire davantage ?

— Non », répondit Ted d'une voix si étouffée que lui-même s'entendit à peine.

Sara était livide.

« Ils ne peuvent pas te faire ça. C'est cruel. C'est barbare. C'est un manque total d'éthique.

— Tu as raison, mais c'est hélas ce qui se passe. »

Il était assis sur leur vieux canapé. Toute confiance en lui s'était complètement envolée. Sara ne l'avait jamais vu aussi secoué.

Elle vint s'asseoir à côté de lui, l'entourant de ses bras.

« Ted, Canterbury n'est pas tout. Bonté, il y a d'autres facultés qui feraient n'importe quoi pour t'avoir, même si ceux d'ici vont raconter que tu es une vraie merde. »

Il baissa la tête et reprit :

« Et s'ils ne bluffent pas ? Et si ce Tony Thatcher a effectivement assez d'influence pour me mettre sur la liste noire ? Qu'arrivera-t-il ? »

Sara réfléchit un instant. Puis, elle pesa soigneusement chaque syllabe de sa réponse :

« Ted, je t'aime parce que tu es un homme courageux, bon et honnête. Je serai à tes côtés quoi qu'il arrive. Cela ne te suffit-il pas ? »

Ted leva la tête et la regarda.

« Sara, je n'ai jamais eu aussi peur de ma vie. »

Là-dessus, leur petit garçon tout joyeux fit irruption dans la pièce :

« Papa, s'écria-t-il d'une petite voix perçante, Jamie Emerson a encore essayé de me battre.

— Encore ? » demanda Ted visiblement ailleurs, tout en serrant son fils contre lui.

« Oui, reprit le garçonnet, mais cette fois j'ai fait ce que tu m'as dit. Je lui ai envoyé un bon coup de poing dans le ventre. Et il a pleuré. »

Ted sourit et pensa : « Au moins dans la famille il y en a un qui n'hésite pas à se battre... »

De son bureau minuscule, il contemplait Windsor Green. Un prélude aux futures chutes de neige avait blanchi la pelouse qui scintillait au clair de lune.

Dix heures sonnèrent. Ted revint à la pile de copies entassées sur son bureau. Il se mit à transcrire les notes pour les soumettre à l'approbation du doyen. Les résultats n'étaient pas trop mauvais. Quelques A, deux C, et le reste allant de B + à B −.

Un certain joueur de football ne s'était pas présenté, mais c'était une autre histoire.

En moins de deux minutes, les notes furent recopiées. A présent, seul l'espace qui suivait le nom de Christopher Jastrow demeurait, telle la nouvelle neige, pur, propre, vierge. Vide.

Qu'écrire ? F, incomplet ? Ou ABX, absent à l'examen ? N'importe laquelle de ces annotations mettrait un terme à la carrière de joueur de football de ce petit salaud.

Ted demeura devant la feuille de papier sans rien écrire.

Au début, il n'avait aucune idée de ce qu'il allait faire. Mais il comprit peu à peu que, s'il était parti de chez lui ce soir-là et s'était rendu dans cette alcôve solitaire, mal chauffée de surcroît, c'était pour une raison bien précise. Il ne souhaitait pas se trouver avec Sara. Il voulait échapper aux feux d'alarme de sa conscience...

Sara n'aurait pu comprendre la nature de la peur qui l'étouffait. Sa famille avait un statut social, était reconnue. Lui il se sentirait toujours un émigrant ayant désespérément besoin de racines pour faire souche en ce pays. Sans doute, les ancêtres de Sara avaient-ils accepté des compromis au cours des générations passées, mais ils étaient enfouis dans les fondations inébranlables de la respectabilité.

En y repensant, c'était un bien petit geste... Dans les années à venir, il regretterait sans doute d'avoir agi par fausse bravoure. Il ne vivait pas dans l'Athènes antique. Il n'était pas Socrate... Alors, pourquoi se forcerait-il à boire la ciguë pour les beaux yeux d'une vedette de football aux petits pieds. A quel grand principe obéirait-il en éliminant Jastrow ?

Il prit son stylo et gribouilla hâtivement un C à côté de Jastrow.

En rentrant, il déposa ses copies à Barnes Hall.

En pénétrant chez lui, il entendit Sara conversant au téléphone. A cette heure-ci ?

Il se dirigea vers la porte entrouverte. Absorbée par sa conversation, Sara ne remarqua pas sa présence.

« Je ne sais que faire, disait-elle plaintivement, c'est un gros coup pour Ted et j'ai l'impression de ne pas pouvoir l'aider. »

Elle se tut et écouta.

« Oh ! tu ferais cela ! répondit-elle avec enthousiasme, je crois que ça pourrait l'aider. »

Avec qui parlait-elle ? Avec qui partageait-elle leurs secrets les plus intimes ?

« Je suis de retour », dit-il.

Sara leva les yeux et sourit. Elle mit fin à sa conversation téléphonique.

« Le maître de céans vient de rentrer. Merci pour tout. Je te rappellerai demain matin. »

Sara raccrocha et se précipita vers Ted pour l'embrasser.

« Comment te sens-tu, chéri ? Veux-tu manger quelque chose ?

— Je prendrais bien une bière », répondit Ted.

En se rendant à la cuisine, Ted demanda calmement, non sans quelque intonation désapprobatrice :

« Avec quel membre de la communauté partageais-tu notre petit problème d'ordre moral ?

— Oh ! Ted, comme je suis heureuse de ne pas avoir à attendre pour te le dire. Je viens d'avoir une longue conversation avec papa. »

Elle ouvrit le réfrigérateur, en sortit deux bières et lui en tendit une.

« Pourquoi avait-il besoin d'être mis au courant de cette affaire ? demanda Ted.

— Parce que je pensais qu'il pouvait t'aider et il le peut. Il connaît Whitney Van der Bilt, un ancien de Canterbury, aussi influent que l'on puisse rêver. Papa est persuadé qu'il peut le faire intervenir en notre faveur. Tu ne trouves pas ça formidable ?

— C'est ainsi que tu as couru voir papa avec notre problème. *Mon* problème, pour être précis. Je trouve cela déloyal. »

Sara resta interloquée.

« Déloyal ? Mon Dieu, Ted, tu étais dans un tel état en partant que j'aurais fait n'importe quoi. J'aurais même étranglé ce Tony Thatcher ! Je ne vois pas pourquoi tu serais mécontent que mon père ait, pour une fois, une chance de nous aider... »

Elle laissa sa phrase en suspens. Elle commençait à réaliser à quel point Ted était irrité.

« Ecoute, Sara, tu n'aurais pas dû faire cela sans m'en parler. Suis-je oui ou non l'homme de la famille ?

— Bonté ! Mais qu'est-ce que cela a à voir avec le fait que tu sois l'homme de la famille comme tu dis. Tu accepterais de te faire descendre en flammes uniquement pour préserver ta fierté masculine ? »

Ted explosa, il posa si violemment sa canette de bière sur la table de la cuisine qu'elle se brisa.

Des sanglots effrayés et des appels « maman ! maman ! » émanèrent de la chambre du jeune Ted. Tous deux se dévisagèrent puis Sara murmura :

« Il faut que j'aille le voir.

Sara revint à la cuisine. Ted avait mis à la poubelle les morceaux de verre. Elle pénétra dans le salon. Ted était assis devant le feu, un verre de scotch à la main. Il ne se retourna pas en l'entendant approcher.

« Veux-tu que nous parlions ? » lui demanda-t-elle.

Le dos tourné, Ted répondit laconiquement :

« J'ai donné un C à Jastrow. »

Elle l'avait deviné. Elle savait aussi qu'il lui faudrait rentrer sa colère.

« Tu vois, c'était à toi de décider. J'aurais simplement souhaité que tu aies assez confiance en moi pour partager la douleur du compromis. »

Il était là, immobile, incapable de réagir.

« Tu vois, Ted, j'ai dit que je demeurerais à tes côtés. Si rester à Canterbury compte tellement pour toi, nous en paierons le prix. Nous pouvons être heureux n'importe où, du moment que nous sommes ensemble.

— Sara, dis-moi, tu estimes que j'ai été lâche, n'est-ce pas ?

— Non Ted, j'avais aussi peur que toi. Je n'aurais pas dû essayer de te transformer en une espèce de héros à la Sophocle. La vie est pleine de compromis ; ce que tu as fait n'est guère important comparé au reste. »

Ted ne se tournait toujours pas vers elle. Sara posa ses mains sur sa nuque, ce qui procura à Ted une bouffée de réconfort.

« Sara, murmura-t-il, j'ai passé ma soirée à hésiter. Et je me suis dit qu'en fin de compte m'affronter au système reviendrait à me comporter comme le roi Lear maudissant la tempête. Ce serait mettre en jeu tout ce pour quoi nous avions travaillé, tous nos espoirs...

— C'est fini, répondit-elle. N'y pense plus.

— Tu sais que c'est me demander l'impossible. Jamais je ne le pourrai. »

Il se tut puis ajouta :

« Toi non plus, d'ailleurs. »

Elle savait qu'il avait raison...

Le National Security Council existait, du moins théoriquement, depuis 1947. Ce ne fut toutefois qu'en 1969, après que Richard Nixon eut nommé Henry Kissinger à la tête de cet organisme, qu'il commença à se heurter au State Department et à en grignoter peu à peu les prérogatives.

Le secrétaire d'Etat avait son quartier général dans un immeuble imposant au coin de la Vingt et unième Rue et de Virginia Avenue, mais le chef du NSC travaillait dans un terrier sans fenêtre, enfoui dans les entrailles de la Maison Blanche. Si William Rogers avait obtenu le poste et hérité de tous les empoisonnements inhérents à cette charge, Henry Kissinger, lui, avait l'audience du Président.

Pour assurer ses arrières au NSC, Henry Kissinger avait amené plusieurs de ses étudiants de Harvard qu'il avait préparés de longue date à cette tâche.

George Keller était le plus brillant, mais ce fut lui qui rencontra le plus de difficultés à obtenir l'aval des services de sécurité.

Aucune victime de Kafka ne fut cuisinée avec autant de rigueur et de courtoisie que ne le fut George par le FBI. Mais, les agents ne cessaient de le répéter, il fallait vérifier les antécédents de quelqu'un avant de l'admettre au saint des saints. Le sort de la nation dépendait de votre méticulosité.

George commença par remplir un questionnaire exhaustif. On exigea qu'il produisît une liste de noms de citoyens américains susceptibles de se porter garants de sa loyauté. George donna les noms de Kissinger, du professeur Finley et d'Andrew Eliot. Il apprit par la suite que ces derniers avaient reçu une visite du Bureau d'investigation.

Soumis à un feu incessant de questions, lors de son interrogatoire, George finit par s'impatienter.

« Messieurs, je crois vous l'avoir dit une douzaine de fois, je ne puis être sûr qu'à l'âge de deux ans j'aie vécu à un endroit plutôt qu'à un autre. J'espère que vous le comprenez.

— Naturellement, monsieur », répliqua d'une voix neutre le plus gradé des agents du FBI, « mais j'espère que, de votre côté, vous comprenez la situation délicate dans laquelle vous vous trouvez. Lorsqu'un candidat a de la famille derrière le Rideau de fer, on ne saurait écarter la possibilité de chantage. Et vous avez encore, monsieur Keller, un père, si je ne me trompe ?

— Et une sœur, s'empressa d'ajouter George pour la énième fois, mais, je le répète, je ne les ai pas vus depuis octobre 1956.

— Vous n'ignorez pas, malgré tout, que votre père occupe un poste élevé au sein de la République populaire hongroise, n'est-ce pas ?

— Je ne sais que ce que je lis dans la presse, répondit George. Cela, messieurs, fait partie de mes fonctions d'expert des pays de l'Europe de l'Est. Oui, il est exact qu'Istvan Kolozsdi (il était incapable de dire « mon père ») a été " promu ", à son corps défendant ou presque, mais les postes qu'il a occupés jusqu'à présent sont parfaitement négligeables.

— Il est tout de même sous-secrétaire adjoint du Parti », rétorqua l'agent.

George remarqua avec ironie :

« Vous pourriez l'être aussi bien que lui, monsieur. Voyez-vous, en Hongrie c'est un titre que l'on distribue à la pelle.

— Si je comprends, vous insinuez que votre père n'est pas un homme aussi important qu'on pourrait le croire.

— Exactement. On pourrait le qualifier de " raté-qui-a-réussi ". »

Certaines questions n'étaient pas inattendues.

« Que pensez-vous du communisme ? »

Cette question donna à George l'occasion de se lancer dans une tirade éloquente contre les régimes marxistes de l'Europe de l'Est. Il impressionna ses interrogateurs.

Toutefois, après une journée d'entretiens de ce genre, il se laissa prendre de court par une question.

« Aimez-vous votre père, monsieur Keller ? »

263

George sentit la tension monter en lui. Il ne trouvait pas de mots pour répondre.

« Aimez-vous votre père ? » répéta l'agent.

George chercha une réponse appropriée.

« Il représente pour moi un système politique répressif que j'ai passé ma vie à combattre. Je ne puis que détester ce genre d'individu. »

Les agents du FBI s'agitaient sur leur chaise. L'agent le plus gradé fit cette remarque :

« Monsieur Keller, nous vous avons posé une question personnelle et vous nous avez donné une réponse politique. Je sais qu'il est tard et que nous sommes ici depuis longtemps. Pourtant, si vous me le permettez, j'aimerais vous reposer cette question : aimez-vous votre père ? »

Pourquoi éprouvait-il une telle difficulté à leur répondre simplement non.

« Ecoutez, reprit George sur un ton confidentiel, puis-je dire quelque chose qui ne figurera pas dans le procès-verbal ?

— Je vous en prie, monsieur.

— En vérité, je hais cet homme. Il m'a traité comme un chien depuis ma naissance. Je déteste Istvan Kolozsdi en tant qu'être humain. Maintenant, si vous me le permettez, je répondrai pour le procès-verbal : je n'ai pas la moindre affection pour mon père. Est-ce clair, messieurs ?

— Oui, monsieur Keller. Je crois que nous avons fait le tour des questions. Merci pour votre patience. »

Après leur départ, George se sentit déprimé. Peu lui importait d'être accepté par les services de sécurité. Kissinger l'avait averti que le FBI se montrait strict à l'égard des candidats nés à l'étranger.

Ce qui le tourmentait, c'était cette dernière question. Il avait cru qu'il n'avait plus de sentiments vis-à-vis de son père, jamais cependant, il n'avait été obligé d'en faire une déclaration officielle.

« Je jure que *je n'aime pas* mon père. »

Etait-ce entièrement exact ?

Un souvenir d'enfance oublié depuis longtemps refit brusquement surface :

« *Pourquoi pleures-tu, papa, à cause de maman ?*

— *Oui mon enfant. Vois-tu, c'est terrible d'aimer quelqu'un. C'est tellement douloureux.*

— *Mais papa, je t'aime.*

— *Alors tu es un petit sot. Va-t'en et fiche-moi la paix.* »

L'équipe du National Security Council occupait de grandes pièces aérées de style colonial au deuxième étage de l'Executive Building Office, bâtiment historique situé dans l'enceinte de la Maison Blanche.

De petits bureaux le long du couloir du NSC abritaient de jeunes et brillants spécialistes de la diplomatie, de la défense et de diverses régions du monde. Ils passaient de longues heures à travailler au service de leur pays et de leur propre carrière.

Dès le début, George bénéficia d'un traitement de faveur. Il eut droit à un bureau au sous-sol de la Maison Blanche. Il était ainsi à la disposition de son patron vingt-quatre heures sur vingt-quatre. Il n'était qu'à quelques pas des hauts lieux des décisions du gouvernement : le bureau ovale (the Oval Room) et la « Situation Room », alcôve étouffante, parfois appelée « le sauna des crises mondiales ».

Le salaire de George, vingt-cinq mille dollars par an, était moins élevé que celui qu'il recevait à New York, mais il lui permit néanmoins de louer un petit appartement dans Town Square Towers, à quelques minutes de la Maison Blanche en voiture. Hélas, toute l'influence de Kissinger ne suffisait pas à vous procurer une place de parking. En sa qualité d'assistant adjoint, George devait laisser sa voiture parmi celles des employés du gouvernement, au pied du Washington Monument, puis se diriger vers le nord et traverser Constitution Avenue avant d'entrer à la Maison Blanche.

Il était rare qu'au cours de ses longues journées, George eût l'occasion d'apercevoir d'autres membres de l'équipe du NSC. En effet, Henry Kissinger se montrait extrêmement exigeant à l'égard de ses proches collaborateurs. Son appétit insatiable d'informations de tout ordre était tel qu'ils avaient rarement le temps de quitter leurs bureaux, ne fût-ce que pour descendre déjeuner à la cafétéria.

Personne ne terminait ses journées plus tard que Kissinger. George veillait à ne point partir avant que Henry ne fût passé lui dire bonsoir.

Une des fonctions de George était d'aider Kissinger à recruter pour l'équipe du NSC de nouveaux visages sympathiques et souriants qui auraient tôt fait de devenir pâles et surmenés.

Au début du printemps, George eut un entretien avec une jeune diplômée de Georgetown University, en vue d'un poste dans la section Amérique latine. Elle était hautement qualifiée : maîtrises d'espagnol et de portugais, agrémentées de plusieurs lettres de membres influents du parti républicain destinées à rappeler à ces petits freluquets de la Maison Blanche que son père était un magistrat connu.

George était néanmoins décidé à la cuisiner en bonne et due forme. Il était trop loyal envers Kissinger pour laisser des intrigues de parti empiéter sur le travail qu'ils essayaient d'accomplir. Si cette jeune personne s'avérait être une de ces snobinettes à la cervelle creuse, il s'en débarrasserait en l'envoyant seconder quelque sénateur en détresse.

Le fait que Catherine Fitzgerald fût blonde et séduisante ne fit que confirmer son jugement *a priori,* selon lequel on lui refilait, une fois de plus, une « débutante écervelée ». Le curriculum de cette jeune personne, son intelligence et son expérience eurent tôt fait de le détromper. Après deux années dans le Peace Corps, elle avait passé trois étés à travailler dans une banque pour améliorer son portugais.

George fit un rapport positif et Catherine Fitzgerald fut embauchée au NSC.

Il lui arrivait de la croiser dans les couloirs mais il ne repensa plus à elle, tant il était occupé à aider Kissinger à résoudre le puzzle des relations internationales.

Il en fut ainsi jusqu'à une certaine soirée glaciale d'hiver...

Avant de partir, George avait jeté un coup d'œil pour voir quels bureaux étaient encore allumés, lorsqu'il l'aperçut qui franchissait la porte d'entrée.

« Mademoiselle Fitzgerald, dit George, d'un ton badin, vous n'allez pas me faire croire que vous rentrez si tôt chez vous ?

— Oh ! c'est vous ? Bonsoir, monsieur Keller. » Elle poussa un long soupir. « Vous savez, cela n'a rien d'une plaisanterie, c'est la première fois que je quitte le bureau avant minuit.

— Je ne manquerai pas de le signaler au patron, répondit George.

— Pas la peine. Je ne cours pas après une promotion, répliqua-t-elle. Je souhaiterais seulement qu'il engage un ou deux aides dans mon service. »

George sourit.

« Votre voiture est-elle garée près du Monument ? »

Elle fit oui de la tête.

« La mienne aussi. Permettez-moi de vous accompagner. Nous nous protégerons mutuellement contre les rôdeurs. »

En traversant Constitution Avenue, George regarda Cathy : « Cette personne est une jeune femme, se dit-il. Elle n'est pas laide, elle est même jolie, et je n'ai pas eu l'occasion d'avoir une bonne conversation amicale avec qui que ce soit depuis mon arrivée à Washington. »

Avec tant d'heures de dur labeur à son actif, George estima en conscience qu'il pouvait lui proposer de prendre un verre.

« Entendu, répondit-elle, mais à condition que ce soit un café. »

George lui proposa plusieurs bars à la mode où il eût aimé l'inviter.

« Oh, je n'y tiens pas, répondit-elle avec courtoisie. Je ne me sens pas en mesure de faire face à la *jeunesse dorée* de Washington. Pourquoi ne viendriez-vous pas prendre un tasse de café chez moi ?

— Parfait, répondit George, je vous suis. »

Elle vivait seule dans un trois-pièces situé South Royal Street, au cœur du vieux quartier d'Alexandria.

Tandis qu'elle s'affairait à préparer un espresso, Georges examina les affiches sur le mur. C'étaient, pour la plupart, des souvenirs colorés de ses voyages en Amérique latine. L'une d'elles l'intrigua.

« Dites, Cathy », demanda-t-il en indiquant la grande affiche blanc et bleu qui trônait au-dessus du sofa, « est-ce une plaisanterie ?

— Oh ! vous parlez de mon œuvre d'art antinucléaire ? dit-elle gaiement, détrompez-vous ! Figurez-vous qu'étudiante j'ai milité dans le mouvement pacifiste. J'ai même participé à une ou deux grandes manifestations.

— Alors, je ne comprends pas...

— Vous ne comprenez pas quoi ? Comment j'ai pu obtenir mon job au NSC ? ou pourquoi je le voulais ?

— Les deux, je suppose.

— Voyez-vous, dit-elle, en s'asseyant près de lui et lui tendant une tasse, pour commencer nous vivons dans un pays libre. Je n'ai pas honte de dire que nous avons tort d'être au Vietnam. Je ne vais pas jusqu'à prôner un renversement brutal du gouvernement, sinon, rassurez-vous, je n'aurais pas obtenu l'aval des services de sécurité. Je suis plutôt une idéaliste désireuse de faire changer le système par l'intérieur.

— Voilà qui est fort noble, répliqua George. Y en a-t-il d'autres comme vous qui hantent les couloirs du NSC ?

— Oh ! un ou deux..., dit-elle en souriant. Mais je n'ai nulle envie d'en donner les noms à l'ombre de Kissinger. »

Elle s'interrompit, gênée.

« C'est donc ainsi qu'on m'appelle : " l'Ombre de Kissinger " ?

— Avouez que vous êtes inséparables ou presque... Voyez là un brin de jalousie de la part de ceux d'entre nous qui travaillent de l' " autre-côté-du-couloir ". J'ai ouï dire que vous étiez probablement le plus jeune à avoir un bureau à vous à la Maison Blanche.

— Et que raconte-t-on d'autre ? demanda George enjôleur.

— Pitié ! Ne pourrions-nous parler d'autre chose ?

— Oui, mais à condition que vous me laissiez d'abord deviner ce que les autres membres du personnel pensent de moi. J'ai l'impression qu'ils me jugent suffisant, arrogant, impitoyable. »

Il la regarda, en quête d'une réponse.

« Je n'ai aucun commentaire à faire à ce sujet.

— Ce serait peine perdue parce que c'est exact.

— Je ne le crois pas, reprit Cathy. Je suis persuadée que sous cette chemise bat un cœur d'or.

— Merci pour cette marque de confiance, dit George.

— En fait, je pense que le patron est comme ça lui aussi. Henry aime prendre des airs menaçants, voilà pourquoi vous vous entendez si bien. Cela doit être dû à vos origines européennes.

— Tiens, que savez-vous de mes origines ?

— Ce que tout le monde en sait, j'imagine. Etant donné qu'on nous fait prêter serment de ne pas parler des affaires du gouvernement, sur quoi pouvons-nous bavarder, mis à part la vie privée de nos collègues ?

— Mais je n'ai pas de vie privée, rétorqua George.

— Ça c'est votre problème. Vous pourriez rendre une femme très heureuse.

— J'en doute. Je suis l'être le moins romantique de Washington !

— Peut-être aussi le plus brillant. J'ai lu vos articles dans *Foreign Affairs*. Je ne suis pas d'accord avec la majorité de vos idées, mais je reconnais qu'elles sont remarquablement astucieuses.

— J'en suis flatté. » Il effleura l'épaule de la jeune femme et reprit. « Y a-t-il quelqu'un qui vous rende heureuse ?

— Non, pas pour l'instant.

— Puis-je me porter candidat ?

— Vous le pouvez, dit-elle en souriant, mais il me faudra vous faire subir un interrogatoire.

— Et si nous dînions ensemble vendredi ? »

Elle approuva d'un signe de tête.

« Parfait. J'essaierai de terminer à neuf heures. Cela vous convient ?

— Tout à fait, dit George, c'est un peu tôt pour moi, mais j'attends ce moment avec impatience. »

Kala Christouyina!
Joyeux Noël!

Le clan Lambros, réuni à Cambridge, avait bien des raisons de se réjouir, en ce mois de décembre 1968, tandis que ses membres se pressaient autour de la table de fête.

Une semaine plus tôt, Ted avait été officiellement nommé professeur titulaire à Canterbury. Sa promotion prendrait effet le 1er juillet de l'année suivante. Fait remarquable, elle avait été votée à l'unanimité.

Ted réussissait comme professeur. Les inscriptions à ses cours en témoignaient. Le conseil d'université avait même envisagé, si cette tendance se confirmait, de créer un poste d'assistant pour permettre au département de se développer.

Ted Jr semblait parfaitement adapté à sa nouvelle école. Il s'était mis au hockey et y excellait. Pour couronner le tout, Sara avait convaincu Evelyn Ungar, qui dirigeait Harvard University Press, de la laisser compiler des textes classiques en vue de les faire éditer.

Les contributions des anciens élèves avaient atteint de nouveaux sommets, en grande partie grâce aux exploits de l'équipe de football de Canterbury, invaincue jusqu'à ce jour.

Chris Jastrow avait toutes les chances d'être engagé par une équipe professionnelle de football. De son côté, Tony Thatcher avait été promu recteur. Ted avait des amis haut placés.

Heureuses et réconfortantes nouvelles !

De retour à Windsor, Ted et Sara se mirent à la recherche d'une maison. Au bout de quelques semaines, ils dénichèrent une bonne vieille maison dotée d'une vue admirable sur les montagnes. Il y avait des travaux à faire, mais, se disait Ted, cette activité ne fournirait-elle pas un exutoire temporaire à l'énergie créatrice de Sara ?

Sara avait beau ne pas s'en plaindre, glisser en hiver sur les sentiers verglacés ne représentait pas pour elle le comble du bonheur. Elle rêvait de suivre des cours, aussi compulsa-t-elle le catalogue de Harvard afin de voir quels cours pourraient se concilier avec un séjour hebdomadaire de quarante-huit heures à Cambridge.

Ted ne chercha pas à l'en dissuader, mais objecta qu'une absence, même courte, pourrait avoir de fâcheuses répercussions sur le jeune Ted.

Sara se trouva vite submergée par l'installation de la maison. Tout naturellement ce couple occupé à construire son nid, et en train d'hiberner, éprouva le désir d'accroître sa progéniture...

« Ne crois-tu pas que Ted aimerait avoir une petite sœur ? »

Chaque mois apportait, hélas, une déception...

« Mon Dieu, disait Sara, je suis désolée.

— Allons, répondait Ted, nous avons dû nous tromper dans les dates. Ne t'inquiète pas. Patience, ma chérie.

— Promis, disait-elle avec un pâle sourire, mais promets-moi que tu ne te lasseras pas de moi. »

Il la prenait alors dans ses bras.

« Ecoute, pour un autre enfant comme notre Teddie, j'attendrais sans peine une douzaine d'années. »

Ses paroles étaient réconfortantes, mais il les prononçait en fait avec un peu moins d'ardeur à la fin de chaque cycle...

Ted écrivit à Cameron Wylie pour lui faire part de sa nomination. Dans sa réponse, le professeur d'Oxford l'invita à venir lui rendre visite.

Bien que sa promotion fût récente, Ted n'hésita pas à demander un congé à l'université. Il avança comme argument que ce congé lui permettrait de terminer ses recherches sur Euripide, ce qui ajouterait au prestige de Canterbury, sous-entendait-il adroitement. La réponse du comité fut des plus inattendues.

« Lambros, lui dit le chancelier, nous sommes décidés à accéder à votre demande, pour le moins prématurée, si, de votre côté, vous acceptez de nous donner une contrepartie.

— Tout ce que vous voudrez, répliqua Ted, sûr de ne pas se retrouver sans poste même s'il refusait après coup.

— Si nous vous laissons aller à Oxford, nous exigerons qu'au retour vous dirigiez pendant au moins cinq ans le département de lettres classiques. »

Ted en croyait à peine ses oreilles. Est-ce que réellement on attendait de lui la faveur de prendre la tête du département de lettres classiques...

Il eut la sagesse de dissimuler son enthousiasme.

« C'est entendu, je suis prêt à m'engager pour un bail de trois ans, répondit-il en souriant, après quoi nous en reparlerons.

— Parfait, monsieur Lambros, conclut le chancelier. Vous êtes l'étoile montante de notre université. »

Journal d'Andrew Eliot

16 octobre 1969

Hier, « journée moratoire ». Dans tout le pays ont eu lieu des rassemblements contre la guerre du Vietnam.

Personne n'a été surpris d'apprendre qu'il y avait eu des manifestations à Washington, New York ou Berkeley. En revanche, ce qui en a stupéfié beaucoup ce sont les rassemblements dans des endroits aussi inattendus que Pittsburgh, Minneapolis ou Denver.

Et ce qui a le plus sidéré l'opinion, c'est la marche pacifiste de *Wall Street*. Qui l'eût cru !

Je me suis démené pour obtenir la participation du monde de la Finance à notre manifestation pacifiste. J'ai passé le plus clair de ma semaine à prendre des contacts et à expliquer à ces gens que la guerre était une erreur tant sur le plan moral que sur le plan économique. Ce dernier argument a porté. On m'a insulté, on m'a raccroché au nez, mais j'ai fait de nombreuses recrues.

Jamais, même dans mes rêves les plus extravagants, je n'aurais pu imaginer que nous rassemblerions près de dix mille personnes. Un journaliste du *Times* a écrit que c'était le plus grand rassemblement qu'ait connu Wall Street.

La journée était ensoleillée. Nous portions pour la plupart un brassard noir. Au-dessus de nos têtes un avion écrivait en lettres de fumée : « pour la paix ». Notre marche se termina en cette vieille église de Trinity Church, pleine à craquer. Une centaine de P-DG des plus grosses firmes des Etats-Unis montèrent les escaliers de la chaire en pierre pour lire, à tour de rôle, les noms des hommes tués en Asie du Sud-Est.

D'anciens membres du cabinet et une foule de directeurs de banques se joignirent à eux. Je les trouvai courageux, car les compagnies qu'ils représentaient étaient directement impliquées dans cette guerre.

Pour une raison inconnue, mon nom, sans doute, on me demanda de lire… honneur qui me rendit littéralement malade !

Et aujourd'hui, voici les retombées… Mon vieil esprit de compétition s'est plu à voir dans le journal de ce matin que notre démonstration de Wall Street avait attiré une foule plus dense que celle de Central Park. J'espère que ces gars en jeans qui grattent la guitare en auront des échos et se rendront compte que nous autres, hommes au complet gris, nous avons aussi une conscience.

En arrivant au bureau, les problèmes ont commencé. Mes associés de Downs et Winship étaient hostiles à mes activités. La veille, ils m'avaient déclaré, sans le dire aussi crûment, que j'étais un type dépourvu d'esprit patriote, un traître à l'égard du pays et à leur égard. J'ai supporté l'opprobre avec sérénité, en me disant que tout finirait par rentrer dans l'ordre.

Sur le coup de neuf heures et demie, un appel téléphonique m'a surpris. C'était mon père.

Son « Espèce d'imbécile ! » a failli me crever le tympan. Pendant une vingtaine de minutes il a déblatéré, sans reprendre haleine ou presque. Etais-je complètement inconscient des préjudices qui pouvaient résulter de cette marche ? Ne savais-je donc pas lire, puisque je semblais ignorer que mon portefeuille contenait plusieurs milliers d'actions d'Oxyco dont les affaires reposaient sur des contrats avec l'Armée ?

Je n'ai rien pu répondre, faute d'en avoir le loisir. Il m'a posé une ultime question qui n'était pas pure rhétorique. Qu'est-ce que je faisais de l'honneur du nom d'Eliot dans tout cela ?

D'habitude, il me réduit au silence avec des questions de ce genre, mais cette fois, je tenais ma réponse.

« Le révérend Andrew Eliot avait-il trahi le roi George, en 1776 ? Ou avait-il suivi ce que lui dictait sa conscience ? »

Disons que cela lui a coupé ses effets.

Il était désarçonné. J'ai attendu une minute, puis j'ai ajouté :

« C'était ça la révolution. »

J'ai pris alors congé poliment de mon père et j'ai raccroché.

C'était la première fois de ma vie que je m'opposais à lui et, surtout, que j'avais le dernier mot.

Le cas d'Andrew était loin d'être un cas isolé. Le conflit du Vietnam déchirait l'Amérique. Faucons contre colombes. Riches contre pauvres. Parents contre enfants.

Il fut aussi à l'origine d'une tension insoutenable entre George Keller et Catherine Fitzgerald.

Le 15 octobre 1969, Catherine Fitzgerald osa prendre une journée de congé pour participer à la marche de protestation organisée à Washington. Le lendemain soir, lorsqu'elle retrouva George, elle avait oublié d'enlever son brassard noir.

« Madame souhaite-t-elle laisser son manteau au vestiaire ? » lui demanda le maître d'hôtel du *Sans-Souci,* en les escortant à leur table.

« Oui, répondit George, agacé.

— Non, je vous remercie, reprit-elle courtoisement, j'ai encore un peu froid. »

Elle garda donc son vêtement sur les épaules, avec, bien en évidence sur sa manche, la décoration provocatrice.

« Cathy, dit George nerveusement, te rends-tu compte de ce que tu es en train de faire, oui ou non ?

— Parfaitement, répondit-elle, quant à toi, écoute bien : si tu veux sortir avec moi, souviens-toi que mes principes et moi-même ça ne fait qu'un.

— Mais nous sommes le point de mire, murmura-t-il, et il y a ici beaucoup de gens influents.

— George, cesse de jouer les paranoïaques. Ce que je désire précisément c'est qu'ils soient " influents "! Ce restaurant est plus proche du pouvoir que les grilles de la Maison Blanche. »

George secoua la tête, consterné.

« Ne pourrions-nous établir une trêve pour la durée du dîner ?

— Je ne suis pas favorable aux activités belliqueuses, dit-elle, alors cette fois j'accepte le compromis pour mettre fin à ta torture. »

Là-dessus, elle saisit la manche de son manteau et en retira lentement le brassard.

Ceux qui ne l'avaient pas encore remarqué ne pouvaient plus maintenant l'ignorer. Cathy le tendit alors à George avec un sourire innocent :

« Tenez, monsieur Keller, vous en ferez ce qu'il vous plaira. »

Ayant marqué un but, elle dirigea avec tact la conversation vers un sujet d'intérêt commun : Henry Kissinger allait-il épouser Nancy Maginnes ?

« Pourquoi est-ce que je te supporte ? » demanda George, mi-figue mi-raisin, dans la voiture qui les ramenait.

« Sans doute, pour paraphraser un de tes héros, le sénateur Goldwater, parce que dans ton cœur tu sais que j'ai raison.

— Mais tout le monde sait que je n'ai pas de cœur, répliqua-t-il.

— Sur ce point, je ne suis pas d'accord ; il est bien caché, ce cœur ! mais il est là, et c'est pourquoi je te supporte. »

Catherine Fitzgerald n'était pas la seule parmi les jeunes *et* les moins jeunes membres du NSC à tenter de dissuader le gouvernement de suivre une trajectoire qu'ils estimaient suicidaire.

« L'Ombre de Kissinger », George, avait non seulement des opinions aux antipodes des siennes mais il participait activement à l'escalade des hostilités. Nixon s'entêtait à vouloir une victoire et le cercle de ses proches était déterminé à lui donner satisfaction. Ils ne pouvaient se permettre le luxe de ménager leurs efforts... ni leurs bombes.

Un soir, Cathy demanda à George :

« Ne pourrais-tu persuader Henry que cela est démentiel ?

— Ne peux-tu oublier cette fichue guerre quand nous sommes au lit, riposta-t-il du tac au tac.

— Non, George, c'est impossible ! Parle-lui, je t'en prie, je sais qu'il tient compte de ton avis.

— Impossible de la lui faire arrêter comme ça.

— Tu pourrais au moins essayer, répondit-elle doucement, ça va encore s'aggraver, n'est-ce pas ?

— Je n'en ai aucune idée.

— Si, tu le sais, mais tu ne me fais pas confiance. Pourquoi ? Je ne suis pourtant pas un agent secret. Ne peux-tu me parler en toute franchise ?

— Cathy, je te donne ma parole que je n'en sais pas plus long que toi.

— Tu me le dirais si tu le savais ?

— Qu'en penses-tu ? » demanda-t-il en l'embrassant.

Le 20 avril 1970, le président Nixon annonça que cent cinquante mille soldats américains seraient rapatriés du Sud-Vietnam au printemps. La colombe reprit espoir...

Deux jours plus tard, Nixon entama une série d'entretiens secrets avec Kissinger et quelques assistants triés sur le volet. Il désirait discuter avec eux d'une invasion du Cambodge, pays neutre, dans le but d'y détruire les dépôts d'armes de l'ennemi.

George était fier d'avoir été choisi pour ces entretiens d'enjeu stratégique, il le fut plus encore lorsqu'il s'aperçut que le ministre de la Défense n'y était pas présent.

Nixon fulminait :

« Ces bon Dieu de Nord-Vietnamiens se pavanant au Cambodge. A nous d'inventer une manœuvre hardie pour leur prouver, ainsi qu'aux Russes, que nous ne céderons pas.

— Les membres du ministère de l'Intérieur ne partageraient pas tous votre avis, monsieur le Président, fit remarquer George avec déférence.

« — Des minables », murmura Nixon.

Bien que le Président ne l'ait annoncé officiellement que le 30 avril au soir, dès le 28 le NSC fut informé de l'invasion du Cambodge par les troupes américaines.

Certains membres de cet organisme en furent outragés. Ils se rendaient compte que le débat du dimanche n'avait été qu'une farce. Plusieurs parmi ceux qui détenaient des postes importants se précipitèrent dans le bureau de Henry Kissinger et donnèrent leur démission. Des jeunes mirent un terme à une carrière prometteuse au sein du gouvernement en claquant la porte en signe de protestation.

Catherine Fitzgerald fut l'une des premières à partir. Après avoir remis à une secrétaire de Kissinger une lettre dans laquelle elle ne mâchait pas ses mots, elle fit irruption comme une bombe dans le bureau de George, situé à une dizaine de mètres de là.

« Salaud ! explosa-t-elle, avant même d'avoir refermé la porte. Salaud sans entrailles, va ! Ton Svengali et toi, vous jouez avec des vies humaines !

— Cathy, je t'en prie, calme-toi !

— Non, George, cette fois j'irai jusqu'au bout, car je quitte la Maison Blanche et je te quitte aussi par-dessus le marché !

— Cathy, essaie de comprendre, je t'assure que je n'y suis pour rien !

— Tu étais au courant et tu n'as pas eu assez confiance en moi pour m'en avertir.

— J'avais raison, si j'en juge par ta réaction hystérique, rétorqua George.

— Elle n'a rien d'hystérique. Elle est simplement humaine, nom de Dieu ! *Humaine !* Toi qui te piques de si bien maîtriser la langue anglaise, as-tu seulement idée de ce que signifie *ce* mot ? »

Avant qu'il ait pu répondre, Cathy avait disparu.

George resta assis à son bureau, pétrifié. Pendant plusieurs minutes il passa en revue les derniers événements.

Il voulut se raisonner : cela devait arriver tôt ou tard. « De toute façon, nous n'aurions pu continuer longtemps à mener notre conflit personnel.

« Henry a raison... Les femmes ne devraient être qu'un simple passe-temps... »

Six jours plus tard, après la mort de quatre étudiants à Kent State University lors d'une manifestation contre la guerre du Vietnam, un chauffeur de taxi déposa chez George une vieille valise.

A l'intérieur, George trouva chemises, cravates et autres vêtements qu'il avait laissés chez Cathy. Elle avait pris soin d'y adjoindre une feuille de papier sur laquelle étaient collées les photos des quatre victimes, découpées dans le journal.

Le message qui accompagnait était simple et direct :

« Voici vos enfants, monsieur Keller. »

Si Alice a découvert son Pays des merveilles à travers son miroir, Ted eut le premier aperçu du sien en regardant par la vitre poussiéreuse d'un train anglais, alors que celui-ci ralentissait en entrant dans la gare d'Oxford.

Par cette fraîche journée d'automne, Cameron Wylie fit visiter à Ted, Sara et Teddy Lambros cette université déjà célèbre pour son enseignement, trois siècles avant que Christophe Colomb ne découvrît l'Amérique. Certains des bâtiments les plus anciens, comme Merton Hall ou St. Edmund's Hall, comprenaient encore des parties remontant à 1260. A Exeter, Oriel et au « New » College, on retrouvait des vestiges du Moyen Age.

Magdalen, relativement récent, puisqu'il datait du xve siècle, était le joyau d'Oxford avec ses merveilleux jardins au bord de la Cherwell. Ils virent un parc où gambadaient des daims, ce qui donna au jeune Ted l'impression de vivre un conte de fées.

Ils atteignirent Christ Church. C'était là que Wylie enseignait. Il s'était arrangé pour que Ted pût profiter temporairement des facilités réservées au corps enseignant.

« Qu'en penses-tu, mon ami, demanda Ted à son fils tandis qu'ils se tenaient dans la cour d'honneur.

— C'est très vieux, papa.

— C'est exactement ce qu'il faut pour avoir des idées neuves, déclara Sara.

— Tout à fait », répondit le professeur Wylie.

Pour finir il les conduisit à la petite maison, dotée d'une terrasse, où ils logeraient.

Face à ces verts et ces bruns fanés, à ce mobilier fatigué, le seul commentaire que put faire Sara fut :

« Délicieusement vétuste !

— Ma femme s'est occupée de cela, poursuivit galamment le professeur Wylie. C'est Heather qui a déniché cette maison. Vous n'avez pas idée de ce que les appartements d'Oxford sont moches. Heather a mis deux ou trois choses dans le réfrigérateur pour que vous ayez de quoi tenir jusqu'à demain. Il faut que je me sauve, j'ai un monceau de copies à corriger. »

Sara prépara des œufs et des saucisses pour le dîner. Elle berça le jeune Ted pour l'endormir, puis descendit au salon.

« Il fait horriblement froid ici, dit-elle.

— Le radiateur est à son maximum, répondit Ted, en lui montrant le chauffage électrique qui rougeoyait.

— On dirait un vieux grille-pain, déclara Sara en fronçant les sourcils, et il chauffe à peu près autant !

— Allons, chérie, reprit Ted sur un ton cajoleur, où est passé ton esprit d'aventure ?

— Gelé, lança Sara en débouchant la bouteille de sherry que Mme Wylie avait eu la bonne idée de leur apporter. Heather aurait pu nous trouver un logement avec le chauffage central !

— Ecoute, raisonna Ted, je t'accorde que ce n'est pas Buckingham, mais il a l'avantage d'être à deux pas de l'école de Ted et du centre de la ville.

Tiens, pourquoi as-tu mis ton bonnet et tes gants, tu vas quelque part ?

— Oui, mon ami, au lit ! Que veux-tu, je ne suis pas un ours polaire... »

Le lendemain, Ted retrouva Wylie à l'entrée de la Bodleian Library. Le professeur le présenta au vieux bibliothécaire qui lui fit prononcer l'antique serment du lecteur :

« Je m'engage à ne sortir, annoter, dégrader aucun livre, document ou autre objet appartenant à cette bibliothèque ou confié à sa garde, à n'y introduire ou y allumer aucun feu quel qu'il soit, etc. »

On ne pouvait, bien sûr, emprunter aucun ouvrage à ce sanctuaire. Oliver Cromwell lui-même, seigneur et maître de ce pays, se vit refuser ce privilège.

Désireux d'être plus oxfordien que les Oxfordiens eux-mêmes, Ted s'acheta une écharpe aux couleurs de Christ Church.

Plusieurs fois par semaine il déjeunait à l'université avec Cameron Wylie, qu'il appelait par son prénom. Il fut vite clair que ce jeune Américain était le protégé de Wylie. Aussi, le soir de la conférence de Ted à la société de philologie, les professeurs de lettres classiques arrivèrent-ils prêts à l'attaque.

Sa conférence fut remarquable. A la fin, Wylie se leva et déclara :

« La société a eu le privilège d'entendre un exposé hors pair. Si le professeur Lambros n'est pas trop fatigué, peut-être acceptera-t-il de répondre à quelques questions ? »

Instantanément, quatre mains se levèrent brandissant chacune un glaive invisible.

Les « prétendues » questions étaient en réalité des tests, destinés à jauger la valeur universitaire de Ted. Tel Horace sur le pont, il les tint bravement en respect... décapitant Tarquin après Tarquin, sans jamais se départir de son sourire.

Les applaudissements chaleureux ne furent que le moindre signe de sa victoire : tous les professeurs présents firent patiemment la queue pour lui serrer la main et lui proposer de déjeuner avec eux.

Quelques heures plus tard, Ted et Sara rentrèrent chez eux bras dessus, bras dessous, enivrés de ce triomphe.

« *Onoma tou Theou* », s'extasia-t-elle, imitant gentiment sa belle-mère. « Admirable... j'aurais voulu que les types de Harvard puissent t'entendre ce soir !

— Ne t'en fais pas, reprit Ted avec une assurance toute neuve, ils en entendront parler sous peu. »

En janvier, lorsque débuta la session dite de la Saint-Hilaire, Ted Lambros était devenu une institution d'Oxford. Le responsable de l'Oxford University Press essayait toujours de s'asseoir près de lui à la table d'honneur pour que l'OUP obtienne de publier son prochain ouvrage.

En révisant l'édition d'Oxford de l'*Euripide*, Wylie proposa un séminaire sur l'*Alceste* réservé aux étudiants de deuxième année ou à ceux qui possédaient une maîtrise. Il invita Ted à collaborer à ce séminaire.

Le choix de la pièce était une ironie du sort : l'héroïne d'Euripide ne se sacrifie-t-elle pas noblement pour sauver son époux et par là même sauver leur mariage ? Ce séminaire, hélas, sonna le glas du mariage de Ted et Sara.

Peut-être était-ce inévitable. Le succès que Ted connaissait à Oxford avait éveillé en lui une ivresse cérébrale, une sorte de priapisme intellectuel.

L'objet de son engouement, ou, comme il le considérait inconsciemment, la récompense de sa réussite, était une étudiante de première année, une rouquine de dix-neuf ans, répondant au nom de Felicity Hendon.

On la remarquait au séminaire pour deux raisons : son grec, exceptionnel, même pour le niveau élevé d'Oxford, et son sex-appeal sous la toge universitaire ample et courte. Ted avait du mal à détacher son regard de ses jambes.

Felicity était venue à Oxford pour se lier, disons « intimement » aux grands esprits. Ce qui l'avait incitée à s'inscrire à ce séminaire était tout bonnement l'idée de séduire le professeur Wylie en personne.

Mais il y avait Ted, universitaire assez âgé pour lui en imposer, mais qui conservait une certaine verdeur.

Et c'était Ted qui s'imaginait la séduire...

L'affaire débuta lors d'une soirée sans prétention à laquelle Felicity et Jane, sa compagne de chambre, avaient invité les neuf étudiants et les deux professeurs du séminaire. Comme à toutes les invitations d'Oxford ou presque, les épouses étaient implicitement exclues.

Sara avait fini par se faire à cette iniquité, sans pour autant l'apprécier. Elle savait que Ted aimait s'y rendre, surtout lorsqu'il s'agissait de soirées habillées. Lui qui jadis détestait mettre une cravate pour servir au *Marathon* était à présent ravi de faire son nœud avant de se rendre à un de ces dîners universitaires, déguisé en pingouin pour la circonstance.

Sara était heureuse de sentir que Ted s'amusait. Elle savait aussi que son tour viendrait l'an prochain, lorsqu'ils seraient de retour à Canterbury et qu'elle se lancerait dans un doctorat à Harvard.

Etudiantes à Saint Hilda's College, les deux jeunes filles partageaient un petit appartement de Graham Road. En cette soirée de février, les festivités débutèrent avec du vin blanc ordinaire, puis continuèrent avec du vin rouge encore plus ordinaire, pour accompagner une nourriture de bas étage que les hôtesses baptisaient : souper fin.

Cameron partit le premier. Sa relation avec Heather défrayait la chronique d'Oxford. Ils se témoignaient une fidélité des plus démodées. Il repartait chez lui, dès que les bonnes manières le lui permettaient. Avec une lassitude désinvolte, les autres convives se retirèrent, qui pour aller étudier, qui pour un rendez-vous, qui pour aller fumer un joint, qui pour aller simplement dormir.

Peu après vingt-deux heures, un motard fit son apparition. Ted fut soulagé de découvrir qu'il n'était autre que Nick, le petit ami de Jane, étudiant de troisième année de médecine au Trinity College. Jane courut chercher son casque et tous deux se précipitèrent à plein gaz au *Perch* pour y prendre un pot avant d'aller terminer la soirée chez Nick.

Ted et Felicity se retrouvèrent seuls.

Ted la regarda. Il se demanda si elle devinait le vif désir qu'il avait de son jeune corps.

« Je vais vous aider à débarrasser la table, dit-il galamment.

— Merci. »

Une seconde, Ted paniqua : cela faisait bien dix ans qu'il n'avait pas touché une autre femme.

« *Comment amorce-t-on ce genre de choses ?* »

Tandis qu'elle empilait la vaisselle sale dans l'évier, il se plaça derrière elle et lui mit timidement les bras autour de la taille. Elle prit ses mains et les posa sur ses seins. Puis, sans un mot, elle se retourna et s'unit à lui en un baiser passionné.

Ted rentra passé minuit. Lorsqu'il se glissa au lit, Sara murmura :

« Bonne soirée, mon chéri ?

— Pas mauvaise », répondit-il à voix basse. Elle se rendormit.

Longtemps il resta éveillé à réfléchir sur ce qui s'était passé durant la soirée.

Le lendemain matin, au petit déjeuner et par la suite au cours de nombreux autres repas, Ted se demanda si cela se voyait. Sara, qui le comprenait si bien, saurait-elle lire son visage et déchiffrer les hiéroglyphes de sa culpabilité ?

Il pensa qu'il devait, noblesse oblige, lui manifester des attentions amoureuses. Il essaya de faire l'amour avec une ardeur accrue, mais insensiblement il commença à lui en vouloir d'être forcé de lui témoigner une affection conjugale.

Sara méritait le respect. C'était une épouse loyale. La mère de son fils. Une amie fidèle. Si loin que remontaient ses souvenirs, elle n'avait jamais été particulièrement attrayante ni sensuelle. Elle l'était encore moins maintenant qu'elle avait un peu grossi.

Peut-être était-ce cela qui avait attiré Ted vers Felicity. Celle-ci éveillait en lui des sentiments qu'il avait crus à jamais envolés. Elle était aussi dynamique physiquement qu'elle l'était intellectuellement.

Un autre élément entrait en ligne de compte, élément que Ted n'avait nullement perçu au début : le côté le plus excitant de cette affaire, c'était le côté illicite...

Au bout d'un certain temps, il se rassura, pensant que Sara n'avait rien remarqué. Pourtant, sa présence même le gênait. Il lui fallait prévoir ses rencontres avec Felicity l'après-midi ou en début de soirée. Ils pouvaient rarement se rencontrer la nuit.

Il inventa un autre repas universitaire ; Sara, fidèle et confiante jusqu'à en être ennuyeuse, ne vérifia pas. Cette passivité naïve commençait à l'exaspérer.

Felicity le harcelait pour qu'il passe un week-end avec elle. Quel prétexte invoquer ? Oxford cessait ses activités le samedi et le dimanche. De rouge, le destin fit virer le feu à l'orange, invitant Ted à s'aventurer, mais *prudemment*.

Philip Harrison, promotion 1933, un des gros bonnets de la Commission bancaire internationale américaine, fut envoyé par le gouvernement à Londres pour une mission de dix jours. Généreux selon son habitude, il loua un appartement au Claridge, à côté du sien, pour que sa fille, son gendre et son cher petit-fils puissent bénéficier de vacances qui leur feraient oublier la routine universitaire.

A la nouvelle de la visite de son père, Sara compulsa la page « Spectacles » du *Times*. De son côté, son époux chercha une excuse plausible pour se libérer et profiter du week-end pour flâner dans les villages romantiques du Gloucestershire.

Sara Lambros se faisait une fête de descendre au Claridge, non pas en raison de l'élégance des lieux, mais plutôt en raison du chauffage central !

Et de la chaleur de l'amour paternel...

Philip Harrison ne put s'empêcher de remarquer la pâleur de sa fille. « Sa flamme est en veilleuse, se dit-il, et la veilleuse est faible ! » Sara incrimina le climat glacial d'Oxford. En ce cas, comment expliquer qu'il convînt si bien à Ted, qui, lui, était en pleine forme.

Le travail acharné réussissait à Ted, expliqua-t-elle. Elle raconta à son père le triomphe qu'avait remporté son époux auprès de la société philologique, ainsi que les succès du jeune Ted à l'école du coin. C'était un mordu de football.

« Tu es un vrai petit athlète, lui dit son grand-père avec un sourire affectueux.

— Et il commence à se débrouiller pas mal en latin, ajouta fièrement Sara. Les Anglais débutent très tôt dans ces matières.

— Ils sont plus en avance que nous sur le plan culturel, observa son père. En tout cas, pour leur théâtre c'est incontestable. J'ai dû faire jouer toutes mes relations auprès de l'ambassade pour obtenir quatre places pour l'*Othello* avec Sir Lawrence Olivier.

— Oh ! papa, quelle joie ! Je mourais d'envie de le voir. Quand y allons-nous ?

— Samedi, en matinée.

— Oh ! quel dommage, répondit Ted anxieux, samedi me pose un problème. Vous savez sans doute que j'ai presque achevé le premier jet de mon ouvrage sur Euripide...

— Oui, Sara me l'a dit. Félicitations.

— Cameron Wylie m'a téléphoné hier soir. Il aurait souhaité passer le week-end à le relire avec moi. Je n'ai pas eu le temps d'en parler à Sara.

— Oh, papa, dit le jeune Ted, je suis drôlement content d'être à Londres.

— Eh bien ! tu pourras y passer le week-end avec ta maman et ton grand-père », lui répondit-il pour le rassurer. Ted se tourna vers M. Harrison : « Je suis désolé, mais c'est une occasion difficile à laisser passer. Qu'en penses-tu, ma chérie ?

— Je trouve que Ted a raison, répondit Sara sans arrière-pensée, combien de temps penses-tu être absent ?

— Ne t'inquiète pas, je serai de retour à Londres, dimanche soir, pour dîner. »

« " George Inn ", sise en la ville de Costwold dans le Winchcombe, avait sept cents ans. Elle hébergeait autrefois les pèlerins qui se rendaient sur la tombe de saint Kenelm.

Ce week-end, elle abritait un de ces couples du xxᵉ siècle qui accomplissent un pèlerinage des plus profanes...

« Qu'en penses-tu ? » questionna Felicity en sortant de son sac une fiole de whisky qu'elle versa dans les verres de l'hôtel.

« On dirait la version médiévale d'un motel », répondit Ted.

Ted se sentait mal à l'aise. Winchcombe était à peu de distance d'Oxford en voiture. On aurait pu les y rencontrer. Les vagues frémissements de remords qu'il avait pu éprouver au début avaient fait place à des spasmes de culpabilité.

Il n'arrivait pas à faire taire cette voix intérieure qui ne cessait de lui répéter : « Lambros, c'est de l'adultère... C'est un péché. Tu as une femme, tu as un enfant. Que fais-tu de l'engagement sacré que tu as prononcé ? »

Oui, bien sûr... Mais il y avait longtemps... Et dans un autre pays. Et la jeune fille avait changé, elle aussi. Les temps également...

« Ted, à quoi penses-tu ? »

La voix de Felicity mit un terme à ses rêveries fleurant l'éthique. Pour la première fois il surprit les mains de Felicity en train d'explorer les zones intimes de son anatomie.

« Alors, tu regrettes ? ou bien... aurais-tu peur ? demanda-t-elle, coquette.

— Ni l'un ni l'autre », répondit-il, pour la convaincre, à défaut de se convaincre lui-même.

« Ecoute, dit-elle, en se faisant cajoleuse, ne vas-tu pas te déshabiller et me prouver ton enthousiasme ? »

La fermeture Eclair glissa.

Elle se tenait debout devant lui, attirante. Aphrodite dans une auberge médiévale...

Il ne pensait plus à rien d'autre lorsqu'elle l'invita à partager sa couche.

Ils rentrèrent le dimanche après-midi et atteignirent Oxford à la tombée du jour. Il lui demanda de le déposer au Folly Bridge, pour qu'il pût se glisser chez lui, à la faveur de l'obscurité.

Au long de ce week-end sauvagement charnel, sitôt que l'extase diminuait, Ted avait été incapable de chasser les démons du remords. Il avait beau invoquer la nouvelle moralité, sa conscience était solidement ancrée à celle des années cinquante. Il pressentait qu'il payerait cher cette brève aventure.

Jamais il n'eût imaginé que ce serait si vite...

Au moment où il ouvrit sa porte, il trouva les Furies qui l'attendaient en la personne de Cameron Wylie.

« Vous n'aviez pas fermé la porte à clé, déclara ce dernier, le visage à moitié dans l'ombre.

— C'est possible, répondit Ted effaré. Oh ! excusez-moi de vous avoir fait attendre, mais j'ignorais que vous viendriez.

« — Moi aussi, à vrai dire, rétorqua le professeur, dont la voix trahissait un certain mécontentement. J'ai essayé de vous téléphoner. Ne parvenant pas à vous joindre, je suis passé vous déposer un mot. Trouvant la porte ouverte, j'ai pensé que vous rentreriez vers cette heure-ci, j'ai donc attendu. »

Il y eut un silence que Wylie brisa en hurlant :

« Imbécile ! Imbécile ! Sombre imbécile !

— Je suis désolé, professeur, je ne comprends pas », balbutia Ted, revenant d'instinct à son statut d'élève.

« Je n'ai rien à foutre de votre moralité, Lambros ! Je vous aurais seulement crédité de plus de bon sens. Que l'adultère soit aussi en vogue à Oxford que partout ailleurs, je vous l'accorde, mais la majorité de ceux qui s'y adonnent évitent tout de même les étudiants de première année. Cette fille a la moitié de votre âge... »

Ce sermon moralisateur commençait à exaspérer Ted. Il rassembla son courage pour contre-attaquer sans s'emballer.

« Est-ce là le motif de votre visite ?

— Non, répliqua Cameron Wylie, je n'en étais qu'au prologue. Sara m'a appelé. Elle désirait vous parler.

— Oh ! zut, se dit Ted. J'aurais dû téléphoner !

— Elle était désolée d'avoir à le faire, poursuivit Wylie, mais c'était une urgence. »

Ted demanda, anxieux :

« Son père ?

— Non, reprit Wylie, votre fils. Il a été *très* malade. On a dû le transporter d'urgence à l'hôpital. Sara m'a téléphoné, affolée. »

Ted en eut froid dans le dos :

« Dites-moi, il est... en vie ? »

Ted implorait du regard une réponse.

« Il s'en tirera. Le pire est passé. Heureusement Sara avait son père auprès d'elle.

— Où est Teddy ? Où est mon fils ?

— A l'hôpital des enfants malades de Paddington Green. »

Ted aurait voulu s'enfuir de la pièce, mais quelque chose le retenait, le paralysait.

« Croyez-vous que Sara ait eu le moindre soupçon de l'endroit où j'étais ?

— Non, répondit le professeur, je n'ai pas jugé opportun de lui en faire part. » Il marqua une pause. « Je vous ai laissé ce soin. »

C'était un dimanche. Les trains en direction de Londres avançaient à une allure d'escargots perdus dans leurs dévotions. Durant le trajet, Ted pensait : « Et s'il mourait avant que j'arrive... »

Ted pénétra en trombe dans l'hôpital. Ce bâtiment austère, mal éclairé, lui parut sinistrement vide.

Il trouva Sara et son père au deuxième étage, à l'entrée du service Lewis Carroll.

« Il va mieux ? demanda Ted.

— Oui, répondit Sara. Wylie ne t'a donc pas tout raconté ?

— Non, répliqua-t-il.

— Il s'est réveillé la nuit dernière avec une fièvre de cheval...

— Plus de quarante degrés cinq, précisa son père.

— Dieu merci, lorsque nous l'avons amené ici, le médecin de garde a tout de suite vu de quoi il retournait. Elle l'a...

— Elle ? interrompit Ted, d'un ton réprobateur. Pardon de t'avoir interrompue. Je t'en prie, explique-moi ce qu'il a.

— Une pneumonie virale, déclara Philip Harrison. Rassurez-vous, Ted, le gros de la crise est passé. »

« Sapristi, se dit-il, dire que je n'étais pas là ! »

C'est alors que le Dr Rama Chatterjee apparut au loin.

« La voici, murmura Sara, peut-être pourrons-nous voir Teddie ?

— Il dort paisiblement », annonça le médecin. Elle se tourna ensuite vers le nouvel arrivant :

« Professeur Lambros ? Votre fils vous réclame.

— Je veux le voir immédiatement, exigea Ted, je désire ensuite rencontrer le chef de service.

— Vous pouvez faire d'une pierre deux coups, reprit le Dr Chatterjee, je dirige le service de pédiatrie. »

Au cours des jours suivants, Sara quitta rarement le chevet de son fils. Elle dormait près de lui, sur un lit de camp fourni par l'hôpital.

Ted, quant à lui, y passait le plus clair de ses journées. Sara et lui, confinés dans ce petit box vitré, s'adressaient tour à tour à leur fils, mais ne se parlaient guère.

Sara ne trahissait aucune émotion. Ted voyait là sa façon de dissimuler son anxiété au sujet de son enfant malade. Il était d'ores et déjà convaincu que ses préoccupations présentes lui avaient fait oublier les difficultés rencontrées pour le joindre le dimanche précédent.

Quand les visites se terminaient à dix-neuf heures, Ted et son beau-père dînaient ensemble, avant d'aller faire un tour du côté de Hyde Park.

Le vendredi matin, une grosse Daimler vint chercher M. Harrison.

Il avait une longue journée devant lui. Ted et lui devaient emmener Sara et le jeune Ted de Paddington Green à John Radcliffe Infirmary, à Oxford. Il se dépêcherait ensuite de retourner à Heathrow pour sauter dans le dernier avion à destination de Genève.

En mission pour le gouvernement américain, il ne pouvait ajourner plus longtemps ses obligations.

Le Dr Stone les attendait à John Radcliffe Infirmary. En voyant le visage hagard de Sara, le pédiatre remarqua :

« Rama Chatterjee m'a raconté que vous aviez pour ainsi dire campé à côté de votre fils cette semaine. Je suggérerais, madame Lambros, que vous preniez une bonne nuit de sommeil. Croyez-moi, nous n'avons nulle envie de nous retrouver avec deux malades sur les bras. »

De retour chez lui, Ted s'aperçut que Sara et lui n'avaient pas eu l'occasion de parler seule à seul depuis le début de cette affaire. Il avait mis le silence de Sara sur le compte de la fatigue et de l'inquiétude, mais il sentait qu'il était nécessaire de rétablir le dialogue.

« Dieu soit loué ! il est sain et sauf », dit Ted, choisissant le commentaire le plus anodin pour entamer la conversation.

Sara ne répondit rien. Elle lui tournait le dos, occupée à défaire ses valises.

« Cela a dû être atroce pour toi de te retrouver seule. Heureusement que père était à Londres. »

Elle virevolta, rouge de colère.

« Ce n'est pas ton père, nom de Dieu ! s'exclama-t-elle, et j'en ai plus que marre de l'obligation d'être polie à cause de lui. Je repars pour l'hôpital. A mon retour, j'exige que tu aies déguerpi. Et pour de bon. Tout, tu m'entends : tes fringues, tes bouquins… mais prends garde de ne pas en emmener un seul des *miens,* compris !

— Sara, mais qu'est-ce que cela signifie ?

— Ecoute, je suis restée à tes côtés pendant douze ans. J'ai veillé sur toi. J'ai fait la moitié de ton travail de recherche. Je t'ai aidé à préserver ta fragile assurance. Je t'ai écouté. J'ai compati. Je me suis pratiquement transformée en mouchoir pour recevoir tes larmes.

— Sara…

— Non, Lambros, tu me laisseras terminer. Tant que j'ai cru avoir de l'importance pour toi, peu m'importait d'être à la fois mère et père pour notre fils. Mais il a fallu que tu choisisses Oxford pour me bafouer. Oui, Oxford, la plus grande entre les petites villes de la terre. Mon Dieu, mais tout le monde sait que tu baises avec cette petite roulure ! Et comme si cela n'était pas assez humiliant, il a fallu de surcroît que tu t'exhibes devant mon père ! »

Jamais Ted ne l'avait entendue s'exprimer avec pareille violence.

« Sara, je t'en supplie, n'en fais pas une telle histoire ! Mis à part cette unique… indiscrétion, je t'ai toujours été fidèle. Cette fille n'est rien pour moi. J'ai eu tort. J'ai commis une erreur. Cela peut arriver à tout le monde ou presque.

— Ecoute, Ted, j'aurais sans doute accepté, ce que tu appelles pudiquement ton indiscrétion, si notre mariage avait été réellement solide. Mais tu ne m'aimes plus, c'est aussi simple que cela. Cessons de feindre. Nous ne sommes plus un couple depuis belle lurette.

— Voudrais-tu dire par là que tu veux divorcer ?

— Oui, et le plus tôt sera le mieux.

— Et le petit ? Nous ne pouvons pas lui faire cela. Ce n'est pas juste pour lui.

— Ecoute, Ted, il n'est plus si petit que cela et il comprend parfaitement ce qui se passe. Je t'en prie, ne me ressors pas ces vieilles histoires de rester ensemble pour le bien de l'enfant.

— Sara, répondit Ted, je refuse de te donner l'autorisation de divorcer.

— Tu refuses ? Imagine ce que tu voudras, mais figure-toi que je ne suis ni un jouet ni un animal domestique. Alors, pour l'exprimer avec les voiles décents de la langue des érudits : " *Apage te, tuas res habeto !* " »

Elle savait que cette fois elle avait réussi à le blesser. Sa flèche du Parthe avait été de lui décocher la formule romaine du divorce, qui devait être dite par l'*homme* à la *femme.*

Juste après le thé, Ted sonna à Gresham Road. Felicity fut heureuse de le voir, mais surprise devant ses valises.

« On dirait que tu quittes la ville ?

— Non, Sara m'a mis dehors. Pourrais-tu m'héberger cette nuit ?

— Oui, répondit-elle, nous devrions avoir assez de place pour toi et ton barda. »

Sitôt qu'il fut rentré, Felicity lui signifia les limites de son bail :

« Tu vois, Ted, je suis ravie de te rendre ce service, mais j'espère que tu n'as pas pour autant l'intention de t'incruster ici.

— Crois-tu que tu pourrais supporter ma présence pendant une quinzaine de jours ? » demanda-t-il en arborant son sourire le plus charmeur.

« Ted, je t'en prie, deux ou trois jours au maximum.

— Voilà qui n'est guère chaleureux, regarde ta copine Jane et son motard...

— Oui, mais c'est différent.

— Et pourquoi ?

— Je déteste les situations malsaines. »

A l'hôpital, le lendemain, ils essayèrent de ne rien dire qui pût inquiéter leur fils convalescent. Lorsqu'ils quittèrent sa chambre à l'heure du déjeuner, Sara lui dit froidement :

« Allons quelque part où nous pourrons discuter. »

Peu perspicace dans son désarroi, Ted s'imaginait qu'il y avait encore une chance de réconciliation. Il fut vite détrompé.

Sara souhaitait simplement lui exposer les termes de leur divorce. Son épuisement nerveux, ajouté à la fatigue d'une nuit passée sur le canapé de Felicity empêchèrent Ted de faire remarquer à Sara qu'elle s'adressait à lui comme à un adversaire et non plus comme à un partenaire. Sara ne négociait ni ne discutait : elle lui dictait les conditions.

Non, elle ne voulait pas de pension alimentaire. Elle souhaitait prendre en charge l'éducation de leur fils. Elle avait l'intention de laisser Teddie dans la même école, l'année suivante.

« Tu désires rester à Oxford l'an prochain ?

— Oui, mais ce n'est plus ton problème.

— Tu m'excuseras, Sara, mais je n'ai nullement l'intention de te laisser mettre un océan entre mon fils et moi. D'ailleurs, que comptes-tu faire ici ?

— Et que font les gens d'Oxford qui ne travaillent pas dans une usine de voitures ? demanda-t-elle, sarcastique. Aussi incroyable que cela puisse te paraître, je veux préparer un doctorat. J'ai obtenu, dans la nuit des temps, un diplôme de Radcliffe, mention bien. Tu pourras avoir Ted à Noël et aux grandes vacances.

— As-tu la moindre idée du prix d'un billet d'avion pour les Etats-Unis ?

— Tu n'as pas à t'inquiéter. Je passerai Noël avec ma famille dans le Connecticut. Une chose est sûre, je ne permettrai pas que notre fils soit psychologiquement handicapé par nos histoires. Jamais je ne prononcerai un mot déplacé à ton sujet. Tu as ma parole d'honneur. Je veillerai également à ce que vous passiez le plus de temps possible ensemble.

— Et si je contestais en justice, questionna-t-il, tentant un coup de poker.

— Ne va pas te fatiguer : les avocats de mon père feraient de toi de la chair à pâté. »

Ted Lambros traversa l'Atlantique à coups de Martini. Le prétexte à son ébriété reposait sur une célèbre citation de Virgile, « *Varium et mutabile semper femina...* » qu'il se plaisait à traduire par : « Toutes les femmes sont d'imprévisibles salopes... »

Journal d'Andrew Eliot

6 août 1970

Ted vient de m'annoncer par téléphone une nouvelle incroyable : Sara et lui se séparent !

Si ces deux-là ne réussissent pas à vivre ensemble, autant dire que l'institution du mariage n'a aucune chance de survivre !

Ted ne m'a pas donné de détails par téléphone. Je pense qu'il me racontera cela lorsqu'il viendra, le week-end prochain. Je n'ai pu faire autrement que d'inviter ce pauvre bougre ; ce qu'il avait l'air malheureux !

Ted n'a pas la moindre idée des affres par lesquelles il va devoir passer. Peu importent les conditions, un divorce n'est pas facile à vivre. On prétend que ce sont les enfants qui souffrent le plus. Pour ma part, je suis persuadé que c'est le père.

Outre mon droit de visite du week-end, droit qui ne correspond pas à grand-chose étant donné qu'ils sont pensionnaires, je ne vois mes enfants que l'été.

Or, la paternité n'a rien d'un job à temps partiel. Cela relève plutôt du trapèze : si vous lâchez, vous tombez, pas moyen de vous rattraper.

Je passe l'hiver à organiser l'été pour qu'il apporte quelque chose à Andy et Lizzie. Je prévois des excursions, des voyages au Canada, etc. Je contacte d'autres parents et invite leurs enfants. Je deviens un supermoniteur de colonie de vacances gratifié du titre, purement honorifique, de « papa ».

Du haut de son jeune âge, Andy déclare être dégoûté par notre engagement au Vietnam. Pour une raison qui m'échappe, il semble m'en faire porter la responsabilité. C'est à croire que j'arrose de napalm ces pauvres civils innocents.

« A l'école, les copains disent que c'est la guerre de Wall Street », me déclare-t-il, comme si j'étais, à moi seul, Wall Street, et non pas un petit banquier du trente-sixième dessous.

Je tente de lui faire comprendre que je partage sa façon de voir. Que j'ai été jusqu'à organiser une manifestation contre cette guerre. Ce qu'il trouve à répondre ?

« Tout ça, c'est des conneries. »

Lorsque je lui demande de ne pas utiliser ce langage, il rétorque que je l'utilise et que je ne suis qu'un hypocrite, comme tous ceux de ma génération (car je suis maintenant *une* génération !).

Je pense qu'au fond je lui manque et qu'il joue au dur pour faire croire qu'il n'a pas besoin d'un père.

Je fais de mon mieux pour percer la cuirasse de son hostilité, mais un mois l'été ne suffit pas. Je n'arrive pas à le convaincre que, pour moi, il compte.

Lizzie me pose également problème. Je la trouve triste. Elle disparaît pour faire de longues promenades au cours desquelles elle refuse que je l'accompagne. Il m'arrive de bavarder avec elle, mais je sens qu'elle m'en veut, pour des raisons plus personnelles et moins politiques que celles d'Andy.

« Si vous nous aimiez vraiment, maman et toi, vous ne vous seriez pas séparés. Je déteste la boîte où vous m'avez mise en pension. C'est un orphelinat avec des uniformes " couture ". Je suis sûre que, dans ma classe, il n'y a pas cinq filles qui ont leurs deux parents. »

Après plusieurs conversations de ce genre, je me suis démené comme un diable pour que Faith m'accorde la garde de Lizzie. Cela lui permettrait d'avoir un semblant de foyer et de fréquenter un externat.

Etant ce qu'elle est, Faith a refusé. Je ne comprends pas qu'elle soit bornée à ce point et puisse se montrer si hostile à cette idée. Elle va épouser un homme d'affaires cousu de fric de San Francisco (bonne chance pour le pauvre gars !).

Dans mon désir de récupérer mes enfants, j'ai envisagé un remariage, mais je n'ai rencontré personne qui m'inspire assez confiance pour refaire le plongeon...

Ted m'a dit par téléphone que, si douloureux que ce fût, il estimait que, pour lui, c'était mieux ainsi. S'il savait à quel point il se trompe !

Ce qui compte, ce n'est pas le simple fait d'avoir perdu une épouse ou un fils, c'est d'avoir perdu avec eux ce qui donne un sens à toutes les choses que nous faisons dans la vie...

Un beau jour de la fin du mois de janvier 1973, George Keller se tenait sur les marches de Georgetown Law Center. A midi, les étudiants sortirent en masse du bâtiment. Parmi eux se trouvait Catherine Fitzgerald. Il s'approcha d'elle, l'air gêné.

« Cathy...

— Au revoir George, répondit-elle en se détournant.

— Cathy, s'il te plaît, pourrions-nous parler un instant ?

— Je ne suis pas d'humeur à subir, ne serait-ce que soixante secondes, vos mensonges, monsieur Keller. »

Et elle s'éloigna d'un pas vif.

« Cathy, je t'en supplie, si l'Amérique et le Vietnam du Nord arrivent à faire la paix, ne pouvons-nous pas y parvenir nous aussi ? »

Elle virevolta et répondit en pesant ses mots :

« George, à présent que Henry et toi avez obtenu votre cessez-le-feu, vous êtes promus héros internationaux. Pourquoi t'encombrerais-tu de la seule personne au monde pour qui tu es un ver de terre ?

— Précisément, parce que tu es la seule personne au monde qui compte pour moi.

— Est-ce que tu t'imagines que je vais croire ce genre de foutaises ?

— J'espérais que tu me donnerais une chance de te convaincre. Je sais que tu es pratiquement avocate, même les criminels ont le droit de parler pour leur défense. Accepterais-tu de prendre une tasse de café en ma compagnie ?

— D'accord, soupira-t-elle, mais une seule. »

« Comment t'es-tu débrouillé pour retrouver ma trace ? demanda-t-elle, as-tu fait mettre mon téléphone sur table d'écoute ? »

Il secoua la tête, peiné.

« Ecoute, Cathy, j'ai demandé à l'un de tes anciens amis du NSC.

— Si c'était un de mes amis, il aurait dû te dire que je ne voulais te voir à aucun prix. »

A l'image de son mentor en diplomatie, George était un infatigable négociateur.

« C'est entendu, Cathy, dit-il, adoptant une nouvelle tactique. Je sais que j'ai été dur, voire malhonnête, mais j'ai compris la leçon. En me retrouvant seul durant ces mois, j'ai passé mon temps à me reprocher mon manque de confiance en toi.

— Pour être honnête, reprit-elle, tu as à peine confiance en toi, George. C'est ça ton problème.

— Ne peux-tu admettre que quelqu'un puisse évoluer en trois ans ?

— Il faudrait que je le voie pour le croire, répondit-elle.

— Me donneras-tu une chance de te le prouver ? »

Elle finit d'un trait sa tasse de café et se leva.

« Ecoute, dit-elle, j'ai des examens à réviser. Si tu es sérieux, appelle-moi au début du mois prochain et nous pourrons nous rencontrer sans que je sois préoccupée par des histoires de " torts " et de " contrats ".

— Entendu, répondit George, puis-je t'accompagner jusqu'à la bibliothèque ?

— Je crois que c'est à éviter. Henry et toi vous êtes *persona non grata* sur le campus. »

Ils recommencèrent à se voir. Cathy dut reconnaître que George faisait de vrais efforts pour corriger son comportement antérieur.

Il allait jusqu'à lui parler de son enfance, de ce que cela avait pu représenter pour lui de quitter un pays qu'il aimait et d'arriver en terre étrangère, sans parents ni ami, en baragouinant une dizaine de mots de cette nouvelle langue. Il lui fit part du désir désespéré qu'il avait alors de s'intégrer, en se gardant de révéler bien sûr plus que ce qu'il *voulait* révéler. Il ne mentionna que brièvement qu'il avait eu « une assez mauvaise » relation avec son père.

Quant à Aniko, il n'en souffla mot.

Pour lui faire comprendre sa prudence instinctive dans ses rapports avec autrui, George parla de ses premiers jours déconcertants en Amérique. Sa peur constante. Sa crainte maladive et encore latente d'être entouré d'espions.

En bref, il lui dit la vérité. Pas toute la vérité... Sa candeur relative permit à Cathy de se laisser aller à s'attacher de nouveau à lui.

« George, quel est ton meilleur ami ? » lui demanda-t-elle au cours d'une promenade, un dimanche après-midi.

« Je n'en sais rien, répondit-il, pris de court. Je n'en ai jamais eu, je suppose.

— Même lorsque tu étais petit ?

— Non, j'ai toujours été solitaire. Je n'ai pas l'instinct grégaire. »

Cathy marqua une pause et reprit doucement :

« Si paradoxal que cela puisse paraître, nous avons été amants pendant longtemps, mais nous ne sommes pas encore amis. Du moins tu ne me considères pas ainsi.

— Bien sûr que si, protesta-t-il.

— Vous feriez un bien mauvais témoin, monsieur Keller. Vous venez de changer votre témoignage au cours de votre interrogatoire. Vous aviez commencé par déclarer que vous n'aviez pas de " meilleur " ami.

— Qui suis-je ? Un cobaye pour te familiariser aux techniques du tribunal ?

— Non, George, tu es *mon* ami, et je veux être *ton* amie.

— Cathy, tu es la fille la plus merveilleuse que je connaisse. Je n'arrive pas à concevoir que tu puisses te préoccuper d'un iceberg comme moi !

— Reconnaissons que tu as un esprit fascinant et que tu es séduisant. Enfin, tu fais vibrer en moi quelque chose qui veut te rendre heureux. »

Il s'arrêta, l'entoura de ses bras et lui dit tendrement :

« Cathy, je t'aime.

— Non, murmura-t-elle, pas encore, mais cela viendra. »

Cathy obtint son doctorat en juin. Elle fut admise au barreau du Maryland, ce qui devait lui permettre d'exercer à Washington DC six mois plus tard. Malgré des offres lucratives et intéressantes, tant en provenance des services gouvernementaux que de l'industrie privée, elle décida de se joindre aux défenseurs des consommateurs, communément appelés « Nader's Raiders ».

« Et pourquoi veux-tu collaborer à une organisation aussi marginale ? demanda George, mi-amusé, mi-surpris. Tu aurais pu aisément trouver un job auprès de l'Attorney General.

— Vois-tu, George, expliqua-t-elle, je suis née à Washington. J'y ai été élevée et pourtant je suis restée optimiste. Je ne suis plus assez folle pour imaginer que je puisse faire évoluer les choses sur une grande échelle. Mon départ du NSC a mis un terme à mon époque don Quichotte. Avec le groupe de Ralph Nader, je sens que je peux faire des choses tangibles, et voir à quoi ressemblent ceux que j'aide.

— Je n'en reviens pas, tu es l'être le plus idéaliste que j'aie jamais rencontré.

— Et toi, le plus pragmatique.

— C'est précisément pour ça que nous faisons bon ménage.

— Sans être mariés, précisa-t-elle.

— Je me dispenserai de tout commentaire à ce sujet.

— Ce ne sera pas nécessaire, répondit Cathy, avec un air entendu, un de ces quatre matins tu te réveilleras et te rendras compte de l'atout que je pourrais être pour ta carrière, alors tu me feras ta demande.

— Tu es sûre que c'est là le critère de mes décisions ?

— Oui, et c'est sans doute la seule chose qui te fait hésiter à m'épouser.

— Laquelle ? explique-toi...

— Le fait que je sache comment tu fonctionnes. »

Danny Rossi était auréolé de gloire. Il était riche, célèbre. Saturé d'éloges. Son bureau regorgeait de trophées, son lit de beautés. Il avait tout ce qu'un homme peut désirer.

Tout, sauf un mariage heureux.

Au début du printemps 1973, lorsque son chauffeur vint le chercher un soir, à l'aéroport, Danny insista pour qu'il le conduisît le plus vite possible à Bryn Mawr. Il pénétra en trombe chez lui pour annoncer son dernier exploit : on venait de lui proposer la direction de l'orchestre philharmonique de Los Angeles. On tenait tellement à l'avoir qu'il avait obtenu de conserver son poste à Philadelphie. Il serait donc chef d'orchestre aux deux extrémités du continent.

« Super, papa ! s'écria Sylvie, est-ce que nous déménagerons en Californie ?

— Ça ne serait pas si mal de nous éloigner un peu de la neige et de la glace, mais nous laisserons maman décider. »

Il regarda Maria. Son visage était impassible. Elle ne dit rien.

« Dis, que se passe-t-il, ma chérie ? lui demanda-t-il, au cours du dîner, une fois les enfants sortis de table.

— Danny, reprit-elle lentement, je crois qu'il serait bon que nous parlions ensemble.

— Au sujet de la Californie ?

— Non, au sujet de Mlle Rona.

— De qui ?

— Danny, je t'en prie, ne fais pas l'innocent. Sa rubrique de potins paraît partout, même dans un bled comme Philadelphie.

— Et quelle rumeur venimeuse répand-elle à présent ?

— Oh ! rien de scandaleux, répliqua Maria sarcastique, juste une petite remarque au sujet d'un " célèbre pianiste et compositeur murmurant quelques mots à l'oreille de Raquel Welch dans un restaurant de Malibu ".

— Crois-tu à ce genre de saloperies ?

— Ce que j'ignore c'est si cette rumeur provient de son agent de presse ou du tien.

— Une minute...

— Non, maestro, rétorqua-t-elle, cette fois-ci c'est toi qui écoutes. Au long de ces années, j'ai fermé les yeux en me culpabilisant pour tes infidélités. J'entends par là que je me disais que tu avais besoin de petites aventures en raison de mon inexpérience et aussi parce que je ne te satisfaisais pas. Pourquoi t'exhiber ainsi ? Tu as prouvé ta virilité au monde entier, mais tu ne l'as pas encore prouvée à toi-même. »

Un silence s'ensuivit. Danny demanda calmement :

« Qu'est-ce qui a brusquement motivé cela ?

— Je ne dirai pas " brusquement ". Je viens d'atteindre le bout de mon très long rouleau.

— Maria, nous en avons déjà parlé. Je ne prétends pas être un boy-scout, mais je persiste à croire que je suis bon mari. Je m'occupe de toi et des enfants, non ?

— Sur tous les plans sauf sur le plan affectif. Tes filles s'efforcent désespérément d'attirer ton attention. Ne me raconte pas que tu ne t'en es pas rendu compte. Je tremble en pensant au jour où elles verront ton nom dans les potins de la commère ! »

Danny devait diriger deux concerts le lendemain, aussi essaya-t-il de l'adoucir.

« Ma chérie, ne sais-tu pas qu'il n'y a qu'une personne au monde que j'aime ?

— Naturellement ! C'est toi ! » Et elle poursuivit d'une voix lasse :

« Tu vois, je n'en peux plus. »

Il y eut un nouveau silence.

« Tu veux divorcer ?

— C'est ce que ferait n'importe quelle femme sensée, non ? Mais nous sommes catholiques. Du moins, je le suis. De plus un divorce serait une expérience atroce pour nos filles.

— Alors, où veux-tu en venir ?

— A faire chambre à part », répondit-elle.

Il la regarda incrédule.

« Tu ne veux pas dire que notre vie sexuelle est terminée ?

— Ensemble, si. »

Ce sous-entendu déconcerta Danny.

« Voudrais-tu dire par là que tu aurais l'intention d'avoir des aventures ?

— Donne-moi une raison valable pour que je n'en aie pas. »

Il faillit répondre : tu es épouse et mère, mais, après tout, il était bien, lui aussi, époux et père. Et il était furieux.

« Danny, que je puisse ou non en avoir ne te regarde pas. Je dirai même que tu n'as pas à savoir si j'en ai ou non. »

Au printemps 1972, Jason Gilbert avait participé à tellement d'opérations avec le *Sayaret Matkal* que Zvi insista pour qu'il prenne un congé afin de « réapprendre ce qu'est une vie normale ».

Il retourna au kibboutz et commença à découvrir ses deux fils, Joshua, cinq ans, et Ben, trois ans, ainsi que les joies de la vie de famille et le simple plaisir de bricoler dans le garage.

« Papa, qu'est-ce que tu fais à ce camion ? Il est très cassé ? »

Jason sortit sa tête enfouie sous le capot pour accueillir son aîné :

« Il n'est pas vraiment fichu, Josh, je le " gonfle ", tu vois. »

Le petit garçon se mit à rire.

« Ça c'est drôle, gonfler un moteur !

— Non, *Chabibi*. C'est une façon de dire que je voudrais le faire aller plus vite. Veux-tu que je te montre ?

— Oh, oui ! s'il te plaît, papa ! »

Jason souleva son fils et lui montra les entrailles du véhicule.

« Tu vois ça ? Eh bien, c'est le carburateur. *M'ayed*. Ça sert à mélanger l'air et l'essence... »

Au cours des trois après-midi qui suivirent, Jason initia avec amour son fils aîné aux arcanes de la mécanique automobile.

Comme dans sa jeunesse son instruction avait été confiée à une série de « pros », Jason prenait un plaisir particulier à tout enseigner lui-même à ses fils.

Aidé de Josh, en qualité de professeur assistant, il apprit à nager à Ben dans une piscine du kibboutz.

« Allez, continue à faire tes mouvements, Ben. Tu te débrouilles très bien. Tu vas devenir un vrai poisson.

— Papa, je ne suis pas un poisson. Je suis un petit garçon. »

Eva, assise à l'ombre d'un arbre les regardait. Elle souriait de bonheur, priant pour que cet été idyllique durât à jamais.

Le mariage et la maternité avaient entraîné chez elle un profond changement. Elle était détendue et osait être heureuse.

Vers la mi-juillet, le violoniste Isaac Stern vint donner un concert à Verez Ha-Galil. Il laissa plusieurs de ses albums au kibboutz.

Eva en emprunta un. Jason lui fit remarquer qu'il avait été enregistré par l'orchestre de Philadelphie, sous la direction de Danny Rossi. Cela déclencha en lui un torrent de réminiscences remontant à ses années de Harvard.

Eva lui prit la main et lui demanda :

« As-tu un peu le mal du pays, mon chéri ?

— Oui, de temps en temps, avoua-t-il, ce qui me manque ce sont des choses aussi stupides que les championnats de base-ball, le super-bowl, et même le match Harvard-Yale. Je t'y emmènerai un jour. Oui, je t'y emmènerai. Ce sera un bon changement. Tu vois, c'est une lutte à mort dans laquelle personne ne meurt.

— Quand partons-nous ? je prépare les bagages en un quart d'heure.

— Lorsque nous serons en paix, répondit Jason. Ce jour-là je vous emmènerai visiter Harvard.

— ... Et aussi Disneyland !

— Evidemment. Nous visiterons les hauts lieux de la culture américaine. » Jason répéta sa condition : « Lorsque nous serons en paix.

— Nous risquons alors d'être trop vieux pour voyager, Jason.

— Tu es pessimiste, ma chérie.

— Disons que je suis réaliste. C'est pour cela que j'aimerais que tu me donnes au moins une date, si vague soit-elle.

— Bon, je suis président de ma promotion. Il *faut* que je me rende à ma vingt-cinquième réunion.

— Et quand aura-t-elle lieu ?

— Oh ! dans onze ans seulement.

— Parfait », répondit-elle en souriant.

Son manque d'ironie le surprit.

« Tu veux dire que cela ne te dérange pas d'attendre si longtemps ?

— Non, tout est pour le mieux. C'est un an avant que Josh ne parte à l'armée.

— Tu as déjà calculé ça si longtemps à l'avance ? »

Elle hocha la tête :

« Toute mère israélienne pense à cela le jour de la naissance de son fils. Pour Ben, ce sera dans quatorze ans. »

Ils restèrent silencieux, comprenant combien il était horrible de savoir avec exactitude quand leurs jeunes enfants devraient partir en guerre.

Jason se leva. Il la prit dans ses bras :

« Ma chérie, lorsque je retournerai au *Sayaret*, rappelle-toi notre conversation. Je voudrais tant voir jouer nos enfants avec des raquettes de tennis et non pas avec des fusils.

— J'aimerais que mon mari en fasse autant... »

Zvi ne lui ayant pas donné de date précise de retour, Jason comptait rester en dehors du service actif pendant six mois. Hélas, cette période paisible dura moins de quatre-vingt-dix jours.

Le 5 septembre 1973, au matin, huit terroristes du mouvement Black September firent irruption dans les locaux de l'équipe israélienne du village olympique de Munich. Ils tuèrent deux athlètes et en prirent neuf en otages.

En apprenant cela à la radio, Jason se précipita pour rejoindre son unité. Il savait qu'il s'agissait là d'une crise nécessitant l'expérience du *Sayaret*.

On rassembla un groupe que l'on prépara à s'envoler pour l'Allemagne. Le gouvernement allemand déclina la requête de Moshé Dayan qui souhaitait que des commandos israéliens se portent au secours de leurs compatriotes. La *Bereitschaftspolizei* était en mesure de faire face à cette crise et s'en chargerait.

Ceux du *Sayaret* se montrèrent désespérés et furieux d'entendre que l'attaque menée par les Allemands pour sauver les otages israéliens avait échoué et qu'ils avaient été massacrés.

Il ne fallut pas longtemps aux services secrets pour découvrir l'identité des organisateurs du massacre de Munich. L'un des principaux était Abu Youssef, chef de l'Intelligence Service d'El Fatah et principal assistant de Yasser Arafat. Les services secrets avaient même découvert, à Beyrouth, l'appartement secret d'où il opérait.

Zvi et les autres officiers élaborèrent des plans pour l'abattre. Ils profiteraient de son bref séjour dans la capitale libanaise pour régler leurs comptes à ces terroristes qui avaient massacré tant de citoyens israéliens.

Le 10 avril au soir, Jason et quelques douzaines d'hommes s'embarquèrent sur une vedette qui longea à toute vitesse la côte méditerranéenne. Ils mouillèrent au large de Beyrouth. A les voir, on les eût pris pour des touristes allant passer la nuit sur cette Riviera du Moyen-Orient.

En canots pneumatiques, ils atteignirent un club nautique, où le service secret tenait des voitures à leur disposition. De là, ils partirent dans la direction assignée.

Jason se dirigea vers la rue Khaled Ben Al Walid. Il se gara près du bâtiment que des informateurs avaient désigné comme la résidence d'Abu Youssef.

Cinq hommes sortirent de la voiture et pénétrèrent dans l'immeuble. L'appartement était au troisième étage. Il était gardé par deux hommes armés que Jason et Uri avaient l'intention d'abattre.

Ils n'opérèrent pas assez rapidement. Un des gardes parvint à tirer un coup de feu avant de s'effondrer sur le sol. Lorsque le commando défonça la porte et se rua à l'intérieur de l'appartement, le chef terroriste avait réussi à se barricader dans sa chambre.

Jason et ses compagnons firent voler la porte en éclats à coups de rafales de mitrailleuses. En pénétrant, ils constatèrent que leurs balles avaient tué Abu Youssef et blessé mortellement sa femme.

Jason avait à peine eu le temps de réagir qu'Uri annonçait l'arrivée de voitures de police.

« Très bien, répondit-il en fouillant prestement le bureau du chef terroriste et en s'emparant de tous les documents sur lesquels il put mettre la main. Filons d'ici. »

Ils dégringolèrent l'escalier. Une vieille femme passa la tête par l'entrebâillement de la porte d'un appartement. Un membre du commando, surpris, tira. La femme s'abattit sur le sol.

Arrivés dans la rue, ils lancèrent des grenades à main pour ralentir l'arrivée des gendarmes, puis, ils sautèrent dans leur voiture et filèrent vers le front de mer.

Les autres étaient de retour. Dès qu'ils aperçurent le groupe de Jason, ils leur firent signe, et coururent s'entasser dans les canots pneumatiques.

Jason et ses hommes suivirent, ramant vigoureusement pour prendre le large.

Quelques heures plus tard, ils étaient de retour au quartier général du *Sayaret*, au cœur même d'Israël

Le chef de l'un des pelotons indiqua dans son rapport qu'ils avaient fait sauter une partie du quartier général des terroristes et tué plusieurs de leurs hommes au cours de l'action. Une deuxième unité avait attaqué un autre immeuble de l'OLP qui abritait, entre autres, un endroit où l'on fabriquait des bombes.

C'était le résultat de la mission confiée à Jason qui tenait le plus à cœur à Zvi.

« Alors, *Saba*? demanda-t-il anxieusement, comment vous êtes-vous débrouillés ? »

Jason répondit lentement, mais sans hésiter :

« Nous avons tué celui qui a organisé le massacre de Munich.

— Félicitations.

— Hélas ! nous avons aussi tué quelques innocents. »

Là-dessus, il se tut.

« *Saba*, vois-tu, nous sommes en guerre. Lorsque l'aviation bombarde une cible militaire, même si le but est atteint, il est inévitable que des civils soient touchés.

— Oui, mais les bombardiers sont à des milliers de mètres d'altitude. Ils n'ont pas à voir les visages. »

Zvi le prit par les épaules et lui dit :

« Ecoute-moi, tu es un soldat qui défend sa patrie. Ces hommes ont tué des Israéliens. Ils avaient l'intention d'en tuer d'autres. Tu as sans doute sauvé des centaines de vies. »

Jason se contenta de secouer la tête. Il sortit de l'immeuble et mit le cap au nord, vers le kibboutz.

Il y arriva tôt le lendemain. Ses enfants partaient en classe. Ils l'aperçurent et lui sautèrent au cou.

En les serrant contre lui, Jason pensa : « Vous êtes l'unique raison qui puisse justifier de continuer à tuer. Peut-être que lorsque vous serez plus grands le monde aura enfin retrouvé un peu de bon sens. »

Deux semaines plus tard, Zvi fit venir Jason dans son bureau. Il était détendu, souriant.

« Jason, dit-il, j'ai un travail pour toi, qui ne te déplaira pas, je pense.

— J'en doute, répondit Jason sarcastique.

— Non, honnêtement. Je t'assure que ce genre de travail devrait plaire à l'ancien de Harvard que tu es. Il s'agit d'aller en Amérique. Notre gouvernement s'inquiète du fait que l'image d'Israël soit en train de se ternir auprès des jeunes, sous l'influence de la soi-disant nouvelle gauche. Nous avons besoin d'orateurs éloquents pour faire le tour des campus et parler devant des auditoires juifs, afin de leur remonter le moral.

— Je ne suis qu'un piètre orateur, remarqua Jason.

— Mais tu as un splendide accent américain, ce qui sera un bon atout. De plus, je me souviens que, lors de notre première rencontre, tu avais un certain charme.

— J'avais, c'est exact.

— Tu pourras emmener Eva à Jérusalem au cours de la semaine où le ministre des Affaires étrangères aura besoin de toi pour te mettre au courant. Considère cela comme des vacances, *Saba*. Qui sait si ces jours de détente avec ta femme ne pourraient pas t'aider à retrouver un peu ton charme d'antan. »

Tandis qu'ils se promenaient dans les rues de Jérusalem, Eva rappela à Jason qu'au début de son séjour en Israël, ils n'avaient visité que la moitié de la ville.

« Voilà un fait que tu pourrais mentionner dans tes conférences, suggéra-t-elle. Au temps où les Jordaniens étaient maîtres de la Vieille Ville, non seulement ils empêchaient les juifs de se rendre à leurs sanctuaires, mais ils se servaient de nos synagogues comme étables. Le monde peut nous être reconnaissant d'avoir défendu la liberté de religion.

— Tu sais, Eva, le monde et la reconnaissance !

— Qu'importe après tout, j'en suis quand même fière.

— Eh bien ! dit-il en souriant, ne pourrais-tu prendre ma place pour faire ces discours ? »

Jason arriva à New York à la fin du mois de mai. C'était la première fois, depuis bientôt dix ans, qu'il foulait le sol américain. Il lui sembla bon de se retrouver dans ce pays où il était né. Ce pays qui lui avait parfois désespérément manqué. C'était là aussi que vivaient ses parents. Ses parents qui n'étaient plus éloignés de lui que par un coup de téléphone à dix cents.

Jason avait passé les derniers jours avec Eva, à s'interroger sur l'attitude à adopter à leur égard. Il n'avait pas trouvé de solution satisfaisante. Eva était d'avis qu'il aille les trouver dans le Long Island. Une rencontre pourrait avoir d'heureuses conséquences. Ses parents liraient dans ses yeux son engagement. Cela pourrait tout changer.

C'était plus facile à dire qu'à faire. Jason savait quelle peine il avait causée à ses parents. A tort ou à raison, il se sentait coupable.

Une phrase d'Eva lui revenait sans cesse en mémoire :

« Tu ne te sentiras en paix avec toi-même que le jour où tu auras fait la paix avec tes parents. De toute façon, il faudra te libérer ou tu ne grandiras jamais.

— Eva, j'ai presque quarante ans, protesta-t-il.

— Raison de plus pour devenir un adulte à part entière », avait-elle répondu.

Assis dans sa chambre d'hôtel, Jason était incapable de décrocher le téléphone. Il sortit faire un tour et, en atteignant la Quarante-quatrième Rue, il se rendit compte que ce qui l'avait attiré dans ces parages, c'était le Harvard Club.

Il n'avait pas payé ses cotisations depuis des années, mais il parvint à convaincre le portier de le laisser entrer, en lui affirmant qu'il avait rendez-vous, au gymnase, avec Andrew Eliot.

Il jeta un coup d'œil au registre des réservations des courts de squash : comme prévu, à dix-sept heures, un court était réservé sous le nom d'Andrew Eliot 58.

Andrew n'en crut pas ses yeux. Il était ravi.

« Gilbert, tu n'as pas changé. Nous, nous perdons nos cheveux, nous prenons du ventre, mais toi, tu as l'air d'un étudiant de première année. Quel est ton secret ?

— Dix années de service actif dans l'armée, Eliot. Tu peux essayer...

— Non merci, je préfère rester bedonnant et en sécurité. Une petite partie de squash ? Tu peux te servir de mon court et de mon adversaire, un brave agent de change avec quelques bourrelets.

— Bien volontiers, si tu me prêtes l'équipement.

— Sans problème, mon vieux. Après cela pouvons-nous dîner ensemble ?

— Ta femme ne t'attend pas ?

— Pas vraiment. Mais c'est une autre histoire. »

Journal d'Andrew Eliot

2 juin 1973

Formidable de revoir Jason Gilbert après toutes ces années. Formidable, mais déconcertant.

Il n'a pratiquement pas changé physiquement. Il a toujours l'allure d'un athlète de vingt ans, mais il me donne l'impression d'être un quadragénaire peu soigné, rustaud sur les bords.

J'ai noté un côté étrange chez lui. Je cherche l'adjectif approprié, le seul qui me vienne à l'esprit est « sombre ». Son mariage est visiblement une réussite. On sent qu'il adore ses enfants, mais il semble avoir perdu sa vieille joie de vivre. Je peux dire qu'il a beaucoup souri lorsque nous évoquions nos escapades du passé, mais il ne *rit* pas. Rien ne semble l'amuser *maintenant*.

Certes, il en a vu de rudes au cours de ces dernières années. Il a d'ailleurs évité d'en parler. Il est évident que lorsque votre fiancée est assassinée et que vous vous retrouvez au milieu d'une vraie guerre, cela suffit à expliquer que vous soyez sombre. J'ai perçu qu'il était préoccupé par autre chose, qu'il a fini par m'avouer :

« Andy, je ne sais plus où j'en suis. »

Cela m'a fait un choc, car je pense que s'il y a, dans la promotion, quelqu'un qui sait ce qu'il fait et pourquoi il le fait, c'est bien Jason. Il s'est consacré à une cause et a renoncé aux prestigieux salaires qui lui eussent été proposés s'il avait choisi de rester en Amérique.

J'ai vaguement perçu ce qui semblait lui peser, lorsque j'ai fait allusion à l'admiration de la presse, et de l'Américain moyen, pour les exploits de l'armée israélienne au cours de la guerre des Six Jours. Un combat de David contre Goliath.

A l'en croire, les médias avaient exagéré les faits, car quelle que soit la foi qui anime le combat pour une cause à laquelle on croit, il est terrible d'enlever la vie à autrui. Il reconnut avoir du mal à vivre en pensant qu'il y avait de par le monde des enfants dont il avait fait des orphelins.

Je lui ai répondu que ce devait être éprouvant d'être soldat quand on nourrissait ce genre de pensées.

Il m'a regardé avec une tristesse que je n'avais jamais lue dans ses yeux auparavant :

« Impossible d'être soldat, en restant pleinement humain... »

Dire que j'étais jusqu'ici persuadé que mes anciens condisciples et moi-même portions le poids du monde : carrières bloquées, hypothèques, divorces, procès en vue d'obtenir la garde des enfants, enfants révoltés et, en prime, la crise de la quarantaine...

A l'inverse de nous autres, obnubilés que nous sommes par la poursuite de la gloire et de la fortune, la seule ambition de Jason c'est de vivre en être humain !

Et il n'est pas du tout sûr d'y parvenir.

Au cours de sa première semaine à New York, Jason se trouva en face d'une douzaine d'auditoires différents : depuis des responsables politiques jusqu'à plus d'un millier d' « amis d'Israël », réunis pour un déjeuner au Biltmore Hotel.

Il n'y avait pas que des « Amis » à ce rassemblement. Au moment des questions, plusieurs sympathisants de la nouvelle gauche l'attaquèrent avec véhémence en tant que représentant d'une nation « impérialiste ».

Il répliqua calmement que, loin d'aspirer à devenir un empire, Israël voulait devenir une simple démocratie. Il estimait qu'Israël accepterait de rendre une partie de son territoire, en échange de la reconnaissance par les Arabes de son droit à l'existence.

A la suite de sa conférence, les gens se pressèrent autour du podium, pour lui parler, lui serrer la main ou lui souhaiter bonne chance. Finalement, il ne resta plus qu'un couple : son père et sa mère.

Tous trois redoutaient de prononcer le premier mot, mais leurs regards en disaient long. Affection et admiration, du côté des parents, soulagement et amour du côté de Jason. On percevait des deux côtés un désir intense de réconciliation.

« Bonjour maman, bonjour papa, c'est si bon de vous revoir...

— Tu as l'air en forme, Jason, dit sa mère.

— Oui, répondit-il, le danger semble me convenir. Vous aussi vous avez l'air d'être en forme. Et Julie ?

— Elle va bien, répondit son père, elle a épousé un avocat de Santa Barbara.

— Est-elle heureuse ?

— A vrai dire, Samantha et elle reviendront ici cet été, une fois le divorce prononcé.

— Un nouveau divorce ? »

Son père hocha la tête.

« Julie n'a pas changé. » Il ajouta d'une voix enrouée : « Tu nous as beaucoup manqué, mon fils. »

Jason sauta de l'estrade et serra ses parents dans ses bras.

« As-tu le temps de venir à la maison ? demanda sa mère.

— Bien sûr, et avec joie ! »

Le lendemain, au cours du dîner, il montra à ses parents des photos d'Eva et de leurs petits-fils. Ils étaient émus de les voir, ravis de sentir combien son ménage était solide.

Vers onze heures du soir, sa mère allégua la fatigue pour laisser entre eux Jason et son père. La première fois depuis dix ans...

Jason parla le premier.

« Papa, dit-il, je sais à quel point j'ai dû vous faire mal à tous deux...

— Laisse, interrompit son père, s'il y a des excuses à faire, c'est à moi de commencer. Je reconnais que j'ai eu tort de ne pas respecter tes convictions.

— Papa, je t'en prie...

— Non, laisse-moi achever. Tu m'as donné une leçon à propos de notre héritage. Je réalise qu'il est possible d'être américain cent pour cent, tout en étant juif. La guerre des Six Jours a servi de catalyseur à beaucoup de gens comme moi. Il y a eu un tel mouvement de soudaine fierté... » Il s'arrêta.

Jason ne savait que dire. La voix de son père baissa tandis qu'il poursuivait :

« Et puis, bien sûr, je savais que tu étais en plein dedans et je me faisais un souci de tous les diables. » Il leva la tête.

« Oh ! mon Dieu, mon fils ! que je suis heureux que tu en sois sorti indemne et qu'il nous soit possible de nous retrouver ! »

Le père et le fils s'étreignirent.

Eva et les garçons l'attendaient à sa descente d'avion, à Tel Aviv. Au moment des retrouvailles, le jeune Ben s'enquit :

« Dis, papa, tu nous a ramené des cadeaux ?

— Evidemment, Benjy. Mais le plus beau de tous arrivera en octobre.

— Oh ! qu'est-ce que c'est ?

— Un grand-père et une grand-mère... »

« Allons, venez donc vous joindre à nous, dit Richard Nixon à George Keller, un peu d'exercice ne vous ferait pas de mal. »

Il faisait chaud en cette journée d'août 1973. Le Président et Kissinger conféraient, assis dans la piscine de la maison de Nixon à San Clemente, en Californie (dite Western White House). George Keller prenait des notes que lui criait Kissinger (« Faites-moi penser que je dois appeler Pompidou, demain matin, sept heures ! »).

Nixon réitéra son invitation à George.

« Je regrette, monsieur le Président, répondit gauchement George, mais je n'ai pas apporté de maillot de bain. »

Nixon se tourna vers Kissinger et plaisanta :

« Henry, vous n'allez tout de même pas me dire que votre gars ne sait pas nager !

— Bien sûr qu'il sait nager, monsieur le Président. D'ailleurs il n'aurait pas pu obtenir son diplôme universitaire s'il n'était pas capable de faire cinquante mètres à la nage. »

Kissinger évitait scrupuleusement de prononcer le mot de Harvard à moins que ce ne fût absolument nécessaire. Nixon entretenait une phobie à l'égard de cette institution, phobie qui remontait à l'époque où il avait appartenu au comité d'enquête de Joe McCarthy (Derek, président de Harvard, figurait sur la liste noire de la Maison Blanche).

« Entendu, dit le Président, mais George, promettez-moi de faire quelques brasses avant le dîner. J'ai besoin d'une équipe en pleine forme.

— Oui, monsieur le Président, répondit George, si vous voulez bien m'excuser, je dois rentrer mettre au clair quelques-unes de ces notes. »

George rassembla soigneusement ses papiers, les rangea dans son attaché-case et se dirigea vers la villa réservée aux hôtes où étaient installés les aides de la Maison Blanche.

Il n'était pas à table depuis cinq minutes que Kissinger, vêtu d'un peignoir éponge, entra sans frapper.

« George, s'exclama-t-il avec excitation, vous ne devinerez jamais ce que vient de faire le Président.

— Est-ce positif ou négatif ?

— Disons que cela dépend de la façon de voir, mon ami, reprit Kissinger avec un sourire, il vient de me demander de devenir ministre des Affaires étrangères.

— Mon cher Henry, toutes mes félicitations.

— Dites, George, puis-je me servir de votre téléphone ? J'aimerais appeler mes parents pour le leur annoncer. »

Le 22 septembre, à onze heures six du matin, Henry Alfred Kissinger prêta serment et devint le cinquantième ministre des Affaires étrangères américaines.

George Keller eut le privilège de faire partie des rares élus en dehors de la presse qui furent admis à assister à la cérémonie.

Les quelques mots de remerciement de Kissinger furent émouvants :

« Il n'existe pas d'autre pays au monde où l'on puisse imaginer qu'un homme ayant mes origines se trouve aux côtés du Président. »

George ne put s'empêcher de penser que l'Amérique pourrait également offrir des occasions illimitées à un homme ayant *ses* origines...

« Henry, pourriez-vous m'accorder un instant ? »

Le nouveau ministre des Affaires étrangères leva la tête et répondit aimablement :

« Naturellement, George. Sur quelle nouvelle crise inextricable souhaitez-vous attirer mon attention ?

— Il ne s'agit pas à proprement parler d'une crise, mais plutôt d'un puzzle. Vous savez que je suis en contact avec Andreyev de l'ambassade d'URSS.

— C'est exact. Notre meilleur ami, parmi nos ennemis...

— Figurez-vous qu'il m'a invité à déjeuner au *Sans-Souci*.

— Profitons-en ! répondit Kissinger, au moins le peu qui nous reste de la détente nous procure l'un ou l'autre repas gratuit.

— Il veut me présenter à leur nouvel attaché culturel.

— Ah, oui ! reprit Kissinger avec sa mémoire quasi photographique, un certain Yakoushkine. »

George hocha la tête.

« A votre avis, que peut-il avoir derrière la tête ?

— C'est précisément ce que vous découvrirez, du moins je l'espère. Accepteriez-vous un conseil de votre vieux professeur ?

— Bien sûr, dit George.

— Ne ratez pas leurs aiguillettes de canard au cassis ! »

Il faisait beau. George traversa Pennsylvania Avenue et se rendit à pied au restaurant.

Andreyev, quadragénaire chauve, vêtu d'un complet gris informe, typiquement russe, lui fit signe depuis la table où il l'attendait. Il était accompagné d'un homme plus jeune, en blazer bleu et cravate club, qui se leva pour lui serrer la main.

« George Keller, dit Andreyev. » Puis, il ajouta en plaisantant : « Ménagez-le. Il en connaît plus que nous sur l'Europe de l'Est.

— Je me tiendrai de mon mieux », reprit le diplomate dans un anglais parfait.

George ne put s'empêcher de penser : « Mon Dieu, son accent est presque aussi bon que le mien ! »

« Bloody Mary, cocktail ou champagne ? demanda Andreyev.

— Puisqu'ils ont de l'excellente vodka, j'opterai pour un Bloody Mary. »

Andreyev leva trois doigts à l'intention du maître d'hôtel qui se contenta d'acquiescer de la tête, sans avoir besoin de plus amples explications.

La conversation fut extrêmement cordiale et incroyablement superficielle. George guettait le piège.

La crème renversée les surprit alors que Yakoushkine demandait à George s'il était retourné en Hongrie en tant que citoyen américain. La conversation roula sur maintes banalités de ce genre.

George évoqua, sans trop de chauvinisme, les plaisirs de la vie dans une société capitaliste. Il leur avoua combien il appréciait la vie sociale de Washington. Dmitri ne tarderait pas à s'apercevoir, poursuivit George, que cette ville abondait en jolies femmes. Une étincelle brilla dans l'œil du jeune diplomate. Peut-être se portait-il candidat ? Peut-être était-ce une façon détournée de demander si un ancien communiste pouvait vivre décemment s'il changeait de camp.

Ce fut la seule conclusion que George put proposer dans le rapport de conversation qu'il dicta à sa secrétaire.

Peu après trois heures, le ministre des Affaires étrangères entrouvrit la porte du bureau de George et lui demanda :

« Alors ?

— Vous aviez raison, Henry, le canard est excellent. »

Cinq jours plus tard, Yakoushkine appela George à son bureau pour prendre contact. Il lui redit combien il avait été heureux de le rencontrer. En fait, il désirait inviter George à dîner.

Ils se donnèrent rendez-vous au restaurant favori des Russes, appelé fort à propos *La Rive Gauche,* sur Wisconsin Avenue. La clientèle était constituée presque exclusivement d'agents de la CIA et du KGB qui se surveillaient mutuellement, tout en gardant à l'œil d'autres personnes.

De nouveau la conversation fut insignifiante. Cette fois, ils s'offrirent un bon bordeaux, sans lésiner sur la quantité. Chacun avait adopté une attitude nonchalante et s'efforçait de se montrer juste un peu plus ivre qu'il ne l'était.

« George, fit remarquer Dmitri sur un ton dégagé, cette ville est très chère. Vous paient-ils au moins convenablement au ministère ?

— Pas mal », répondit George et, après réflexion, il précisa : « Trente-six mille dollars par an.

— Combien cela fait-il en roubles ?

— Je n'en ai pas la moindre idée, répondit George.

— Pour être franc, je n'en suis pas très sûr moi-même. Mais entre nous, je préférerais être payé en dollars...

— C'est la seule monnaie acceptée en Amérique », répliqua George sentant qu'ils abordaient un sujet délicat.

George renvoya sans effort la balle dans le camp russe.

« Dites-moi, Dmitri, vous vous en sortez avec votre salaire ? »

Il y eut un silence. Les deux joueurs d'échecs se regardèrent. Le Russe reprit avec candeur :

« Croyez-le ou non, c'est exactement ce que j'allais vous demander. »

Et George de penser : « L'imbécile... il essaie de m'avoir. Les Russes me prennent-ils pour un tel idiot ? »

« Je m'en tire bien sur le plan financier, Dmitri, répondit-il l'air insouciant, j'ai des besoins modestes.

— Je m'en rends compte, acquiesça le Soviétique avec un certain mystère dans la voix, vous ne semblez manquer de rien. Nous ne pouvons donc, disons... vous aider d'aucune manière ? »

George savait qu'il devait jouer le jeu.

« C'est fort aimable à vous, dit-il presque facétieusement, mais pourquoi votre ambassade voudrait-elle aider quelqu'un comme moi ?

— Parce que vous avez été élevé en pays marxiste et que vous en avez gardé peut-être une certaine nostalgie...

— Aucune.

— Je ne veux pas dire du système, mais du pays. Ne vous sentez-vous pas parfois... déraciné ?

— Je suis américain », répondit sans hésitation George Keller.

Dmitri fit attendre sa réaction, puis il plongea la main dans sa poche et en sortit deux étuis d'argent.

« Cigare ? proposa-t-il. Des havanes que nous ramenons dans notre valise diplomatique. Je parie que vous n'en avez jamais fumé ?

— Merci, je ne fume pas », répondit George.

George voulait que les observateurs du FBI prennent note qu'il n'accepterait même pas un cigare communiste.

Yakoushkine alluma le sien.

« Monsieur Keller, commença-t-il avec une lenteur délibérée, j'ai des informations susceptibles de vous intéresser. »

Ce brusque changement de ton de la part du Russe mit George mal à l'aise.

« J'apprécie toujours les informations provenant de l'ambassade russe, répondit-il nerveusement.

— Elles concernent la condition de votre père, reprit le diplomate, j'ai pensé que vous aimeriez savoir que...

— Je sais que mon père a été promu au sein du Parti, interrompit George agacé.

— Je parle ici de sa condition physique.

— Est-il malade ?

— Il est atteint d'un cancer du poumon.

— Oh ! dit George, je suis désolé d'apprendre cela.

— Ce sera certainement très douloureux, ajouta le Russe.

— Que voulez-vous dire par " douloureux " ?

— Ecoutez, reprit Dmitri sur un ton de réconfort fraternel, vous êtes un expert dans les affaires de l'Europe de l'Est. Vous êtes donc au courant des possibilités médicales en Hongrie. C'est pourquoi on ignore quelles chances de survie il a, un an... un mois peut-être... »

Yakoushkine soupira, tel un médecin écrasé par ses responsabilités.

« Voyez-vous, George, cette maudite course à l'armement fait passer parfois au second plan les préoccupations d'ordre humanitaire. Si votre père était traité en Amérique, il y serait incomparablement mieux. Vous êtes tellement en avance sur nous dans le domaine des analgésiques.

— Dmitri, je suis convaincu que les officiels du Parti ne manquent pas de médicaments en provenance de l'Occident.

— C'est exact, concéda le Russe, mais, vous le savez aussi bien que moi, votre père n'occupe pas un rang très élevé... »

Il marqua une pause et exhala un anneau de fumée cubaine...

« Je ne vois pas pourquoi je suis mêlé à cela, protesta George à voix basse.

— Oh ! disons qu'un père reste un père et que moi, à votre place, je voudrais lui venir en aide. Tout au moins l'aider à mourir paisiblement. Or il se peut que je sois en position pour faire quelque chose.

— Eh bien ! faites-le. »

Il y eut un arrêt : repos entre deux rounds au cours d'un combat.

Yakoushkine répondit simplement :

« Ce n'est pas si simple que ça en a l'air...

— Bon Dieu ! à quoi voulez-vous en venir ? »

Dmitri remplit le verre de George et poursuivit d'un ton amical et rassurant :

« Une chose est claire, Keller, si vous vous imaginez que je vais vous demander de vous livrer à de l'espionnage, détrompez-vous.

— Mais vous voudriez néanmoins me faire faire quelque chose... insista George.

— Oui, et quelque chose de parfaitement légal. Il s'agit de débloquer un rouage de la fichue bureaucratie de votre gouvernement. Depuis des mois, nous tentons d'obtenir une pièce d'équipement...

— ... que, si je comprends bien, vous voudriez que je vole, interrompit George.

— Non, non, ce n'est qu'une simple pièce détachée que nous essayons d'acheter. D'*acheter,* vous m'entendez ? Un gadget qui nous permettra d'améliorer les images photographiques des satellites météorologiques. Aucune manigance là-dedans, mais votre ministère du Commerce n'arrive pas à franchir l'obstacle.

— Somme toute, vous voudriez que je lui fasse la courte échelle.

— Oh ! parler de courte échelle est exagéré, rétorqua le diplomate. Disons plutôt, donner un coup de pouce. Ecoutez, tout ce que j'attends de vous c'est que vous vous assuriez par vous-même que le Taylor RX-80 n'a aucune valeur militaire. Prenez votre temps. Passez-moi un coup de fil lorsque vous aurez vérifié. Une chose est sûre, j'ai passé avec vous une soirée très agréable.

— Moi aussi, répondit George qui s'efforçait de garder les pédales. Merci. »

Dans son rapport de conversation destiné au FBI, rendant compte de sa dernière rencontre avec Dmitri Yakoushkine, attaché culturel auprès de l'ambassade soviétique, George Keller se borna à écrire :

« Ai essayé de le recruter. A essayé de me recruter. Match nul. G. K. »

Au cours des jours suivants, George fut hanté par la pensée de ce père qu'il haïssait. Ce père sur son lit d'agonie dans un hôpital de Budapest. Ce père que maintenant il lui était impossible de haïr.

L'idée l'effleura que les Russes exagéraient la situation. Et si son père était en pleine forme, en train de se prélasser dans un lieu de villégiature élégant, réservé aux membres du Parti ?

Comment savoir ?

Dmitri Yakoushkine avait prévu cela...

Au matin du quatrième jour après leur dîner, George trouva une grande enveloppe, déposée à son intention.

Elle contenait deux radiographies de cage thoracique, accompagnées d'une note de la main du diplomate :

« Cher George, j'ai pensé que ces radios pourraient vous intéresser. D. »

Journal d'Andrew Eliot

30 septembre 1973

Je crains que George Keller n'ait un grave problème.

Il m'a appelé cet après-midi et m'a demandé si, parmi les anciens élèves, je connaissais un bon médecin dans la région de Washington.

Je suis resté perplexe, pour plusieurs raisons : pourquoi me le demandait-il à moi, un profane, plutôt qu'à des amis habitant dans le coin ?

Il m'a expliqué qu'il s'agissait de quelque chose d'extrêmement sérieux et qui devait rester confidentiel. J'ai promis, bien entendu, de faire mon possible pour l'aider, mais j'avais besoin de connaître certains détails, ne serait-ce que le genre de spécialiste souhaité.

Sa réponse m'a paru étrange :

« Quelqu'un de très sûr. »

L'idée m'est venue que George faisait peut-être de la dépression nerveuse. Il est vrai que ceux qui sont impliqués dans les affaires de l'Etat sont soumis à des tensions nerveuses très fortes.

Rien à voir avec cela. George voulait le nom du meilleur *cancérologue* de Washington ou des environs.

Cela m'a fait un coup. Pourquoi aurait-il besoin de ce genre de spécialiste ? Je ne me suis pas senti le droit de lui poser la question.

J'ai donc répondu que je me renseignerais discrètement auprès de mes amis du corps médical et que je le rappellerais.

Il a insisté *pour me rappeler lui-même.*

Là-dessus, l'opératrice nous a interrompus pour nous signaler que les trois minutes étaient écoulées. Il a remis des pièces pour me dire qu'il me rappellerait le lendemain, à la même heure.

J'ai téléphoné immédiatement à l'Association des anciens élèves et j'ai demandé à un de mes amis d'interroger l'ordinateur pour chercher le spécialiste désiré, sans mentionner le nom de George.

J'ai appris qu'un de nos condisciples, Peter Ryder, était professeur d'oncologie à Baltimore.

Je m'inquiète pour la santé de George, mais je m'inquiète pour une autre raison : pourquoi m'avoir téléphoné depuis une cabine publique ?

Peter Ryder, professeur d'oncologie à Johns Hopkins Medical School, surprit George par son accueil.

« *Kak pozhivias ?* demanda-t-il.

— Je ne comprends pas. Pourquoi me parlez-vous russe ?

— Bonté, reprit le médecin, incapable de dissimuler sa déception, tu ne te souviens pas de moi ? J'ai suivi avec toi le cours de slave. Je suppose que tu étais trop occupé à suivre le cours pour prêter attention au reste !

— Euh ! probablement, dit George, distrait. Crois-tu que nous pourrions aller quelque part et avoir un entretien privé ?

— Certainement. Tu m'as dit que tu avais des radios. Passons dans mon bureau pour les examiner. »

George suivit le spécialiste en blouse blanche, tenant serrée l'enveloppe contenant les radios.

« Peter, dit-il sur un ton confidentiel, avant de remettre ces documents je dois te mettre au courant. Tu sais que j'appartiens au ministère des Affaires étrangères. Ces radios sont des documents confidentiels.

— Je ne te suis pas...

— Ce sont les radios d'un responsable communiste. Elles ont été sorties de là-bas dans le plus grand secret. Il faut que de ton côté tu m'assures qu'il n'y aura aucune trace de notre conversation. Je ne puis non plus t'expliquer pourquoi j'ai besoin de ces renseignements.

— C'est entendu, reprit Ryder. Rassure-toi, j'ai assez de jugeote pour deviner qu'il est important pour vous de savoir si les grands manitous de l'autre camp sont ou non en bonne santé. Tu peux compter sur ma discrétion. »

Il examina les radios et poursuivit :

« Je ne comprends pas pourquoi tu voulais voir un cancérologue.

— Que veux-tu dire par là ?

— Que le premier étudiant en médecine venu aurait pu te renseigner. Regarde ce point noir sur le lobe supérieur du poumon gauche. C'est une très grosse tumeur. Le patient n'en a plus pour longtemps. Quelques mois au plus. » Ryder se tourna vers George et lui demanda : « C'est bien ce que tu désirais savoir ? »

George hésita, puis il ajouta :

« Saurais-tu me dire si ce patient... souffre ?

— Je ne pense guère me tromper en te disant que le carcinome empiète sur le plexus rachial des nerfs. Cela devrait engendrer de violentes douleurs dans la partie supérieure de la poitrine, des douleurs rayonnant dans le bras. »

George était à court de questions.

« Y a-t-il autre chose que tu désirerais savoir ?

— Oh ! disons des précisions purement théoriques... si c'était ton patient, comment le traiterais-tu ?

— Il n'y a aucune chance de renverser le processus pathologique. Nous pourrions tout au plus prolonger un peu sa vie en lui faisant des rayons et en envisageant une chimiothérapie à base de l'une ou l'autre des nouvelles drogues : adryamicine, ciplastine ou cytoxan.

— Cela soulagerait-il la douleur ?

— Dans bien des cas. Nous disposons également d'une vaste pharmacopée de narcotiques et de sédatifs.

— A ton avis, même une personne aussi gravement atteinte peut, dirons-nous, mourir en paix ?

— Je suis fier de considérer cela comme une part importante de mon travail, répondit Ryder.

— Merci, Peter », marmonna George, essayant de garder un air détaché.

« Je suis heureux si j'ai pu te rendre service. J'aimerais toutefois te poser une question. Tu sais que tu peux compter sur mon entière discrétion.

— Dis-moi...

— S'agit-il de Brejnev ?

— Je suis désolé, mais je ne suis pas en mesure de te répondre. »

George demanda à son secrétaire de joindre Stephen Webster, au ministère du Commerce. Webster était un expert en technologie, frais émoulu du MIT, désireux, par conséquent, de se faire bien voir de ses supérieurs.

« Monsieur Keller ? Quelle bonne surprise ! En quoi puis-je vous être utile ?

— Steve, répondit George Keller le plus naturellement du monde, il s'agit d'un tout petit problème. Auriez-vous entendu parler de cette histoire du RX-80 ?

— Oh ! Vous voulez dire du filtre photographique Taylor ? » demanda le scientifique, désireux de montrer qu'il se tenait au courant.

« Précisément. Accepteriez-vous d'expliquer à un profane comme moi à quoi il sert ?

— Bien sûr. Nous l'utilisons sur les satellites météorologiques pour affiner nos photos et empêcher ainsi des gens comme vous de se faire surprendre par une averse, sans parapluie !

— Voilà qui paraît assez inoffensif, reprit George, c'est pourquoi au ministère, certains d'entre nous se demandaient pour quelle raison vous le gardiez. Pourrait-il être utilisé à des fins militaires ?

— Oh ! vous savez, tout peut l'être. Disons qu'en théorie, une image de satellite plus nette devrait permettre de mieux diriger un missile.

— Alors qu'allez-vous décider ?

— Pour être franc, monsieur Keller, je ne suis pratiquement qu'un échelon au-dessus du gratte-papier de service. A mon humble avis, cela dépendra de la décision de votre ministère.

— Vous voulez dire de Kissinger ?

— De qui d'autre pourrait-il s'agir ?

— Merci Steve. A propos, jouez-vous au tennis ?

— Un peu, répondit-il avec empressement.

— Parfait. Je vous rappellerai dans le courant de la semaine prochaine et nous échangerons quelques balles. »

Cette fois, c'était au tour de George d'inviter Yakoushkine à dîner. Il choisit *La Cantina d'Italia,* un autre restaurant élégant de Washington que les Russes appréciaient lors de leurs dîners « période-de-détente ». Dès qu'ils eurent commandé, George alla droit au but.

« Dmitri, j'ai effectué divers sondages du côté du ministère du Commerce. Il semble que nous puissions accélérer la demande de votre gouvernement pour ce petit filtre.

— Excellente nouvelle, répondit le jeune diplomate avec un large sourire. Je vous en suis très reconnaissant et si jamais je peux vous rendre la pareille... »

George regarda autour de lui, tout en essayant de ne pas prendre un air furtif. Il désirait s'assurer que personne ne les écoutait. Yakoushkine, lui, savait ce qu'il pensait. Il enchaîna :

« Croyez-moi, George, vous ne reconnaîtriez pas votre ville natale. Budapest a maintenant des gratte-ciel, des hôpitaux modernes dotés des meilleurs équipements, les derniers médicaments.

— Les meilleurs ?

— Je parie qu'ils ont ceux que vous avez à l'Ouest. Tenez, essayez de me coller... »

Il facilitait ainsi la tâche de George qui avait mémorisé la pharmacopée adéquate :

« L'adryamicine, la ciplastine ou le cytoxan ?

— On peut se les procurer si besoin est.

— Remarquable », conclut George.

Et les deux joueurs surent qu'il était temps de changer de sujet.

En qualité de secrétaire adjoint au ministère des Affaires étrangères pour l'Europe de l'Est, George préparait une série de mémoires dans la ligne de la philosophie politique de son patron. Il les rédigeait, puis les remettait en bloc à Kissinger, à la fin de la semaine.

Il finissait par en avoir une telle habitude, qu'il allait jusqu'à reproduire les tournures de phrases de Kissinger. Ce vendredi-là, la pile de correspondance provenant des divers départements et bureaux comprenait une note adressée à un sous-chef de bureau du ministère du Commerce :

Il ne paraît pas nécessaire de geler la vente du Taylor RX-80. Son importance militaire est minime, sinon nulle. Mieux vaut le leur vendre et obtenir cet argent que d'attendre qu'ils nous le volent.

HENRY ALFRED KISSINGER.

George informa le ministre d'Etat de ce qu'il avait déposé sur son bureau.

Il s'agissait de lignes de conduite à envisager, de rappels à divers services visant à s'assurer que leurs études progressaient. Il y avait également un ou deux mémos : une circulaire au ministère de la Défense au sujet des précautions à prendre lors d'un prochain Salon d'armes et équipements militaires, ainsi qu'une note au ministère du Commerce concernant l'achat par les Soviétiques d'un élément de caméra jugé inoffensif.

« Auprès de qui avez-vous vérifié qu'il était vraiment " inoffensif ", demanda Kissinger.

— Auprès d'un spécialiste du MIT, répondit George sur un ton détaché.

— Voilà qui devrait prouver à nos amis européens que nous ne mettons pas un veto automatique dès qu'il est question de vendre aux Soviétiques. Parfait. Vous pouvez rentrer chez vous. Je signerai tout ça.

— Merci, Henry. »

Les parents de Jason Gilbert ne se rendirent pas en Israël comme prévu, au début d'octobre 1973, car les armées égyptiennes et syriennes profitèrent de ce que le pays était immobilisé par le Yom Kippour, fête du Grand Pardon, pour attaquer en force.

Israël fut pris au dépourvu et, pendant plusieurs jours faillit sombrer dans le gouffre de l'annihilation.

Avant que la nouvelle de ces attaques simultanées parvînt au Quartier Général, les tanks égyptiens avaient traversé le canal de Suez et massacraient les soldats des bastions les plus au sud. Il semblait qu'ils allaient atteindre Tel-Aviv sans rencontrer de résistance.

Au nord, la situation était plus dramatique. Des centaines de tanks syriens avaient violé la frontière. Ils n'étaient plus qu'à quelques heures de villes importantes.

La poignée de soldats israéliens de service ce jour-là, tenta par tous les moyens de contenir l'ennemi, sachant à la fois ce qu'il leur en coûterait et qu'il n'y avait pas d'alternative.

La radio brisa le silence de ce jour saint avec des messages codés destinés à mobiliser les réservistes. Jason reçut un appel au kibboutz :

« Sapristi ! que se passe-t-il ? demanda-t-il anxieusement.

— Pitié ! *Saba,* ne me pose pas de questions ! C'est le chaos au QG. Nous mobilisons comme des dingues, mais, en attendant, il faut à tout prix ralentir les Syriens. Rassemble tous ceux que tu trouveras et aide-les à tenir jusqu'à ce que nous puissions vous faire parvenir des blindés. Fonce à Nafa et présente-toi au général Eytan. Il t'assignera un poste de commandement.

— Lequel ?

— Diable ! celui des survivants ! Allez, fonce ! »

Jason et cinq autres membres du kibboutz sautèrent dans un camion et foncèrent vers le nord, s'arrêtant fréquemment pour ramasser des soldats en route vers le front. Certains étaient en jeans et en pull, n'ayant pour tout bagage que leurs armes et leurs munitions. Ils restèrent silencieux pendant le trajet.

Les Syriens les avaient devancés à Nafa, obligeant le général Eytan à battre en retraite.

Les kibboutzniks se retrouvèrent dans un camp improvisé au bord de la route. Jason fut stupéfait par le nombre de soldats morts ou blessés. Peu d'hommes étaient encore vaillants, prêts à la riposte.

Parmi la demi-douzaine d'officiers auxquels Eytan adressa un message, Jason reconnut Yoni Netanyahu, un autre membre du bataillon d'élite, *Sayaret Matkal.* Ils échangèrent un signe en écoutant le général réciter la sombre litanie des désastres.

« La brigade des blindés Barak est presque entièrement détruite. L'ennemi nous surclasse en nombre et en armement. Il dispose des derniers TC 62 soviétiques. Il faut, à tout prix, que nous les tenions en respect jusqu'à l'arrivée de nos blindés. Essayez d'organiser vos hommes. Entraînez-les au maniement des lance-roquettes antichars. Veillez à ne pas gâcher vos munitions !

— Dans combien de temps arrivera le renfort ? demanda Jason.

— Dieu seul le sait, répondit Eytan. Tout ce dont nous disposons pour l'instant est ce que vous voyez ici.

— Nous remporterons la bataille, reprit Yoni Netanyahu avec une conviction quasi mystique. Nous serons comme l'armée de Gédéon.

— Je pense que même Gédéon avait plus d'hommes que nous, glissa Jason avec une pointe d'humour noir. »

A la fin de la réunion, les deux officiers se dirigèrent vers le petit groupe de réservistes qui attendaient nerveusement leurs ordres.

« Jason, je sais que tu t'y connais en moteurs, remarqua Yoni, crois-tu que tu pourrais superviser la réparation de nos tanks les moins abîmés ?

— Oui, sans doute. Mais à quoi cela servira-t-il, bon sang ? J'aurai beau les remettre en état, nous serons toujours à un contre cinquante.

— Vois-tu, poursuivit Yoni, notre infériorité numérique élimine toute autre tactique. Si nous avons les blindés, il ne nous reste plus qu'à choisir l'heure. Prépare tes tanks pour une attaque à six heures du matin.

— Une attaque ? rétorqua Jason incrédule, il faut vraiment que tu croies en Dieu, Yoni !

— Tu me le redemanderas une fois que ça sera terminé. En attendant, je prierai pour que tu parviennes à remettre ces tanks en service.

— Tu sais, mon vieux, dans le pays d'où je viens, on te sortirait que tu joues avec tes tripes...

— Je le sais, et figure-toi qu'une fois que nous serons tirés de cette sale affaire, répondit le jeune commandant, j'irai étudier aux Etats-Unis, dans une université que tu connais bien...

— Sans blague, reprit Jason. Tu veux dire que dans cette vallée de l'ombre de la mort, je me retrouve avec un gars de Harvard ?

— Un futur gars de Harvard, précisa Yoni, allez, mon vieux, remue-toi ! répare-moi ces tanks ! »

La nouvelle de l'attaque palestinienne atteignit la Maison Blanche en début de soirée.

Nixon appela Kissinger pour le mettre au courant de la situation. Ce dernier téléphona à George et lui donna mission de rassembler tous les renseignements possibles auprès du Pentagone et de l'ambassadeur d'Israël.

« Bon, les gars, donnez-moi les chiffres, demanda le Président avant que les deux hommes aient eu seulement le temps de s'asseoir. »

Kissinger désigna George qui tenait une liasse de documents.

« L'ampleur en est assez impressionnante, monsieur le Président, commença George.

— Dispensez-vous du commentaire à la Harvard, coupa sèchement Nixon, contentez-vous de me donner les chiffres.

— L'armée égyptienne est l'une des plus importantes du monde. Au moins huit cent mille hommes. Nous ignorons combien d'hommes ont traversé le canal, répondit George.

— De quoi disposent les Israéliens pour les tenir en respect ?

— Nous pouvons dire, je pense sans erreur, que les Egyptiens ont déjà annihilé toute résistance, déclara Kissinger avec solennité.

— Et au nord, demanda le Président.

— Les Syriens ont environ quatorze cents tanks, reprit George.

— Assez, interrompit Nixon d'un signe de la main, il s'agit d'un massacre, n'est-ce pas ? Un Fort Alamo ! »

Kissinger poursuivit sur le ton de l'analyste :

« George n'a pas encore mentionné l'aspect le plus important. L'Egypte et la Syrie ont été armées jusqu'aux dents par les Russes. En plus des anciens systèmes de missiles SAM, ils sont dotés de centaines de SAM 7 type portatif, dernier modèle.

— Ce sont des mortiers antiaériens utilisables par l'infanterie, émit George.

— Je ne vais pas rester planté là à attendre que les Soviétiques aient fait du Moyen-Orient leur " country club ", déclara Nixon en tapant du poing sur la table. Il faut renforcer l'armement israélien. Je veux que vous demandiez au ministère de la Défense de commencer à les approvisionner en armes.

— Monsieur le Président, risqua Kissinger, un réarmement massif d'Israël sera loin de plaire à certains membres du Congrès.

— Pas plus que de voir Brejnev boire de la vodka à Tel Aviv ! Alors, allons-y ! Nous en reparlerons plus tard. »

En quittant le bureau ovale, George ne put s'empêcher de chuchoter à Kissinger :

« J'ignorais que Nixon aimât tant les juifs.

— Il ne les aime pas, mais il déteste encore davantage les Russes.

— En tout cas, Henry, je ferais bien de m'atteler au téléphone. J'ai pas mal de généraux à convaincre ce matin.

— Laissez-moi m'occuper du ministère de la Défense. Schlesinger est à manier avec précaution.

— Entendu, Henry, mais si les choses tournent mal, vous pouvez toujours le rasséréner en lui serinant dans le creux de l'oreille de bonnes vieilles rengaines de Harvard. »

Henry sourit.

« Rendez-vous à la Situation Room, à dix-sept heures. D'ici là nous verrons mieux où en est Israël.

— Vous voulez dire : si Israël existe *encore* », répliqua George.

En harcelant les mécaniciens, Jason avait réussi à remettre une douzaine de tanks en état de marche. Yoni, le jeune officier parachutiste avait immédiatement lancé une contre-attaque en direction des tanks syriens.

Dans l'intervalle, Jason, à la tête d'un petit groupe de jeunes soldats paniqués, avait décidé de reprendre le camp de Nafa. Comme ils approchaient de leur objectif, trois énormes hélicoptères Iliouchine, bondés de soldats ennemis, apparurent à l'horizon.

« Ecoutez, les gars, dit Jason d'un ton pressant, l'effet de surprise est déterminant. Profitez de ce qu'ils sont désorientés. Dès qu'ils toucheront le sol, ouvrez le feu et foutez-leur une trouille de tous les diables. »

Ses hommes approuvèrent d'un signe de tête.

A l'instant où le premier hélicoptère toucha le sol, Jason hurla :

« Suivez-moi ! » et il chargea, tirant tout en courant.

Les premiers Syriens qui atterrirent ripostèrent. Ils tuèrent des Israéliens. Jason continua à progresser à vive allure. Il tira une grenade de sa ceinture et la lança sur les commandos qui sautaient à terre. Elle explosa près de l'hélicoptère. Affolés, les ennemis se dispersèrent.

Il s'agissait de troupes d'élite syriennes : aussi certains soldats restèrent-ils à leur poste, prêts à un éventuel corps à corps.

Jason avait un long entraînement pour ce genre de combat, mais c'était la première fois qu'il y risquait sa vie. La première fois qu'il voyait le visage des hommes qui seraient ses victimes... ou ses exécuteurs.

Les Israéliens finirent par avoir le dessus. Les deux autres hélicoptères s'éloignèrent, effrayés. Le sol était jonché de morts et de mourants.

En voyant sa chemise maculée de rouge, Jason crut qu'il avait été blessé, mais il s'aperçut que c'était le sang d'hommes qu'il avait combattus et tués.

Un de ses hommes s'approcha et lui dit :

« Nous en avons tué trente, *Saba*. Cela m'étonnerait qu'ils tentent de reprendre Nafa.

— Combien d'hommes avons-nous perdus ?

— Quatre, répondit le soldat. Deux ou trois autres sont assez amochés. J'ai réclamé un médecin par radio. »

Jason, éberlué, approuva de la tête, et il laissa son regard errer vers l'horizon.

Le sort de la bataille évolua lentement. Des troupes mobilisées arrivèrent en renfort. Elles se dirigèrent vers la Syrie et renforcèrent l'artillerie de Damas.

Le samedi 13 octobre, une semaine après le Yom Kippour, le front syrien était assez calme pour permettre le transfert de troupes israéliennes dans la région du Sinaï, où la bataille faisait encore rage.

Jason monta dans un hélicoptère. Il aperçut Yoni et alla s'asseoir près de lui.

« Mon vieux, dit-il en plaisantant d'une voix lasse, je te parie une bière que j'ai dormi moins que toi ces nuits dernières...

— Pour ma part, je n'ai pas fermé l'œil de la semaine, répondit le jeune officier.

— Désolé de t'avoir posé la question, reprit Jason, j'ai eu deux merveilleuses heures de sommeil cette nuit. Je te dois un demi.

— Je ne l'oublierai pas, rassure-toi ! »

Et ils décollèrent pour rejoindre le front dans la région du Sinaï.

Du courage, ils en avaient à revendre.

Ce dont ils manquaient... c'était de munitions.

Richard Nixon somma George Keller de se présenter immédiatement à son bureau.

« Bon Dieu ! fulminait le Président, les Russes déversent des armes en Egypte et en Syrie. Que devient ce foutu pont aérien ?

— Apparemment, le Pentagone discute pour savoir si nous devons avoir recours à l'aviation privée ou à l'aviation nationale. Une question de protocole, monsieur. »

Le Président se leva et s'appuya rageusement sur son bureau :

« Ecoutez, Keller, filez leur dire par téléphone d'utiliser tous ces bon sang d'avions dont nous disposons. Je veux que ça décolle. Et tout de suite ! »

Ce soir-là, aux informations de vingt-trois heures, M. Keller, porte-parole du ministère des Affaires étrangères, fit une brève conférence de presse. Il annonça que le premier avion transportant des armes aux Israéliens avait décollé.

Quinze jours après le début des hostilités, Henry Kissinger et George Keller s'envolèrent à destination de Moscou. Ils devaient négocier un cessez-le-feu entre Israël et l'Egypte, lequel prendrait effet le lendemain. Côté égyptien, le président Sadate exprima sa gratitude pour ces efforts.

Les historiens sauront-ils jamais qui a gagné la guerre du Yom Kippour ?

Ce qui est certain, c'est que sur le plan du prestige international, le gagnant fut incontestablement Henry Kissinger.

George Keller était tourmenté par sa conscience. Au départ, ce qui avait été un petit subterfuge, avait pris dans son esprit les proportions d'un acte de haute trahison. Il avait trop peur pour en parler avec qui que ce fût, même Cathy.

Il avait eu beau éplucher les revues scientifiques pour y chercher la mention du RX-80, rien de ce qu'il avait lu ne suggérait que ce gadget pût présenter le moindre intérêt stratégique.

George vivait néanmoins dans l'angoisse que ses agissements ne fussent découverts. Il savait qu'il ne lui servirait à rien de plaider les sentiments humanitaires. Lorsque vous êtes un haut fonctionnaire du gouvernement, tant pis, vous devez laisser mourir votre père, s'il est dans l'autre camp...

Il n'avait reçu aucune nouvelle concernant le sort d'Istvan Kolozsdi. Il avait évité de reprendre contact avec Yakoushkine à l'ambassade soviétique, par crainte que les observateurs ne s'étonnent de les voir trop bons copains.

Les événements mondiaux ranimaient ses craintes. Un personnage aussi important que Willy Brandt, chancelier d'Allemagne de l'Ouest, n'avait-il pas été contraint de démissionner en mai 1974, quand on découvrit que son « bras droit » était un espion à la solde des communistes ?

George avait parfois l'impression d'être filé. Il soupçonnait depuis longtemps que son téléphone était sur table d'écoute. Il ne se sentait pas en sécurité, quand il accompagnait Kissinger pour ses voyages éclair, au Moyen-Orient. Il ne faisait aucune confiance aux téléphones de l'*Hôtel du Roi David,* à Jérusalem, ni à ceux du *Nile Hilton,* au Caire.

Dans l'avion qui le ramenait en Israël, au terme d'une longue et infructueuse journée de négociations avec les autorités syriennes, Kissinger fit signe à George de venir s'asseoir à ses côtés :

« Ecoutez, mon ami, lui dit-il sur un ton confidentiel, je suis l'objet de vives critiques de la part de nos concitoyens. A Washington, certains estiment que je perds mon temps ici au détriment du reste. Ils n'ont pas l'air de comprendre qu'il m'est impossible d'être partout à la fois. C'est pourquoi je vais devoir rajouter de nouvelles responsabilités sur vos jeunes épaules.

— Que voulez-vous dire par là ?

— Comme vous le savez, le Président prévoit un voyage au Moyen-Orient, puis en Union soviétique. J'ai besoin d'un homme de confiance qui me précède à Moscou pour y préparer le terrain. Or, vous êtes celui en qui j'ai le plus confiance...

— Henry, vous me flattez !

— Il le faut bien, reprit en plaisantant le ministre, sinon vous ne travailleriez pas pour moi. Ça paye trop mal ! Bref, je souhaite que vous preniez demain l'avion pour Paris. Brent Scowcroft et Al Haig vous y rejoindront d'ici trois jours et vous irez ensemble à Moscou.

— Entendu, répondit George, heureux de se voir confier une si prestigieuse responsabilité, mais que suis-je censé faire en les attendant ?

— Vous irez à Budapest. »

George fut aussi secoué par la réponse de Kissinger qu'il l'eût été si l'avion avait traversé une zone de fortes turbulences.

Il ne savait comment réagir.

« Ecoutez, poursuivit à voix basse le secrétaire d'Etat, votre père n'en a plus pour bien longtemps à vivre. Je pense qu'il serait bon pour vous de faire la paix avec lui.

— Comment l'avez-vous appris ? » questionna George, tout en se demandant : « Et que savez-vous d'autre ? »

« C'est mon métier de savoir certaines choses. Vous pourriez faire ce que j'ai fait lors de mon premier voyage à Pékin. Vous prenez une chambre au *Crillon,* vous prétextez un rhume et filez discrètement à l'aéroport. Le vol ne dure que deux heures. Vous avez le temps de faire l'aller et retour sans que personne ne s'en aperçoive.

— Je ne sais que dire..., balbutia George.

— Ne dites rien, répondit Kissinger, je vous dois bien ça après toutes ces années... »

L'avion de l'armée américaine amorça son atterrissage à l'aéroport Ben

Gourion. George pensait : « Comment lui dire que je ne veux pas y aller ? Comment lui faire comprendre que je n'ai rien à dire à mon père avant sa mort ? Je ne peux pas. Parce que ce n'est pas vrai. Je veux le revoir une dernière fois. Il le faut. »

A Budapest, la douane se résuma à une simple formalité. Le douanier examina longuement le passeport diplomatique de George avant de dire :

« Bienvenue au pays, monsieur Keller. »

Le fait de se retrouver dans sa ville natale lui procurait une sensation étrange. Budapest avait peu changé. Elle lui parut plus accueillante qu'à l'époque de sa fuite. La rue Rakoczi était toujours là. Ici ou là, un immeuble ultramoderne faisait bon ménage avec ses voisins plus vétustes.

La terrasse du *Hilton,* un *Hilton* à Budapest ! donnait sur les vieux clochers de l'église Saint-Etienne. L'immense *Duma Intercontinental,* où George était descendu, était la reproduction en béton de n'importe quel hôtel américain flambant neuf.

George se hâta de prendre une chambre. Il se rafraîchit, changea de chemise... puis se prépara à la rencontre qui était le but de sa venue.

Kissinger avait pris soin de donner à George tous les détails concernant l'hôpital où était son père, y compris le numéro de téléphone.

Quelques minutes plus tard, George appela le Dr Tamas Rosza, médecin-chef de l'hôpital populaire municipal.

Après que le médecin lui eut répété pour la troisième fois combien il serait flatté de recevoir sa visite, George finit par obtenir des précisions concernant l'état de santé d'Istvan Kolozsdi.

« Tout ce que l'on peut dire, répondit Rosza avec philosophie, c'est qu'il n'y a pas grand-chose à faire.

— A-t-il reçu un traitement adéquat ? demanda George impatiemment.

— Evidemment. Nous avons fait venir de Suisse les médicaments les plus récents.

— Souffre-t-il ?

— Oui et non.

— Pourriez-vous être plus explicite ?

— C'est très simple, monsieur Keller. Si nous lui donnons une dose de médicaments telle qu'il ne sente plus rien, il sombre dans un état comateux et n'est plus en mesure de communiquer avec autrui. La nuit, nous l'aidons à dormir paisiblement.

— Par conséquent, pour pouvoir communiquer, il lui faudra se passer de certains analgésiques ?

— Et je suis sûr que votre père le souhaitera, reprit le Dr Rosza ; dès qu'il s'éveillera, nous l'informerons de votre présence et nous vous rappellerons vers dix-sept heures.

— Y a-t-il quelqu'un à son chevet en ce moment ?

— Certainement. Mme Donath vit pratiquement à l'hôpital.

— Qui est cette personne ?

— La fille du camarade Kolozsdi. Votre sœur, monsieur Keller. »

George avait plusieurs heures devant lui. Il prit son courage à deux mains et sortit revoir sa ville natale. Il voulait retrouver les endroits qui lui étaient familiers au temps où il était Gyuri Kolozsdi.

En pénétrant dans Budapest, il eut l'impression du nageur plongeant dans une eau glacée. Une fois immergé, il commença à s'y mouvoir, à avoir chaud, à se sentir bien, voire heureux.

Son euphorie s'évanouit aux alentours de dix-sept heures. Il rentra à l'hôtel pour y attendre le coup de téléphone du Dr Rosza.

Quarante-cinq minutes plus tard, ce dernier l'appela :

« Il est réveillé. Je lui ai annoncé que vous étiez là, expliqua-t-il.

— Et ?

— Il veut vous voir. Sautez dans un taxi et arrivez. »

George gravit lentement les marches de l'hôpital en essayant de refréner les battements de son cœur.

Il se dirigea vers une vieille femme bien en chair, trônant derrière un bureau. Il lui expliqua à voix basse l'objet de sa visite ; quelques instants plus tard, le Dr Rosza fit son apparition et salua George obséquieusement.

Au long des couloirs menant à la chambre privée de son père (« rare privilège, je vous prie de le croire, en pays socialiste »), le Dr Rosza lui imposa un discours filandreux visant à lui expliquer que l'hôpital était inachevé. Il ajouta un couplet sur son envie à l'endroit de la technologie médicale des puissances occidentales.

Où diable veut-il en venir ? se demandait George. L'aumône ? Sans doute s'imagine-t-il que je n'ai qu'à demander au Sénat de lui envoyer pour quelques millions de matériel...

Ils obliquèrent dans un étroit couloir, faiblement éclairé. George aperçut la silhouette d'une femme.

Son instinct lui dit que c'était sa sœur Marika. Quel âge pouvait-elle avoir à présent ? Trois ans de moins que lui. Cette personne avait, à coup sûr, la cinquantaine.

Lorsqu'ils s'approchèrent, elle leva les yeux sur George.

Ces yeux, pensa-t-il, sont bien ceux de ma sœur, dans un visage de vieille femme.

« Marika ? demanda-t-il d'une voix hésitante.

— C'est bien moi, Gyuri. »

La femme dardait sur lui un regard qui ressemblait à un laser.

« Marika, ne veux-tu pas me parler ? »

Tous deux restèrent silencieux. Elle finit par répondre, en contenant sa colère :

« Tu n'aurais pas dû venir. Ta place n'est plus ici. J'avais demandé aux médecins de t'interdire sa porte.

— Oui, confirma le Dr Rosza, madame Donath était farouchement opposée à votre visite. C'est votre père qui a insisté. »

Marika détourna son visage.

« Entrons-nous ? » demanda le Dr Rosza.

George acquiesça de la tête. Ses cordes vocales étaient paralysées.

Il se tint immobile, contemplant le corps frêle, vêtu de blanc qui reposait sur une montagne d'oreillers.

Le vieil homme perçut sa présence. Il murmura dans un râle :

« Est-ce toi, Gyuri ?

— C'est moi, répondit George, immobile.

— Approche-toi. N'aie pas peur. La mort n'est pas contagieuse. »

George s'avança timidement.

« Je vais vous laisser seuls », dit le Dr Rosza en se retirant.

« Assieds-toi », ordonna le patriarche en désignant d'un doigt décharné une chaise de bois placée près du lit.

George obéit.

Il n'avait pas osé regarder son père en face. Soudain leurs regards se croisèrent et se soudèrent l'un à l'autre.

Istvan Kolozsdi avait gardé son visage sévère d'antan, mais à présent il était émacié et livide. George le scruta en pensant : « Le voici donc ce démon, terreur de toute mon existence. Regardez-le. Si petit. Si frêle. »

Il entendait son père respirer avec difficulté.

« Gyuri, as-tu des enfants ? souffla-t-il.

— Non, père.

— Alors qui viendra te réconforter le jour où tu seras dans cet état ?

— Je finirai bien par me marier un de ces jours », répliqua George, en se demandant : « Est-ce pour cela qu'il désire me voir ? Pour s'assurer que je prenne femme ? »

Un silence gêné s'ensuivit.

« Père, comment te sens-tu ?

— Pas aussi bien qu'une fois cette affaire terminée », répondit le vieil homme. Il rit, ce qui le fit grimacer de douleur.

« Ecoute, Gyuri, poursuivit-il, je suis heureux d'avoir cette chance de te parler. Il y a une chose que je voulais te dire... »

Il s'arrêta pour rassembler ses forces et reprendre son souffle.

« Réflexion faite, je n'ai pas à te la dire. Ouvre ce tiroir. Oui, ouvre-le Gyuri. »

George se pencha pour obéir à son père.

Le tiroir était bourré de coupures de presse. Il y en avait dans plusieurs langues ; certaines étaient jaunies, d'autres étaient déchirées.

« Regarde. Mais regarde ! » insista le vieil homme.

Il s'agissait d'articles de journaux du monde entier le concernant lui, George. Il retrouva même, Dieu sait comment il y avait abouti, un profil paru l'année précédente, dans l'*International Herald Tribune*. George en resta stupéfait.

« Que vois-tu ? demanda le patriarche.

— Des tas de vieilleries, sans importance, père, répondit George, essayant de prendre cela à la légère. Et toi, que vois-tu ? »

Dans un suprême effort, le vieillard se souleva sur ses coudes et se pencha vers George.

« Je *te* vois Gyuri. Je vois ton visage dans les journaux du monde entier. Sais-tu ce que tu m'as fait ? »

George avait douloureusement anticipé cette question.

« Père, je... je...

— Non, interrompit le vieil homme, tu n'y comprends rien. Tu es un homme important dans ce monde.

— Pas du bon côté, reprit George.

— Mon garçon, en politique, sache qu'il n'y a pas de bon ou de mauvais côté. Il n'y a que le côté des gagnants. Gyuri, tu as l'étoffe d'un grand politicien. Kissinger finira bien par commettre une erreur, un de ces jours et... tu deviendras ministre des Affaires étrangères.

— C'est prendre ses désirs pour des réalités », répondit George en souriant et en s'efforçant de garder son calme. Il avait du mal à croire que, pour la première fois de sa vie, Istvan Kolozsdi s'était montré élogieux à son égard.

« Tu es deux fois plus intelligent que Kissinger, insista le vieil homme, qui plus est, tu n'es pas juif. Je regretterai de ne plus être là pour voir la suite ! »

George sentit les larmes lui monter aux yeux.

« Je te prenais pour un socialiste convaincu », dit-il, affectant un ton badin.

Le vieil homme eut un sourire grimaçant.

« Ecoute, Gyuri, une seule philosophie gouverne le monde : la réussite. »

Il regarda longuement George et reprit, l'air radieux :

« Bienvenue à la maison, mon fils ! »

Vingt minutes plus tard, George Keller quitta la chambre de son père. Il referma doucement la porte. Marika était assise au même endroit, impassible. Il s'assit auprès d'elle.

« Je comprends, dit-il, tu as toutes les raisons de m'en vouloir, mais il y aurait tellement à t'expliquer. Je le reconnais, j'aurais dû écrire...

— Il y a beaucoup de choses que tu aurais dû faire..., reprit-elle mécaniquement.

— Je sais, je sais.

— Vraiment, Gyuri ? As-tu jamais réfléchi à ce que tu faisais en nous abandonnant ? As-tu jamais essayé de savoir comment allait ton père ? ou moi ? ou même Aniko ? »

Il se sentait de glace. Il revoyait cette journée d'hiver, il y avait si longtemps... Et depuis lors, chaque fois qu'il avait pensé à ces moments, ou chaque fois que ses rêves l'avaient forcé à s'en souvenir, il avait éprouvé une honte cuisante. Sa seule consolation avait été de se dire que c'était son secret. Son secret à lui seul. Tout à coup, il réalisait que d'autres étaient au courant... Comment ?

« J'ai essayé de la retrouver, protesta George faiblement.

— Tu l'as *abandonnée* ! Tu l'as laissée saigner à mort !

— Où est-elle enterrée ?

— Dans une HLM sordide ! »

George était ahuri. Incrédule :

« Tu veux dire qu'elle est encore en vie ?

— A peine, Gyuri, à peine.

— Que fait-elle ?

— Elle reste assise, c'est tout ce qu'elle est encore capable de faire.

— Comment la trouverai-je ?

316

— Non, Gyuri. Tu l'as assez fait souffrir. Je ne permettrai pas que tu lui fasses davantage de mal.

— Je t'en supplie, Marika, il faut que je la voie. Il le faut. Je veux l'aider. »

Elle secoua la tête et mit tranquillement fin à la discussion.

« Tu aurais dû faire cela voici dix-huit ans. »

Elle détourna la tête et refusa de poursuivre l'entretien.

Le lendemain, en arrivant à l'hôpital, George Keller apprit que son père s'était éteint paisiblement dans son sommeil.

Dès que George eut passé la douane, à l'aéroport de Washington, il se dirigea vers un téléphone et appela Catherine Fitzgerald, au bureau de Nader.

« George ! Comment s'est passé ce voyage ? A en croire la presse, tu t'es bien débrouillé à Moscou ?

— C'est une longue histoire, répondit-il, pour l'instant, j'ai besoin que tu me rendes un grand service.

— Je tremble monsieur Keller. Vous ne faites jamais rien sans arrière-pensée. Que voulez-vous exactement ?

— Une épouse, répliqua George. »

Il y eut un silence à l'autre bout du fil.

« Est-ce une plaisanterie ?

— Tu sais que je n'ai guère le sens de l'humour. Je répète : accepterais-tu de m'épouser ?

— Je ne répondrais pas " oui " sans que tu m'aies fixé un lieu et une heure précise.

— Que dirais-tu de vendredi matin, au bureau municipal, E Street ?

— Gare à toi, si tu es en retard, ne serait-ce que d'une minute, le prévint-elle en plaisantant, je t'assure que je m'en irai.

— Et si tu es en retard, moi, je promets de t'attendre. Sommes-nous bien d'accord ?

— Disons que les négociations ont été couronnées de succès », conclut-elle. Avant de raccrocher, elle ajouta dans un élan de tendresse :

« George, je t'aime. *C'est vrai.* »

Après leur mariage, Cathy autorisa ses parents à donner chez eux, à McLean, en Virginie, une petite réception en leur honneur. Ils firent signe à plusieurs anciens camarades de classe de Cathy, à quelques « raiders » de Nader, ainsi qu'à des associés du cabinet juridique de son père, accompagnés de leurs épouses. George n'invita qu'un seul ménage : Henry et Nancy Kissinger.

Le ministre des Affaires étrangères porta un toast plein d'humour qui désarma et enchanta la mariée.

« J'espère qu'à présent nous serons amis, dit Henry en embrassant Cathy.

— Bonté ! répondit-elle avec enjouement, c'est vrai ce que l'on dit de vous, Henry, vous êtes un charmeur.

— J'espère que tu as pris bonne note de cela, reprit le ministre, à l'intention de sa nouvelle épouse. »

Pour un républicain travaillant à Washington DC, cette fin de juillet 1974 n'était guère propice à une lune de miel. Cathy ne voyait George que très tard le soir.

Il devenait de plus en plus évident que Nixon devrait démissionner en raison du scandale du Watergate.

Tandis que Henry Kissinger tenait métaphoriquement, et parfois aussi littéralement la main du Président que l'on sentait profondément atteint, George aidait Al Haig à remettre de l'ordre à la Maison Blanche.

Un soir, George rentra chez lui à trois heures du matin. Cathy était encore éveillée.

« Je me demande si je devrais t'offrir un dernier verre... ou ton petit déjeuner ? dit-elle en riant. S'il s'agissait de tout autre que toi, je flairerais une autre femme.

— Bon sang ! Ça sent la veillée funèbre, là-bas. Ce n'est qu'une question de temps...

— Pourquoi Nixon ne se retire-t-il pas simplement ? Il mettrait fin aux souffrances de tout le monde et surtout à celles du pays. »

George la regarda.

« C'est une sacrée décision, dit-il.

— Oui, mais il doit répondre d'un foutu nombre de choses.

— Pas plus que tout politicien qui se respecte, reprit George, nous avons tous des choses plus ou moins claires...

— Pas toi, George, dit-elle en l'enlaçant. Tu restes un fonctionnaire soucieux du bien public, n'est-ce pas ?

— Bien sûr, répondit-il en s'efforçant d'avoir l'air de plaisanter.

— Alors pourquoi ne t'en vas-tu pas, pendant que tu as le vent en poupe ? Le jour où Nixon partira, nous devrons en faire autant.

— Ne dis pas de bêtises, Cathy. C'est maintenant que l'Administration a le plus besoin de moi. »

Il n'ajouta pas que c'était l'occasion rêvée pour faire un pas de géant dans sa carrière.

« Je te reconnais là, mon patriote d'époux... », et elle l'embrassa.

A onze heures et demie, en ce matin du 9 août, Henry Kissinger fit venir George dans son bureau. Le chef de cabinet de la Maison Blanche était là.

« Bonjour, Al », lança George en s'amusant à imiter un salut militaire.

Haig se contenta de hocher sombrement la tête en direction du ministre des Affaires étrangères, assis à son bureau, tenant un bout de papier blanc.

« Oh ! reprit George d'un ton solennel, nous y voilà ? »

Kissinger tendit le document à George.

Monsieur le Secrétaire d'Etat,

Je vous informe par la présente que je démissionne de mes fonctions de président des Etats-Unis.

RICHARD NIXON.

318

George lut et relut le document. Il se tourna ensuite vers Haig :

« Où est le Président ? demanda-t-il.

— Pour être précis, à l'heure qu'il est, nous n'avons pas de président », répondit Kissinger.

Haig approuva.

« Oui, George, les trois hommes les plus puissants des Etats-Unis sont rassemblés dans cette pièce. Ne trouvez-vous pas cela plutôt agréable ?

— Je n'en suis pas sûr », répondit George prudemment. Il trouvait lui aussi que la chose n'était pas si désagréable...

« De toute façon, reprit Kissinger en se levant, à moins que nous ne souhaitions gouverner en triumvirat, nous ferions mieux de nous rendre à la prestation de serment de Gerry. »

Gerald Ford était un membre du Congrès satisfait de son sort. Il représentait l'Etat du Michigan et n'avait jamais aspiré à la Maison Blanche. Voilà qu'il devenait le chef d'Etat le plus puissant du monde occidental, et cela dans une atmosphère tendue qu'il n'appréciait pas.

La responsabilité de son nouveau poste ne lui faisait pas peur. Il était capable de relever ce défi. En revanche, il avait du mal à supporter la féroce compétition de ses aides pour gagner ses faveurs.

Vieux joueur de rugby qu'il était, il savait reconnaître un plaquage pour atteindre le quarterback. Il savait aussi qu'il lui fallait dégager le terrain pour avoir la place de courir.

Il était évident que Kissinger devait rester pour assurer la continuité et le prestige de la nation aux yeux du monde.

Haig eut beau insister sur le fait que le nouveau Président ne saurait se passer de ses services, Ford éloigna de Washington ce courtisan de Nixon. Il saisit un prétexte en or. Il le fit nommer commandant suprême des forces de l'OTAN, le transférant ainsi à Bruxelles. Haig resterait à la Maison Blanche juste le temps nécessaire pour négocier l'amnistie de Nixon.

Désireux de s'affirmer à l'échelon mondial, Ford se rendit avec Kissinger à une conférence au sommet pour y rencontrer Brejnev. George Keller était de la partie. Il se montra d'une telle efficacité que pendant le voyage de retour à bord d'*Air Force One,* le Président l'invita dans sa cabine.

« De quoi avez-vous parlé ? lui demanda Kissinger avec une pointe de jalousie lorsqu'il regagna son siège.

— Croyez-le si vous le voulez, nous avons parlé rugby !

— Mais, mon ami, vous n'y connaissez rien.

— Ecoutez, Henry, répliqua George, s'il y a une chose que l'on apprend à Harvard, c'est bien de toujours faire croire que nous connaissons ce dont nous parlons. »

George et Cathy eurent tôt fait de devenir le jeune couple le plus en vogue de Washington.

George s'aperçut rapidement que son épouse avait un don remarquable pour la « politique de salon ».

La presse découvrit cette étoile montante qu'était George Keller et fit les frais d'articles élogieux sur sa personne.

Seule ombre au tableau : George n'arrivait pas à s'adapter à sa situation d'homme marié.

Sa vie n'était qu'un entrelacs continu de réceptions. Quand George rentrait de son bureau et se retrouvait avec Cathy pour tout auditoire, il discourait en expert sur les problèmes du jour, sous forme de monologue plutôt que de dialogue.

Les vœux sacrés du mariage n'avaient en rien diminué sa méfiance à l'égard de ses propres émotions. Il était capable de donner mais non pas de *partager*. Il pouvait faire l'amour, mais non pas donner à sa femme l'impression d'être aimée.

Elle ne se laissait pas affecter par cet état de choses et attendait patiemment. Un jour, sans nul doute, il maîtriserait l'art de l'intimité comme il avait relevé les autres défis de sa vie.

Elle avait à vivre sa propre vie. George avait sa carrière, Cathy, elle, avait une cause.

Trois ans plus tôt, le Congrès avait approuvé le vingt-septième amendement à la Constitution qui bannissait la discrimination sexuelle. Si cet amendement était ratifié par les deux tiers des Etats, l'égalité de l'homme et de la femme aurait force de loi dans ce pays.

Cathy décida de faire son balluchon et d'aller rejoindre la caravane des partisans des droits de la femme, pour faire de la propagande à travers les Etats qui n'avaient pas ratifié l'amendement.

« Cathy ! c'est carrément ridicule ! protesta George, tu es bien la dernière personne au monde qui ait besoin d'un amendement pour l'égalité des droits. Tu es une femme forte, indépendante. Tu es une brillante avocate. Mon Dieu, si tu t'y mettais, tu pourrais briguer la Cour suprême !

— Dis-moi George, le mot " altruisme " ne fait-il pas partie de ton vocabulaire, par ailleurs si étendu ? Je ne fais pas cela pour moi. Je veux défendre ces millions de travailleuses qui effectuent une tâche d'homme pour un salaire de femme.

— Cathy, tes propos sentent le tract...

— Que veux-tu que j'y fasse. A table, la plupart de tes conversations ressemblent à des notes échangées entre divers services ministériels. Crois-tu que les propos ne soient fascinants que s'ils gravitent autour de l'Afghanistan ?

— Me reprocherais-tu d'être ennuyeux ?

— Loin de là. Je te fais seulement grief de t'imaginer que la seule chose qui compte au monde est ce qui transite par ton bureau. »

Là-dessus, elle soupira, excédée.

« Ne peux-tu admettre que les autres puissent avoir eux aussi un engagement ? »

George passa à un domaine plus personnel :

« Ecoute, ce qui m'ennuie le plus, c'est le fait que nous soyons séparés.

— Je suis parfaitement d'accord avec toi », répondit-elle, tout en ajoutant ironiquement : « Pourquoi ne prendrais-tu pas quelques jours de vacances pour m'accompagner ? »

Ses meilleurs arguments ne l'en dissuadèrent pas. Elle parvint même à le convaincre de la conduire à l'aéroport...

Cathy fit un nombre incalculable de discours. Si surprenant que cela pût paraître, elle eut souvent plus de mal à convaincre les femmes que les hommes. En réalité, la plupart d'entre elles avaient peur de perdre leur statut de deuxième classe et de se retrouver incapables de se débrouiller seules. Sa mission était de leur montrer leur propre valeur. C'était usant.

En trois mois, ses coéquipières et elle haranguèrent, combattirent et amadouèrent les auditoires de l'Ohio, du Montana et du Maine. Ces Etats ratifièrent l'amendement.

George et elle se téléphonaient régulièrement. Ils ne se revirent que le premier lundi de septembre, lorsque Andrew les invita dans le Maine, où la famille Eliot avait ses quartiers d'été.

Dans l'avion qui les ramenait à Washington, Cathy remarqua :

« Ton ami est très sympathique. Pourquoi ne s'est-il pas remarié ?

— Je crains qu'il manque de confiance en lui, répondit George.

— Je m'en suis aperçue. Mais je ne comprends pas pourquoi. C'est un garçon charmant, doté d'un merveilleux sens de l'humour. A mon avis, il a besoin d'une femme bien, qui l'aide à retrouver son équilibre.

— Connaîtrais-tu quelqu'un susceptible de faire l'affaire ?

— Des douzaines de femmes, répondit-elle. Tiens, je pourrais poser ma candidature, mais, ajouta-t-elle en souriant, je suis déjà prise !

— J'ai de la chance, dit-il en lui rendant son sourire.

— Tu as raison, mon chéri, je suis contente que tu en conviennes ! »

Un soir de novembre 1975, George était dans son bureau, occupé à dicter des notes, quand Kissinger ouvrit la porte.

« Que se passe-t-il, Henry, vous semblez inquiet ?

— Je vous avouerai que je suis déprimé, avoua le secrétaire en s'asseyant dans un fauteuil.

— Pourquoi donc ?

— M. Ford estime qu'un seul homme ne saurait cumuler les fonctions de ministre des Affaires étrangères et de conseiller à la Sécurité nationale.

— Pourtant vous vous êtes brillamment acquitté de cette double fonction.

— J'osais le croire, mais il veut que je démissionne de la sécurité nationale. Pour être franc, j'estime que cela affaiblira ma position.

— Vous m'en voyez désolé, Henry, reprit George, compatissant, mais n'y voyez tout de même pas une disgrâce !

— Non, vous avez raison. En fait, ce qui me facilitera la besogne, c'est que j'entretiens d'excellents rapports avec mon successeur.

— Et qui est le nouveau conseiller à la Sécurité nationale ? »

Kissinger regarda, impassible, son ancien protégé de Harvard et répondit :
« Vous ! »

Journal d'Andrew Eliot

3 novembre 1975

J'ai vu la photo de mon ancien condisciple de Harvard dans *The New York Times* d'aujourd'hui.

George Keller succède à Kissinger à la tête du Conseil national de sécurité.

Il réemménage dans l'aile ouest de la Maison Blanche. De là il pourra frapper à la porte du Président quand cela lui chantera et aura accès aux commandes du pouvoir.

Aux informations de dix-neuf heures, un commentateur autorisé a été jusqu'à dire que l'on préparait George à un poste encore plus élevé.

Si l'on en croit les rumeurs, Gerry Ford se sentirait plus à l'aise avec un secrétaire d'Etat choisi par lui.

On prétend que s'il est réélu, ce qui paraît peu probable, il amènera une nouvelle équipe, avec George comme capitaine. Quel coup! Un jeune loup, ce George. La gloire, le pouvoir et une femme merveilleuse. Il y en a qui ont de la chance!

J'y pense : si je téléphonais à George, à la Maison Blanche? Prendrait-il la communication comme au bon vieux temps?

Télégrammes et lettres de félicitations pour la nomination de George affluèrent à la Maison Blanche. En fin de journée, son secrétaire lui remit deux sacs de supermarché pleins à craquer, afin qu'il puisse les lire avec Cathy.

« J'aurai bonne mine de traverser le parking de la Maison Blanche avec ça », protesta-t-il faiblement.

« Et puis zut, après tout, se dit-il, j'en serai ravi. D'ailleurs, ma voiture est garée dans l'enceinte présidentielle à présent. »

Cathy l'accueillit sur le seuil de leur appartement :

« J'ai préparé un petit dîner pour célébrer l'événement, dit-elle en le serrant dans ses bras.

— Qui vient?

— Personne. Veux-tu boire quelque chose?

— Excellente idée. »

En l'emmenant par la main vers le salon, elle murmura :

« Devine, j'ai une surprise pour toi. Je la gardais depuis longtemps... Regarde! »

Sur la table basse, elle avait disposé deux coupes et une bouteille...

« Du champagne hongrois! s'exclama George stupéfait. Où t'en es-tu procuré?

— Cela n'a pas été facile, crois-moi! »

Ils s'enivrèrent légèrement, picorèrent plutôt qu'ils ne dînèrent et firent l'amour dans le salon.

« Dis, murmura Cathy, tu as ramené un monceau de télégrammes.

— J'ignorais que j'avais tant d'amis !

— Ne t'en fais pas, mon chéri. Maintenant que tu es si près du bureau ovale, tu vas en découvrir une foule. Ouvrons-en quelques-uns et voyons qui veut se mettre dans tes petits papiers. »

Le gouverneur de chaque Etat s'était naturellement manifesté. De même les maires des grandes villes. Les démocrates autant que les républicains. En fait, tous ceux qui avaient des ambitions diplomatiques ou politiques et, en prime, plusieurs vedettes de cinéma.

« Une chose est sûre, reprit Cathy en souriant, c'est que je ne te laisserai plus voyager seul. Certains de ces télégrammes ressemblent à des propositions. »

Georges savourait cela. Il savait que ce n'était qu'un début. Le meilleur restait à venir.

« Hé ! l'interpella-t-elle, légèrement éméchée, celui-ci est bizarre, qui peut bien être ce Mike Saunders " du bon vieux temps " ? »

George demeura perplexe.

« Montre-le-moi. »

Un sacré bout de chemin depuis The Wiener Keller, n'est-ce pas, mon vieux ? Ton premier professeur d'anglais te souhaite bonne chance. Si tu passes à Chicago, fais-moi signe.

MICHAËL SAUNDERS, « du bon vieux temps ».

« Cela te dit quelque chose ? s'enquit sa femme.

— Plus maintenant », répondit-il. Il froissa le bout de papier et le jeta au feu.

Après trois années de vie célibataire, Ted Lambros s'imaginait illustrer les célèbres vers d'Andrew Marvell :

> Two paradises' twere in one,
> To live in Paradise alone.

> « Double paradis serait
> De vivre seul en Paradis... »

Le poète ne donnait-il pas, sans le savoir, la formule de la réussite académique ? Un professeur livré à lui-même peut devenir un bourreau de travail.

De retour aux Etats-Unis, Ted avait vendu la maison de Canterbury et emménagé dans une résidence réservée aux enseignants.

Ses trois années passées comme directeur du département de lettres classiques avaient été un succès. Les inscriptions avaient augmenté. Le nombre des thèses avait doublé. Il avait même réussi à convaincre certains collègues de publier quelques lignes.

Il obtint une chaire pour Robbie Walton, le jeune assistant qui l'avait introduit à Canterbury. Lambros s'acquittait toujours de ses dettes professionnelles.

Sitôt libéré de son travail administratif, il regagnait Marlborough House, avalait un dîner congelé de valeur nutritive incertaine et s'asseyait à son bureau.

Après quelques heures de concentration intense, il se versait un peu de retsina. Petit à petit, la boisson nationale illuminait le plus ésotérique des auteurs dramatiques grecs. La recherche de Ted sur Euripide prenait alors des reflets dionysiaques. Il était résolu à élucider les moindres secrets de cet auteur énigmatique.

Ted n'avait pas de vie sociale à proprement parler. Il refusait toute invitation, sauf s'il était sûr qu'une des huiles de l'administration s'y trouverait. Le bruit courait que, le jour où Tony Thatcher atteindrait la fin de son mandat, Ted Lambros lui succéderait.

Dans son ressentiment, Ted continuait à éviter les femmes, du moins affectivement parlant. Il y avait, bien sûr, les nécessités d'ordre biologique, plus faciles à satisfaire ici.

Le gouvernement faisait grand bruit quant à la nécessité d'embaucher des femmes à des postes universitaires importants. Aussi l'administration de Canterbury se mit-elle à la recherche de femmes, de peur de perdre des subventions fédérales.

En plus du vivier habituel où évoluaient de jeunes et jolies Européennes importées par l'université pour enseigner les langues étrangères aux étudiants de première année, les années soixante-dix virent un afflux de femmes mûres.

Parmi les nouvelles enseignantes, certaines n'avaient rien contre une liaison sans engagement affectif. Particulièrement avec Ted Lambros. Son charme jouait, certes, mais disons que ces femmes étaient aussi ambitieuses que leurs homologues masculins et non moins désireuses d'avancer dans leur carrière.

Lambros était un homme important. Il appartenait à de nombreux comités. Par une belle journée de printemps, Theodore Lambros fut nommé, comme prévu, recteur de l'université de Canterbury.

Rentrant chez lui, après l'annonce de cette grande nouvelle, une voix en lui eut envie de crier :

« Sara, devine ! je suis le bon Dieu de recteur ! »

Bien sûr, il n'y avait personne.

Il vivait seul. Seul et résolu à vivre seul. Persuadé qu'il préférait vivre seul.

Il éprouva un étrange sentiment de vide. Sara avait toujours été à ses côtés quand les choses allaient mal. Elle l'aidait à porter sa peine. Il se rendit soudain compte qu'il avait également besoin de sa présence pour partager son bonheur.

Il avait été époux et père. Et, à l'heure de son triomphe, il éprouvait que sa vie était vide sur le plan humain.

Un samedi, deux ou trois semaines plus tôt, Rob et son épouse l'avaient obligé à venir patiner avec eux. Ils espéraient que l'exercice physique lui remonterait le moral. Ils n'avaient pas imaginé que cela produirait l'effet contraire.

Tout ce que Ted avait vu à la patinoire, c'étaient des pères avec leurs enfants. Des pères et des enfants se tenant par la main. Des pères relevant et consolant des petits, tombés sur la glace.

Il rêvait d'étreindre son fils, et, s'il avait du mal à en convenir, Sara lui manquait. Beaucoup.

Il lui arrivait de se réveiller au milieu de la nuit, angoissé par la solitude. Il y remédiait, en se levant, en s'asseyant à son bureau, noyant son chagrin dans le travail. Sur le plan affectif, il était épuisé. Mort.

La seule part de lui-même qu'il maintenait en vie, à force de recherches assidues, c'était son esprit. Il avait presque terminé ce fichu bouquin, son passeport pour ce prétendu « meilleur des mondes ».

Et si le prix devait en être la solitude, il s'en accommoderait de son mieux...

Il ne succomba qu'une fois à l'emprise de l'émotion au cours de cette période : le soir où son frère Alex appela pour lui annoncer la mort de leur père.

Un bras sur l'épaule de sa mère, l'autre sur celle de sa sœur, il vit mettre en terre l'homme qu'il avait le plus aimé.

Et il pleura.

Son frère murmura :

« Il était si fier de toi, Teddy. Tu étais la gloire de sa vie. »

De retour à Canterbury, Ted se replongea dans son travail.

Le téléphone sonna. C'était Sara.

« Ted, dit-elle doucement, pourquoi ne m'as-tu pas appelée ? Je serais venue à l'enterrement.

— Comment l'as-tu appris ? demanda-t-il, morose.

— On m'a téléphoné de Harvard. Je suis triste. Ton père était un homme merveilleux.

— Il t'aimait beaucoup, reprit Ted. » Il en profita pour ajouter : « Dommage qu'il ait si peu vu l'aîné de ses petits-enfants.

— Il l'avait vu à Noël, corrigea gentiment Sara, d'ailleurs j'écris tous les mois à tes parents et je leur envoie des photos. Tu m'aurais appelée, j'aurais emmené Teddie à l'enterrement. Je suis sûre que cela aurait signifié quelque chose pour lui.

— Comment va-t-il ?

— Il a été peiné par cette nouvelle, mais tout va bien. Il est premier en latin. »

Ted ressentit un désir désespéré de prolonger cette conversation téléphonique.

« Et ton travail ?

— Il se présente bien. Mon premier article a été accepté par les presses de Harvard.

— Félicitations. Sur quoi portait-il ?

— Apollon. C'est en quelque sorte une suite de ma maîtrise.

— J'ai hâte de le lire. Ta thèse avance ?

— J'ai bon espoir de l'avoir terminée au printemps. Cameron revoit le premier chapitre et Francis James le deuxième.

— James ? Le nouvel assistant à Balliol ? Dis-lui que j'ai apprécié son ouvrage sur Propertius. Au fait, quel est le sujet de ta thèse ?

— J'avoue m'être attaquée à un sacré morceau, répondit en riant Sara. Rien de moins que " Callimaque et la poésie latine ".

— Voilà qui a sonné le glas de maint universitaire pourtant solide ! Et cela sans antiféminisme... »

Ted chercha fiévreusement un sujet susceptible de prolonger leur conversation.

« Tu penses avoir ton diplôme en juin ?

— Je l'espère.

— Tu reviendras alors aux Etats-Unis, n'est-ce pas ?

— Je n'en suis pas sûre. C'est une chose dont je souhaite te parler de vive voix, lorsque tu viendras le mois prochain.

— Un mois... j'ai hâte d'y être !

— Teddie aussi ! Si mon emploi du temps me le permet, nous irons te chercher à l'aéroport.

— Sara, merci d'avoir appelé. J'ai été heureux de t'entendre. »

Il raccrocha en se disant : « Si seulement je pouvais voir son visage ! »

« Je n'arrive pas à y croire, remarqua Ted, le petit parle avec l'accent anglais.

— A quoi t'attendais-tu ? reprit Sara. Il a passé ici la plus grande partie de sa vie. »

Tous deux se retrouvèrent dans le salon d'Addison Crescent remis à neuf, buvant du café glacé.

« Il n'a pas semblé très affectueux à mon égard. Je n'ai eu droit qu'à un vague " bonjour papa ", puis il a disparu.

— Ton fils a des priorités, dit Sara et cet après-midi, il a un match de cricket crucial contre St. George School. »

Ted ne put s'empêcher de rire :

« Le fils d'un de ces rustres de Cambridge, Massachusetts, qui joue au cricket ! La prochaine fois, j'apprendrai qu'il a été anobli ! »

Ted but une gorgée de café.

« As-tu fixé la date de ton retour ?

— Sûrement pas avant un an.

— Merde !

— Ted, je t'en prie. J'ai de bonnes raisons, je te le certifie.

— Cite-m'en une.

— Je souhaite que Teddie achève ici ses études. Il réussit et son directeur affirme que si nous le laissons continuer, il sera admis dans n'importe quelle université.

— Sara, je croyais que nous nous étions mis d'accord pour qu'il aille à Harvard ?

— Le moment venu, ce sera à lui de décider. Il a quelques années pour y réfléchir.

— Tu évoquais d'autres raisons pour rester.

— On m'a proposé un poste de professeur de lettres classiques à Somerville College.

— Félicitations, sur le plan professionnel. Objections sur le plan personnel, répliqua Ted.

— Depuis quand aurais-tu le droit d'objecter à quoi que ce soit que je fasse ? » demanda-t-elle avec plus de surprise que de colère.

Ted s'arrêta, puis poursuivit mal à l'aise :

« Ce que je voulais dire, c'est que... tu me manques. Vois-tu. Notre mariage me manque. Je me demandais si tu avais de ton côté un soupçon de regret ?

— Des regrets, j'en ai, bien sûr. Le jour où notre divorce a été définitif a été le jour le plus triste de ma vie.

— Crois-tu qu'il y ait une chance pour que nous tentions, disons, de... repartir... »

Elle se contenta de secouer tristement la tête.

Sans doute aurait-il dû se douter qu'il y avait quelqu'un d'autre dans la vie de Sara, lorsqu'elle lui proposa de séjourner à Addison Crescent avec le jeune Ted, pendant le mois de juillet, tandis qu'elle-même prendrait ses vacances.

Elle resta vague quant à ses projets. Tout ce qu'elle daigna lui révéler fut qu'elle partait en Grèce « visiter les endroits au sujet desquels j'écris ».

« Avec qui ? avait-il bravement demandé.

— Oh ! avait-elle répondu évasivement, plusieurs millions de Grecs. »

Il ne fallut pas longtemps à Ted pour découvrir qui était le compagnon de voyage de son ex-femme. Ses conversations avec son fils étaient en effet ponctuées de références à Francis, l'assistant de lettres classiques à Balliol.

« J'aimerais le rencontrer un de ces jours », dit Ted en entendant mentionner son nom pour la énième fois.

« Il te plairait, renchérit son fils, c'est un type sympa. »

En ce mois de juillet, Ted s'efforça d'être un père. Il assista à match de cricket sur match de cricket. Il acheta des billets de théâtre et fit de nombreuses tentatives pour converser pendant le dîner. Hélas, un fossé aussi vaste que l'Atlantique les séparait.

Le jeune garçon était poli, plaisant, amical. La seule chose dont ils arrivaient cependant à discuter était des projets lointains, relatifs à ses études supérieures. Ted essayait de convertir son fils à Harvard.

« Teddie, il y a une chose que je voudrais t'expliquer : aller à Harvard est une expérience qui vous change la vie. En tout cas, je t'assure que cela a indéniablement changé la mienne. »

Le jeune Ted regarda son père et reprit :

« Pour être franc, je préfère ma vie telle qu'elle est. »

Ted Lambros avait passé ce mois avec quelqu'un qui portait son nom mais qui, sur les autres plans, était l'enfant d'un autre.

A la fin du mois de juillet, Sara rentra de Grèce, toute bronzée, en compagnie de Francis James, tout aussi bronzé qu'elle. Elle annonça qu'ils avaient décidé de se marier.

Au grand chagrin de Ted, les premières félicitations furent exprimées par un « super » émis spontanément par son fils, qui se précipita dans les bras de ce grand diable de prof de lettres classiques, portant lunettes.

Ted serra la main de Francis et le félicita en s'efforçant de dissimuler sa peine.

« Merci, répondit l'Anglais, qui ajouta avec une sincérité chaleureuse : j'ai toujours été l'un de vos admirateurs. A en juger par les articles que vous avez publiés, votre ouvrage sur Euripide sera remarquable. Etes-vous près de l'avoir terminé ?

— J'ai envoyé le manuscrit à Harvard, la semaine dernière, dit Ted, annonçant cette réussite avec un étrange sentiment de vide.

— Maman m'a dit que c'était fantastique, brillant ! » lança le jeune Teddie.

« Ah ! pensa le père, au moins le gosse me respecte encore. »

Et le fils de conclure :

« Je grille d'impatience d'entendre ton opinion à ce sujet, Francis. »

Ted comprit que rien ne le retenait à Oxford. Le lendemain matin, il prit l'avion pour Boston et se rendit à Canterbury pour connaître le verdict des presses universitaires de Harvard.

Il ne se fit guère attendre. Le samedi suivant, Cedric Whitman l'appela, débordant d'enthousiasme. En sa qualité de premier lecteur aux Presses, Cedric ne put préserver son anonymat ni refréner son admiration.

« Cedric, questionna Ted avec discrétion, puisque nous en sommes aux confidences, puis-je vous demander quel est l'autre lecteur ?

— Quelqu'un qui vous admire autant que moi, le nouveau professeur de grec d'Oxford.

— Cameron Wylie ? » s'enquit Ted, sentant sa joie se dissiper.

— En personne, reprit Whitman. Et je ne puis imaginer que son rapport soit moins favorable que le mien. »

« Moi, je le peux... » pensa Ted en raccrochant.

Ted, incapable de supporter cette attente, passa la semaine à jouer au tennis, de l'aube à la tombée de la nuit, avec le premier venu, professeur, étudiant ou membre du personnel.

Enfin arriva une enveloppe manuscrite, postée d'Oxford. Ted n'osa pas l'ouvrir en présence de la secrétaire du département. Il se précipita aux toilettes, s'y enferma et l'ouvrit fiévreusement.

Il la lut, la relut, puis se mit à crier de toutes ses forces.

Quelques instants plus tard, Robbie Walton, que la secrétaire avait cru bon d'aller quérir, vint aux nouvelles.

« Rob, hurla Ted, de l'intérieur de son étroit royaume, ça y est ! J'ai réussi. Cameron Wylie pense que je suis un salaud, mais il adore mon bouquin sur Euripide !

— Ecoute, mon vieux, s'exclama Rob, si tu acceptes de sortir de là, je te paie un pot ! »

Danny Rossi se sentait las. Ce n'était ni la musique, ni les applaudissements qui lui parvenaient en quadriphonie, tant sur scène qu'en dehors, ni l'essaim de femmes qui vrombissaient autour de lui, en quête de sa signature sexuelle.

Danny se sentait fatigué. Son corps de quadragénaire n'en pouvait plus. La moindre activité physique l'épuisait, aussi finit-il par se décider à consulter un médecin connu de Beverly Hills.

Après un bilan complet, il se retrouva dans le bureau du Dr Standish Whitney.

« Stan, je veux savoir la vérité, dit Danny avec un sourire contraint. Est-ce que je vais mourir ?

— Oui, répondit le médecin, en gardant un visage impassible, d'ici trente ou quarante ans !

— Pourquoi, selon vous, suis-je tellement fatigué ?

— Ecoutez, Danny, quand on mène une vie amoureuse aussi active que la vôtre, on a des raisons d'être fatigué. Précisons toutefois que jamais personne n'est mort d'avoir trop fait l'amour.

« De surcroît... vous composez. Vous dirigez. Vous jouez et, je le présume, vous passez de nombreuses heures en répétitions. Par-dessus le marché, vous voyagez. Reconnaissons que si un pilote de ligne voyageait autant que vous, on lui interdirait de voler pendant quelque temps. Vous me suivez ?

— Oui.

— Vous en demandez trop à votre organisme. Estimez-vous possible de ralentir vos activités ?

— Non, reprit Danny avec candeur. Non seulement je *souhaite* faire tout ce que je fais, mais je *dois* le faire. Si étrange que cela puisse paraître.

— Nullement, interrompit le médecin. Nous sommes à Los Angeles, le paradis des agités. Vous n'êtes pas le premier que je vois à vouloir mourir jeune et faire un beau cadavre.

— Permettez-moi de préciser un point : je ne veux pas mourir jeune. Je veux continuer à vivre *jeune*. N'y a-t-il pas quelque chose que vous prescrivez à vos autres agités ? Je suppose qu'eux non plus ne ralentissent pas.

— C'est exact, répondit le Dr Whitney, mais ils viennent me voir au moins une fois par semaine pour une petite piqûre qui les remonte.

— Que contient-elle ?

— Oh ! un cocktail de mégavitamines, plus un peu de ceci et de cela pour vous remettre sur pied et vous calmer. Si vous le désirez, nous pouvons essayer de voir si cela vous aide. »

Danny se crut Ponce de Léon découvrant la fontaine de jouvence. « Et si nous commencions tout de suite ?

— D'accord, répondit le Dr Whitney. »

Et il se leva pour concocter sa potion magique...

Danny était de nouveau un « possédé » du travail.

Au cours du mois qui suivit, il se sentit rajeuni. Il s'acquittait sans effort d'un emploi du temps professionnel et ludique frénétique, passant sans trêve de la direction d'un orchestre à des rendez-vous amoureux, avant de rentrer chez lui à Bel Air, pour répéter au piano pendant des heures d'affilée.

Le seul problème étaient les rares moments où il semblait trop stimulé pour y parvenir.

Pour remédier à cet inconvénient, le bon Dr Whitney eut la gentillesse de lui prescrire de la phéniothiazine.

Depuis environ un an, la relation entre Danny et Maria était graduellement passée d'un antagonisme muet à une espèce d'entente cordiale. A Philadelphie, au bénéfice du monde entier, ils jouaient au couple heureux, aux parents aimants. Jamais il n'était question de ce qui se passait dans sa garçonnière de Hollywood Hills.

Leurs filles allant en classe, Maria résolut de s'organiser une vie à elle, de trouver une occupation derrière la façade en carton-pâte de leur mariage.

Pour un ancien professeur de danse de trente-huit ans, les portes des écoles étaient fermées à double tour... Elle n'avait aucune chance de reprendre son métier là où elle l'avait abandonné. Elle se rendait compte avec désespoir qu'en dépit de son intelligence et de sa bonne éducation, elle n'avait à son actif aucun don particulier à proposer sur le marché du travail. Certaines de ses amies faisaient du bénévolat au profit d'œuvres charitables, ce qui, aux yeux de Maria, avait un côté trop mondain pour être gratifiant.

Epouse du directeur de l'orchestre philarmonique de la ville, Maria était, à sa façon, une célébrité locale, aussi les responsables de la station de télévision locale tentèrent-ils de la faire paraître à l'écran, dans l'espoir d'obtenir des contributions de la part des téléspectateurs.

Terence Moran, président de cette station, l'homme non dépourvu de charme malgré ses cheveux prématurément blanchis, déploya force persuasion pour la convaincre.

« Impossible, protesta-t-elle, j'aurai le trac.

— Je vous en supplie, madame Rossi, insista-t-il, tout ce que vous aurez à faire sera de vous tenir près d'une de ces tables et de présenter en deux ou trois mots les objets placés dessus.

— J'en suis navrée, monsieur Moran, je perdrais mes moyens. Il faudrait que vous envisagiez soit de superposer le dialogue, soit de faire vous-même le commentaire.

— Eh bien soit! J'accepte ce dernier compromis, dit-il.

— Vraiment? reprit avec surprise Maria.

— Vous n'aurez qu'à désigner du doigt les choses que je décrirai. Entendu?

— D'accord, concéda-t-elle, je sens que je ne peux plus reculer. »

« Vous avez été admirable, madame Rossi. Grâce à vous nous avons obtenu des prix plus qu'honorables pour ces objets », commenta le président de la station, tandis qu'ils buvaient un thé trop sucré dans des gobelets en carton.

« Je ne suis pas mécontente que ce soit terminé, dit-elle, j'ai horreur de l'écran!

— Mais vous semblez apprécier le côté " régie " n'est-ce pas?

— Oh! c'est amusant. J'adore regarder les moniteurs et j'essaie d'imaginer quelle caméra j'utiliserais si j'étais réalisatrice. C'est plaisant et sans danger tant qu'il s'agit d'un jeu.

— Avez-vous jamais envisagé d'en faire autre chose qu'un jeu?

— Bien sûr, il m'arrive de rêver, tout comme je m'imagine en train d'esquisser un pas ou deux avec Rudolf Noureev. En tout cas, merci de m'avoir acceptée pour ce que je suis. »

Elle se leva pour enfiler son manteau. Moran lui fit signe de se rasseoir.

« Madame Rossi, je regrette de ne pouvoir parler pour Noureev. En revanche, je puis parler au nom de cette station. Aimeriez-vous y travailler?

— Un vrai travail?

— C'est le seul type d'emploi que nous offrions ici. Il ne s'agirait pas d'énormes responsabilités, mais nous cherchons un réalisateur supplémentaire et vous feriez parfaitement l'affaire. »

Maria était tentée, mais partagée.

« Je ne suis pas affiliée au syndicat, protesta-t-elle faiblement.

— Cette station ne l'est pas non plus, répondit Moran en souriant, alors? seriez-vous intéressée?

— Vous m'offrez cela parce que je suis l'épouse de Danny Rossi.

— C'est bien là le risque, car si cela ne marche pas, nous devrons vous licencier et c'est moi qui aurai des ennuis...

— Je comprends, dit gaiement Maria, mais si je suis sûre de rentrer à temps pour dîner avec mes filles, j'accepte de faire un essai.

— Promis, répliqua-t-il, oh! je ne vous ai pas avoué le côté le moins reluisant de l'affaire : le salaire est plutôt risible.

— Peu importe, monsieur Moran, rire de temps en temps ne me fera pas de mal. »

Ted fut réveillé en pleine nuit par un coup de téléphone de Walter Hewlett, professeur à l'université du Texas, l'homme le plus au fait de tous les potins du monde des lettres classiques.

« Lambros, je viens d'apprendre une nouvelle sensationnelle et je voulais que tu en sois le premier informé.

— Bon Dieu ! Walt, qu'est-ce qu'il peut y avoir de si important, à six heures du matin ?

— C'est au sujet de Dieter Hartshorn...

— Quelle est la dernière de ce pédant d'Allemand ?

— Tu es au courant ?

— Evidemment, c'est le gars que Harvard vient d'embaucher comme professeur de grec.

— Alors, mon vieux, tu n'es pas au courant... Figure-toi que Rudi Richter vient de m'appeler de Munich. Hartshorn s'est tué dans un accident d'automobile. La presse n'a pas encore eu vent de cette nouvelle...

— Sapristi, Walt, à t'entendre on croirait entendre un vampire...

— Dis, Lambros, faudra-t-il que je te fasse un dessin ? La chaire Eliot est vacante. Et il y a des chances, si tu t'y prends adroitement, que ce poste te revienne. Fais de beaux rêves, amigo. »

En raccrochant, Ted ne put s'empêcher de penser : « Ce n'est pas une *bonne* nouvelle. C'est une nouvelle *fantastique*. »

Un délai décent s'écoula entre la mort tragique de Dieter Hartshorn et la publication d'une note discrète du département d'études classiques de Harvard, annonçant que les candidatures pour la chaire Eliot de grec pouvaient être déposées.

Autrefois, les électeurs se seraient contentés de passer quelques coups de téléphone, d'envoyer quelques lettres et, lors d'une réunion du département, on aurait élu un successeur. A présent, la législation fédérale exigeait que les universités rendissent publics les postes disponibles, offrant ainsi des chances égales aux hommes et aux femmes de toute race et de toute religion.

Pour une chaire aussi prestigieuse, l'annonce officielle n'était évidemment que pure formalité. En pratique, le système restait inchangé. Ainsi le département se réunit et établit une courte liste des universitaires spécialistes du grec, considérés comme les plus éminents du monde. Son livre ayant suscité un vif intérêt, même à l'état de manuscrit, le nom de Theodore Lambros se trouva parmi les premiers.

Pour se plier aux termes de la loi destinée à assurer des chances égales pour tous, Ted devrait, au même titre que les autres candidats, rendre visite à Harvard et y donner une conférence.

« Je sais combien cela est ridicule, s'excusa Cedric Whitman au téléphone. Nous vous connaissons depuis des années et nous vous avons entendu parler, mais nous devons suivre les nouveaux règlements au pied de la lettre et vous prier de faire cette conférence dite d' " essai ".

— Aucun problème », répondit Ted, qui, en imagination faisait ses malles en vue d'un retour triomphant à Cambridge.

Ils se mirent d'accord sur la date de cette conférence. Officiellement, il s'agissait d'un simple test. Ted y voyait, lui, un discours inaugural.

« Parmi les nombreuses publications de notre conférencier de ce soir, deux sont particulièrement remarquables : *Tlémosyne,* brillante étude du héros tragique de Sophocle et *le Poète du paradoxe,* une analyse d'Euripide, qui paraîtra d'ici peu et dont j'ai eu l'honneur et le plaisir de lire le manuscrit.

« Ce soir, M. Lambros tentera d'élucider certains passages plus ou moins obscurs de la dernière pièce d'Euripide : *Iphigénie en Aulide.* Permettez-moi de vous présenter le professeur Lambros. »

Ted se leva. Il serra la main de Whitman et plaça ses notes sur le pupitre. En ajustant le micro, il jeta un coup d'œil dans la salle : jamais il n'avait vu pareille affluence à Boylston Hall.

Il se sentit extraordinairement détendu en cette occasion, qui aurait dû être éprouvante, l'ayant maintes fois vécue dans ses rêves.

Plus il parlait, moins il avait recours à ses notes. Il put ainsi regarder son auditoire, croisant adroitement le regard d'éminents personnages, de dignitaires aussi importants que Derek Bok, président de Harvard.

Il venait d'entamer un exposé sur l'audacieux symbolisme visuel, contenu dans l'entrée en scène de Clytemnestre portant Oreste enfant, quand brusquement il resta le souffle coupé. Ses auditeurs, captivés par son introduction théâtrale, ne s'en rendirent pas compte.

Sara *était* là. Plus belle que jamais.

Pourquoi ? se dit Ted. Pourquoi mon ex-femme qui devrait être à Oxford se trouve-t-elle à Boylston Hall ?

Ses pensées se bousculèrent plus rapides que l'éclair. Tel un héros d'Homère, il s'exhorta à reprendre son calme. « Lambros, calme-toi, nom de Dieu ! Reprends-toi ! C'est ta dernière chance d'obtenir ce que tu as désiré toute ta vie durant. »

Et il y parvint. Héroïquement.

Il s'obligea à ralentir, reprit son souffle, ignora ses deux derniers paragraphes et leva la tête pour les paraphraser. Sa conclusion fut accueillie par des applaudissements admiratifs.

Le président de l'université et les doyens vinrent lui serrer la main. Sara s'approcha à son tour de l'estrade pour féliciter son ex-mari, tandis que les professeurs les plus chevronnés du département de lettres classiques attendaient discrètement au fond de la salle.

« Remarquable, Ted, dit-elle chaleureusement. Ton dernier chapitre est prodigieux.

— Sara, je ne comprends pas. Ne devrais-tu pas être en Angleterre en train de donner des cours ?

— C'est exact. » Puis, elle poursuivit avec un curieux mélange de timidité et de fierté : « Figure-toi que Harvard m'a invitée à poser ma candidature. Je donne un séminaire sur la poésie grecque, demain matin. »

Ted était incrédule.

« Tu veux dire qu'ils t'ont proposé de postuler à cette chaire de grec ?

— Oui, si ridicule que cela paraisse. Il est évident qu'elle te revient, ne serait-ce qu'en raison de ce que tu as publié.

— Ils t'ont offert le voyage au vu de trois articles ?

— Quatre, plus mon livre.

— Ton livre ? Quel livre ?

— Oxford a apprécié ma thèse. Leurs presses universitaires la publieront cet été. Le département des lettres classiques de Harvard a dû en apercevoir un exemplaire.

— Oh ! s'exclama Ted abasourdi. Félicitations !

— File vite, dit-elle, les huiles t'attendent pour prendre un verre et dîner en ta compagnie.

— En tout cas, dit-il distraitement, je suis heureux de t'avoir revue. »

La réception qui suivit la conférence de Ted eut lieu au club des enseignants. Ted avait compris que cela faisait partie du « parcours du combattant », socialement parlant... parcours qu'il se devait d'accomplir autant pour se rappeler au bon souvenir de ses anciens amis, que pour convaincre ses anciens détracteurs qu'il était charmant, cultivé, etc. L'année passée à Oxford semblait avoir rehaussé son prestige et poli sa conversation.

Tard dans la soirée, le latiniste Norris Carpenter estima bon de s'amuser aux dépens du candidat.

« Professeur Lambros, lança-t-il avec un sourire patelin, que pensez-vous de l'ouvrage du Dr James ?

— Feriez-vous allusion au *Properce* de F. K. James ?

— Non, je parle du *Callimaque* de l'ex-Mme Lambros.

— Pour tout vous avouer, je ne l'ai pas lu, professeur. Il n'est encore qu'à l'état d'épreuves, n'est-ce pas ?

— Oui, poursuivit le perfide latiniste, un travail aussi approfondi a dû nécessiter des années de recherches. En tout état de cause, elle l'a commencé sous votre férule. Quoi qu'il en soit, elle éclaire d'une façon inédite les relations entre les Grecs hellènes et la pensée latine à ses débuts.

— J'ai hâte de le lire », reprit poliment Ted, qui se tordit intérieurement de douleur sous le sadisme verbal de Carpenter.

Ted passa le lendemain à déambuler dans les rues de Cambridge.

Vers seize heures, Cedric l'appela chez sa mère. Il alla droit au fait.

« Ils l'ont proposé à Sara.

— Oh ! s'étrangla Ted, son livre est donc si bon que cela ?

— Oui, reconnut Cedric, c'est un ouvrage admirable et, reconnaissons-le, Sara était la personne qu'il fallait, au bon moment.

— Vous voulez dire que c'est une femme.

— Ecoutez, Ted, expliqua le professeur, je vous accorde que le bureau du doyen tient à respecter la législation veillant à assurer à tous, femmes et hommes, des chances égales pour ce qui est de l'emploi. Dans ce cas particulier, il s'agissait de comparer les mérites de deux personnes, hautement qualifiées...

— Cedric, je vous en prie, implora Ted, vous n'avez pas à vous justifier. Elle a gagné, j'ai perdu. C'est tout.

— Je suis désolé. Je comprends que ce soit un coup pour vous », conclut Whitman.

« Le comprends-tu vraiment, Cedric ? Oui, comprends-tu ce que c'est que de travailler pendant quarante années de cette foutue vie en vue d'un

seul but ? De renoncer à tout. De résister aux relations humaines susceptibles de vous distraire de votre travail. De sacrifier sa jeunesse, *pour
rien ?*...

« Peux-tu imaginer ce que cela représente d'attendre depuis l'enfance
que les portes de Harvard s'ouvrent devant vous, et de soudain se rendre
compte qu'elles resteront closes à jamais ?... »

Ted n'avait qu'un désir, s'enivrer. Jusqu'à l'inconscience.

Il se rendit au *Marathon*, s'installa à une table du fond. Il demanda aux
garçons de veiller à ce que son verre fût toujours plein.

Vers neuf heures du soir, tandis qu'il approchait doucement des vignes
du Seigneur, une voix le tira de sa morose ébriété.

« Ted, puis-je m'asseoir ? »

C'était Sara. La dernière personne qu'il eût souhaité voir.

« Je vous félicite pour votre nouveau poste, madame James. A tout
seigneur, tout honneur, pas vrai ? »

Sara le réprimanda gentiment :

« Ted, ressaisis-toi, le temps de m'écouter. »

Elle marqua une brève pause.

« Je ne le prends pas.

— Quoi ?

— Je viens d'appeler le doyen et je lui ai dit que, réflexion faite, je ne
pouvais pas accepter ce poste.

— Mais pourquoi ? reprit Ted, c'est ce qui existe de mieux dans le
monde universitaire, le fin du fin...

— Oui, pour toi, répondit-elle avec tendresse. Ted, en te voyant sur ce
podium, hier soir, j'ai compris que tu étais dans ton paradis. Je ne pouvais
pas t'en priver.

— Ecoute, Sara, ou tu es folle, ou tu t'amuses à me faire une cruelle
plaisanterie pour te venger. Personne, m'entends-tu, *personne* ne refuse la
chaire Eliot.

— C'est pourtant ce que je viens de faire, répliqua-t-elle.

— Pourquoi diable as-tu laissé gâcher et ce temps et cet argent si tu ne
l'envisageais pas sérieusement ?

— A vrai dire, je me suis posé cette question toute la journée.

— Et...

— Je crois que je voulais me prouver à moi-même que je valais quelque
chose sur le plan universitaire. J'ai mon amour-propre moi aussi. Je
désirais savoir si j'étais capable de parvenir à ce niveau.

— L'expérience a été concluante et, si tu me permets ce jeu de mots, tu
as gagné la belle... et la revanche.

— Une fois l'exaltation première évanouie, j'ai compris que je faisais
une erreur. Après tout, ma carrière n'est pas le seul et unique objet de ma
vie. Je souhaite faire de ma deuxième tentative de vie conjugale une
réussite. Les bibliothèques ferment à vingt-deux heures, mais le mariage,
lui, dure vingt-quatre heures sur vingt-quatre. Surtout s'il est solide. »

Ted ne fit aucun commentaire.

Légèrement embrumé, il tentait de saisir le sens des paroles de Sara.

« Allons, Lambros, souris, murmura-t-elle gentiment. Je suis sûre et certaine qu'ils te la proposeront. »

Ted regarda son ex-femme, assise de l'autre côté de la table.

« Sara, je sais que tu serais sincèrement heureuse qu'elle me revienne. Compte tenu du salaud que j'ai été à ton égard, je t'admire de voir les choses ainsi.

— Tout ce que je ressens, ce sont des relents de tristesse, ajouta-t-elle d'une voix à peine audible, nous avons vécu ensemble des années très heureuses. »

Ted sentit son estomac se nouer.

« Les plus heureuses de ma vie », reprit-il.

Sara hocha mélancoliquement la tête. On eût dit que tous deux pleuraient la mort d'un ami très cher.

Ils demeurèrent en silence, puis Sara se leva pour partir.

« Il est tard. Je dois m'en aller.

— Oh! attends une seconde », la supplia-t-il.

Il avait une chose importante à lui dire et s'il ne le faisait pas maintenant, il n'en aurait jamais l'occasion.

« Sara, je regrette profondément ce que j'ai fait. J'ignore si tu le croiras, mais je donnerais tout, y compris Harvard, pour que nous soyons encore ensemble... »

Il riva sur elle un regard implorant, suspendu à sa réponse.

« Me crois-tu ? reprit-il.

— Oui, répondit-elle, mais il est trop tard. »

Là-dessus, elle se leva et murmura :

— Bonsoir, Ted. »

Elle se pencha vers lui, l'embrassa sur le front et s'éloigna le laissant seul, au faîte de la gloire...

Les parents de Jason prirent l'avion pour se rendre en Israël au printemps 1974. Ils vécurent une semaine au kibboutz où ils apprirent à connaître et à aimer leurs petits-enfants et leur belle-fille.

Jason et Eva leur firent les honneurs du pays, depuis le Golan jusqu'à Sharm El-Sheikh, cœur du Sinaï occupé. Ils passèrent les cinq derniers jours à Jérusalem, la plus belle ville du monde, à en croire monsieur Gilbert.

« Tes parents sont adorables, déclara Eva après les grands adieux, à l'aéroport de Tel Aviv.

— Crois-tu qu'ils aient été heureux de leur séjour ? questionna Jason.

— Il me semble que s'il existe un état au-delà de l'extase, ils y sont ! répondit Eva. J'ai été profondément touchée ce matin, lorsque ton père a embrassé les garçons, il n'a pas dit " au revoir ", mais *shalom*. Je suis prête à parier ce que tu voudras qu'ils reviendront l'an prochain. »

Eva ne se trompait pas... Les Gilbert revinrent au printemps 1975, puis de nouveau en 1976. Lors de leur troisième voyage, ils amenèrent Julie qui,

« entre deux mariages », avait hâte de mettre à l'épreuve le mythe de la phallocratie israélienne.

Jason était, à présent, instructeur. Ce n'était pas à proprement parler un emploi sédentaire, ni de tout repos dans l'élite des unités spéciales, mais l'affectation était moins dangereuse que les précédentes.

Son travail consistait à se rendre au centre de recrutement proche de Tel Aviv et de déterminer parmi les jeunes recrues celles qui seraient mentalement et physiquement aptes aux rudes exigences du *Sayaret Matkal*. Jason était sous les ordres de Yoni Netanyahu, dont la bravoure, lors de la guerre du Yom Kippour, avait été récompensée par de nombreuses décorations.

Yoni avait passé un an à Harvard. Il espérait y retourner pour terminer sa licence. Jason et lui passèrent de nombreuses soirées d'été à évoquer les sites familiers de Cambridge : Harvard Square, Widener Library, Elsie's, les bords de la Charles où les étudiants se retrouvaient pour faire de la course à pied.

Ces conversations éveillèrent chez Jason le désir de revoir ces endroits où il avait mené une existence simple et heureuse.

Eva et lui caressèrent le projet de passer un an aux Etats-Unis, lorsque son contrat avec l'Armée arriverait à terme. Si on l'acceptait à l'âge avancé de trente-neuf ans, il pourrait terminer son droit et, par la suite, ouvrir en Israël un cabinet juridique représentant des firmes américaines.

« Qu'en penses-tu Eva ? lui demanda-t-il, crois-tu que les enfants en seraient heureux ?

— Je devine que leur père le serait, répondit-elle avec un sourire indulgent. Pour ma part, j'ai tellement entendu parler de Harvard, au cours de ces années, que j'ai moi aussi le mal du pays... Allez, écris ta lettre... »

Après avoir été tant d'années « absent sans permission », Jason n'eut cependant aucune difficulté pour se faire réadmettre en fac de droit. Le directeur adjoint du bureau des admissions était Tod Anderson, un de ses bons copains, ce qui facilita les choses.

Jason fut admis en troisième année de droit, pour l'année scolaire 1976-1977.

En mai 1976, Jason quitta le *Sayaret* et le service actif. Il ne devait plus qu'une période de réserve d'un mois, tous les ans, jusqu'à l'âge de cinquante-cinq ans.

Au moment des adieux, Yoni ne put s'empêcher de laisser transparaître un peu d'envie :

« Pense à moi, lorsque tu feras du jogging le long de la Charles, *Saba*... et n'oublie pas de m'envoyer des cartes postales de Cambrigde ! »

Ils rirent de bon cœur et se séparèrent.

Le 27 juin, tout changea.

Le vol 139 d'Air France, en provenance de Tel Aviv et en direction de Paris, fut détourné après avoir fait escale à Athènes.

Même pour les Palestiniens, il ne s'agissait pas d'une opération terroriste ordinaire.

Après avoir atterri pour refaire le plein en Libye, l'avion se dirigea vers

Entebbe, Ouganda. Les deux cent cinquante-six passagers furent parqués dans l'ancienne aérogare de Kampala, et gardés en otages.

Le lendemain, les terroristes firent connaître leurs exigences. Ils réclamaient la mise en liberté de cinquante-trois de leurs camarades, dont quarante étaient dans des prisons israéliennes, et la remise d'une rançon équivalant à plusieurs millions de dollars.

La politique d'Israël avait toujours été de refuser toute négociation avec les terroristes. Cette fois, face à l'insistance des familles des passagers qui assiégeaient les services gouvernementaux à Jérusalem, et suppliaient qu'on acceptât un échange afin de sauver la vie des leurs, le gouvernement se montrait perplexe.

Dans des conditions ordinaires une crise de ce genre eût été confiée à la section antiterroriste, mais les otages se trouvaient à plus de sept mille kilomètres d'Israël, hors de portée d'une opération militaire de sauvetage, apparemment du moins!

Quelques minutes après l'annonce par radio des exigences des terroristes, Jason pénétra dans la salle de classe où Eva apprenait à lire l'heure à des bambins de trois ans. Il lui fit signe de sortir.

« Eva, je pars, dit-il laconiquement.

— Puis-je savoir où?

— Je rejoins mon unité.

— Tu es fou. Ils ne peuvent rien faire. Et, en plus, tu es à la retraite!

— Ecoute, Eva, je ne peux pas t'expliquer, mais vois-tu j'ai passé la moitié de ma vie à pourchasser certains de ces assassins qui sont en prison. Si nous cédons et les relâchons, tout ce que nous avons essayé de faire n'aura servi à rien. Le monde deviendra le terrain de jeu des terroristes. »

Les yeux d'Eva s'emplirent de larmes:

« Jason, tu es le seul être que j'aie jamais aimé. Le seul être que je n'aie pas perdu. N'as-tu pas assez sacrifié de ta vie? Tes enfants ont besoin d'un père, et non pas d'un héros... »

Elle se tut, sachant que des mots ne suffiraient pas pour l'arrêter. Elle souffrait déjà de son absence, alors qu'il se tenait en face d'elle.

« Jason, pourquoi? demanda-t-elle. Oui, pourquoi faut-il que ce soit toi?

— Eva, c'est quelque chose que tu m'as appris, reprit-il d'une voix étouffée: la seule raison pour laquelle ce pays existe, c'est pour protéger notre peuple. *Partout. Partout.* »

Elle pleura doucement, blottie contre sa poitrine. Elle avait fait de lui un trop bon juif... L'amour de Jason pour Israël passait à présent avant celui qu'il vouait aux siens.

Elle le laissa partir, sans même lui dire qu'elle portait de nouveau un enfant.

« Décampe d'ici, *Saba,* c'est un boulot de jeune homme.

— Voyons, Yoni, si on monte une opération, je veux en faire partie.

— Ecoute, mon vieux, je n'ai aucune idée de ce que nous allons faire. Pour l'instant, le gouvernement estime que c'est trop risqué. Pour être honnête, disons que nous n'avons pas encore réussi à concevoir un plan qui ait au moins cinquante pour cent de chances de réussite.

— Alors, pourquoi ne me laisseriez-vous pas participer à ces réunions de mise en commun de votre matière grise ? Je ne suis tout de même pas trop décrépit pour penser ! »

Cette discussion fut interrompue par le général Zvi Doron, ex-directeur du *Sayaret,* et maintenant chef des services secrets des forces de la Défense.

« Les gars, aboya-t-il, ce n'est pas le moment de couper les cheveux en quatre. Gilbert, que fiches-tu là ?

— Je me fais porter " rentrant ".

— Ecoute, nous sommes au pied du mur et nous voici en train de gâcher un temps précieux. Entendu, je te donne soixante secondes pour me convaincre de ne pas te faire foutre dehors par la sentinelle. Vas-y, parle !

— D'abord, commença Jason, qui cherchait désespérément **un** argument, lorsque vous avez sélectionné une équipe pour capturer Adolf Eichmann, vous avez délibérément choisi des survivants des camps de concentration, sachant que nul ne se montrerait plus courageux et moins disposé au compromis qu'une victime à laquelle on donne l'occasion de se venger. »

Jason se tut un instant, puis poursuivit :

« Je suis, moi aussi, une victime. Ces animaux ont tué la première femme que j'aie jamais aimée. Et soyez sûrs que pas un seul gars de cette unité ne donnerait davantage que moi pour épargner à d'autres cette cruelle expérience. »

Jason essuya sans honte ses joues avec sa manche avant de conclure :

« Outre cela, vous n'avez pas de meilleur soldat que moi. »

Zvi et Yoni se regardèrent hésitants.

Le commandant finit par prendre la parole :

« A mon avis, cette opération est démentielle. S'ils nous laissent l'effectuer, nous aurons peut-être besoin d'un fou du genre de Gilbert. »

Tandis que le *Sayaret* se démenait pour élaborer un plan de bataille, le gouvernement israélien tentait de négocier avec les pirates de l'air, ne fût-ce que pour gagner du temps.

Après quarante-huit heures, les passagers non israéliens furent relâchés et convoyés par avion en France, où ils racontèrent une histoire déchirante. Comme dans les camps de concentration nazis, on avait procédé à une « sélection » et les otages israéliens avaient été séparés des autres et conduits dans une salle spéciale.

Le gouvernement était soumis à la pression croissante de l'opinion publique pour qu'il accède aux exigences des terroristes et sauve ainsi une centaine de vies innocentes. Le cabinet ministériel allait capituler quand on annonça une visite du général Zvi Doron. Celui-ci exposa le plan conçu par son équipe pour libérer les otages par la force. Il l'expliqua aux ministres qui acceptèrent de l'étudier.

En attendant, Doron rentra répéter l'atterrissage à Entebbe.

Des architectes israéliens ayant participé à la construction de la vieille aérogare ougandaise, ils en possédaient des plans détaillés et purent construire une maquette grandeur nature. D'après le témoignage de ceux qui avaient été relâchés à Paris, il fut facile de déterminer l'endroit où étaient parqués les otages.

En sa qualité de vétéran, Jason prit part à la discussion logistique. Il était exclu, vu la distance, de transporter par les airs un grand nombre d'hommes. L'élément surprise serait par conséquent primordial.

Les C-130 étaient indubitablement lents, mais ils étaient conçus pour couvrir pareille distance. Restait à mettre au point la libération des otages et leur embarquement avant la riposte.

Les Israéliens ne négligèrent aucun détail. Ils allèrent jusqu'à projeter des films d'amateur montrant Idi Amin, le chef ougandais, en train de se promener dans Kampala, dans son imposante Mercedes noire.

« Voilà ! s'exclama Jason, si nous parvenons à faire croire aux gardes que c'est Amin en personne qui arrive, nous gagnerons quinze à vingt secondes cruciales avant qu'ils n'éventent le subterfuge.

— Excellente idée ! » approuva Zvi. Se tournant alors vers son adjudant, il ordonna :

« Trouvez-nous une Mercedes. »

Ils prévoyaient d'emmener un commando de deux cents hommes, des jeeps et des Land Rover, répartis en trois avions de transport. Un quatrième avion, du type Hercule, ferait office d'hôpital volant. On prévoyait de dix à cinquante victimes, en cas de réussite.

En fin d'après-midi, l'adjudant réapparut avec la seule Mercedes disponible. C'était un modèle Diesel blanc, qui toussait et crachait comme un cheval asthmatique.

« Impossible d'utiliser cette épave, déclara Zvi. Même si nous la peignons, ce bon Dieu de moteur qui hoquette nous trahira avant même que nous ayons commencé.

— Ecoutez, suggéra Yoni. Pourquoi ne pas confier à Gilbert le soin de la retaper ? Il n'est pas trop vieux pour réparer les moteurs !

— Merci, cher ami, reprit Gilbert d'un ton sardonique, trouve-moi les outils et je te le rendrai aussi silencieux que celui de la berline la plus luxueuse. »

Tout l'après-midi, toute la nuit il s'évertua à régler le vieux tacot qu'il fit repeindre en noir. Certaines pièces détachées manquant encore, il en donna la liste à Yoni.

Le jeune officier s'exclama :

« Crois-tu par hasard que nous allons les commander en Allemagne ?

— A vrai dire, j'attendais plus d'initiative chez un ancien de Harvard, rétorqua Jason. Bon Dieu ! trouve des taxis Mercedes et *fauche* les pièces dont nous avons besoin ! »

Le vendredi, l'unité se livra à une répétition générale dans « leur » aérogare. Il leur fallut soixante minutes chrono pour effectuer atterrissage imaginaire, évacuation et décollage.

« Trop long, annonça Yoni à ses soldats épuisés, si nous ne réussissons pas à faire cela en moins d'une heure, nous ne partons pas. »

Après un dîner de rations de combat, ils recommencèrent. Il leur fallut cette fois cinquante-neuf minutes trente secondes.

Yoni rassembla alors ses hommes et leur fit une brève allocution :

« L'ultimatum des terroristes expire demain soir. Ils menacent d'exécuter les otages à l'expiration de cet ultimatum. Il faut arriver à temps là-bas. Le problème est que le cabinet n'entérinera pas notre plan avant demain matin. Il ne nous reste plus qu'à mettre en route l'opération en espérant qu'ils nous ordonneront par radio de continuer. Bien entendu, personne ne quitte la base. Les lignes téléphoniques ont été coupées. Maintenant, tâchez de dormir. »

Les jeunes soldats se dispersèrent. Ils se dirigèrent vers la salle voisine où ils avaient leur sacs de couchage. Seul, Jason resta. Il voulait parler à Yoni.

« Merci de ton aide, dit Yoni. Je suis heureux que tu sois venu.

— Mais pourquoi ne me laisses-tu pas embarquer avec vous ?

— Ecoute, reprit calmement Yoni, l'âge moyen de ces gars est de vingt-trois ans. Tu en as presque quarante. Même les plus grands athlètes ralentissent à cet âge. Ils perdent cette fraction de seconde cruciale dans leur temps de réaction.

— Mais je t'assure que je fais encore le poids, Yoni. Je le sais, tu peux y aller, ne serait-ce que pour réparer les moteurs des bagnoles.

— Ecoute, *Saba,* la question est trop sérieuse pour qu'on puisse y mêler des sentiments. Tu restes ici, un point c'est tout. »

Jason hocha la tête et sortit du bâtiment où le *Sayaret* avait ses quartiers. Mettant à profit les années d'expérience passées à éviter de se faire repérer, il se glissa près des gardes et disparut dans la nuit.

L'opération Thunderbolt débuta peu après midi, le samedi 3 juillet.

On chargea d'abord le matériel médical. Les véhicules militaires et la Mercedes noire suivirent. Enfin les hommes grimpèrent dans l'avion pour cette mission de sauvetage, à huit mille kilomètres de là. Une mission qui ne pouvait supporter la moindre bavure.

Quatre « hippos » Hercule s'ébranlèrent sur le tarmac avant de décoller direction plein sud. Le plan comportait un dernier plein à Sharm El-Sheikh, le point le plus au sud du territoire israélien.

Les pilotes avaient pour instructions majeures d'éviter d'être détectés par les radars arabes et d'économiser au maximum le carburant. Aussi volèrent-ils si bas que les rafales de vent qui balayaient le désert secouaient les avions. A l'atterrissage à Sharm El-Sheikh, au bout d'une demi-heure de vol, certains membres du commando étaient anéantis par le mal de mer ; l'un d'eux s'était évanoui.

Dès qu'ils touchèrent le sol et commencèrent à rouler, Yoni ordonna aux médecins de faire quelque chose pour ceux que leur estomac avait trahis avant que leur courage eût été mis à l'épreuve.

Un médecin murmura :

« Nous aurions dû distribuer de la dramamine. C'est une erreur de notre part. »

« Espérons que ce sera la seule que nous ayons faite », pensa Yoni en sautant sur la piste pour conférer avec Zvi. A ce moment précis, le cabinet ministériel se réunissait pour décider s'il leur donnait ou non le feu vert.

Zvi, lui aussi, avait eu des malades dans son avion.

« Mieux vaudrait laisser Yoav ici, dit-il, il est trop mal fichu.

— Quel devait être son rôle ? s'enquit Zvi.

— Conduire la Mercedes », expliqua une troisième voix. Et de derrière les énormes roues du C-130 sortit Jason Gilbert, portant une ceinture de grenades à la main, kalashnikov en bandoulière.

« *Saba,* nom de Dieu ! explosa Zvi.

— Calme-toi, mon vieux, riposta Jason, j'ai conduit toute la nuit. *Primo,* vous n'auriez jamais dû me laisser derrière. *Secundo,* vous devez m'embarquer. »

Yoni et Zvi échangèrent un regard. Zvi se décida sur-le-champ.

« Fais descendre Yoav. Embarque, Jason. »

A quinze heures, ils décollèrent de Sharm El-Sheikh et suivirent un couloir aérien au beau milieu de la mer Rouge, entre l'Egypte et l'Arabie Saoudite.

Ils repérèrent des vaisseaux de guerre soviétiques, équipés de radars. Les quatre avions, tels des poissons volants et non pas des machines volantes, rasèrent la mer.

Un quart d'heure plus tard, un message laconique leur parvint par radio : « Feu vert sur toute la ligne. Coupons contact avec vous. Appelez dès que sur le chemin du retour. »

Yoni sortit du cockpit et annonça calmement à ses hommes :

« L'opération est officiellement en route. Nous avons sept heures pour tuer le temps, puis quarante-cinq minutes pour nous surpasser. Vérifiez votre matériel et essayez de dormir. »

Un des membres du commando, portant un uniforme élaboré pour imiter celui d'Idi Amin, tendit à Jason un tube de fard d'acteur d'un brun très soutenu.

« Tiens *Saba.* Si tu es censé être mon chauffeur, mieux vaut que tu aies la tête de l'emploi. Enduis-en également tes cheveux. Je ne crois pas qu'il existe des Ougandais blonds. »

Jason approuva de la tête et prit le tube de fond de teint.

« L'attente, c'est bien ça le plus dur, déclara son camarade.

— Oh ! j'y suis habitué. Il m'est arrivé de passer trois jours et trois nuits, planqué dehors, à attendre une huile de l'OLP.

— Oui, mais à combien de kilomètres de la frontière israélienne ? demanda le jeune homme.

— Huit environ.

— Ici, nous sommes à mille fois cette distance.

— Je n'ai pas dit que je n'avais pas peur, reprit Jason.

— Veux-tu un bouquin ?

— Qu'est-ce que tu as à me proposer ?

— *Les Canons de Navarone.*

— Tu plaisantes, dit-il en riant. Au point où nous en sommes, tu ferais mieux de lire la Bible. »

Jason soupira et fouilla dans sa poche.

« Que fais-tu ?

— Je regarde des photos.

— De l'aéroport ?

— Non, de ma famille. »

Six heures et demie plus tard, ils survolaient le Kenya en pleine obscurité. D'ici quelques minutes, ils seraient au-dessus du lac Victoria et descendraient vers l'aéroport d'Entebbe. L'heure H approchait.

Yoni parcourait l'avion, s'assurant que ses hommes étaient prêts. Il s'arrêta et à travers la vitre de la Mercedes il entrevit Jason au visage d'ébène, qui vérifiait son pistolet. Il leva les yeux en voyant arriver Yoni.

« Je tenais à m'assurer que personne ne prendrait ma place de parking, plaisanta Jason. Tes gars sont nerveux ?

— Pas plus que toi ou moi, répondit Yoni. Bonne chance, *Saba*. Au boulot ! »

Le minutage était parfait. Le premier avion arriva au moment précis où, comme prévu, un avion anglais demandait à la tour de contrôle d'Entebbe l'autorisation d'atterrir. Le premier Hercule était dans le sillage de l'avion anglais. Il se posa à moins de cent mètres derrière lui. Ils commencèrent à se diriger vers l'aérogare puis, sans se précipiter, tournèrent à gauche, en prenant soin de laisser tomber des projecteurs d'atterrissage mobiles pour que les autres avions les suivent aisément. Personne ne les avait remarqués. Ils roulèrent vers un coin sombre du terrain et débarquèrent.

Une douzaine de commandos sautèrent au sol et se dépêchèrent d'installer une rampe pour la Mercedes de Jason. Elle ronronnait déjà à la descente et démarra en direction du bâtiment où étaient emprisonnés les otages.

Deux Land Rover bourrées de soldats la suivaient de près, visibles de la tour de contrôle. Deux soldats ougandais surgirent pour identifier les occupants de la voiture. Yoni et un autre soldat les abattirent avec des pistolets munis de silencieux.

« Nous ferions mieux de faire le reste du trajet à pied », chuchota Yoni. Quelques secondes plus tard, ils défonçaient la porte du hall où les otages étaient couchés sur le sol, essayant de dormir. Ce hall était éclairé de façon que les gardes pussent surveiller leurs prisonniers, ce qui facilita la tâche des sauveteurs.

Un des terroristes réalisa ce qui se passait. Il ouvrit le feu. Il fut tué instantanément. Deux autres accoururent en tirant.

Effrayés, des otages bondirent sur leurs pieds. Un soldat israélien aboya dans un haut-parleur des instructions en hébreu et en anglais.

« Nous sommes des soldats israéliens. Restez couchés ! Restez couchés ! »

Jason apparut sur le seuil, arme au poing.

Une vieille dame affolée demanda :

« Etes-vous vraiment un de nos gars ?

— Oui, rétorqua-t-il, couchez-vous.

— C'est Dieu qui vous a envoyés », s'exclama-t-elle. Et elle obéit.

C'est alors que Jason remarqua un type suspect qui tentait de se déplacer derrière les otages.

Une femme dont il se servait comme bouclier répliqua courageusement :

« Non, c'est un des leurs. »

Et elle se dégagea de l'emprise de son geôlier.

Le terroriste sortit prestement une grenade et la dégoupilla. Jason brandit

343

son pistolet et tira. L'homme s'écroula, lâchant la grenade. Jason se précipita, la lança dans un coin où elle explosa sans toucher personne.

Yoni traversa le hall en courant. Il voulait s'assurer que tous les gardes avaient été éliminés. De l'extérieur leur parvenaient les éclats d'une fusillade féroce : les autres unités étaient aux prises avec les soldats ougandais.

Yoni s'empara du haut-parleur :

« Ecoutez-moi, tous ! Des avions nous attendent. Filez d'ici. Des soldats se tiennent à l'extérieur pour vous protéger. Des jeeps ont été prévues pour ceux qui ne peuvent pas marcher. En route ! »

Les captifs, encore sous le choc, obéirent. Ils étaient trop engourdis pour se réjouir, trop saisis pour croire qu'ils ne rêvaient pas.

L'évacuation commençait. Des soldats ougandais tiraient dans tous les sens depuis la tour de contrôle. Jason se fraya un chemin entre les deux rangs de soldats qui s'étaient formés pour garantir les otages. Il transportait un vieillard, atteint par des balles lors d'un chassé-croisé. Il atteignit l'avion, confia l'homme aux médecins qui attendaient à la porte puis se hissa à bord.

Tandis que Jason l'aidait à s'installer sur un matelas, il entendit un soldat bafouiller un « oh, non ! » angoissé dans un talkie-walkie.

« Que se passe-t-il ? cria-t-il.

— C'est Yoni ! Yoni a été touché ! »

Jason bondit. Il attrapa un fusil et sauta de l'avion, courant à toutes jambes vers l'aérogare. Il aperçut au loin des soldats qui soulevaient Yoni et le mettaient sur une civière. Les balles crépitaient, tirées de la tour de contrôle.

Sitôt qu'il fut à portée de tir, Jason s'arrêta et commença à riposter. Dans son esprit : quiconque avait touché Yoni le payerait cher.

Zvi lui lança un pressant appel :

« Gilbert, tout le monde est à bord, nous décollons ! »

Jason n'en tint pas compte. Il continuait à tirer. Une silhouette vacilla et tomba de la tour. Il avait atteint un des tireurs embusqués.

Zvi lui cria de nouveau :

« Gilbert, reviens ! C'est un ordre ! »

Mais Jason continuait à tirer, fou de rage. Il tirerait jusqu'à épuisement de ses munitions. Le rugissement du premier Hercule qui décollait le ramena brutalement à la réalité. Il jeta son fusil à terre et se précipita vers l'avion le plus proche.

C'est alors qu'une balle le toucha. Elle lui déchira l'épaule droite, l'atteignant à la poitrine.

Il trébucha mais ne tomba pas. Non, il ne laisserait pas ses camarades risquer leur vie pour le sauver. Il se traîna jusqu'à la porte de l'avion. Ils le hissèrent à l'intérieur. Lorsqu'il vit un des membres du commando sursauter en apercevant son torse, il comprit qu'il était grièvement blessé.

Il ne sentait toujours rien.

Un des médecins découpa sa chemise.

Il entendit la porte de l'avion claquer et quelqu'un s'écrier :

« Nous avons réussi. Nous rentrons chez nous ! »

Jason regarda le médecin dont le visage était livide.

« Est-ce vrai ? demanda-t-il, avons-nous réussi notre coup ?

— Détends-toi, *Saba*. Ne te fatigue pas. Oui, nous avons tous les otages, sauf un. Ce n'est pas une réussite, c'est un miracle. »

L'avion prenait de la vitesse. Une minute plus tard, il décolla du sol ougandais.

Mission accomplie.

Jason refusa de se taire. Il sentait qu'il ne lui restait plus que très peu de temps et il avait encore des questions à poser. Et tant de choses à dire...

« Yoni est mort ? » demanda-t-il.

Le docteur fit signe que oui.

« Merde ! C'était le meilleur, le type le plus courageux que j'aie jamais rencontré.

— C'est pourquoi il aurait trouvé que ça valait le coup, *Saba*. »

Zvi était à côté de Jason.

« Ouais », reprit Jason en souriant, étourdi d'avoir perdu tant de sang, « à la guerre on ne peut pas empêcher l'ennemi de marquer des points. Pas vrai ?

— Jason, ne te fatigue pas.

— A d'autres, Zvi ! J'aurai bientôt tout le temps de me reposer. »

Il parlait de plus en plus lentement.

« Je voudrais seulement qu'Eva sache... que je lui demande pardon de lui avoir fait cela... à elle et aux garçons... Dis-leur que je les aime... »

Son supérieur était incapable de parler. Il se contenta d'acquiescer de la tête.

« Et dis-leur encore une chose, poursuivit Jason en suffoquant, dis-leur que j'ai trouvé la paix. J'ai enfin... trouvé la paix... »

Sa tête roula sur le côté. Le médecin plaça un doigt sur sa carotide. Il ne put trouver de pouls.

« C'était un brave, dit Zvi d'une voix étouffée. Certains des gars m'ont rapporté qu'il avait renvoyé une grenade amorcée. Il était aussi rapide que l'éclair... un athlète. »

La voix de Zvi se brisa. Il se détourna et s'éloigna vers l'arrière de l'avion.

L'avion poursuivit son vol. Vol triomphal. Vol endeuillé.

En ce 4 juillet, Jason Gilbert père se leva à six heures du matin selon son habitude. Après quelques brasses dans sa piscine, il enfila une robe de chambre et rentra se raser et se préparer à recevoir ses amis qui viendraient à leur traditionnel barbecue pour célébrer la fête nationale américaine.

Il s'assit pour regarder les informations télévisées. On y relatait l'incroyable raid du commando israélien.

Le commentateur y voyait un exploit qui s'inscrirait dans les annales de l'histoire militaire, non seulement à cause de la distance, mais surtout à cause du plan admirablement élaboré qui avait permis de sauver tous les otages à l'exception d'un seul, et cela au prix de la vie de seulement deux soldats.

M. Gilbert souriait. « Incroyable, pensait-il. Oui, Jason avait raison. Israël ferait tout pour protéger les siens. Qu'il devait être fier ce matin ! »

Il y eut une interview en direct de Chaim Herzog, l'ambassadeur israélien auprès des Nations Unies. Il expliqua le sens profond de ce geste :

« Il y a autre chose à faire que de céder au terrorisme et au chantage, ennemis communs des pays civilisés. Ces êtres ignorent tout respect de l'homme. Nous sommes fiers, non seulement d'avoir sauvé la vie de plus d'une centaine d'innocents, mais d'avoir milité en faveur de la liberté humaine. »

« Ça fait du bien d'entendre ça ! » murmura Jason Gilbert père.

Là-dessus, il alla se raser.

Vers onze heures, ses amis commencèrent à arriver. A midi et demi, tandis qu'il posait les premiers hamburgers sur le grand gril à l'extérieur de la maison, Jenny, la femme de ménage, lui cria qu'il avait un appel téléphonique de l'étranger.

Il prit le téléphone dans la cuisine, bien décidé à expédier l'intrus qui le dérangeait un jour férié.

Dès qu'il entendit la voix d'Eva, il comprit. Après avoir écouté sans rien dire pendant quelques minutes, il promit de la rappeler plus tard dans la journée puis il raccrocha.

Son visage blême et décomposé frappa les convives.

« Que se passe-t-il, chéri ? » questionna sa femme.

Il la prit à l'écart et chuchota quelque chose. Sur le moment, elle fut trop secouée pour pleurer. Il inspira alors profondément, résolu à tenir le coup jusqu'au bout de son discours. Il demanda l'attention générale.

« Je suppose qu'à présent vous avez tous appris la nouvelle de la mission de sauvetage israélienne à Entebbe. »

Quelques hôtes émirent des remarques admiratives.

« Ces hommes ont fait ce qu'aucun pays au monde n'aurait osé tenter. Ils l'ont fait parce qu'ils étaient seuls. Et le fait de se retrouver seul peut rendre très courageux.

« Je suis particulièrement fier..., poursuivit-il avec grande difficulté, que Jason ait fait partie de ce commando... et soit l'un de ceux qui ont été tués. »

Journal d'Andrew Eliot

5 juillet 1976

Notre *New York Times* nous parvient avec un jour de retard ici, dans le Maine. Aussi n'ai-je appris qu'aujourd'hui la terrible nouvelle. On a montré, hier soir, à la télévision, des images des otages israéliens à leur retour à l'aéroport de Tel Aviv où ils ont reçu un accueil enthousiaste.

En revanche, nous n'avons vu aucun des membres du commando engagé dans cette incroyable mission de sauvetage : c'est un groupe ultrasecret qui ne peut être photographié.

Ayant la garde des enfants en juillet, je suis très pris par des contingences du genre organisation d'un feu d'artifice du 4-Juillet ou tout simplement celles d'essayer d'être père...

Cette affaire évoquait tellement la chanson de geste que je n'ai pas imaginé une seconde connaître un des héros.

Je n'ai pas soupçonné un instant que mon ami Jason Gilbert pût être l'un des officiers qui avaient été tués. Sa photo a paru dans le *Times* du 5 juillet ; c'est alors que Dickie Newall m'a téléphoné de New York.

Au début, j'ai eu du mal à le croire : non, pas Jason ! Rien ne pouvait lui arriver. Ne serait-ce que parce que c'était un type trop bien.

Eprouvant le besoin de me reprendre avant de faire face aux enfants, je les ai envoyés déjeuner au village. De mon côté, j'ai sauté dans une barque et ai ramé jusqu'au milieu du lac. Arrivé là, j'ai relevé les rames et me suis laissé flotter, essayant de faire face à cette triste nouvelle.

Ce qui m'affectait le plus, c'était le côté injuste de l'affaire. S'il existe un Dieu devant lequel nous ayons à justifier notre existence sur cette terre, Jason avait plus de raisons de vivre que nul autre, à ma connaissance.

J'aurais voulu pleurer, les larmes ne venaient pas. Je suis resté là, m'efforçant de comprendre, en me demandant ce que Jason eût souhaité que je fasse.

Après avoir ramené la barque, j'ai appelé ses parents dans le Long Island. On m'a répondu qu'ils avaient pris l'avion, la veille, pour Israël, afin d'assister à l'enterrement. J'ai pensé m'y rendre, mais leur employée de maison m'a prévenu que l'enterrement avait lieu aujourd'hui. Ainsi, tandis que je bavardais stupidement au téléphone, on mettait son cercueil en terre. J'ai remercié et raccroché.

Au début de l'après-midi, j'ai fait asseoir Andy et Lizzie sous le porche et je leur ai parlé de mon vieux camarade. Ils m'ont écouté patiemment, mais j'ai vite compris que cela n'était pas plus réel pour eux qu'un film de John Wayne.

J'ai voulu leur faire saisir qu'il s'était sacrifié au nom d'une cause, mais ils sont restés sans réaction ou presque.

J'ai poursuivi en leur expliquant qu'il en était de même dans notre pays avant la guerre du Vietnam. Les gens se battaient pour défendre leurs principes. Je me suis évertué à les sensibiliser en leur disant que c'était dans cet esprit que nos ancêtres avaient combattu les Britanniques en 1776.

Andy n'aime pas m'entendre évoquer ce genre de souvenirs. Il est resté imperméable à mon sermon.

Il a répliqué que j'étais incapable de me mettre dans la tête que le monde doit dépasser la guerre. Qu'aucune violence ne saurait se justifier.

Mieux valait ne pas insister. Je me suis consolé en me répétant qu'il traversait une crise. Dans le fond, qu'est-ce qu'un adolescent gâté peut bien avoir à foutre avec des principes ?

Lizzie commençait à s'impatienter. J'ai conclu notre conversation en déclarant que je souhaitais me rendre en ville pour acheter d'autres fusées en vue d'un feu d'artifice.

Cela a brusquement éveillé l'intérêt d'Andy. Il a voulu savoir si nous célébrerions deux fois le 4-Juillet.

Je lui ai répondu qu'il s'agissait là d'une occasion spéciale.

Nous ferions ce soir un feu d'artifice à la mémoire de Jason Gilbert.

George Keller passa littéralement dans les airs son premier mois de conseiller présidentiel à la Sécurité nationale.

Il accompagna le président Ford, son ministre des Affaires étrangères, Kissinger, et une meute de journalistes à Pékin, en Indonésie, aux Philippines.

Cathy, comprenant que les épouses ne faisaient pas partie de ce genre de voyages, en profita pour s'activer au quartier général de l'ERA (Equal Rights Amendment). Elle s'employa également à apporter une touche féminine à la garçonnière de George.

A peine de retour, Kissinger fourra George dans un avion de l'armée de l'air à destination de l'URSS, dans un ultime effort pour sauver les négociations du Strategic Arms Limitation Talks, plus connu sous le nom de « Salt ».

En leur absence, le Congrès intensifia les attaques contre Kissinger. Toujours sensible aux critiques de l'opinion publique, celui-ci se désespérait. Un jour, George surprit par inadvertance une conversation téléphonique de Henry sur la ligne « Rouge » de l'ambassade américaine à Moscou.

« Monsieur le Président, avec tout le respect que je vous dois, si j'ai perdu à ce point la confiance de mes concitoyens, je suis prêt à vous donner ma démission. »

George, le souffle coupé, se demanda comment Gerald Ford réagirait à cette dernière offre histrionique de Henry. « Un beau jour, se dit-il, ils relèveront le défi, Henry se retrouvera dehors, et nous aurons un nouveau ministre des Affaires étrangères...

Peut-être moi. Qui sait...

Dès février, Washington se concentra de plus en plus sur les affaires intérieures. Pour Gerald Ford, cela revenait à courtiser l'opinion publique en vue des élections de novembre, en tenant à distance Ronald Reagan qui menaçait d'usurper la nomination au titre de candidat républicain.

Les problèmes de George Keller étaient d'ordre purement domestique... Cathy avait hâte de commencer une famille. Aux allégations de George qui estimait qu'ils avaient la vie devant eux, Cathy rétorquait qu'elle ne rajeunissait pas.

« Tu n'as aucun désir d'être père ? lui demandait-elle, cajoleuse.

— Je ferais un père lamentable. Je suis trop égoïste pour donner du temps à un gosse.

— Tiens, tiens, tu y as donc réfléchi.

— Oui, un peu.... »

A vrai dire, George y avait plus qu'un peu réfléchi.

Tous leurs amis avaient des enfants. Même Andrew Eliot.

Ce dernier n'avait-il pas lancé en plaisantant :

« Mon vieux Keller, tu devrais essayer. Dis-toi bien que, si j'y suis arrivé, n'importe qui peut y arriver. »

L'appréhension de George avait quelque chose de viscéral. Cathy le percevait. Elle croyait y voir un vestige de sa relation douloureuse avec son père. Aussi faisait-elle de son mieux pour le rassurer en lui répétant que le seul risque était, bien au contraire, le désir qu'il aurait de compenser auprès de son enfant.

Elle avait raison. Jusqu'à un certain point.

Kissinger et George assistèrent dans les coulisses au second débat entre le président Ford et son adversaire démocrate, Jimmy Carter, le 6 octobre 1976.

Tous deux tiquèrent lorsque Ford déclara inconsidérément que l'Europe de l'Est « n'était pas sous la domination soviétique ».

Henry, sarcastique, chuchota à l'oreille de George :

« Vous lui avez bien appris sa leçon, monsieur Keller. Félicitations ! »

Sitôt le débat achevé, George demanda à Kissinger ce qu'il en pensait.

« A moins qu'une révolution n'éclate à l'instant en Pologne, répondit le ministre des Affaires étrangères, nous nous retrouverons au chômage. »

Kissinger ne se trompait pas. Le jour des élections, les Américains envoyèrent Jimmy Carter à la Maison Blanche et Gerald aux terrains de golf de Palm Springs.

Dorénavant Washington serait ville démocrate... En tout cas pour les quatre années suivantes. Et les alliés de la cause républicaine, comme George Keller, n'avaient plus rien à y faire.

Cathy se réjouissait en secret de la tournure des événements, car elle détestait sa ville natale. Elle était jalouse de la maîtresse de son mari : dame Politique.

Ayant assumé le choc de la déception initiale, George se mit en quête d'une nouvelle carrière. Il rejeta les postes offerts par plusieurs universités pour enseigner les sciences politiques, de même que des offres émanant de maisons d'édition en vue de la publication d'un livre sur ce qu'il avait vécu à la Maison Blanche. Il n'avait pas dit son dernier mot.

Il choisit un poste de consultant à l'échelle internationale pour Pierce Hancock, célèbre firme d'investissement new-yorkaise. Le salaire potentiel dépassait ses rêves les plus extravagants.

Il déclara en plaisantant à Cathy :

« Me voici, non plus capitaliste, mais ploutocrate. »

Cathy sourit, tout en pensant : « Ne serait-ce pas merveilleux si tu devenais aussi un père ? » Et, dans l'optique d'une éventuelle maternité, elle convainquit son époux de vivre à la campagne.

Ils achetèrent une maison de style Tudor à Darien, dans le Connecticut. Cela représentait pour lui un long trajet quotidien. Il aurait donc le temps de lire les journaux de A à Z avant d'arriver au bureau. Il découvrait ainsi ce qui se passait en ce monde qu'il ne contribuait plus à diriger.

Malgré l'insistance de George, Cathy ne chercha pas à se faire admettre au barreau de New York dans la perspective de faire partie d'un cabinet d'avocats métropolitain. Elle préféra le barreau du Connecticut pour accepter un poste de professeur de droit à la faculté de Bridgeport, plus proche de chez eux.

George faisait semblant de ne pas comprendre le sens profond de son désir de rester près du foyer. A la tristesse de Cathy venait s'adjoindre une amertume croissante due au fait que son mari ne la croyait pas lorsqu'elle l'assurait qu'elle prenait la pilule. Ce manque de confiance n'est pas fait pour consolider une union. La leur se détériora rapidement.

George perçut l'insatisfaction de Cathy. Au lieu d'y faire face, il adopta un mode de vie lui permettant d'éviter le problème. Il se mit à travailler de plus en plus tard et à rentrer de plus en plus éméché...

La vie de banlieue sans enfants était pénible.

Les femmes de l'âge de Cathy étaient prises dans un engrenage d'activités tournant autour de leurs rejetons. Elles n'avaient guère d'autre sujet de discussion lorsqu'elles se retrouvaient pour déjeuner. Du coup, Cathy se sentait doublement rejetée : étrangère parmi les mères, coupée de son mari.

« George, es-tu heureux ? lui demanda-t-elle un soir en le ramenant de la gare.

— Drôle de question ! » s'exclama-t-il, l'élocution légèrement pâteuse.

« N'en as-tu pas marre de prétendre que tout va bien entre nous ? N'en as-tu pas marre d'être contraint de te taper ce trajet pour te retrouver avec quelqu'un d'aussi casse-pieds que moi ?

— Pas le moins du monde. Je travaille dans le train...

— Allons, George, tu n'es pas ivre à ce point. Pourquoi ne parlerions-nous pas de notre soi-disant ménage ?

— Que veux-tu dire ? Tu souhaiterais divorcer ? Tu le peux. Tu es encore jolie. Tu trouveras un mari en un rien de temps. »

Cathy était trop retournée pour riposter. Elle arrêta la voiture dans le parking d'un supermarché afin de pouvoir donner toute son attention à cette conversation cruciale sans risquer de s'encastrer dans un arbre.

Elle se tourna vers lui et lui demanda tout de go :

« C'est donc ça, George : c'est fini ? »

George la regarda et, fait rarissime, il se laissa aller à exprimer ses sentiments :

« Ce qui importe pour moi c'est de ne pas te rendre malheureuse.

— Je croyais que c'était moi qui te rendais la vie misérable.

— Non, Cathy. Non. Non. Et non !

— George, dis-moi, que se passe-t-il ? Qu'est-ce qui nous a séparés ? »

Un moment, George resta comme hébété. Enfouissant son visage dans ses mains, il poursuivit d'une voix à peine audible :

« Ma vie, c'est de la merde.

— Comment cela ? demanda-t-elle doucement.

— Sur tous les plans. Je m'en prends à toi parce que, vois-tu, je suis malheureux dans mon travail. C'est une sale galère qui ne mène à rien. J'ai quarante-deux ans et je suis déjà fini.

— George, ce n'est pas vrai, dit-elle, tu es un garçon intelligent, tu as devant toi les meilleures années de la vie. »

George hocha la tête.

« Non, tu ne me feras pas croire ça. J'ai raté ma chance. Les choses ne seront jamais très différentes de ce qu'elles sont à présent. »

Cathy posa la main sur l'épaule de George.

« Ce n'est pas d'un divorce dont tu as besoin, mais d'une seconde lune de miel. »

Il la contempla longuement et réaffirma consciemment ce qu'il avait toujours su à l'intérieur de lui-même : elle était ce qui lui était arrivé de mieux dans sa vie.

« Crois-tu qu'il nous reste un espoir ?

— Comme vous le dites à Wall Street, répondit-elle en souriant, je reste très optimiste quant à notre avenir. Tout ce dont tu as besoin, c'est d'une petite pause sabbatique pour te permettre de reprendre souffle.

— Une pause sabbatique ?

— Oui, une trêve à ton ambition insatiable et temporairement frustrée, mon amour. »

Leur voyage en Europe ne fut pas exactement ces vacances totales que Cathy avait espérées. Il suffit toutefois à leur redonner espoir quant à l'avenir de leur relation.

Pour commencer, Cathy essaya d'initier George sur l'art de jouir de la vie, l'aidant à tirer satisfaction de sa réussite.

Dans chaque pays qu'ils visitèrent, des membres importants du gouvernement les accueillirent comme des hôtes de marque. En voyant la considération dont il était l'objet alors qu'il n'avait plus de fonction officielle, George reprit conscience de sa propre valeur.

Ses antennes politiques s'avérèrent plus fines que jamais. A Londres, Cathy et lui dînèrent avec Margaret Thatcher, qui allait prendre la tête du parti conservateur au cours des prochaines élections générales. Mme Thatcher complimenta George sur ses vues géopolitiques et Cathy sur son chapeau.

Il en fut de même en Allemagne et en France où le nouveau ministre des Affaires étrangères, Jean François-Poncet, les reçut chez lui, honneur plutôt rare en Gaule...

Bruxelles fut leur ultime escale. Laissant Cathy faire ses achats de dernière minute, George déjeuna avec Alexander Haig, jadis son collègue au National Security Council. Haig était commandant suprême des Forces alliées en Europe. Avec sa candeur habituelle, le général émit son jugement sur l'occupant de la Maison Blanche.

« Carter est en train de tout foutre en l'air. Sa politique étrangère est un désastre. Dans le domaine de l'obséquiosité, on peut dire qu'il bat tous les records. Sapristi ! Nous devons nous comporter comme la superpuissance que nous sommes ! C'est la seule manière de nous faire respecter des Russes. George, je vous le dis, Carter sera cible facile en 1980.

— D'après vous, qui se présentera contre lui ? »

Haig répliqua avec un sourire rusé :

« Pour ne rien vous cacher, j'envisage de tenter le coup.

— Formidable, répondit George débordant d'enthousiasme. Je ferai tout pour vous aider.

— Merci. Permettez-moi d'ajouter quelque chose : si j'y parviens, mon ministre des Affaires étrangères est assis ici même, à cette table.

— J'en suis flatté.

— Voyons, Keller, me citerez-vous une personne aussi qualifiée que vous pour cette fonction ?

— A vrai dire, non ! » répondit George non sans malice.

George était au septième ciel : il avait des ailes. Il aurait pu se passer d'un avion pour son vol de retour !

Si au cours des années soixante le nom de Danny Rossi était devenu familier du grand public, son visage le devint vers la fin des années soixante-dix, lorsqu'il apparut sur les écrans de télévision de millions de foyers, grâce à une série d'émissions documentaires sur la musique qui lui valurent un vif succès et de nombreux prix.

« Maria, il faut que je te parle sérieusement de Danny. »

Au cours des trois années passées à Whyy-tv, Maria était devenue producteur à part entière. On disait que le président de la station la nommerait bientôt responsable des programmes.

Le verre de sherry que Maria et Terry Moran prenaient ensemble le vendredi après-midi était devenu un rituel. Ils se laissèrent aller à rêver sur ce qu'ils pourraient faire s'ils disposaient d'un budget plus important.

« Je pense avoir le droit de te dire cela, poursuivit Terry, parce qu'à présent tu n'es plus néophyte. Pour appeler un chat un chat, je t'avouerai que je trouve que Danny n'est pas chic. Ni à l'égard de Philadelphie ni à notre égard. Je comprends qu'il ait tenu à filmer ses premières émissions avec KCET à Los Angeles... il dirige l'orchestre symphonique de cette ville et il est entouré d'une nuée de producteurs de talent. Mais pourquoi diable a-t-il fallu qu'il filme son *Histoire de la symphonie* à New York ?

— Terry, tu n'as aucune idée des pressions que lui a fait subir WNET. En outre, je pense que Leonard Bernstein travaillait dans les coulisses... »

Moran frappa du poing sur son bureau :

« Bon Dieu, homme pour homme, notre orchestre est tout aussi bon que le leur, sinon meilleur. Ces émissions ont fait gagner une fortune à la chaîne qui les a réalisées et cet argent ne nous ferait pas de mal. Et puis j'estime que Danny devrait montrer un peu de reconnaissance à l'égard de la ville qui, la première, l'a nommé chef d'orchestre. Ne partages-tu pas mon avis ?

— Terry, ce n'est pas juste. Tu me mets dans une situation impossible.

— Ecoute, Maria. Tu me connais assez pour savoir que je joue franc-jeu. Pour le moment, ce n'est pas à la femme de Danny Rossi, mais à mon associée que je m'adresse. Soyons objectifs : ne trouves-tu pas qu'il devrait réaliser son prochain projet télévisé dans nos studios ?

— Oui, bien sûr, mais je... »

Elle se sentit mal à l'aise et ne put terminer sa phrase. Même si, au cours des derniers mois, Terry l'avait gratifiée de plus de compréhension et de soutien que Danny au cours de toute leur existence commune, elle restait d'une loyauté à toute épreuve envers celui dont elle était légalement l'épouse.

« Maria, à en croire les interviews que je lis dans la presse, vous prenez ensemble les grandes décisions concernant sa carrière. »

Moran hésita puis reprit :

« Peut-être ne devrais-je pas croire ce que disent les journaux ? »

Maria se montra réticente. Qu'avait-il pu lire d'*autre* dans la presse ?

Il lui était presque arrivé, après une longue séance dans la cabine de montage, de se sentir le courage de faire part à Terry de ses malheurs domestiques. Après tout, ne s'était-il pas confié à elle ? Elle était au courant de son divorce qui avait été un choc pour ses parents, catholiques intégristes. Elle savait combien ses enfants lui manquaient.

Elle était malgré tout trop timide pour aborder ce genre d'échange, supposant, ou, qui sait, espérant que, tôt ou tard, Terry aborderait le sujet.

Et voici qu'ils se trouvaient dangereusement proches des frontières de sa vie privée.

« Pourquoi ce silence ? lui demanda-t-il amicalement. Réfléchis-tu à la meilleure façon d'attraper M. Rossi dans notre filet à papillons ?

— A vrai dire, commença Maria, j'hésite à mêler Danny à ces histoires, parce qu'elles rendent moins nette la ligne de démarcation entre nos professions respectives... et notre couple. »

Elle hésita puis reprit :

« A y bien réfléchir, je suis d'accord quant à la loyauté de Danny envers Philadelphie. J'accepte de lui proposer de tourner une série d'émissions avec nous si nous avons un projet à lui soumettre.

— Alors, Maria, toi qui as un esprit créatif, comment susciter une nouvelle apparition de Danny à la télévision ? »

Elle répondit instinctivement :

« Si tu me permets de le dire, Danny est l'un des meilleurs pianistes de sa génération...

— Le meilleur, corrigea Moran.

— Il serait, je pense, la personne idéale pour illustrer une histoire de la musique pour instruments à clavier.

— Du genre *Du clavecin au synthétiseur,* poursuivit Terry enthousiasmé par cette idée. Génial ! Si tu arrives à le piéger, je ferai mon possible pour lui assurer le cachet le plus élevé que cette chaîne ait jamais offert. »

Maria hocha la tête et se leva :

« Enfin... il refusera probablement...

— Tant pis, je ne t'en aimerai pas moins pour autant. »

A la grande surprise de Maria, Danny s'enthousiasma pour ce projet.

« Je ne poserai que deux conditions : primo que les prises de vues coïncident avec les jours où je suis de toute façon à Philadelphie.

— Aucun problème, répondit Maria.

— Secundo, je souhaite que tu en sois le producteur.

— Moi ? Pourquoi moi ? demanda Maria.

— Si nous voulons avoir une série de la qualité des précédentes, je souhaite bénéficier de la meilleure équipe possible. Et tu es sans aucun doute leur meilleur producteur.

— As-tu lu les coupures de presse ?

— Non, mais j'ai regardé quelques-unes de tes cassettes vidéo. Tu fais un excellent boulot.

— D'accord, Rossi », répliqua Maria, incapable de dissimuler sa joie. « Mais je te préviens : tu me fais le coup de jouer les prima donna et je ferai ces sacrées prises de vues côté " mauvais profil " !

— Entendu, patron ! »

Danny sourit puis ajouta :

« Nous pourrions faire la pub de cette série en l'annonçant comme une production : " L'équipe qui vous a proposé *Arcadia.* " »

Maria resta éveillée cette nuit-là. Elle se demandait ce que Danny avait voulu dire. Pour être honnête, quelle que fût la qualité de l'équipement de leurs studios, ils n'avaient rien de comparable à ceux de New York ou de Los Angeles. Cette allusion à *Arcadia* était-elle autre chose qu'une simple plaisanterie ?

Ils avaient été tellement heureux, à Harvard, en ces jours où leur collaboration était animée par leur amour.

« Comment y arrive-t-il ? » s'exclama Terry Moran ébahi, tandis que Maria et lui étaient assis côte à côte à la régie.

« Oh ! reprit fièrement Maria. Il connaît son répertoire par cœur. »

Maria n'avait pas réussi à persuader Danny de consacrer une journée entière à l'enregistrement de chacun des treize épisodes. A la stupéfaction de l'équipe qui n'avait jamais vu aussi prodigieuse énergie, il insista pour tourner trois programmes d'une heure chacun en un seul jour... et une seule nuit.

« Bonté ! Mais où puise-t-il cette énergie ? s'exclama un technicien. Je me retrouve en fin de journée épuisé à la régie ; et lui, là-bas, il discourt et joue avec la virtuosité d'un Peter Pan du clavier.

— C'est vrai, concéda Maria. Il y a en lui un côté Peter Pan. »

Mais il y avait plus que cela...

Il y avait le cocktail du Dr Whitney. Une piqûre hebdomadaire se révélant insuffisante pour permettre à Danny de voler, le docteur avait dû lui fournir des gélules qui comprenaient, entre autres choses, de la méthadrine pour le remonter.

Le second programme de cette série, une heure consacrée à Chopin, fut aussi parfait sur le plan musical que sur le plan esthétique. Dans un accès de bravoure bien typique, Rossi avait laissé le plus difficile pour la fin : une présentation de Franz Liszt, l'acrobate du clavier.

Danny grignotait un sandwich dans sa loge lorsque Maria passa la tête par l'entrebâillement de la porte.

« Monsieur Rossi, dit-elle, à mon humble avis, je ne pense pas que vous puissiez faire mieux. C'était remarquable. Pourquoi ne pas en rester là ce soir et garder Liszt pour la prochaine fois ?

— Pas question, chère madame et producteur. Je désire terminer cet enregistrement par un tour de force.

— N'es-tu pas fatigué ?

— Oh, à peine ! ajouta-t-il. Mais sitôt que je verrai la caméra numéro un s'allumer, je me sentirai en pleine forme. »

Il se leva, l'embrassa et lui dit :

« Je te verrai au studio dans un quart d'heure. »

Danny prit une douche. Il se changea, se remaquilla et fit son apparition à vingt heures trente précises. Ce serait sa troisième et dernière séance d'enregistrement de la journée.

La première demi-heure se déroula avec une précision de métronome. Danny décrivit l'enfance de Liszt en Hongrie.

En regardant le visage de son mari sur le moniteur de contrôle, Maria ne put s'empêcher de se dire qu'à cet instant il pensait à son mentor bien-aimé, Me Landau.

L'émission continua. Danny relata de façon colorée la conquête de Paris, puis celle de Londres par ce grand pianiste qui n'avait pas encore seize ans.

« C'est alors, commenta Danny, que le jeune musicien se mit à ressentir la fatigue de ces interminables tournées. Liszt se rendit au bord de la mer en compagnie de son père, afin de récupérer. Epuisé par ces voyages, le vieil homme contracta la typhoïde et mourut. Ses dernières paroles à son fils furent :

« " *Je crains pour toi les femmes* [1]. " » En d'autres termes : — Je m'inquiète de ce que les femmes pourraient faire à ta musique. »

Les yeux rivés au télémoniteur, Maria sentit son cœur battre la chamade. N'était-il pas en train de lui parler ? En train de lui dire en public ce qu'il

1. En français dans le texte (*N.d.T.*).

n'osait lui dire en privé ? Qu'il avait gâché sa jeunesse avec une promiscuité vide de sens ?

Maria comprit pourquoi Danny avait tenu à garder ce programme pour la fin. Il savait qu'il livrerait le fond de son cœur pour la première fois de sa vie peut-être.

Ils s'interrompirent pour raisons techniques. Ils changèrent de cassette et murmurèrent une ou deux phrases inaudibles. Il était vingt-deux heures bien sonnées lorsqu'ils arrivèrent à la partie la plus délicate de l'émission.

Danny expliqua que Liszt avait délibérément écrit une musique tellement difficile que lui seul pouvait la jouer. Il ajouta qu'il dut réviser et simplifier sa musique pour les mains des pauvres mortels...

Danny avait eu l'inspiration diabolique de jouer d'après les manuscrits originaux, pour montrer comment le grand homme en personne les aurait joués.

Connaissant la difficulté de la tâche à laquelle allait s'attaquer son mari, Maria demanda une pause de dix minutes : elle voulait, d'une part, prévenir toute défaillance technique qui obligerait à filmer de nouveau une exécution sans faille de Danny et, d'autre part, permettre à Danny de reprendre son souffle et rassembler ses forces à une heure aussi tardive.

A vingt-deux heures quarante-cinq, Danny s'attaqua à Franz Liszt. Et échoua.

Il avait choisi pour premier exemple le prélude en *sol* du *Concert en mi bémol*. Pour une raison obscure qu'il attribua à la fatigue, sa main gauche ne cessait de perdre le tempo, tandis que ses doigts bondissaient à vive allure d'un bout à l'autre du clavier.

Après trois essais malheureux, Maria l'appela :

« Ecoute Danny, il est plus de onze heures. Pourquoi ne t'arrêtes-tu pas ? Nous finirons demain matin, une fois que tu seras reposé.

— Non, protesta Danny. Je veux terminer ce soir cette fichue émission. Donnez-moi seulement cinq minutes. »

Danny retourna dans sa loge et sortit de sa trousse de maquillage une des « mégavitamines » du Dr Whitney, puis il s'assit et essaya de respirer profondément pour se relaxer.

C'est alors qu'il s'en aperçut... Le pouce et l'index de sa main gauche tremblaient.

Tout d'abord il pensa que cela devait être un réflexe, le besoin inconscient de répéter ce sacré doigté de Liszt. Ce n'était pas le cas : même en se concentrant il ne pouvait s'arrêter de trembler, sauf en couvrant les doigts indociles avec sa main droite.

Il s'efforça de se rassurer en se disant qu'il s'agissait d'un simple moment de fatigue. Ne travaillait-il pas depuis dix heures du matin ?

En revenant de sa loge, il imagina un subterfuge qui lui permettrait au moins de franchir l'épreuve de ce soir-là.

« Maria, dit-il, puis-je te voir une seconde ? »

Elle accourut vers lui.

« Ecoute, chuchota-t-il, pourrais-tu obtenir du metteur en scène qu'il change l'agencement de ses plans ?

— Sans problème. Que veux-tu ?

— Qu'en penserais-tu si, lorsque je commence à jouer, il me filmait depuis le dessus du piano : cela ferait un plan assez intéressant.

— Peut-être, dit Maria. Mais je ne pense pas qu'il puisse avoir tes mains dans son champ avec cet angle-là. Et le but de cela n'est-il pas que tu exécutes ces doigtés extrêmement difficiles que seul Liszt réussissait ? »

Danny soupira. Il était épuisé.

« Evidemment. Tu as raison. Mais vois-tu je suis à bout et je ne sais pas si j'y arriverai sans devoir m'arrêter à chaque instant. De cette manière, si je fais des erreurs, nous pouvons avoir recours aux cassettes que j'ai enregistrées.

— Mais Danny, insista Maria, ce serait désolant. Je sais que tu en es capable. Pourquoi ne pas attendre demain ?

— Maria, reprit-il d'un ton sec, je veux que nous procédions ainsi. Je te prie de m'aider. »

A la grande consternation du metteur en scène, l'enregistrement s'acheva sur un gros plan du visage de Danny.

C'est ainsi que l'on ne filma pas les mains de Danny car la gauche ne pouvait suivre la droite.

Aucun des membres de l'équipe ne remarqua ce décalage infime. Danny, lui, en était pleinement conscient.

Journal d'Andrew Eliot

9 janvier 1978

Comment ai-je pu m'imaginer que c'était bon signe !

Lorsque Andy est rentré après avoir passé Noël avec sa mère et son nabab de mari à San Francisco, il m'a téléphoné au bureau pour me demander si nous pourrions déjeuner ensemble.

« Formidable, me suis-je dit, mon fils veut se rapprocher de moi. » C'était encourageant, dans la mesure où, en septembre, il entrait à l'université et j'espérais le persuader de choisir Harvard.

J'ai eu, je pense, la maladresse de lui proposer de déjeuner au Harvard Club. Il a décliné, trouvant l'endroit trop « bourgeois ». Sans doute aurais-je dû me douter dès cet instant que de mauvaises nouvelles m'attendaient.

Nous nous sommes retrouvés dans un de ces restaurants diététiques de Greenwich Village où, en absorbant pousses et feuilles, je m'efforçais de combler de mon amour paternel l'abîme qui nous séparait.

Il évoqua l'année à venir. Je m'empressai de lui assurer que, s'il ne voulait pas aller à Harvard, je ne m'en formaliserais pas. Il était libre de choisir n'importe quelle université au monde : je serais heureux de payer ses frais de scolarité.

Il me regarda comme si j'étais un martien. Il m'expliqua que l'éducation universitaire ne rimait à rien : l'Occident était décadent. Il n'y avait qu'une solution : développer l'esprit.

Je lui dis que je le soutiendrais dans ce qu'il entreprendrait.

Il me répliqua qu'il en doutait, étant donné qu'il avait décidé de rompre avec la famille.

J'ai dû répondre : « Je ne saisis pas, Andy. »

Il m'a alors révélé que son nom n'était plus Andrew, mais Gyanananda (j'ai dû le prier d'épeler), ce qui signifie en hindoustani « celui qui aspire au bonheur et à la sagesse ».

J'ai fait de mon mieux pour prendre les choses du bon côté, ajoutant qu'il serait le premier Eliot à porter ce prénom.

Il m'a dit qu'il avait choisi de se démarquer de tous les principes qui régissaient la génération pourrie qui est la mienne. Et qu'il n'avait aucun besoin de la fortune Eliot.

Je lui ai demandé comment il comptait vivre. Il m'a répondu que je ne pouvais comprendre. J'ai répliqué que ma question n'était pas d'ordre philosophique, mais d'ordre pratique. Par exemple : où vivrait-il ?

« Dans le sillage de mon gourou », m'a-t-il répondu. Pour l'instant, ce prophète régnait sur un ashram de San Francisco, mais son *karma* semblait lui intimer l'ordre de rentrer aux Indes.

Généreux par nature, je lui ai proposé de commencer à mendier auprès de moi. Il a refusé. Il estimait que ce serait une façon de le ligoter. Or il voulait « voler de ses propres ailes ».

Il s'est levé, m'a souhaité d'aller en paix et s'est mis en route. Je l'ai supplié de me laisser une adresse, un endroit où je pourrais le joindre. Il m'a déclaré que je ne serais pas capable de le joindre si je ne me détachais pas des biens matériels et n'apprenais pas à méditer. Il devinait bien sûr que je n'envisagerais jamais pareille chose.

Avant de s'éloigner, il m'a légué des paroles de sagesse. Sa bénédiction...

Il a ajouté qu'il me pardonnait tout : de ne pas avoir cherché la sagesse, d'être bourgeois, d'être un père insensible. Non, il ne m'en voulait pas : il comprenait que j'étais victime de ma propre éducation.

Puis il m'a quitté. Il s'est retourné, a levé la main en geste d'adieu et a répété « paix ».

Je sais qu'il est mineur et que j'aurais pu appeler la police pour le faire mettre en observation dans un hôpital psychiatrique. A quoi bon ? Il se débrouillerait pour en sortir et ne m'en haïrait que davantage, si c'est possible...

Je me suis retrouvé devant mon assiette de verdure à me demander :

« Mon Dieu, comment ai-je pu faire un tel gâchis ! »

« Je crains d'avoir de mauvaises nouvelles pour vous, monsieur Rossi. »

Danny était assis dans le cabinet du Dr Brice Weisman, neurologue de réputation mondiale, ayant pignon sur Park Avenue à New York.

Après maintes précautions pour s'assurer de sa discrétion, Danny avait pris rendez-vous pour un examen complet. Danny s'était personnellement rendu compte qu'il y avait quelque chose qui n'allait pas sur le plan physique depuis cet horrible instant où, au studio, sa main gauche avait soudain refusé d'obéir à son cerveau qui en avait été maître absolu depuis quarante ans.

Le lendemain, il était retourné au studio de télévision avec les cassettes enregistrées au cours des répétitions. Maria, un ingénieur du son et lui-même les avaient soigneusement mixées au moment crucial, filmé la veille au soir, quand sa main l'avait trahi.

Bien que Maria eût été sa complice pour ce petit subterfuge si peu typique de Danny, il ne s'était pas confié à elle. Il avait prétexté un emploi du temps surchargé, une certaine impatience et les intérêts économiques de la télévision pour justifier cette légère tricherie électronique.

« Après tout, avait-il plaisanté, je me double moi-même. Ce n'est pas comme si j'avais glissé Vladimir Horowitz. »

La seule chose qui fit suspecter à Maria qu'il y avait anguille sous roche fut l'insistance avec laquelle il lui demanda si l'ingénieur du son était un « gars de toute confiance ».

Danny réalisait-il combien de fois il lui avait posé cette question ? Qu'est-ce qui le préoccupait ?

C'était évidemment cela qui avait amené Danny chez le Dr Weisman.

Le neurologue commença par écouter Danny lui expliquer pourquoi sa main gauche tremblait parfois et avait, ce soir-là ainsi que lors de répétitions ultérieures, semblé désobéir à son cerveau.

« Vous comprenez, docteur, c'est de la fatigue. Je suppose que cela pourrait être aussi les nerfs. Je me surmène. Enfin il est évident, et vous le constatez vous-même, à travers tous ces petits mouvements que vous m'avez demandé d'effectuer, comme faire que mes doigts se touchent, etc., que je n'ai aucun problème physique à proprement parler.

— Hélas, monsieur Rossi, je crains que si.

— Oh !

— J'ai détecté un tremblement périphérique de votre main gauche. Je discerne également une bradykinésie marquée, c'est-à-dire que votre main gauche bouge moins vite que votre main droite. Tout cela indique un mauvais fonctionnement ganglionnaire. En d'autres termes, que la zone motrice de votre cerveau est touchée.

— Voulez-vous parler d'une tumeur ? » demanda Danny dont la peur exacerbait le tremblement de la main.

« Non, répondit calmement le médecin, votre scanner n'en révèle aucune.

— Dieu soit loué ! Quel soulagement ! soupira Danny. Alors comment arranger ce foutu problème pour que je puisse reprendre mon travail ? »

Weisman resta un instant silencieux. Puis il reprit d'un ton mesuré :

« Monsieur Rossi, je serais malhonnête si je vous disais que je peux " arranger " votre problème. En fait, il ne nous reste qu'à espérer que cette affection n'évoluera que très lentement.

— Entendriez-vous par là que mon autre main pourrait être affectée ?

— C'est possible, en principe. Mais lorsque quelqu'un d'aussi jeune que vous présente ce type de tremblement, cela se limite en général à un seul côté. Peut-être serez-vous rassuré d'apprendre que la perte de la motricité est très très progressive.

— Mais vous êtes médecin, bon Dieu ! Pourquoi diable n'êtes-vous pas fichu de soigner ce genre de chose ?

— Une grande partie du fonctionnement du cerveau demeure pour nous un mystère, monsieur Rossi. Dans l'état actuel de nos connaissances, le mieux que nous puissions faire est de proposer certains médicaments qui masquent les symptômes. Je suis toutefois en mesure de vous affirmer que nous pouvons dissimuler un tremblement aussi léger que le vôtre pendant des années.

— Ces médicaments me permettront-ils de continuer à jouer du piano ? » s'enquit Danny.

Le Dr Weisman enleva ses lunettes et se mit à les essuyer avec sa cravate. Non qu'elles en eussent vraiment besoin, mais de façon à éviter que son regard croisât celui de Danny lorsqu'il devrait lui apprendre le pire.

Il procéda alors à une sorte d'anesthésie verbale.

« Monsieur Rossi, si je puis me permettre de vous le dire, je vous ai toujours admiré en tant qu'artiste. Ce que je trouve entre autres remarquable au sujet de votre talent, c'est sa versatilité. C'est précisément cette versatilité qui va vous aider dans une situation que je pressens difficile. »

Il se tut puis assena à Danny sa sentence de mort vivant.

« Monsieur Rossi, je crains que vous ne puissiez plus donner de concerts.

— Plus du tout ?

— Non. Mais votre main droite n'est pas atteinte et ne le sera probablement pas. Vous pourrez continuer à diriger des orchestres sans problème. »

Danny ne répondit rien.

« Et la meilleure consolation que j'aie à vous offrir provient de quelque chose que j'ai appris lors d'une de vos émissions télévisées : les géants de la musique de l'envergure de Bach, Mozart ou Beethoven ont tous débuté en tant que pianistes, mais c'est en tant que compositeurs qu'ils sont célèbres aujourd'hui. Vous pourriez investir dans la composition l'énergie que vous dépensiez au clavier. »

Danny se cacha le visage de ses mains. Il éclata en sanglots.

Le Dr Weisman préféra ne pas bouger, n'ayant aucune idée de l'impact psychologique que ses mots pourraient avoir chez son patient.

Danny se leva d'un bond et se mit à arpenter la pièce.

Broyé par son chagrin, il hurla au neurologue :

« Docteur, vous ne comprenez pas : je suis un grand pianiste. Je suis réellement un grand pianiste...

— J'en suis conscient, répliqua Weisman d'une voix étouffée.

— Ce que vous ne saisissez pas, c'est que je ne suis pas si bon chef d'orchestre que ça, et, qu'au mieux, je suis un compositeur de second ordre. La composition est plutôt pour moi un divertissement. Je me connais. Je ne puis faire mieux.

— Monsieur Rossi, je pense que vous vous jugez trop sévèrement.

— Non, bonté, je suis honnête. La seule chose dans laquelle j'excelle, c'est le piano et vous me retirez ce privilège...

— Monsieur Rossi, je vous en supplie, comprenez-moi, répondit le docteur. Je ne vous retire pas ce privilège : vous souffrez d'un problème physique.

— Mais qu'est-ce qui en est la cause, sapristi ? cria Danny rageusement.

— Oh ! elle peut être diverse. Il se peut qu'elle soit d'ordre congénital et ne se manifeste que maintenant. Elle peut être le résultat d'une maladie du type encéphalite. Parfois elle résulte de certains médicaments.

— Quel type de médicaments ?

— Je ne crois pas que cela puisse s'appliquer à votre cas, monsieur Rossi. J'ai examiné très attentivement la liste de médicaments que vous m'avez donnée.

— J'ai menti, docteur. J'en ai omis quelques-uns. Avec le rythme de vie auquel je suis soumis, j'en suis arrivé à avoir recours à des stimulants pour me mettre en forme avant de paraître en public. Pourraient-ils en être la cause ?

— C'est concevable. Avez-vous négligé de me préciser d'autres détails ?

— Nom de Dieu ! mugit Danny. Je vais tordre le cou à ce salaud de Dr Whitney !

— Ne serait-ce pas du célèbre docteur " Miracle " de Beverly Hills dont vous parlez ?

— Vous le connaissez ?

— Juste par les dégâts que ses " cocktails " ont occasionnés chez des patients et qui les ont amenés à mon cabinet. Dites-moi, quand vous preniez ses " vitamines ", aviez-vous du mal à vous endormir ?

— Oui, mais il m'a prescrit de...

— La phénothiazine ? »

Danny acquiesça de la tête.

« Depuis combien de temps ?

— Deux ou trois ans. Cela aurait pu avoir... ? »

Le neurologue fit un signe de tête :

« Cet homme devrait être radié de l'Ordre des médecins. Je crains, hélas, que des patients haut placés ne le protègent.

— Pourquoi, mais pourquoi m'a-t-il fait cela ? » s'écria Danny, avec désespoir.

La réponse du Dr Weisman fut un peu plus dure que ses remarques précédentes.

« Pour être honnête, je ne crois pas que vous puissiez faire porter toute la responsabilité de votre problème sur ce satané Dr Whitney. Je sais, par expérience, que ses patients sont conscients, au moins vaguement, de l'orientation du traitement proposé. Et j'ose dire que vous êtes extrêmement intelligent. »

Danny parcourut à pied, et pour ainsi dire en transes, la distance qui le séparait du bureau de Hurok. Il n'avait rien appris qu'il ne sût inconsciemment. Bien avant d'avoir entendu l'effroyable sentence, il avait pressenti la catastrophe que le docteur venait de confirmer.

Il était encore trop sous le choc pour ressentir quelque émotion que ce fût. Il profita de cet engourdissement provisoire pour accomplir cet acte douloureux entre tous exigé par le diagnostic du médecin.

Son abdication du clavier.

Dès qu'ils furent seuls, Danny annonça à Hurok qu'il venait de faire le bilan de sa vie. Un bilan déchirant. Tout bien pesé, il avait décidé de passer plus de temps à composer.

A y bien réfléchir, qui se souvient de Mozart pianiste, ou même de Liszt ? En revanche, ce qu'ils ont écrit reste éternel.

« Je dois également à Maria et à mes filles de passer plus de temps à la maison. Avant que j'aie eu le temps de m'en apercevoir, elles auront grandi, se seront envolées et je n'en aurai pas profité. »

Hurok écouta son virtuose sans l'interrompre. Sans doute se consolait-il à l'idée que de nombreux artistes de renom avaient, eux aussi, choisi une retraite prématurée. Puis, au bout de quelques années privées de l'ivresse des applaudissements, ils avaient repris leur carrière plus activement que par le passé.

« Danny, je respecte votre décision, commença-t-il. Je ne vous cacherai pas que j'en suis navré, en pensant aux merveilleuses années que vous avez devant vous. La seule chose que je vous demanderai est d'honorer les deux ou trois engagements qu'il vous reste pour cette année. Cela vous paraît-il raisonnable ? »

Danny hésita une minute. Après toute la gentillesse que Hurok avait manifestée à son égard, l'impresario méritait au moins la vérité.

Danny ne réussit pas à la lui révéler.

« Je suis navré, dit-il calmement. Mais il faut que j'arrête immédiatement. J'écrirai, bien entendu, à tous les orchestres concernés et m'excuserai auprès d'eux. Vous pourriez... »

Il hésita.

« ... Vous pourriez inventer une maladie pour moi. Une hépatite, par exemple.

— Je n'aimerais pas faire cela, répondit Hurok. Toute ma vie je me suis efforcé d'être correct en affaires et il est trop tard pour que je change. Je me contenterai de vérifier mes programmes, afin de voir si je peux vous faire remplacer par un artiste de votre calibre. »

Hurok se mit à consulter ses fiches avec une expression de tristesse non dissimulée. Il émit tout à coup un petit gloussement :

« Qu'y a-t-il ? demanda Danny.

— J'ai d'ores et déjà un pianiste qui pourra vous remplacer à Amsterdam : le jeune Arthur Rubinstein, âgé de quatre-vingt-huit printemps ! »

Craignant de ne pouvoir contrôler ses émotions plus longtemps, Danny se leva pour s'en aller.

« Merci, monsieur Hurok. Merci pour tout.

— Ecoutez, Danny, j'espère que nous resterons en contact. De toute façon, j'assisterai à la première de votre première symphonie.

— Merci. »

Danny s'éloignait quand le vieil homme le rappela :

« Danny, si faire face au public vous pose un problème, vous pouvez enregistrer. Regardez Glenn Gould, regardez Horowitz... »

Danny se contenta d'approuver d'un signe de tête, puis il sortit.

Comment eût-il pu expliquer à Hurok que les pianistes en question avaient, eux, l'usage de leurs deux mains ?

A deux heures du matin, Danny était assis chez lui, dans la quasi complète obscurité de son studio du troisième étage. Une voix douce interrompit son angoisse, telle une petite flamme au bout d'un long tunnel.

« Danny, qu'est-ce qui ne va pas ? » demanda Maria, en chemise de nuit et peignoir.

« Qu'est-ce qui te fait croire que quelque chose n'irait pas ?

— Oh ! d'une part tu es dans le noir, il est donc évident que tu n'es pas en train d'écrire et, d'autre part, je n'ai pas entendu de vraie musique depuis des heures. A moins que tu n'estimes que répéter mille et mille fois *Ah vous dirai-je maman* revienne à jouer de la musique.

— Mozart a écrit une série de variations sur cet air, répliqua-t-il sans conviction aucune.

— Je le sais. C'est un de tes rappels préférés. Mais, cette fois, n'entendant aucune variation, je suis montée. Rappelle-toi qu'il ne m'est jamais arrivé de t'interrompre.

— Et je t'en sais gré. J'aimerais que tu continues.

— Je refuse de partir jusqu'à ce que tu m'aies avoué ce qui ne va pas.

— Il n'y a rien. Aie la bonté de me laisser seul. »

Il ne fut pas mécontent qu'elle lui désobéisse et vienne s'agenouiller auprès de son fauteuil.

Mais lorsqu'elle tendit les mains pour saisir les siennes, il les retira vivement.

« Danny, pour l'amour de Dieu, je vois bien que tu souffres atrocement. Je sais que tu as besoin de moi, mon chéri, et me voici. Je voudrais tant t'aider.

— Tu ne peux pas m'aider, Maria, répondit-il amèrement, et personne ne le peut. »

Il fut incapable d'ajouter autre chose.

« C'est ta main gauche, n'est-ce pas ? Ecoute, ne me dis pas le contraire. J'ai perçu qu'il y avait un problème depuis notre soirée d'enregistrement au studio. Je suis passée devant ta chambre, tard le soir, et je t'ai vu assis près de la lampe à la regarder, paniqué.

— Ma main gauche est parfaitement normale, répondit-il froidement.

— Mon chéri, je l'ai vue trembler pendant le dîner. J'ai remarqué tes efforts pour cacher cela. Ne penses-tu pas que tu devrais consulter un médecin ?

— Je l'ai fait.

— Et ? » demanda-t-elle anxieuse.

Il ne lui répondit pas, il se mit à pleurer.

Elle l'enlaça.

« Alors, Danny, alors ?

— Oh ! Maria, reprit-il en sanglotant. Je ne peux plus jouer de piano... »

Il lui raconta tout. Sa tragique odyssée qui avait débuté chez le Dr Whitney et abouti chez le Dr Weisman.

Son récit terminé, ils pleurèrent silencieusement dans les bras l'un de l'autre.

Maria finit par sécher ses propres larmes et le saisit par les épaules.

« Maintenant, à vous de m'écouter, Daniel Rossi. Si terrible que ce soit, tout n'est pas fini. Vous avez une carrière. Vous continuerez dans la musique. Enfin, plus important que tout, vous serez avec votre famille. Et plus particulièrement avec votre épouse... Danny, je ne t'ai pas épousé parce que tes doigts étaient plus agiles que ceux de Liszt. Je ne t'ai pas épousé parce que tu étais une vedette. Je t'ai épousé parce que je t'aimais. Parce que je t'ai cru le jour où tu m'as dit que tu avais besoin de moi. Danny, mon chéri, nous traverserons cette épreuve ensemble. »

Maria continua à le serrer dans ses bras. Il pleurait.

Elle se leva, le prit par la main et lui dit :

« Viens, Danny, allons dormir. »

Ils descendirent l'escalier bras dessus, bras dessous. Arrivés au deuxième étage, elle ne le lâcha pas. Elle l'emmena à l'autre bout du couloir.

« Ta chambre ? demanda-t-il.

— Non, Danny, *notre* chambre. »

Journal d'Andrew Eliot

11 mai 1978

Aujourd'hui a été l'une de ces journées où l'amour-propre en prend un coup. L'annuaire du vingtième anniversaire de la promotion est arrivé.

Il réservait quelques surprises. Même si je l'avais appris par la presse l'an dernier, j'ai été néanmoins stupéfait de lire le paragraphe concernant Danny Rossi et d'y voir confirmer qu'il avait abandonné le piano. J'admire le courage dont il a fait preuve pour se détacher de cette adulation du public. Il a également abandonné la direction de l'orchestre de Los Angeles. Désormais, ses activités seront à Philadelphie.

Parmi les raisons qu'il a invoquées, il y a son désir de composer davantage, mais il semble que la principale soit son désir de passer plus de temps auprès de sa femme et de ses enfants qui, il le dit lui-même, sont tout ce qui compte pour lui dans la vie.

Je suis émerveillé par la façon dont il a recentré ses valeurs.

Côté mauvaises nouvelles, en plus de quelques avis de décès, j'ai noté que plusieurs couples mariés de longue date s'étaient séparés. Comme si l'un des deux partenaires n'avait pas réussi à passer le cap de la troisième décennie.

Côté plus réjouissant, les enfants de plusieurs de nos condisciples sont à présent à Harvard en première année.

Mon fils n'y est pas... Peut-être devrais-je dire mon ex-fils, puisque je n'ai aucune nouvelle de lui.

Encore maintenant, chaque fois que je prends mon courrier, je prie pour qu'il y ait une lettre ou une carte de lui. Ou quelque chose. Et si je vois un hippie aux cheveux longs mendier dans la rue, je lui donne un ou deux dollars, en espérant que, là où se trouve Andy, un autre père se montrera généreux envers lui.

Je refuse de croire que je l'ai perdu pour toujours.

Bien entendu, dans les lignes qui m'étaient allouées dans le bulletin des anciens élèves de Harvard, je n'ai pas mentionné que mon fils m'avait renié. Je me suis contenté de signaler que j'en avais plein le dos de Wall Street et que j'avais joué de déveine dans ma quête pour un nouvel emploi.

Le responsable de la nouvelle campagne pour Harvard m'a proposé de venir à Cambridge me joindre à l'équipe qui essaye de collecter trois cent cinquante millions de dollars pour notre université.

J'ai sauté sur l'aubaine. C'était pour moi l'occasion de me sortir de cette capitale du béton, citadelle de mes chagrins. La chance de commencer une nouvelle vie dans le seul endroit où j'aie été heureux.

Mon travail consiste à contacter les membres de notre promotion, à renouer les liens de jadis et, une fois rentré dans leurs bonnes grâces, à leur faire cracher une somme convenable pour Harvard.

J'ai été nommé de surcroît à un comité qui organise notre vingt-cinquième réunion (le 5 juin 1983) ! Il paraît que c'est un moment important dans nos vies, et on m'a confié le soin de veiller à ce qu'il en soit ainsi.

J'ai demandé à Lizzie ce qu'elle pensait de cette proposition. En grandissant, elle devient une fille merveilleuse. Nous nous voyons plusieurs fois par mois et nous devenons de plus en plus proches.

Etant romantique comme son père, elle ne cesse de m'encourager à prendre épouse. Je plaisante à ce sujet ; mais, chaque matin, en voyant ma brosse à dents solitaire dans le verre, je reconnais qu'elle a raison.

Il est possible que le fait de me retrouver à Harvard m'aide à reprendre confiance en moi.

Si tant est que j'aie jamais eu confiance en moi...

Alexander Haig n'obtint pas l'investiture du parti républicain en 1980. Elle revint à Ronald Reagan qui fut ensuite élu Président et choisit Haig en qualité de ministre des Affaires étrangères.

Haig, qui dirigeait alors la firme United Technologies à Hartford, dans le Connecticut, téléphona immédiatement à George Keller qui, lui aussi, résidait dans le Connecticut. Il lui proposa le deuxième poste en matière de politique étrangère : celui de ministre adjoint au ministre des Affaires étrangères.

« Quand pouvez-vous prendre vos fonctions, mon ami ? lui demanda Haig.

— N'importe quand, répondit Keller enchanté. Toutefois le mandat de Reagan ne commence pas avant janvier.

— C'est exact, mais je vais avoir besoin de vous pour préparer l'examen préliminaire de ma recevabilité devant une commission parlementaire. Il y a dans cette jungle du Sénat des guérilleros qui attendent depuis quelques années le moment propice pour me tirer dessus. »

Haig n'exagérait pas. L'audition dura cinq jours. Les questions fusaient de tous côtés. Les fantômes de Watergate furent exhumés. Sans parler, bien sûr, du Vietnam, du Cambodge, des tables d'écoute, du National Safety Council, de la CIA et du pardon de Nixon.

Assis auprès de son futur patron, lui glissant à l'occasion un mot ou deux, George sentait se réveiller en lui ces démons qu'il croyait assoupis. Au cours de l'enquête préalable à son investiture, la petite « faveur » qu'il avait jadis accordée aux Russes ne risquait-elle pas d'être découverte par un sénateur hostile ou un membre du Congrès jeune et ambitieux ?

Ses inquiétudes furent vaines. La commission jeta tout son venin sur Haig, purgeant ainsi son animosité à l'égard de Nixon. George brilla par son éloquence, son calme et aussi son humour.

Il fut accepté à l'unanimité.

Le tandem Haig-Keller frappa haut et fort au démarrage, en accord avec la promesse faite par Reagan d'insuffler une vigueur nouvelle à l'équipe dirigeante américaine.

Si paradoxal que cela pût paraître, George trouvait le ministre des Affaires étrangères assez peu sûr de lui en privé. Un soir, à la fin d'une longue séance de travail, George se sentit suffisamment à l'aise pour aborder le sujet.

« Al, qu'est-ce qui vous préoccupe ? »

Saisissant l'occasion de se confier, Al lui répliqua :

« George, comment veut-on que je dirige la politique étrangère si je n'arrive pas à voir Reagan en tête à tête ? Il y a toujours une demi-douzaine de vieux copains de Californie pour venir mettre leur grain de sel. Je vous jure que si cela continue je lui présenterai ma démission.

— Un geste à la Kissinger, répondit George en souriant.

— Ouais, dit Al Haig. Disons que cela n'a pas mal marché pour Henry. »

Haig passa à l'action. La semaine suivante, à l'issue du déjeuner offert à la Maison Blanche en l'honneur du Premier ministre japonais, il demanda au Président cinq minutes d'audience privée.

Comme George regardait les deux hommes arpenter la pelouse de la Maison Blanche, Dwight Bevington, conseiller à la Sécurité nationale, entra.

« Sachez-le, George, si votre patron essaye de marquer un point, il perd son temps. Nous savons qui est le véritable cerveau au ministère des Affaires étrangères. Le moment est venu, je pense, de faire coalition, vous et moi. »

Avant que George ait eu le temps de répondre, le ministre revint, le visage éclairé par un large sourire.

« Ronnie a le don de vous mettre à l'aise, déclara Haig. Il a refusé ma démission et m'a promis une collaboration en direct. A propos, j'ai vu

Bevington vous accrocher au passage. Cherchait-il à obtenir une faveur ?

— Peine perdue, répliqua George calmement.

— Parfait. Je compte sur votre loyauté, mon ami. »

George Keller était maintenant certain que les jours de Haig au ministère des Affaires étrangères étaient comptés. Il commença à manœuvrer pour pouvoir quitter le navire avant qu'il ne sombrât.

De temps à autre, George déjeunait avec Bevington pour le faire bénéficier de sa propre expérience, mais il rendait fidèlement compte de ces rencontres à son patron.

Il ne fit jamais montre de déloyauté envers Alexander Haig, sans doute parce qu'il n'en eut pas le temps, tant les événements évoluèrent rapidement.

L'invasion des Malouines par les troupes argentines au printemps 1982 procura au ministre l'occasion rêvée de prouver son savoir-faire à l'administration de Reagan.

Pour protéger son minuscule avant-poste colonial, la Grande-Bretagne avait envoyé une véritable armada en vue d'une confrontation militaire dans l'Atlantique sud.

Haig obtint l'accord du Président pour effectuer une navette à la Kissinger entre Londres et Buenos Aires, dans l'espoir d'éviter un bain de sang.

Il réveilla George en pleine nuit et lui demanda de le retrouver à Andrews Air Force Base à six heures du matin. Dès lors, les jours et les nuits se succédèrent sans répit pour les deux diplomates. Ils essayèrent de dormir dans l'avion qui leur faisait faire la navette entre la Grande-Bretagne et l'Argentine, accumulant décalages horaires et... frustrations.

Au moment où les Britanniques allaient passer à l'attaque, Haig convainquit par miracle le général Galtieri de retirer les troupes argentines et de négocier. Voilà qui ressemblait à un véritable coup de théâtre.

En attachant sa ceinture de sécurité avant le voyage de retour, George félicita son patron.

« Bravo, Al, vous avez marqué un très gros point. »

La porte de l'avion se refermait quand un messager arriva, porteur d'une lettre du premier ministre argentin, Costa Mendez.

« Vous ne la lisez pas ? remarqua George.

— Pas besoin, répliqua Haig, en laissant échapper un soupir de lassitude. Je sais que c'est mon arrêt de mort. »

L'exécution d'Alexander Haig avait eu lieu alors qu'il était encore dans les airs...

D'après une source anonyme de la Maison Blanche, l'Administration considérait que la mission d'Alexander Haig n'avait été que de la frime, une façon de brasser de l'air. La presse vit que le vent tournait et commença à parler du départ de Haig. Pour bientôt. Et même *très* bientôt.

Et George Keller déjeuna plus souvent avec Dwight Bevington.

George était à son bureau en train de préparer un télex à l'intention de Phil Habib, qui allait et venait entre Damas et Jérusalem, lorsque sa secrétaire lui annonça un appel téléphonique de Thomas Leighton.

« Thomas Leighton ? Le reporter du *New York Times* ?

— Je pense.

— Passez-le-moi, je vous prie. »

C'était effectivement le célèbre Thomas Leighton, envoyé spécial du *Times*, auteur d'un ouvrage très apprécié sur l'Union soviétique.

Voilà qui était de bon augure.

Qui sait, peut-être le journaliste avait-il été informé que George avait de fortes chances de succéder à Haig ? A l'instar de son mentor, George avait l'intention de jouer en virtuose de cet instrument qu'est la presse.

« Merci d'avoir accepté de me parler, monsieur Keller. J'ai un service à vous demander. Le *Times* m'a accordé un congé pour achever la rédaction d'un ouvrage sur votre ex-patron, Henry Kissinger.

— S'agit-il de le porter aux nues... ou de le descendre en flammes ?

— Je voudrais faire un travail honnête, répondit le journaliste, sans toutefois oser prétendre que j'ignore certaines histoires un peu louches liées à sa personne. Mais si vous voulez bien m'accorder une heure ou deux, vous m'aiderez ainsi à en faire une image plus équitable.

— Je vois », reprit George, songeant à l'atout que présenterait un journaliste de cette classe dans sa future équipe. « Nous pourrions déjeuner ensemble un jour de la semaine prochaine. Mercredi vous conviendrait-il ?

— Excellent.

— Alors, rendez-vous à midi au *Sans-Souci*. »

La première chose qui frappa George fut la jeunesse du journaliste. Il ressemblait moins à un lauréat du prix Pulitzer du journalisme qu'à un candidat à l'équipe de rédaction du *Crimson*. George en fit part à Leighton qui lui avoua qu'il avait autrefois participé au *Crimson* et appartenait à la promotion 64.

Tels deux vieux copains, ils évoquèrent leurs expériences universitaires, puis le journaliste arriva au fait.

« Vous n'ignorez pas que Kissinger est loin d'avoir la réputation de preux chevalier sans peur et sans reproche...

— Exact, opina George. Mais que voulez-vous, c'est la rançon du pouvoir. Et maintenant, de quelle boue salit-on Henry ?

— Oh, cela va de " criminel de guerre " à " manipulateur impitoyable " et j'en passe... Vous seriez surpris d'apprendre que, même à Harvard, il n'était pas forcément bien vu.

— C'est exact. J'ai été son élève.

— Je sais cela et aussi que votre surnom d' « Ombre de Kissinger » était mérité. On prétendait que vous étiez toujours mêlé aux décisions importantes qu'il prenait.

— C'est un peu exagéré, répondit George, feignant l'humilité. Lorsqu'il a épousé Nancy, il ne m'a pas mis dans la confidence. Mais, revenons à nos moutons : quel est le but de votre ouvrage ?

— J'ai l'impression que votre patron était, comment dirai-je ? amoral, qu'il jouait sur l'échiquier de la politique mondiale avec des pions humains.

— Vous allez un peu loin, interrompit George.

— Voilà précisément pourquoi je souhaite connaître votre point de vue, répliqua Leighton. Certains membres de son équipe que j'ai interviewés m'ont assuré qu'il avait, en connaissance de cause, privé les Israéliens d'armes pendant la guerre du Yom Kippour, afin de les " assouplir " en vue des négociations.

— Je parierais que je sais qui vous a raconté cela, rétorqua George irrité.

— Restons-en là. J'ai pour principe de protéger mes sources. J'ai mené une enquête et j'ai ainsi découvert qu'il ne se refusait pas à rendre des services, plus ou moins suspects si cela pouvait lui être utile.

— Pourriez-vous être plus spécifique ?

— Oh ! Cela peut sembler un détail insignifiant, mais typique, à mon avis, de la façon dont Kissinger opérait : en 1973, il a donné le feu vert pour vendre aux Russes un filtre ultra-sophistiqué destiné à la photographie par satellite. J'ai appris que le ministère du Commerce n'avait guère apprécié qu'on les ait autorisés à l'acheter. »

George sentit son sang se glacer dans ses veines. Il parvint à peine à écouter la suite.

« J'ai mon idée là-dessus, poursuivit Leighton. Je flaire là un échange de bons procédés. Ce que j'aimerais apprendre de vous est... Qu'a-t-il obtenu en retour ? »

George Keller avait souvent témoigné devant des comités du Sénat. Il savait que la règle d'or de tout témoin pris de court par une question est d'attendre, puis de répondre aussi simplement et directement que possible.

« Je pense que vous vous engagez dans une impasse, Tom, dit-il calmement.

— Je suis certain du contraire.

— Et puis-je savoir ce qui vous donne cette certitude ?

— L'expression de votre visage, monsieur Keller. »

George était sur des charbons ardents. Il lui fallait coûte que coûte étouffer cette affaire où sa carrière risquait de sombrer.

Et lui, de quelle monnaie d'échange disposait-il avec ce type ? Plusieurs...

Tout ce qu'il avait à faire pour sauver sa peau était de vendre... celle de Kissinger.

« Ecoutez, Tom, reprit-il sur un ton aussi neutre que possible, que diriez-vous si nous allions faire un tour ? »

Après quelques préliminaires occultes, George proposa tout de go de troquer cette insignifiante histoire de filtre contre toute espèce d'information désirée par Leighton.

« Tom, puis-je avoir confiance en vous ?

— J'ai la réputation de n'avoir jamais trahi aucune de mes sources. Et je ne le ferai jamais.

— Je vous crois », répondit George.

Il y était bien obligé...

Le 25 juin, le couperet tomba. Ronald Reagan convoqua Alexander Haig dans le bureau ovale et lui remit une enveloppe. Elle contenait une lettre acceptant la démission du secrétaire. Haig n'avait plus qu'une chose à faire : démissionner officiellement.

On prétendait à Washington que Keller était le favori désigné pour la succession. Le *Washington Post* qualifia cette éventuelle nomination de « meilleur choix que pouvait faire Reagan ».

Devant chez lui, des douzaines de journalistes montaient la garde pour prendre la photo historique du nouveau membre du cabinet sortant de chez lui avec son épouse.

Les principales stations de radio et de télévision avaient enquêté pour préparer un profil de George. C'était la saga de l'adolescent qui avait fui le communisme et s'était hissé jusqu'au sommet. Il n'y avait qu'en Amérique que... etc.

George et Cathy étaient suspendus au téléphone. Ils n'osaient pas se parler. La seule chose que Cathy avait dite et répétée au cours de la soirée était qu'elle l'aimerait même s'il ne devenait pas ministre des Affaires étrangères.

Il avait une envie désespérée de prendre un verre, mais Cathy lui interdit la moindre goutte.

« George, il faut que tu gardes l'esprit clair. Quelle que soit l'issue de cette affaire, tu auras tout le temps de boire un coup. »

Le téléphone sonna. C'était Henry Kissinger.

« Dites-moi, monsieur le Ministre, daignerez-vous encore m'adresser la parole lorsque vous serez officiellement nommé ? »

George était tellement excité qu'il en avait le souffle coupé.

« Henry, que savez-vous au juste ?

— Seulement ce que je lis dans les journaux. Veillez quand même à citer mon nom dans votre discours d'acceptation. Entendu ? »

A minuit moins dix, le téléphone sonna.

« Cette fois-ci, ça y est, dit George à Cathy, en se dirigeant vers l'appareil.

— Oui ?

— George ? » C'était Caspar Weinberger, ministre de la Défense, Harvard 1938, un bon présage.

« Bonsoir Cap, dit George d'une voix faible.

— Ecoutez, George, le Président a beaucoup réfléchi à propos de ce poste... » Il marqua une pause puis annonça avec autant de ménagements que possible : « Il a finalement opté pour Shultz.

— Ah ! »

Voyant son visage blême, Cathy le saisit par le bras.

« J'espère que vous comprenez que cela n'a rien à voir avec votre personne. C'est simplement que Ron se sent plus à l'aise, vous comprenez... avec les Californiens. Je sais que Shultz souhaite vous garder comme adjoint. »

George resta sans mot dire.

Weinberger essaya d'adoucir sa déception.

« Après tout, Keller, quel âge avez-vous ? Quarante-six ou quarante-sept ans ? Si Reagan est élu pour un second mandat, c'est vous qu'il choisira, j'en suis sûr.

— Merci, Cap. »

George raccrocha et regarda Cathy.

« J'ai perdu, dit-il dans un souffle.

— George, tu n'as pas perdu, dit-elle émue. Disons que tu n'as pas encore gagné. C'est tout. »

Journal d'Andrew Eliot

17 novembre 1982

Une des compensations pour les organisateurs d'une réunion d'anciens élèves est d'être amenés à se rendre dans nombre d'endroits intéressants où, normalement, ils n'ont pas accès.

La Maison Blanche, par exemple.

Le comité chargé du programme de la réunion souhaite, évidemment, que George Keller fasse une conférence dans le cadre des événements de cette fameuse semaine.

Etant son plus vieil ami de Harvard, on m'a chargé de le recruter.

Lorsque j'ai appelé les Affaires étrangères, j'ai eu la grande surprise de l'obtenir directement. Ma deuxième surprise fut d'être invité à Washington pour déjeuner. Ma troisième et dernière surprise a été d'apprendre que notre déjeuner n'aurait pas lieu dans un des bistrots de la capitale, mais à la cafétéria de la Maison Blanche. Cela pour me permettre de faire un tour rapide de la Maison Blanche.

Fascinant. J'ai même vu la célèbre Situation Room ; étonnamment décevante : un cagibi doté d'une table et de quelques chaises. Quand je pense au nombre de décisions importantes de notre histoire contemporaine qui ont été prises dans cette supercabine téléphonique !

C'est là que George me fit asseoir et s'enquit de la raison qui m'avait amené à Washington.

Je lui demandai ce qu'il pensait de Harvard.

Il me répondit par une autre question : et eux, que pensaient-ils de lui ? En clair, la faculté le considérait-elle encore comme l'homme de main de Kissinger ?

Je m'en tirai avec autant de tact que je le pus, me rappelant pertinemment la façon dont, une dizaine d'années plus tôt, ces messieurs de la faculté leur étaient tombés sur le dos, à Henry et à lui.

J'avouais que nous mourions tous d'envie qu'il accepte de prendre la parole lors de cette réunion. Ça vaudrait le coup de l'entendre raconter ce que c'est que de croiser le fer avec Brejnev et ces gars-là.

« Tu es un héros pour nous, lui dis-je. Pas d'ambiguïté à ce sujet. »

Il sourit.

Je lui demandai ensuite s'il prévoyait de venir à la réunion.

Il m'avoua qu'il avait hésité, craignant de ne connaître pratiquement personne.

Je rétorquai que, en revanche, tous le connaissaient. D'ailleurs la plupart de ceux que j'avais aperçus avaient tellement changé physiquement que personne n'identifiait personne, pas même son compagnon de chambre d'antan. Dick Newall, pour ne citer que lui, se déplumait et avait pris une dizaine de kilos.

Je préférai garder pour moi que Dick avait eu légèrement maille à partir avec la bouteille, pour noyer ses soucis d'entre deux âges, dirons-nous.

J'usai d'éloquence pour le persuader de faire une apparition.

Je flattai quelque peu son amour-propre et il accéda à ma requête en riant.

Il alla jusqu'à me complimenter sur mes talents de négociateur et m'offrit de m'embaucher en cette qualité.

Il me raccompagna à l'entrée de la Maison Blanche. Un taxi m'attendait pour me conduire à l'aéroport.

J'étais au comble de la joie : moi, Andrew Eliot, n'avais-je pas réussi un coup diplomatique avec l'un des plus grands diplomates du monde ?

Lorsqu'il revint à son bureau, George Keller avait un visiteur inattendu : sa femme. Assise sur le canapé, elle tenait à la main une liasse de papiers imprimés.

« Quelle bonne surprise ! »

Elle attendit pour répondre qu'il eût fermé la porte.

« Foutu salaud ! Ignoble traître ! »

— Que se passe-t-il ? demanda George calmement.

— Pourquoi diable as-tu collaboré avec ce cochon de diffamateur qu'est Tom Leighton ?

— Catherine, j'ignore la raison de ta colère. L'homme est un journaliste connu du *New York Times*. J'ai déjeuné une fois avec lui.

— C'en est assez, Keller. Un ami de *Newsweek* vient de m'envoyer ces extraits de son livre. Le type est carrément vicieux. Pour moi, il est clair que la " source proche de Kissinger " à laquelle il se réfère sans cesse ne peut être que toi.

— Cathy, je te jure...

— George, j'en ai ras le bol de tes mensonges. Tu sais fort bien que je n'ai jamais vraiment porté Henry dans mon cœur, mais il a été pour toi comme un second père. Ce livre est une infecte diffamation. Ne peux-tu faire preuve d'aucune loyauté même envers tes amis ?

— Ecoute, Catherine, tu as tôt fait de tirer des conclusions qui ne reposent sur aucune preuve. Ne pourrions-nous pas en discuter à la maison ?

— Je regrette, George, je n'y serai pas : je te quitte.

— Simplement parce que tu t'imagines que j'ai parlé avec quelque reporter ambitieux ?

— Non, George. C'est seulement pour moi la preuve de ma naïveté à croire que je pouvais te faire changer. Tu es un salaud d'égoïste, incapable d'aimer et incapable d'accepter d'être aimé. Mes raisons te semblent-elles suffisantes ?

— Cathy, je t'en supplie, laisse-moi une chance de t'expliquer mon point de vue.

— A une condition.

— Laquelle ?

— Je t'accorde soixante minutes pour présenter ton cas. Si tu ne réussis pas à me convaincre, tu signeras les papiers d'un divorce mexicain.

— Tu veux dire que tu as déjà vu un avocat ?

— Non, chéri. Tu es tellement obnubilé par tout ce qui te concerne que tu en oublies que *je suis* avocate. »

Journal d'Andrew Eliot

2 décembre 1982

Je me remarie.

Ce n'est pas une décision que j'ai prise à la légère mais, après dix-sept ans, j'ai fini par comprendre pourquoi l'arche de Noé n'était pas une croisière pour célibataires.

J'ai lutté contre cette éventualité depuis ma première catastrophe conjugale. Le seul problème est que je me sens seul. Surtout au moment de Noël. J'ai donc décidé de convoler de nouveau. Et, d'ici à juin, date des retrouvailles de notre promotion, je veux pouvoir clamer la grande nouvelle.

Tout ce qu'il me reste à faire, c'est de trouver une épouse.

Reconnaissons que les possibilités sont aussi nombreuses que variées.

Il y a d'abord Laura Hartley. Je l'ai beaucoup vue à New York. C'est sans doute viser trop haut, car elle dirige un célèbre magazine féminin. J'admire les femmes ambitieuses et Laura est sans conteste dynamique, ce qui explique probablement qu'à trente-neuf ans elle ne soit pas mariée. Son travail tient une telle place dans sa vie qu'il lui arrive, lorsque nous sommes couchés, de bondir du lit pour noter sur un bout de papier une idée d'article ou de reportage.

Voilà qui peut gâcher l'ambiance.

Il y a également l'un ou l'autre petit problème :

Le premier : elle ne mange pas.

Non qu'elle soit bien enveloppée. Loin de là... Laura est un manche à balai ambulant. Elle suit perpétuellement un régime à base de café et de chewing-gum sans sucre. Comment elle survit, je l'ignore. Pour ma part, je trouve cela un peu spartiate car j'en suis réduit à avaler un sandwich en quatrième vitesse dès qu'elle a le dos tourné.

Deuxième problème : elle fume. Cigarette sur cigarette. Des cigarettes sans filtre qui embrument son appartement. Etant donné sa silhouette pour le moins émaciée et la visibilité quasi nulle, il est parfois difficile de savoir si oui ou non elle est là.

En dépit de tout cela, je la considérais comme une candidate valable jusqu'à ce que j'emménage à Boston.

Boston est une véritable Mecque de la nubilité. Pour commencer, Beacon Hill grouille de sosies de Faith, modèles plus récents, à turbomoteurs, pourrait-on dire. Il semble que j'aie une aversion pavlovienne à l'égard des débutantes. Je me tiens donc à l'écart de cette caste, d'autant plus qu'il y a bien d'autres possibilités.

Je pense à Cora Harvey, éblouissante illustration de la jeune femme américaine. Je l'ai rencontrée en faisant du jogging le long de la Charles. Malgré son survêtement informe, il était évident qu'elle avait un corps absolument fantastique. J'ai réussi à rester à son rythme assez longtemps pour obtenir son numéro de téléphone. C'est ainsi que nous avons commencé à sortir ensemble.

Au cours de notre premier rendez-vous, j'ai appris qu'elle était prof d'éducation physique à Brookline High, faisait de la course à pied, du ski, de la natation. Et, pour se détendre, des exercices d'aérobic.

Elle a essayé de faire de moi un adepte de ces activités revigorantes. Au départ, je l'ai suivie. Chaque muscle de mon corps me faisait souffrir, mais ses massages incomparables avaient tôt fait de vous faire oublier vos souffrances.

J'ai cru que notre relation était pleine de promesses. Je me suis mis à passer la nuit chez elle et c'est là que j'ai commencé à me refroidir. Au sens propre aussi bien qu'au sens figuré. Elle me secouait à cinq heures du matin, me faisait avaler un cocktail de vitamines et me traînait dans ses courses folles. Jamais le temps de Boston, peu réputé pour sa clémence, ne la décourageait. Tel un facteur, ni la pluie, ni la neige, ni l'obscurité ne pouvaient la détourner de ses circuits programmés. Nous rentrions vers sept heures et, au lieu de me laisser m'effondrer dans un bain ou me recoucher, il fallait passer une demi-heure à soulever des haltères. En arrivant au bureau, j'étais épuisé.

A part cela, c'était une fille très sympa. Elle m'aimait beaucoup, me téléphonait souvent pour me proposer de déjeuner avec elle. Hélas, le repas avait toujours lieu à la piscine de Harvard. Là, après avoir avalé une boîte de Nutrament, elle m'attirait dans l'eau et je barbotais lamentablement, tandis qu'elle abattait son quinze cents mètres quotidien.

Mes amis remarquèrent que je n'avais jamais eu meilleure mine de ma vie. Je savais que, si j'épousais Cora, j'aurais des chances de vivre jusqu'à cent ans.

Il y avait malheureusement des inconvénients.

Ainsi, le soir, lorsqu'elle rentrait de son cours de danse avec des idées romantiques, j'étais tellement épuisé que je n'avais d'autre ambition que de roupiller. Elle s'est donc mis en tête que je n'étais pas intéressé par son corps. Absurde. Son corps m'obsédait... C'était le mien qui posait problème.

Elle a décidé de déménager à Hawaï, lieu idéal pour se préparer au triathlon, qui combine natation, bicyclette et marathon.

Nous voici donc en fin de parcours.

De nouvelles occasions se présentent sans cesse. C'est la raison de mon indécision.

Il y a Roz, une divorcée qui vit à Weston. Elle est intelligente, cultivée et, qualité rare, excellente cuisinière. Elle m'invite constamment chez elle et c'est là l'obstacle. Ou plutôt les multiples obstacles... Cinq enfants qui ne peuvent pas me voir en peinture. Et qu'il faudrait, je pense, accepter ou tolérer en cas d'épousailles...

Beaucoup sont sur les rangs. Aucune ne semble vraiment adéquate.

Peut-être est-ce de ma faute. Je crois que je demande trop. J'aimerais épouser une femme qui apprécie de rester tout bonnement assise près de moi, sans faire de pompes, qui puisse discuter de sujets allant de la politique aux enfants.

Une femme aussi seule que je suis seul.

Une femme à la recherche d'une main amie et d'un cœur aimant...

Extrait de la section « *Milestones* » du *Times magazine*
du 4 janvier 1983 :

Divorce : **George Keller,** quarante-sept ans, ministre des Affaires étrangères adjoint et **Catherine Fitzgerald Keller,** trente-neuf ans, militante politique. Pour incompatibilité. Après neuf ans de mariage. Pas d'enfants.

LA RÉUNION

5-9 juin 1983

Nous ne cesserons d'explorer
Et la fin de toutes nos explorations
Sera de nous ramener là où nous avons débuté
Et de connaître enfin ce lieu.

T. S. ELIOT, 1910.

Ils commencèrent à arriver le dimanche 5 juin. Si l'on se fiait aux réservations, plus de six cents membres de la promotion afflueraient de partout, des Etats-Unis, d'Europe et d'Asie. Les inscriptions se faisaient dans les locaux des élèves de première année, au lieu même où, dix-neuf ans plus tôt, ils avaient embarqué pour leur grand voyage.

Mais qui étaient ces gens étranges, au front dégarni, portant lunettes, empâtés et timides ? Comment étaient-ils parvenus à occuper le hall réservé à ces boutefeux de la promotion 1958, *The Class...* ? La seule explication était ce badge qu'ils portaient sur le revers de leur veste.

Si étrange que cela pût paraître, la plupart éprouvaient plus d'appréhension à revenir à Harvard que lorsqu'ils y étaient arrivés pour la première fois. C'est qu'il manquait à leur bagage spirituel un élément essentiel : une foi illimitée en leurs capacités.

Il ne s'agissait plus d'astronautes se dirigeant pleins d'espoir vers la rampe de lancement, prêts à s'envoler vers la lune et au-delà. Nombre d'entre eux ressemblaient à des voyageurs fatigués dont l'horizon se limitait au parking de leur bureau.

Et, malgré les entrées fracassantes dans les pages du *Who's Who,* ils savaient qu'ils avaient à jamais perdu ce qui avait été jadis leur bien le plus précieux : leur jeunesse.

Les membres de la promotion 58 revenaient en adultes. Aux grands espoirs qui avaient brûlé en eux avaient fait place les fantômes des vieilles ambitions.

Le mot de passe était *compromis.* Si nul n'osait le dire ouvertement, tous le percevaient. Il était réconfortant de voir que tout le monde avait pris de l'âge. Chacun avait affronté les tempêtes de la vie et cherchait refuge en ce lieu où il s'était cru à l'abri des intempéries.

Ils se dévisageaient. Certains étaient trop timides pour aborder d'anciens condisciples qu'ils croyaient reconnaître. Les regards qu'ils échangeaient ressemblaient si peu à ceux qu'ils échangeaient lorsqu'ils faisaient autrefois la queue pour le petit déjeuner. Chacun était alors un adversaire, indépendant, n'ayant confiance qu'en lui-même et l'atmosphère du foyer des étudiants était saturée par un sentiment d'omniscience et d'infaillibilité.

A présent, l'amitié était de mise. Toute hiérarchie était évanouie. Pour la première fois ils traitaient d'égal à égal. La promotion se retrouvait pour célébrer non pas un culte mais un partage.

Petit à petit, le rire reprenait ses droits, il était permis d'évoquer matches de foot et canulars estudiantins.

Ainsi renaissait le bon vieux temps où Ike occupait la Maison Blanche et où tout allait pour le mieux dans le meilleur des mondes.

La réunion avait commencé.

La semaine débuta officiellement le lendemain matin à neuf heures et demie par une cérémonie d'actions de grâces et un service commémoratif.

Il était surprenant de dénombrer une telle foule se pressant dans Memorial Church, en cette délicieuse matinée du 6 juin 1983, quand on se souvenait du petit nombre de participants à la cérémonie précédant la remise des diplômes en 1958.

Tous avaient étudié l'immense livre rouge, compilation glorieuse de leurs réussites respectives. Les rubriques des décès avaient capté l'attention d'un chacun. Aucune célébrité ne vous garantit d'un accident sur l'autoroute. Pas plus que le cancer ne s'efface avec déférence devant un diplômé de Harvard.

Peut-être prenaient-ils enfin conscience de la vraie raison de leur venue, à savoir : de se retrouver dans leur âge mûr avec leurs anciens condisciples. La cérémonie avait beau être un hommage envers les défunts, par le seul fait d'y assister ils reconnaissaient leur mortalité.

L'église était remplie par les membres de la promotion, leurs familles et leurs survivants. Des condisciples dirigeaient la cérémonie.

Le révérend Lyle Guttu, promotion 58, fit une brève homélie.

Il souligna que la peur de la mort est universelle mais que, sous-jacente à cette peur, se tapit la terreur *de rester à jamais dans l'ombre*. D'être oublié. De ne pas compter.

« C'est pourquoi nous sommes assemblés, pour nous-mêmes autant que pour les autres. C'est pour cela que se dresse cette église, élevée à la mémoire des fils de Harvard morts au combat pour défendre la dignité de l'homme. »

Il commenta ensuite certaines de ces disparitions. Un membre de la promotion s'était noyé en essayant de sauver un enfant. Un autre avait été exécuté pour avoir organisé un coup d'Etat contre le régime tyrannique sévissant en Haïti, lequel coup d'Etat avait d'ailleurs avorté. Un autre avait donné sa vie pour sauver plus d'une centaine d'otages.

Il conclut en déclarant :

« Héroïsme discret ou idéalisme de jeunesse, ou les deux ? Comment le savoir ? Une vie sans héroïsme et sans idéalisme vaut-elle la peine d'être vécue?... Tous deux peuvent-ils être fatals? Nous sommes ici pour nous souvenir de nos camarades. Ils ne sont pas anonymes. Ils étaient des nôtres. Ils le restent toujours. »

Un autre membre de la promotion se leva alors pour lire le nom des défunts.

Tandis qu'il finissait, les cloches se mirent à sonner le glas.

Un seul coup de cloche se faisant l'écho de quarante années vibrantes de vie...

Ainsi en sera-t-il de chacun d'entre nous...

Journal d'Andrew Eliot

6 juin 1983

J'attendais la cérémonie commémorative avec appréhension. J'avais peur de ne pas pouvoir maîtriser mon émotion. J'en aurais été incapable si je n'avais pas eu la responsabilité de veiller sur un jeune garçon. Pas le mien, bien sûr. Je n'en ai plus.

Le beau garçon de seize ans qui se tenait à mes côtés était l'aîné de Jason, Joshua. Je l'avais invité à être parmi nous lorsque nous honorerions la mémoire de son père.

Alors qu'autour de lui les larmes coulaient sans retenue, il a su rester droit, impassible. Il n'a ouvert la bouche que pour chanter le premier cantique : *Gloire au Dieu d'Abraham.*

J'étais stupéfait qu'il en connaisse l'air, mais j'ai compris pourquoi : il le chantait en hébreu. Il m'a expliqué que c'était une prière juive traditionnelle que nous autres chrétiens, je suppose, nous nous sommes appropriée.

Il m'a demandé si c'était spécialement en mémoire de son père que l'on chantait cette hymne.

Je lui ai répondu que *tout* était en mémoire de son père. Ce qui, de mon point de vue, était exact.

Pour mettre le comble à ma tristesse, je voyais que certains de mes condisciples prenaient Josh pour mon fils.

Je l'ai présenté à tous les amis de Jason que j'ai pu trouver : il en avait tellement! Chacun sans exception avait quelque chose d'émouvant à lui dire à propos de son père. Je le sentais ému, luttant pour ne pas s'effondrer.

En le mettant dans le train pour qu'il aille rendre visite à ses grands-parents, je lui ai dit que j'espérais qu'il reviendrait un jour à Boston.

Il m'a répondu que son rêve était d'étudier à Harvard, comme son père, mais que, bien entendu, il devait faire d'abord son service militaire.

Je suis resté jusqu'au départ du train, en pensant à la fierté qu'aurait éprouvée Jason à la vue de son fils.

Je suis ensuite allé prendre une tasse de café en attendant le train qui amènerait ma compagne pour la réunion.

Comme tous l'avaient prédit, ce genre de réunion est éprouvant. Et celle-là ne faisait que commencer. Dieu merci, je pouvais la vivre de concert avec quelqu'un que j'aime et qui m'aime aussi... du moins je le crois.

Depuis qu'Andy a quitté le monde occidental, Lizzie et moi nous sommes beaucoup rapprochés. Un beau jour, elle a réalisé que je me donnais un mal de chien pour être un père aimant. Du coup, elle s'est mise à me rendre la pareille.

De temps en temps, je l'emmène à un match de football. Il m'arrive aussi d'aller la chercher en voiture à sa pension, en pleine semaine, et nous allons ensemble faire un bon dîner. Elle me parle de ses problèmes. De ces types « horribles » qui l'aiment et de ces gars « sensas » qu'elle voudrait bien attirer.

J'ai essayé de lui donner des conseils. A ma grande surprise elle semble apprécier.

Ses notes, jusqu'alors très quelconques, ont commencé à monter en flèche. Elle a été acceptée par toutes les universités auprès desquelles elle a posé sa candidature : Swarthmore, Yale et... Harvard.

Qui sait ? Peut-être optera-t-elle pour Cambridge, malgré son père à l'arrière-plan, sous le regard de générations d'ancêtres invisibles.

Ma Lizzie est une fille courageuse. Je suis fier d'elle.

C'est bon de savoir que je peux compter sur elle.

Les cyniques pourraient prétendre que la cérémonie commémorative de la réunion de notre promotion n'avait pour seul but que de rappeler aux anciens de Harvard que, si eux sont mortels, leur université, elle, est immortelle.

Quoi qu'il en soit, le reste de la semaine fut consacré à démontrer de manière spectaculaire ce que Harvard avait fait pour eux, et ce qu'elle ferait dans les temps à venir, grâce à leur générosité financière.

Le chancelier Derek Bok et le doyen Theodore Lambros, Harvard 58, dirigèrent un séminaire sur l' « avenir de Harvard ». En substance, leur message consistait à dire que si la majorité des universités américaines se préparait à affronter le vingt et unième siècle, Harvard, grande visionnaire, était tournée vers le vingt-deuxième siècle.

Au cours de ce laps de temps réservé aux questions, Lambros, dans une de ses nombreuses reparties fort spirituelles dont il a le secret, déclara que jamais Harvard « n'accorderait de chaires à des ordinateurs ».

Les anciens élèves furent particulièrement impressionnés, surtout ceux qui avaient des enfants en âge d'entrer à l'université.

Journal d'Andrew Eliot

6 juin 1983

Impossible de reconnaître Ted Lambros !

Il fait plus jeune que moi. Et bonté ! quelle assurance lorsqu'il parle ! Il a toutes les raisons du monde d'être sûr de lui ! Après tout, il a réussi.

Abbie, sa nouvelle femme, est une fille fantastique. Je suis bien placé pour le savoir puisque c'est une de mes cousines éloignées. En fait, elle travaillait avec moi à collecter des fonds pour Harvard lorsque Ted l'a rencontrée.

Etant donné, pour parler galamment, qu'elle frisait la quarantaine, notre famille avait plus ou moins perdu l'espoir de voir Abbie casée. Lambros l'a littéralement enlevée. Ils habitent une grande maison de Brattle Street.

Ils se complètent admirablement : Abbie est une maîtresse de maison hors pair et ils accueillent le Tout-Boston à leurs réceptions.

J'ai appris de source sûre que Ted a refusé la présidence de Princeton. Ce qui me fait soupçonner que Harvard lui a laissé nettement espérer qu'il pourrait emménager un jour dans la somptueuse demeure du président. Cette seule idée m'excite autant qu'elle excite l'intéressé lui-même.

Il est ahurissant de noter les courbettes que faisaient certains de ses ex-condisciples à cet homme qu'ils connaissaient à peine lorsqu'il était parmi eux.

De mon côté, une chose est sûre, mon journal en témoigne : j'ai toujours su que Lambros irait loin.

La conférence de George Keller sur la politique étrangère attira une foule considérable : l'amphithéâtre était plein à craquer.

En moins de quarante-cinq minutes, George, usant de remarques lapidaires, nous entretint de tous les domaines conflictuels de la politique internationale, depuis le désarmement nucléaire jusqu'aux régimes soutenus par la Maison Blanche en Amérique centrale. Il en expliqua le pourquoi, passant en revue les mystères inextricables du comportement des gouvernements du Moyen-Orient, sans omettre une brève étude de caractère des maîtres du Kremlin.

Il brossa un tableau magistral et détaillé de la politique internationale.

Au cours du temps réservé aux questions, un ancien élève demanda à George son opinion sur le dernier livre de Tom Leighton, *le Prince des ténèbres,* procès de l'attitude impitoyable de Henry Kissinger sur des problèmes tels que l'invasion du Cambodge, le pardon de Nixon, la mise sur table d'écoute de sa propre équipe.

George parut outragé par cette allusion à l'attaque dont était l'objet l'homme auquel il devait tant. Il y fit face en prenant avec éloquence la défense de son vieux mentor.

Alors que tous commençaient à applaudir, quelqu'un, au fond de l'auditorium, hurla :

« Et la guerre du Vietnam, monsieur Keller ?

— Que voulez-vous savoir, monsieur ?

— Comment Kissinger et vous-même justifiez-vous les atermoiements dans les négociations au prix de tant de vies des deux côtés ? »

Il répondit calmement :

« Ce n'est pas exact. A Paris, notre but était de mettre fin au conflit le plus rapidement possible, précisément pour sauver des vies. »

Mais l'homme ne se tenait pas pour battu.

« Et que direz-vous des bombardements intensifs au moment de Noël, lorsque vous avez pris des cibles telles que l'hôpital Bach Mai ? »

L'auditoire se sentait mal à l'aise. George demeura imperturbable.

« Monsieur, ce bombardement était non seulement nécessaire, mais justifié, car il a démontré au Vietnam du Nord que nous ne plaisantions pas. Cet hôpital a été touché du fait d'une tragique erreur.

— Ne pensez-vous pas que cette foutue guerre a été, elle aussi, une erreur ? »

George sembla plus étonné qu'irrité.

« Je ne saisis pas pourquoi vous posez ces questions avec une telle véhémence, alors que les sujets que nous évoquons ici sont du domaine de l'histoire. »

L'homme poursuivit :

« Avez-vous des enfants, monsieur Keller ?

— Non, répondit George.

— Eh bien, si vous en aviez, comme moi, et si votre fils unique avait été tué en Asie du Sud-Est, pour des raisons que vous ne parvenez toujours pas à comprendre, vous oseriez poser ce genre de questions également. »

Un murmure parcourut l'assemblée.

George demeura un moment sans mot dire. Puis il reprit d'une voix sourde :

« Je suis sincèrement navré d'avoir traité de façon aussi abstraite un sujet qui est pour vous une tragédie concrète. Je crois parler au nom de toute la promotion en vous disant que nous partageons votre chagrin, même si c'est de façon bien imparfaite.

— Et la culpabilité, qu'en faites-vous, monsieur Keller ? Parvenez-vous réellement à dormir avec un tel poids sur la conscience ? »

George ne se départit pas de son calme.

Après quelques minutes de silence, il déclara, impassible :

« Je pense que mieux vaudrait conclure ici ce séminaire. »

Il n'y eut pas d'applaudissements. L'auditoire était bouleversé.

Celui qui avait posé les questions s'éloigna, le bras posé sur l'épaule de sa femme.

Journal d'Andrew Eliot

7 juin 1983

L'emploi du temps de George était si chargé que j'ai dû le conduire à toute allure à l'aéroport pour qu'il attrape l'avion de dix-sept heures qui le ramènerait à Washington. Il est resté muet tandis que je me livrais à un véritable slalom à travers Starrow Drive. La façon dont ce type avait lâché sa bombe l'avait plongé dans un état de choc.

J'ai fait de mon mieux pour lui remonter le moral, en soulignant que l'ensemble de sa conférence avait été remarquable. Cela n'a pas semblé le réconforter.

A l'allure où j'avais roulé, nous étions en avance. Nous en avons profité pour bavarder dans la salle d'attente de l'American Airlines réservée aux personnalités et hôtes de marque. George commanda un double scotch pour lui et moi ; voyant que je ne faisais guère honneur au mien, il se l'est approprié. Il était incroyablement déprimé.

Si curieux que cela puisse paraître, je m'en suis senti un peu responsable. Après tout, ne l'avais-je pas fait venir à cette réunion en lui promettant l'adulation de son public ? Voilà qu'il repartait avec l'impression démoralisante que les gens de Harvard continuaient à le haïr. J'ai voulu le persuader que la réalité était contraire, que ses condisciples le respectaient et que, personnellement, j'éprouvais une sincère admiration à son égard.

Cette remarque eut l'air de le faire rire. Il a rétorqué amèrement que, si beaucoup l'admiraient, personne ne l'aimait vraiment. Je me rappelle ses paroles exactes :

« Je suis peut-être doué pour la réussite, mais non pour l'amitié. »

J'ai avancé qu'il était sans doute encore sous le coup de son divorce. Il a contesté cela et, après avoir commandé un autre scotch, il m'a dit que son mariage avait échoué pour les raisons mêmes qui l'avaient empêché de se faire des amis quand il était étudiant : il était trop égoïste.

Il a regardé sa montre, s'est levé, apparemment sans difficulté, et nous nous sommes dirigés vers son avion. Nous sommes restés quelques instants devant la porte avant qu'il ne s'en retourne vers l'endroit d'où il aide à régir le monde. Il m'a confié alors quelque chose qui me hantera jusqu'à la fin de mes jours :

« Andrew, lorsque tu parleras de moi dans ton journal, ne dis jamais que j'ai eu de la chance... »

Il est de tradition, lors des réunions de Harvard, que « le musicien » de sa promotion soit invité à diriger au moins une partie du concert donné par le Boston Pops. C'est ainsi qu'en 1964 Leonard Bernstein, Harvard 1939, offrit à ses condisciples une audition de ses propres compositions.

En 1983, cet honneur a échu à Daniel Rossi, Harvard 1958... Des fanions rose et argent décoraient les imposants tuyaux d'orgues de l'arrière-scène du Symphony Hall. L'immense auditorium était bondé de membres de la promotion.

Dans les coulisses, élégant en son habit, ses mèches impeccablement rangées, portant un soupçon de maquillage, de peur de passer pour un éternel enfant prodige, Danny fut frappé par une pensée étrange :

Il avait devant lui le public le plus important qu'il lui serait donné d'affronter sa vie durant.

Tout ce qu'il pouvait se remémorer à travers cette brève vision d'éternité était que, en dépit de ses succès musicaux, personne n'avait jamais prêté attention à lui au long de ses années de Harvard. Ce n'était pas un athlète. Au début, il n'avait pas remporté de succès particulier auprès du sexe opposé. Il s'était plutôt senti indésirable...

Le massacre impitoyable de son piano, il y avait un quart de siècle, le mettait encore hors de lui.

La roue avait fait un tour complet. Ceux qui l'avaient persécuté, raillé, ignoré, l'attendaient.

Il entra en scène.

Dès qu'il gravit les marches du podium, le silence se fit. Il salua lentement, se tourna vers l'orchestre, leva sa baguette.

Il commença par diriger une suite de son ballet, *Savanarola*. Sans doute était-ce légèrement ésotérique pour certains, mais c'était du meilleur Danny Rossi.

On en arriva enfin à ce que tous attendaient : un pot-pourri de *Manhattan Odyssey*. La salle scandait et chantait chaque mélodie.

L'ovation de la soirée fut réservée à *The Stars are not enough,* sinon un rejeton tout à fait légitime de la promotion, du moins un enfant adoptif...

Lorsqu'il eut terminé, il se retourna et fit face au public. Tous, sans exception, étaient debout à l'applaudir et l'acclamer.

« Danny au piano ! » jaillit. Ce cri fut aussitôt repris par le public, vague sonore qui allait s'enflant...

Danny s'efforça de l'ignorer, en agitant la main droite. Ils ne s'arrêtaient pas.

Ce qu'ils admiraient en lui, il n'était plus en mesure de le leur offrir.

Brusquement Danny sentit qu'il ne pouvait plus retenir ses larmes.

Il se retourna prestement vers l'orchestre et fit signe aux musiciens d'attaquer le répertoire des airs qui accompagnent les matches de foot de Harvard.

> With Crimson in triumph flashing
> Mid the strains of victory...

Danny avait protégé sa retraite en invoquant quelque chose qu'ils vénéraient plus encore que lui : Harvard...

Journal d'Andrew Eliot

8 juin 1983

Je suis le seul de la promotion à connaître le secret de Danny Rossi.
Je l'ai appris par le plus pur hasard.

Celui qui était responsable de la collecte de fonds pour notre promotion m'avait délégué pour « secouer la vedette qu'est Rossi » et obtenir de lui une contribution.

Nous avions eu beau le relancer, Danny avait fait la sourde oreille. L'Association des anciens élèves ayant à peu près autant d'informations financières que les services fiscaux, nous savions qu'il valait plusieurs millions de dollars.

Les gars de l'association ont remué ciel et terre pour trouver quelqu'un qui connût suffisamment Rossi pour faire une ultime tentative avant que le montant de la contribution de notre promotion ne fût annoncé lors de la cérémonie dite du Commencement[1]. Le fait que j'aie été choisi montre combien il s'était fait peu d'amis à Harvard.

A l'encontre des autres, Danny ne dormait pas dans un des dortoirs en souvenir du bon vieux temps : il séjournait au *Ritz* avec sa femme. C'est là que nous nous sommes retrouvés après le concert d'hier soir.

Il me parut beaucoup plus pâle que sur scène. Encore plus maigre. J'ai d'abord mis cela sur le compte de la fatigue et de l'émotion de la soirée. Maria et lui étaient assis côte à côte, tandis que je m'évertuais à faire un laïus émouvant.

Etait-il reconnaissant à Harvard pour son admirable réussite ? lui demandai-je. Il me répondit que non. Ne ressentait-il pas certain lien d'amitié ou d'affection pour l'endroit ? Il me répondit que non. Je passai donc à une autre tactique, droit issue de l'*Harvard Guide to Raising Funds*. Existait-il un *département* ou une activité à l'égard desquels il se sentait plus spécialement attiré ?

J'ai suggéré la musique, l'orchestre, un prix de composition ou d'exécution. Quelque chose qui serait dans ses cordes, si je puis dire. Il s'est montré cordial, mais la réponse est restée négative.

Cela m'a déconcerté, j'ai failli perdre mon calme. Je lui ai alors demandé sérieusement si un domaine l'intéressait assez pour qu'il voulût bien l'encourager.

Il a jeté un regard à Maria.

Elle m'a alors demandé avec douceur de ne pas me méprendre. Danny s'intéressait, certes, beaucoup aux autres, mais leur vie n'était pas exactement ce qu'elle paraissait sous les feux de la rampe. Ils avaient en fait parlé d'un don à Harvard, mais ils désiraient que cela représentât quelque chose pour eux.

---

1. « Commencement Ceremony », Commencement Day : cérémonie de la remise des diplômes et fête des anciens élèves dans les universités américaines (*N.d.T.*).

J'ai senti qu'ils s'ouvraient, tout en ignorant encore dans quelle direction.

Danny a souhaité savoir si sa contribution pourrait aller à la faculté de médecine. Je lui ai demandé ce qu'il entendait par là ?

Maria m'a répondu qu'ils envisageaient de fonder une chaire de neurologie spécialisée dans la recherche sur les dysfonctions motrices.

J'en restai muet. Réalisaient-ils qu'une chaire dans une faculté de médecine coûtait un million de dollars ? Danny me dit que oui, il le savait. Et qu'il ferait ce don à une condition : qu'il restât anonyme. Dans l'anonymat le plus complet.

Cette fois, j'étais renversé : pourquoi un type serait-il aussi généreux sans recevoir pour autant le moindre remerciement ? J'ai fini par leur demander pourquoi ils voulaient garder secret un geste aussi noble.

Une fois de plus, son regard a rejoint celui de Maria. On eût dit qu'ils pensaient à l'unisson.

Alors, lentement, en hésitant, Danny a commencé à me faire part de la véritable raison pour laquelle il avait abandonné le piano. Il souffrait d'un handicap physique. Un problème neurologique qui le rendait incapable de contrôler sa main gauche.

Cette nouvelle m'a profondément atteint. J'avais du mal à rester impassible.

Danny essayait de prendre les choses à la légère. Il plaisanta que leur contribution n'était pas aussi désintéressée qu'elle en avait l'air. C'était une sorte de pari qu'il faisait qu'un brillant chercheur de Harvard découvrirait une façon de guérir cette maladie « avant notre cinquantième réunion ». Il promettait alors de rester au piano aussi longtemps que les autres membres de la promotion accepteraient de l'écouter.

Je lui dis que je retenais une place au premier rang pour ce concert. Je ne savais plus quoi ajouter.

Je me levai pour prendre congé ; Maria me raccompagna à la porte. Elle toucha mon épaule et me murmura au creux de l'oreille :

« Andrew, merci d'être si bon. »

Ayant trouvé dans le lobby un téléphone privé, j'ai appelé Frank Harvey, notre responsable.

Je lui ai annoncé que j'avais de bonnes nouvelles et des moins bonnes. La mauvaise, c'était que Rossi n'avait pas marché. La bonne, c'était que je m'étais trouvé nez à nez avec un condisciple dans le bar de l'hôtel et qu'il était d'accord pour y aller de son million de dollars pour la fac de médecine, à condition de rester anonyme.

D'abord, Frank ne m'a pas cru. Il n'a cessé de me demander si ce gars était sobre ou non. Et si *moi* j'étais sobre.

Lorsque je l'ai convaincu qu'un chèque bancaire lui serait remis en main propre avant la fin de la semaine, il en a fait, ou presque, des cabrioles de joie au bout du fil.

Du coup, la contribution de notre promotion dépassait la barre des huit millions. Et ce record faisait de moi, selon lui, le « héros du jour ».

J'ai raccroché et je suis rentré tranquillement chez moi en pensant : le héros, ce n'est pas moi. C'est Danny.

Je l'avais toujours considéré comme l'exception qui confirme la règle. Je réalise à présent que *tout le monde* paie le prix de sa réussite...

L'après-midi du Commencement Day, les diverses promotions de Harvard se rassemblèrent dans le Yard pour faire une entrée solennelle dans le Tercentenary Theater où avait lieu leur assemblée annuelle. Derek Bok, président de l'université, ouvrait la marche, suivi du doyen Ted Lambros, resplendissant en sa robe pourpre. Venaient ensuite les bataillons de délégués des promotions, plusieurs milliers de personnes au total.

Ceux qui célébraient le vingt-cinquième ou le cinquantième anniversaire de leur promotion avaient droit aux places d'honneur. Certains représentants, en haut-de-forme et habit, furent invités à prendre place sur le podium.

George Keller et Daniel Rossi avaient respectueusement décliné cette invitation. Andrew Eliot, lui, fut à l'honneur en raison des services qu'il avait rendus pour la collecte de fonds en faveur de Harvard. Il alla s'installer discrètement dans un coin du podium.

Philip Harrison, ancien ministre des Finances et ex-beau-père de Ted Lambros, représentait la promotion 1933, qui fêtait son cinquantième anniversaire.

« Ah ! monsieur le Doyen, dit le vieil homme d'une voix sans timbre, mes félicitations. Je suis heureux de voir que vous avez enfin obtenu ce que vous convoitiez depuis toujours. »

Il gagna sa place : ils n'avaient plus rien à se dire...

Au cours de la cérémonie, on publia le montant des contributions de chaque promotion. Quand Franklin Harvey annonça le chiffre record de huit millions six cent mille dollars offerts par la promotion qui fêtait son vingt-cinquième anniversaire, un murmure de surprise parcourut la foule.

Frank Harvey leva la main pour glisser une remarque avant que la joie ne se manifestât plus vigoureusement.

« Certes, nous sommes profondément reconnaissants envers toute la promotion. Cependant, si vous me le permettez, j'aimerais rendre hommage à celui qui a mené cette campagne en étroite collaboration avec moi au cours des cinq dernières années. Outre l'efficacité de son action, il a fait montre d'une gentillesse et d'un dévouement sans faille, prouvant ainsi la qualité de son attachement à son université et à ses amis. J'aimerais qu'il se lève pour que nous puissions lui témoigner notre gratitude. »

Harvey fit un geste en direction de celui qu'il souhaitait honorer et dit :

« M. Andrew Eliot. »

Andrew était abasourdi. De sa vie il n'avait été applaudi. Pas même par ses enfants lorsqu'ils étaient petits. Il se leva timidement, ne sachant comment accueillir ce plébiscite. Il était à la fois heureux, surpris, bouleversé par cette affectueuse ovation.

Car, bien qu'il ne l'eût jamais su et qu'il l'ignorât encore, il était du fait de ses qualités humaines le meilleur produit de cette promotion. *The best man in The Class...*

Journal d'Andrew Eliot

9 juin 1983

J'ai dû partir en avance pour conduire Lizzie au train de dix-sept heures. J'étais heureux qu'elle ait été présente pour voir son père reconnu, à tort ou à raison, comme quelqu'un de respectable.

Cela avait été le plus beau jour de ma vie. Du moins jusqu'à ce que je rentre chez moi.

Deux personnages d'allure plutôt sinistre, vêtus de complets gris, m'attendaient devant la porte de mon appartement. Le plus grand des deux m'a demandé poliment si j'étais Andrew Eliot.

Tandis que je faisais signe que oui, tous deux ont fouillé dans leur poche et présenté leurs plaques d'identité. Ils appartenaient aux services secrets.

Sitôt entrés, ils m'ont bombardé de questions à voix basse.

Est-ce que je connaissais George Keller?

Bien sûr...

Quand l'avais-je vu pour la dernière fois?

L'avant-veille à l'aéroport.

Comment m'avait-il paru?

Un peu déprimé.

Y avait-il à ma connaissance une raison pour cela?

Il y avait, bien sûr, son divorce. Ils étaient au courant. Il y avait également l'histoire de ce type qui l'avait verbalement agressé lors de sa conférence.

Mon cœur a commencé à accélérer. Je leur ai demandé ce qu'il se passait.

Ils m'ont tendu une lettre. J'ai lu :

Mon cher Andrew,

Tu as toujours été tellement chic avec moi que je me permets de te demander de me servir d'exécuteur testamentaire.

Je possède un compte en banque et quelques actions. Aie la gentillesse de veiller à ce qu'on les remette à ma sœur en Hongrie.

Tu as toutes les qualités que je n'ai jamais eues ou n'ai jamais pu avoir.

Merci.

GEORGE.

Les deux agents secrets m'ont ensuite fait asseoir et m'ont expliqué que j'allais apprendre un secret d'Etat.

George s'était suicidé la nuit précédente.

J'étais bouleversé. Je n'ai pu m'empêcher de me sentir aussitôt coupable de l'avoir laissé prendre cet avion.

Ils ont insisté sur le fait que l'on annoncerait qu'il était mort de cause naturelle. Non seulement pour éviter un scandale au niveau du gouvernement, mais aussi par respect envers un fonctionnaire loyal. Sous le poids des pressions qu'exerçait sur lui sa fonction, George avait probablement succombé au désespoir dans un moment de faiblesse.

Ses obsèques étaient déjà organisées. Par décret spécial, George serait enterré à Arlington National Cemetery. Ils ne manquèrent pas de souligner que c'était un honneur rarissime pour un civil. Connaîtrais-je, par hasard, quelqu'un qui devrait en être informé ?

Que répondre ?

Ils devraient sans doute contacter son ex-femme. Sans doute souhaiterait-elle assister à la cérémonie. Je ne pouvais penser à personne d'autre.

Ils ont suggéré qu'il serait préférable que ce fût moi qui mette Cathy au courant. Ils m'ont donné son numéro de téléphone à New York.

Ils m'ont laissé atterré, anéanti. J'ai fini par me ressaisir avant de décrocher le téléphone.

Cathy a paru heureuse d'entendre ma voix. Jusqu'à ce que je lui fasse part de la raison de mon appel. Je n'ai même pas eu à le lui dire : elle avait deviné qu'il s'était suicidé.

Elle est restée un moment silencieuse, puis elle s'est excusée d'être incapable de pleurer. Elle m'a avoué qu'elle avait toujours redouté qu'il fît une chose de ce genre. D'une voix à peine audible, elle m'a remercié d'avoir essayé d'être l'ami de George.

Tout ce que j'ai pu répondre a été que j'aurais souhaité être un meilleur ami.

Elle a répondu qu'elle aurait, pour sa part, souhaité être meilleure épouse, mais que George était incapable d'accepter d'être aimé. De quiconque.

Je lui ai parlé de son inhumation à Arlington qui faisait de lui une sorte de héros américain et que cela aurait beaucoup compté pour George. Elle était de mon avis, mais a ajouté que le prix en était trop élevé.

Je lui ai demandé si elle désirait être présente à l'enterrement. Elle a répondu que oui, mais sa voix trahissait certaine angoisse. Je lui ai proposé de me rendre en avion à New York pour l'accompagner à Washington. Elle a accepté avec reconnaissance. J'en étais heureux. Sa compagnie me serait utile à moi aussi.

Après avoir raccroché, je me suis demandé pourquoi diable George en était venu à cette extrémité.

Je suppose qu'il ne savait pas être heureux tout simplement.

C'est la seule chose qu'on ne vous apprenne pas à Harvard.

« Commencement Day » tirait à sa fin.

La promotion 1958 se réunit une dernière fois au foyer des anciens élèves de Harvard. Le champagne coulait à flots, mais l'ambiance restait étrangement calme.

La réunion terminée, ils n'auraient sans doute plus jamais l'occasion de se retrouver en tant que classe, du moins en aussi grand nombre. Ils passeraient les prochaines années à lire les avis de décès de ces hommes, leurs rivaux en 1954, et aujourd'hui leurs frères.

Une nouvelle fois ils s'étaient retrouvés, juste le temps de réaliser la pérennité des liens qui les unissaient.

Et de se dire adieu..

TABLE

Achevé d'imprimer en avril 1986
sur presse CAMERON
dans les ateliers de la S.E.P.C.
à Saint-Amand-Montrond (Cher)
pour le compte des éditions Grasset
61, rue des Saints-Pères, 75006 Paris

Nº d'Édition : 6977. Nº d'Impression : 441-286.
Dépôt légal : avril 1986.

Imprimé en France

ISBN 2-246-36271-7